CW00556385

Le Pacte
autobiographique

Du même auteur

AUX MÊMES ÉDITIONS

Le Pacte autobiographique
coll. « Poétique », 1975

Je est un autre
L'autobiographie, de la littérature aux médias
coll. « Poétique », 1980

Moi aussi
coll. « Poétique », 1986

Le Moi des demoiselles
Enquête sur le journal de jeune fille
coll. « La Couleur de la vie », 1993

CHEZ D'AUTRES ÉDITEURS

L'Autobiographie en France
A. Colin, 1971

Exercices d'ambiguïté
Lectures de « Si le grain ne meurt »
Lettres modernes, 1974

Lire Leiris
Autobiographie et Langage
Klincksieck, 1975

« Cher Cahier... »
Témoignages sur le journal personnel
recueillis et présentés par Philippe Lejeune
coll. « Témoins », Gallimard, 1989

La Mémoire et l'Oblique
Georges Perec autobiographe
POL, 1991

Lucile Desmoulins. Journal : 1788-1793
texte établi et présenté par Philippe Lejeune
Éd. des Cendres, 1995

en collaboration
Xavier-Édouard Lejeune, *Calicot*
Enquête de Michel et Philippe Lejeune
Éd. Montalba, 1984

Philippe Lejeune

Le Pacte autobiographique

nouvelle édition augmentée

Éditions du Seuil

La première édition de cet ouvrage a été publiée en 1975
dans la collection « Poétique ».

La présente édition comporte
une postface et une bibliographie récente
composées par l'auteur, inédites en français.

ISBN 2-02-029696-9
(ISBN 2-02-004293-2, 1ʳᵉ publication)

© Éditions du Seuil, 1975, 1996

Avant-propos

Ce qu'on appelle l'autobiographie est susceptible de diverses approches : étude historique, puisque l'écriture du moi qui s'est développée dans le monde occidental depuis le xviiie siècle est un phénomène de civilisation; étude psychologique, puisque l'acte autobiographique met en jeu de vastes problèmes, comme ceux de la mémoire, de la construction de la personnalité et de l'auto-analyse. Mais l'autobiographie se présente d'abord comme un *texte* littéraire : mon propos, dans les études ici réunies, a été de m'interroger sur le fonctionnement de ce texte, en le faisant fonctionner, c'est-à-dire en le lisant.

Cette lecture de l'autobiographie se place à deux niveaux : appréhension globale du genre lui-même, dans l'introduction et la conclusion; dans la section centrale, études précises de textes (Rousseau, Sartre, Leiris) ou présentation d'un « projet » autobiographique (Gide), appartenant tous au domaine français. L'analyse se développe dans deux directions : celle de la *poétique*, description théorique du genre et des formes qu'il utilise; et celle de la *critique*, lecture interprétative de textes particuliers assumée comme telle. J'ai tenté de rendre ces deux attitudes complémentaires, en évitant de les confondre, en essayant au contraire de les faire se contrôler l'une l'autre : j'ai voulu ne pas perdre de vue ma présence comme lecteur lorsque je théorisais, et rester au plus près des structures du texte lorsque j'interprétais.

Ces études de poétique et de critique ont toutes été écrites en 1972-1974, après la perspective d'ensemble que j'avais tracée dans *l'Autobiographie en France* (A. Colin, 1971). Certaines d'entre elles s'articulent avec des lectures plus développées de textes autobiographiques publiées par ailleurs : la présentation de Gide trouve son application dans *Exercices d'ambiguïté, lectures de « Si le grain ne meurt »* (Lettres modernes, 1974); les deux études sur Leiris prolongent *Lire Leiris, autobiographie et langage* (Klincksieck, 1975).

Sur le plan de la *poétique*, la première question posée est celle des genres littéraires. Les deux études qui encadrent l'ensemble partent d'une autocritique de mes tentatives de définition du genre, pour poser, à partir de l'autobiographie, le problème plus général du mode d'existence des « genres » littéraires, et des méthodes d'étude qu'on peut leur appliquer. Dans « Le pacte autobiographique », je montre que ce genre se définit moins par les éléments formels qu'il intègre, que par le « contrat de lecture », et qu'une poétique historique se devrait donc d'étudier l'évolution du système des contrats de lecture et de leur fonction intégrante. Un genre littéraire est un assemblage variable, complexe, d'un certain nombre de traits distinctifs qui doivent d'abord être appréhendés synchroniquement dans le système général de lecture d'une époque, et analytiquement par la dissociation de facteurs multiples dont la hiérarchisation est variable. Dans la seconde étude, « Autobiographie et histoire littéraire », je pars d'une présentation de l'état actuel des études sur l'autobiographie pour montrer comment, participant elles-mêmes au genre comme institution, les études critiques sur l'autobiographie ont souvent tendance à s'orienter vers des synthèses diachroniques ou intemporelles, qui contribuent autant à la promotion et à l'idéalisation du genre qu'à son étude scientifique. Pour étudier un genre, il faut lutter contre l'illusion de la permanence, contre la tentation normative, et contre les dangers de l'idéalisation : à vrai dire, il n'est peut-être pas possible d'étudier *un* genre, à moins d'accepter d'en sortir.

Aussi, dans les études de « poétique appliquée » qui figurent dans la section centrale, n'ai-je pas voulu définir une « esthétique » du genre, ni reconstituer un « archétype », rousseauien ou autre, de l'auto-biographie, mais simplement profiter de la lecture de textes concrets pour examiner les problèmes qui se posent à la plupart des autobio-graphes, et qui peuvent recevoir les solutions les plus variées.

Les principaux problèmes rencontrés sont : *la place et la fonction du texte autobiographique dans l'ensemble de l'œuvre d'un auteur*, problème abordé pour tous les auteurs, étudié particulièrement dans les cas de Gide et de Leiris; *l'ordre du récit autobiographique*, étudié à propos du Livre I des *Confessions*, des *Mots* de Sartre, et des procédés de construction employés par Leiris; *la relation du narrateur avec son narrataire et avec son « héros »*, étudiée surtout dans les textes de Rousseau et de Gide.

Ces problèmes, ainsi qu'un certain nombre d'autres, sont abordés à partir de « grandes œuvres », dont le choix peut être critiqué. Bien évidemment la poétique ne saurait s'élaborer par la seule étude de quelques œuvres exceptionnelles, arbitrairement choisies, et dans la littérature d'un seul pays. Il reste à faire, à partir d'un échantillon-nage plus étendu et plus proche de la moyenne, une analyse des systèmes de contrat, et des éléments formels distinctifs des différents types de récit « à la première personne ». Mais rien n'empêchera de joindre à ce dossier général les cas particuliers ici analysés et qui ont, sur la moyenne des autobiographies, l'avantage d'articuler de manière plus complexe les différents aspects du texte.

Le choix des textes s'explique aussi par le « désir critique » de l'interprète. Dans certaines de ces études, en effet, je joue le rôle de l'interprète, pour pouvoir observer le fonctionnement du texte : c'est en particulier le cas pour l'étude du premier aveu de Rousseau, et pour celle du passage de Leiris sur Esaü. L'interprétation délibérée, comme la lecture naïve, est un processus de transformation de texte. J'ai voulu que cette transformation se fasse en toute clarté, sans dissimuler le jeu ni le plaisir de l'interprète : c'est manière de le contrôler, d'éviter qu'il ne tourne au « bon » plaisir, c'est-à-dire à l'arbitraire. Aussi me suis-je astreint à rendre compte des passages étudiés dans leur ensemble, sans les morceler à ma guise, et à n'avancer que ce que l'étude précise du texte permettait de vérifier. Dans cette entreprise j'étais guidé par ce que chacun a pu aujourd'hui assimiler de la psychanalyse. Si la psychanalyse apporte une aide précieuse au lecteur d'autobiographie, ce n'est point parce qu'elle explique l'individu à la lumière de son histoire et de son enfance, mais parce qu'elle saisit cette histoire dans son discours et qu'elle fait de *l'énonciation* le lieu de sa recherche (et de sa thérapeutique). Traquer dans l'énoncé symptômes ou symboles, reconstruire une étude de cas, serait une méthode stérile, si l'on en restait là. Je l'ai pratiquée dans *Lire Leiris*, à propos du début de *l'Age d'homme*, mais en faisant de l'interprétation de l'énoncé un simple et hypothétique échafaudage destiné à permettre d'analyser le comportement du narrateur à l'intérieur de son discours, son désir, ses vertiges, et ses louvoiements face à la vérité. On trouvera ici deux prolongements de cette recherche : en analysant l'un des plus célèbres aveux de Rousseau, celui qui concerne la « punition des enfants », j'ai essayé de montrer que l'aveu ne consiste pas à nommer sa faute, mais qu'il est lui-même une répétition de la faute dans le discours, c'est-à-dire l'expression détournée du désir. D'autre part, à la lumière des textes de Freud sur le rêve et sur le mot d'esprit, j'ai montré que l'écriture de Leiris dans *Biffures* est fondée sur une combinaison paradoxale du travail d'analyse et du travail de rêve.

Cet ensemble d'études d'un lecteur d'autobiographie se trouve donc tendu entre deux pôles apparemment opposés : la science, dans la mesure où il prétend contribuer à l'élaboration de la poétique, et la littérature, si l'activité critique n'est autre chose qu'un acte littéraire de seconde main. Il s'agit en fait de deux démarches complémentaires et où j'ai voulu mettre la même rigueur, à la fois pour mieux fonder la théorie, et pour rendre l'interprétation plus pertinente. Étude poétique et interprétation analytique se rejoignent au demeurant en ce qu'il s'agit toujours d'étudier d'abord l'autobiographie en tant que phénomène de langage.

Décembre 1974.

1. Le pacte

Le pacte autobiographique

Est-il possible de définir l'autobiographie?

J'avais essayé de le faire, dans l'*Autobiographie en France*[1], pour être en mesure d'établir un corpus cohérent. Mais ma définition laissait en suspens un certain nombre de problèmes théoriques. J'ai éprouvé le besoin de l'affiner et de la préciser, en essayant de trouver des critères plus stricts. Ce faisant j'ai fatalement rencontré sur mon chemin les discussions classiques auxquelles le genre autobiographique donne toujours lieu : rapports de la biographie et de l'autobiographie, rapports du roman et de l'autobiographie. Problèmes irritants par le ressassement des arguments, par le flou qui entoure le vocabulaire employé, et par la confusion de problématiques empruntées à des champs sans communication entre eux. A travers un nouvel essai de définition, ce sont donc les termes mêmes de la problématique du genre que je me suis employé à éclaircir. A vouloir apporter de la clarté, on court deux risques : celui d'avoir l'air de ressasser soi-même des évidences (car il faut bien tout reprendre à la base), et celui, opposé, de paraître vouloir compliquer les choses par des distinctions trop subtiles. Je n'éviterai pas le premier; pour le second, j'essayerai de fonder en raison mes distinguos.

J'avais conçu ma définition non pas en me plaçant *sub specie aeternitatis*, et en examinant des « choses-en-soi » que seraient les textes, mais en me situant comme un lecteur d'aujourd'hui qui cherche à distinguer un ordre dans une masse de textes *publiés*, dont le sujet commun est qu'ils racontent la vie de quelqu'un. La situation du « définisseur » est ainsi doublement relativisée et précisée : *historiquement*, cette définition ne prétend pas couvrir plus qu'une période de deux siècles (depuis 1770) et ne concerne que la littérature européenne; cela ne veut pas dire qu'il faille nier l'existence d'une littérature personnelle avant 1770 ou en dehors de l'Europe, mais

1. Philippe Lejeune, *L'Autobiographie en France*, éd. A. Colin, coll. « U² », 1971.

simplement que la manière que nous avons aujourd'hui de penser à l'autobiographie devient anachronique ou peu pertinente en dehors de ce champ. *Textuellement,* je pars de la position du lecteur : il ne s'agit ni de partir de l'intériorité d'un auteur qui justement fait problème, ni de dresser les canons d'un genre littéraire. En partant de la situation de lecteur (qui est la mienne, la seule que je connaisse bien), j'ai chance de saisir plus clairement le fonctionnement des textes (leurs différences de fonctionnement) puisqu'ils ont été écrits pour nous, lecteurs, et qu'en le lisant, c'est nous qui les faisons fonctionner. C'est donc par des séries d'oppositions entre les différents textes qui sont proposés à la lecture, que j'ai essayé de définir l'autobiographie.

Légèrement modifiée, la définition de l'autobiographie serait :

> DÉFINITION : *Récit rétrospectif en prose qu'une personne réelle fait de sa propre existence, lorsqu'elle met l'accent sur sa vie individuelle, en particulier sur l'histoire de sa personnalité.*

La définition met en jeu des éléments appartenant à quatre catégories différentes :

1. *Forme du langage :*
a) récit
b) en prose.
2. *Sujet traité :* vie individuelle, histoire d'une personnalité.
3. *Situation de l'auteur :* identité de l'auteur (dont le nom renvoie à une personne réelle) et du narrateur.
4. *Position du narrateur :*
a) identité du narrateur et du personnage principal,
b) perspective rétrospective du récit.

Est une autobiographie toute œuvre qui remplit à la fois les conditions indiquées dans chacune des catégories. Les genres voisins de l'autobiographie ne remplissent pas toutes ces conditions. Voici la liste de ces conditions non remplies selon les genres :

— mémoires : (2),
— biographie : (4 *a*),
— roman personnel : (3),
— poème autobiographique : (1 *b*),
— journal intime : (4 *b*),
— autoportrait ou essai : (1 *a* et 4 *b*).

Il est évident que les différentes catégories sont inégalement contraignantes : certaines conditions peuvent être remplies pour la plus grande partie sans l'être totalement. Le texte doit être *principalement* un récit, mais on sait toute la place qu'occupe le *discours* dans la

narration autobiographique; la perspective, *principalement* rétrospective : cela n'exclut pas des sections d'autoportrait, un journal de
l'œuvre ou du présent contemporain de la rédaction, et des constructions temporelles très complexes; le sujet doit être *principalement*
la vie individuelle, la genèse de la personnalité : mais la chronique
et l'histoire sociale ou politique peuvent y avoir aussi une certaine
place. C'est là question de proportion ou plutôt de hiérarchie : des
transitions s'établissent naturellement avec les autres genres de la
littérature intime (mémoires, journal, essai), et une certaine latitude
est laissée au classificateur dans l'examen des cas particuliers.

En revanche, deux conditions sont affaire de tout ou rien, et ce
sont bien sûr les conditions qui opposent l'autobiographie (mais en
même temps les autres formes de littérature intime) à la biographie
et au roman personnel : ce sont les conditions (3) et (4 a). Ici, il n'y a
ni transition ni latitude. Une identité est, ou n'est pas. Il n'y
a pas de degré possible, et tout doute entraîne une conclusion
négative.

Pour qu'il y ait autobiographie (et plus généralement littérature
intime), il faut qu'il y ait identité de *l'auteur*, du *narrateur* et du
personnage. Mais cette « identité » soulève de nombreux problèmes,
que j'essaierai, sinon de résoudre, du moins de formuler clairement,
dans les essais suivants :

— Comment peut s'exprimer l'identité du narrateur et du personnage dans le texte? *(Je, Tu, Il.)*

— Dans le cas du récit « à la première personne », comment se
manifeste l'identité de l'auteur et du personnage-narrateur? *(Je
soussigné.)* Ce sera l'occasion d'opposer l'autobiographie au roman.

— N'y a-t-il pas confusion, dans la plupart des raisonnements
touchant l'autobiographie, entre la notion d'*identité* et celle de
ressemblance? *(Copie conforme.)* Ce sera l'occasion d'opposer
l'autobiographie à la biographie.

Les difficultés rencontrées dans ces analyses m'amèneront, dans
les deux derniers essais (*l'Espace autobiographique*, et *Contrat de
lecture*), à essayer de changer le lieu du problème.

JE, TU, IL

L'identité du *narrateur* et du *personnage principal* que suppose
l'autobiographie se marque le plus souvent par l'emploi de la première personne. C'est ce que Gérard Genette appelle la narration
« autodiégétique » dans sa classification des « voix » du récit, classi-

fication qu'il établit à partir des œuvres de fiction[1]. Mais il distingue fort bien qu'il peut y avoir récit « à la première personne » sans que le narrateur soit la même personne que le personnage principal. C'est ce qu'il appelle plus largement la narration « homodiégétique ». Il suffit de continuer ce raisonnement pour voir qu'en sens inverse il peut parfaitement y avoir identité du narrateur et du personnage principal sans que la première personne soit employée.

Il faut donc distinguer deux critères différents : celui de la personne grammaticale, et celui de l'identité des individus auxquels les aspects de la personne grammaticale renvoient. Cette distinction élémentaire est oubliée à cause de la polysémie du mot « personne »; elle est masquée dans la pratique par les conjonctions qui s'établissent *presque toujours* entre telle personne grammaticale et tel type de relation d'identité ou tel type de récit. Mais c'est seulement « presque toujours »; les indéniables exceptions obligent à repenser les définitions.

En effet, en faisant intervenir le problème de *l'auteur*, l'autobiographie met en lumière des phénomènes que la fiction laisse dans l'indécision : en particulier le fait qu'il peut très bien y avoir identité du narrateur et du personnage principal dans le cas du récit « à la troisième personne ». Cette identité, n'étant plus établie à l'intérieur du texte par l'emploi du « je », est établie indirectement, mais sans aucune ambiguïté, par la double équation : auteur = narrateur, et auteur = personnage, d'où l'on déduit que narrateur = personnage même si le narrateur reste implicite. Ce procédé est conforme, au pied de la lettre, au sens premier du mot autobiographie : c'est une biographie, écrite par l'intéressé, mais écrite comme une simple biographie.

Ce procédé a pu être employé pour des raisons très diverses, et aboutir à des *effets* différents. Parler de soi à la troisième personne peut impliquer soit un immense orgueil (c'est le cas des *Commentaires* de César, ou de tels textes du général de Gaulle), soit une certaine forme d'humilité (c'est le cas de certaines autobiographies religieuses anciennes, où l'autobiographe se nommait lui-même « le serviteur de Dieu »). Dans les deux cas le narrateur assume vis-à-vis du personnage qu'il a été soit la distance du regard de l'histoire, soit celle du regard de Dieu, c'est-à-dire de l'éternité, et introduit dans son récit une transcendance à laquelle, en dernier ressort, il s'identifie. Des effets totalement différents du même procédé peuvent être imaginés, de contingence, de dédoublement ou de distance iro-

1. *Figures III*, éd. du Seuil, 1972.

nique. C'est le cas pour le livre de Henry Adams, *The Education of Henry Adams*, où l'auteur rapporte à la troisième personne la quête quasi socratique d'un jeune Américain à la recherche d'une éducation, — lui-même. Dans tous les exemples donnés ci-dessus, la troisième personne est employée dans la totalité du récit. Il existe des autobiographies dans lesquelles une partie du texte désigne le personnage principal à la troisième personne, alors que dans le reste du texte le narrateur et ce personnage principal se trouvent confondus dans la première personne : c'est le cas du *Traître*, dans lequel André Gorz traduit par des jeux de voix l'incertitude où il est de son identité. Claude Roy, dans *Nous*, se sert de ce procédé plus banalement pour mettre dans une distance pudique un épisode de sa vie amoureuse [1]. L'existence de ces textes bilingues, vraies pierres de Rosette de l'identité, est précieuse : elle confirme la possibilité du récit autobiographique « à la troisième personne ».

Même si l'on reste dans le registre personnel (1re/2e personnes), il est évident qu'il est fort possible d'écrire autrement qu'à la première personne. Qui m'empêcherait d'écrire ma vie en me nommant « tu » ? Dans le registre de la fiction, la chose a été pratiquée par Michel Butor dans *la Modification*, par Georges Perec dans *Un homme qui dort*. On ne connaît pas d'autobiographies qui aient été écrites ainsi entièrement; mais le procédé apparaît parfois de manière fugitive dans des *discours* que le narrateur adresse au personnage qu'il fut, soit pour le réconforter s'il est en mauvaise posture, soit pour le sermonner ou le répudier [2]. De là à un récit, il y a une distance, certes, mais la chose est possible. Ce type de récit manifesterait clairement, au niveau de l'énonciation, la différence du sujet de l'énonciation et du sujet de l'énoncé traité comme destinataire du récit.

Ces emplois de la troisième et de la seconde personnes sont rares dans l'autobiographie : mais ils interdisent de confondre les problèmes grammaticaux de la personne avec les problèmes de l'identité. Aussi pourrait-on imaginer un tableau à double entrée ainsi conçu :

---

1. *Nous, Essai d'autobiographie*, éd. Gallimard, 1972, p. 33-39.
2. Par exemple, Rousseau, *Confessions*, Livre IV : « Pauvre Jean-Jacques, dans ce cruel moment tu n'espérais guère qu'un jour... »; cf. aussi Claude Roy, dans *Moi je*, éd. Gallimard, 1970, p. 473, s'imaginant parler à celui qu'il fut : « Crois-moi, mon enfant, tu ne devrais pas... Tu n'aurais pas dû. » Dans cette page, Claude Roy, opposant le narrateur (actuel) au personnage (passé), emploie pour parler de ce dernier à la fois la seconde et la troisième personne.

Remarques sur le tableau

a) Par « personne grammaticale » il faut entendre ici la personne employée de manière privilégiée tout au long du récit. Il est évident que le « je » ne se conçoit pas sans un « tu » (le lecteur), mais celui-ci reste en général implicite; en sens inverse, le « tu » suppose un « je », également implicite; et la narration à la troisième personne peut comporter des intrusions de narrateur à la première personne.

b) Les exemples donnés ici sont tous empruntés à la gamme des récits référentiels que sont la biographie et l'autobiographie; on pourrait aussi bien remplir le tableau avec des exemples de fictions. J'indique les catégories de G. Genette dans les trois cases correspondantes; on voit qu'elles ne couvrent pas tous les cas possibles.

c) Le cas de la biographie adressée au modèle est celui des discours académiques, où l'on s'adresse à la personne dont on raconte la vie, devant un auditoire qui est le véritable destinataire, de même que dans une autobiographie à la seconde personne, si cela existait, le destinataire (soi-même autrefois) serait là pour recevoir un discours dont on donnerait le spectacle au lecteur.

personne grammaticale → / identité ↓	JE	TU	IL
narrateur = personnage principal	autobiographie classique [autodiégétique]	autobiographie à la 2e pers.	autobiographie à la 3e pers.
narrateur ≠ personnage principal	biographie à la 1re pers. (récit de témoin) [homodiégétique]	biographie adressée au modèle	biographie classique [hétérodiégétique]

Il était nécessaire, à partir de cas exceptionnels, de dissocier le problème de la personne de celui de l'identité. Cette dissociation permet de rendre compte de la complexité des modèles existants ou possibles de l'autobiographie. Elle est de nature, aussi, à ébranler les certitudes sur la possibilité de donner une définition « textuelle » de l'autobiographie. Pour l'instant, après avoir évoqué l'exception, revenons au cas le plus fréquent, celui de l'autobiographie classique « à la première personne » (narration autodiégétique) : ce sera pour trouver de nouvelles incertitudes, portant cette fois sur la manière dont s'établit l'identité de *l'auteur* et du *narrateur-personnage*.

JE SOUSSIGNÉ

Supposons donc que toutes les autobiographies soient écrites à la première personne, comme le laisse croire le grand refrain des autobiographes : MOI. Ainsi Rousseau : « Moi, moi seul »; Stendhal : « De *je* mis avec *moi* tu fais la récidive »; Thyde Monnier : *Moi* (autobiographie en quatre volumes...); Claude Roy : *Moi je;* etc. Même dans ce cas reste posée la question suivante : comment se manifeste l'identité de l'auteur et du narrateur ? Pour un autobiographe, il est naturel de se demander tout simplement : « Qui suis-je ? ». Mais puisque je suis lecteur, il est non moins naturel que je pose d'abord la question autrement : qui est « je » ? (c'est-à-dire : qui est-ce qui *dit* « Qui suis-je ? ».)

On m'excusera de rappeler, avant de poursuivre l'analyse, quelques notions élémentaires de linguistique. Mais, en ce domaine, les choses les plus simples sont les plus vite oubliées : elles passent pour naturelles et disparaissent dans l'illusion qu'elles engendrent. Je partirai des analyses de Benveniste, quitte à aboutir à des conclusions légèrement différentes des siennes [1].

La « première personne » se définit par l'articulation de deux niveaux :

1. *Référence* : les pronoms personnels (je/tu) n'ont de référence actuelle qu'à l'intérieur du discours, dans l'acte même d'énonciation. Benveniste signale qu'il n'y a pas de concept « je ». Le « je » renvoie, à chaque fois, à celui qui parle et que nous identifions *du fait même* qu'il parle.

2. *Énoncé* : les pronoms personnels de la première personne mar-

---

1. *Problèmes de linguistique générale*, éd. Gallimard, 1966, section V, « L'homme dans la langue ».

quent l'*identité* du sujet de l'énonciation et du sujet de l'énoncé.

Ainsi, si quelqu'un dit : « Je suis né le... », l'emploi du pronom « je » aboutit, par l'articulation de ces deux niveaux, à identifier la personne qui parle avec celle qui naquit. Du moins c'est là l'effet global obtenu. Cela ne doit pas amener à penser que les sortes « d'équations » établies à ces deux niveaux soient semblables : au niveau de la référence (discours renvoyant à sa propre énonciation), l'identité est immédiate, elle est instantanément perçue et acceptée par le destinataire comme un *fait;* au niveau de l'énoncé, il s'agit d'une simple relation... énoncée, c'est-à-dire d'une assertion comme une autre, que l'on peut croire ou ne pas croire, etc. L'exemple que j'ai pris donne d'ailleurs une idée des problèmes soulevés : est-ce vraiment la même personne, le bébé qui est né dans telle clinique, à une époque dont je n'ai aucun souvenir, — et *moi?* Il est important de bien distinguer ces deux relations, confondues dans l'emploi du pronom « je » : c'est faute de les distinguer, on le verra plus loin, que l'on a introduit la plus grande confusion dans la problématique de l'autobiographie (voir ci-dessous : *Copie conforme*). Laissant donc pour l'instant de côté les problèmes de l'énoncé, je me contenterai de réfléchir à l'énonciation.

Les analyses de Benveniste partent de la situation du discours *oral.* Dans cette situation, on pourrait penser que la référence du « je » ne pose aucun problème : « je », c'est celui qui parle, — et moi, dans ma position d'interlocuteur ou d'auditeur, je n'ai aucun mal à identifier cette personne. Pourtant, il existe deux séries de situations orales où cette identification peut poser problème :

a) *La citation :* c'est le discours à l'intérieur du discours : la première personne du discours second (cité) renvoie à une situation d'énonciation elle-même énoncée dans le discours premier. Différents signes, tirets, guillemets, etc., distinguent les discours enchâssés (cités), lorsqu'il s'agit de discours écrits. L'intonation joue un rôle analogue dans le discours oral. Mais que ces signes s'estompent, ou s'effacent, et l'incertitude apparaît : c'est le cas dans la *ré*-citation, et d'une manière plus générale, dans le jeu théâtral. Quand la Berma joue *Phèdre*, qui dit « je »? La situation théâtrale peut certes remplir la fonction des guillemets, signalant le caractère fictif de la personne qui dit « je ». Mais ici, le vertige doit commencer à nous prendre, car l'idée effleure alors même le plus naïf, que ce n'est pas la personne qui définit le « je », mais peut-être le « je », la personne — c'est-à-dire, qu'il n'y a de personne que dans le discours... Conjurons pour l'instant ce vertige. Ce que nous frôlons ici pour l'autobiographie, ce sont les problèmes de la différence du roman autobiographique et de l'autobiographie. Mais aussi, pour l'autobiographie elle-même, l'évidence que la première personne est un rôle.

b) *L'oral à distance* : c'est, dans l'instant, le téléphone, n'importe quelle conversation à travers une porte, ou la nuit : il n'y a plus d'autre moyen pour identifier la personne que les aspects de la voix : qui est là? — moi — qui, moi? Ici, le dialogue est encore possible, qui peut mener à l'identification. Que la voix soit différée dans le temps (enregistrement) ou même, dans l'instant, la conversation à sens unique (radio), et cette ressource manque. On rejoint ici le cas de l'écriture.

J'ai fait semblant jusqu'ici de suivre Benveniste, en imaginant simplement tout ce qui, dans une situation orale, peut arriver à rendre l'identité de la personne indéterminée. Que le « je » renvoie à l'énonciation, nul ne songe à le nier : mais l'énonciation n'est pas le terme dernier de la référence : elle pose à son tour un problème d'*identité*, que, dans le cas de la communication orale directe, nous résolvons instinctivement à partir de données extra-linguistiques. Quand la communication orale se brouille, l'identité fait problème. Mais, dans le cas de la communication écrite, à moins qu'elle ne désire rester anonyme (ce qui arrive!), la personne qui énonce le discours doit permettre son identification à l'intérieur même de ce discours autrement que par des indices matériels, comme le cachet de la poste, le graphisme ou les singularités orthographiques.

Benveniste signale (p. 261) qu'il n'y a pas de concept du « je » : remarque très juste, si on ajoute qu'il n'y a pas non plus de concept du « il », et que, d'une manière générale, aucun pronom personnel, possessif, démonstratif, etc., n'a jamais *renvoyé* à un concept, mais exerce simplement une fonction, qui consiste à renvoyer à un nom, ou à une entité susceptible d'être désignée par un nom. Aussi, proposerons-nous de nuancer son analyse par les deux propositions suivantes :

a) Le pronom personnel « je » renvoie à l'énonciateur de l'instance de discours où figure le « je »; mais cet énonciateur est lui-même susceptible d'être désigné par un nom (qu'il s'agisse d'un nom commun, déterminé de différentes manières, ou d'un nom propre).

b) L'opposition *concept/pas de concept* prend son sens dans l'opposition du nom commun et du nom propre (non pas du nom commun et du pronom personnel).

A un autre moment (p. 254), Benveniste justifie ainsi, économiquement, l'emploi de cette première personne, qui n'a de référence que dans sa propre énonciation : « Si chaque locuteur, pour exprimer le sentiment qu'il a de sa subjectivité irréductible, disposait d'un « indicatif » distinct (au sens où chaque station radiophonique émettrice possède son « indicatif » propre), il y aurait pratiquement autant de langues que d'individus et la communication deviendrait strictement impossible. » Hypothèse étrange, puisque Benveniste semble oublier ici que cet indicatif distinct *existe*, c'est la catégorie lexicale des noms propres (ceux des noms propres qui désignent des personnes) : il y a presque autant de noms propres que d'individus. Naturellement, ce n'est pas un aspect de la conjugaison du verbe, et Benveniste a raison de souligner la fonction économique du « je » : mais, en oubliant de l'articuler sur la catégorie lexicale des noms de personne, il rend incompréhensible le fait que chacun, utilisant le « je », ne se perd pas pour autant dans l'anonymat, et est toujours capable d'énoncer ce qu'il a d'irréductible en se nommant.

C'est dans le *nom propre*, que personne et discours s'articulent avant même de s'articuler dans la première personne, comme le montre l'ordre d'acquisition du langage par les enfants. L'enfant parle de lui-même à la troisième personne en se nommant par son prénom, bien avant de comprendre qu'il peut lui aussi utiliser la première personne. Ensuite chacun se nommera « je » en parlant; mais pour chacun, ce « je » renverra à un nom unique, et que l'on pourra toujours énoncer. Toutes les identifications (faciles, difficiles ou indéterminées) suggérées plus haut à partir des situations orales, aboutissent fatalement à monnayer la première personne en un nom propre [1].

Dans le discours oral, chaque fois qu'il est nécessaire, le retour au nom propre s'effectue : c'est la *présentation*, faite par l'intéressé, ou par un tiers (le mot même de présentation est suggestif par son inexactitude : la présence physique ne suffit pas à définir l'énonciateur : il n'y a de présence complète que par la nomination). Dans le discours écrit, de même, la *signature* désigne l'énonciateur, comme l'adresse le destinataire [2].

C'est donc par rapport au *nom propre* que l'on doit situer les problèmes de l'autobiographie. Dans les textes imprimés, toute l'énonciation est prise en charge par une personne qui a coutume de placer son *nom* sur la couverture du livre, et sur la page de garde, au-dessus

---

1. Sur les aspects linguistiques du problème du nom propre et la manière dont il contribue, dans l'énonciation, à la référence, voir Oswald Ducrot et Tzvetan Todorov, *Dictionnaire encyclopédique des sciences du langage*, éd. du Seuil, 1972, p. 321-322.

2. Le problème de la référence dans l'énonciation *écrite*, où l'émetteur et le destinataire du discours ne partagent plus une situation commune (et même peuvent ne pas se connaître), est trop rarement évoqué par les linguistes, ou alors comme une chose qu'il faudrait étudier, — mais qu'on n'étudie pas (cf. E. Benveniste, « l'Appareil formel de l'énonciation », *Langages* 17, mars 1970, p. 18).

ou au-dessous du titre du volume. C'est dans ce nom que se résume toute l'existence de ce qu'on appelle *l'auteur* : seule marque dans le texte d'un indubitable hors-texte, renvoyant à une personne réelle, qui demande ainsi qu'on lui attribue, en dernier ressort, la responsabilité de l'énonciation de tout le texte écrit. Dans beaucoup de cas, la présence de l'auteur dans le texte se réduit à ce seul nom. Mais la place assignée à ce nom est capitale : elle est liée, par une convention sociale, à l'engagement de responsabilité d'une *personne réelle*. J'entends par ces mots, qui figurent plus haut dans ma définition de l'autobiographie, une personne dont l'existence est attestée par l'état civil et vérifiable. Certes, le lecteur n'ira pas vérifier, et il peut très bien ne pas savoir qui est cette personne : mais son existence est hors de doute : exceptions et abus de confiance ne font que souligner la créance générale accordée à ce type de contrat social [1].

Un auteur, ce n'est pas une personne. C'est une personne qui écrit et qui publie. A cheval sur le hors-texte et le texte, c'est la ligne de contact des deux. L'auteur se définit comme étant simultanément une personne réelle socialement responsable, et le producteur d'un discours. Pour le lecteur, qui ne connaît pas la personne réelle, tout en croyant à son existence, l'auteur se définit comme la personne capable de produire ce discours, et il l'imagine donc à partir de ce qu'elle produit. Peut-être n'est-on véritablement auteur qu'à partir d'un second livre, quand le nom propre inscrit en couverture devient le « facteur commun » d'au moins deux textes différents et donne donc l'idée d'une personne qui n'est réductible à aucun de ses textes en particulier, et qui, susceptible d'en produire d'autres, les dépasse tous. Ceci, nous le verrons, est très important pour la lecture des autobiographies : si l'autobiographie est un premier livre, son auteur est donc un inconnu, même s'il se raconte lui-même dans le livre : il lui manque, aux yeux du lecteur, ce signe de réalité qu'est la production antérieure *d'autres textes* (non autobiographiques), indispensable à ce que nous appellerons « l'espace autobiographique ».

L'auteur, c'est donc un nom de personne, identique, assumant une suite de textes publiés différents. Il tire sa réalité de la liste de ses autres ouvrages qui figure souvent en tête du livre : « Du même auteur ». L'autobiographie (récit racontant la vie de l'auteur) suppose qu'il y ait *identité de nom* entre l'auteur (tel qu'il figure, par son nom,

1. Les cas de supercheries, ou les problèmes de l'identité de l'auteur (anonymat, pseudonymat), peuvent être étudiés à partir des ouvrages classiques de J.-M. Quérard, *Les Supercheries littéraires dévoilées* (1847), ou de A. Barbier, *Dictionnaire des ouvrages anonymes* (3ᵉ édition, 1872). Voir un amusant inventaire de supercheries récentes dans *Gulliver*, nᵒ 1, novembre 1972.

sur la couverture), le narrateur du récit et le personnage dont on parle. C'est là un critère très simple, qui définit en même temps que l'autobiographie tous [les autres genres de la littérature intime (journal, autoportrait, essai).

Une objection vient aussitôt à l'esprit : et les pseudonymes? Objection facile à écarter, dès qu'on a défini le pseudonyme et qu'on l'a distingué du nom de personnage fictif.

Un pseudonyme, c'est un nom différent de celui de l'état civil, dont une personne réelle se sert pour *publier* tout ou partie de ses écrits. Le pseudonyme est un nom d'*auteur*. Ce n'est pas exactement un faux nom, mais un nom de plume, un second nom, exactement comme celui qu'une religieuse prend en entrant dans les ordres. Certes, l'emploi du pseudonyme peut parfois couvrir des supercheries ou être imposé par des motifs de discrétion : mais il s'agit alors le plus souvent de productions isolées, et presque jamais d'une œuvre se donnant pour l'autobiographie d'un *auteur*. Les pseudonymes littéraires ne sont en général ni des mystères, ni des mystifications; le second nom est aussi authentique que le premier, il signale simplement cette seconde naissance qu'est l'écriture publiée. Écrivant son autobiographie, l'auteur à pseudonyme en donnera lui-même l'origine : ainsi, Raymond Abellio explique qu'il s'appelle Georges Soulès, et pourquoi il a choisi son pseudonyme [1]. Le pseudonyme est simplement une différenciation, un dédoublement du nom, qui ne change rien à l'identité.

Il ne faut pas confondre le *pseudonyme* ainsi défini comme nom d'*auteur (porté sur la couverture du livre)* avec le *nom* attribué à une personne *fictive à l'intérieur du livre* (même si cette personne a statut de narrateur et assume la totalité de l'énonciation du texte) : car cette personne est elle-même désignée comme fictive par le simple fait qu'elle soit incapable d'être l'*auteur* du *livre*. Donnons un exemple très simple : « Colette » est le pseudonyme d'une personne réelle (Gabrielle-Sidonie Colette), *auteur* d'une série de récits; Claudine est le nom d'une héroïne fictive, narratrice des récits qui ont son nom pour titre. Si les *Claudine* ne peuvent être acceptées comme autobiographies, c'est bien évidemment pour la seconde raison, pas du tout pour la première.

Dans le cas du nom fictif (c'est-à-dire différent de celui de l'auteur) donné à un personnage qui raconte sa vie, il arrive que le lecteur ait des raisons de penser que l'histoire vécue par le personnage est

---

1. *Ma dernière mémoire*, I, *Un faubourg de Toulouse, 1907-1927*, éd. Gallimard, 1971, p. 82-83.

exactement celle de l'auteur : soit par recoupement avec d'autres textes, soit en se fondant sur des informations extérieures, soit même à la lecture du récit dont l'aspect de fiction sonne faux (comme quand quelqu'un vous dit : « J'avais un très bon ami auquel il est arrivé... », et se met à vous raconter l'histoire de cet ami avec une conviction toute personnelle). Aurait-on toutes les raisons du monde de penser que l'histoire est exactement la même, il n'en reste pas moins que le texte ainsi produit n'est pas une autobiographie : celle-ci suppose d'abord une *identité assumée* au niveau de l'énonciation, et tout à fait secondairement, une *ressemblance* produite au niveau de l'énoncé.

Ces textes entreraient donc dans la catégorie du « roman autobiographique » : j'appellerai ainsi tous les textes de fiction dans lesquels le lecteur peut avoir des raisons de soupçonner, à partir des ressemblances qu'il croit deviner, qu'il y a identité de l'auteur et du *personnage*, alors que l'auteur, lui, a choisi de nier cette identité, ou du moins de ne pas l'affirmer. Ainsi défini, le roman autobiographique englobe aussi bien des récits personnels (identité du narrateur et du personnage) que des récits « impersonnels » (personnages désignés à la troisième personne); il se définit au niveau de son contenu. A la différence de l'autobiographie, il comporte des *degrés*. La « ressemblance » supposée par le lecteur peut aller d'un « air de famille » flou entre le personnage et l'auteur, jusqu'à la quasi-transparence qui fait dire que c'est lui « tout craché ». Ainsi, à propos de l'*Année du crabe* (1972) d'Olivier Todd, un critique a écrit que « tout le livre s'avoue obsessionnellement autobiographique derrière les pseudonymes transparents [1] ». L'autobiographie, elle, ne comporte pas de degrés : c'est tout ou rien.

On voit, dans ces distinctions, combien il est important d'employer un vocabulaire clairement défini. Le critique parlait de « pseudonyme » pour le nom du héros : pour moi, pseudonyme ne peut valoir que pour un nom d'auteur. Le héros peut ressembler autant qu'il veut à l'auteur : tant qu'il ne porte pas son nom, il n'y a rien de fait. Le cas de l'*Année du crabe* est à ce point de vue exemplaire. Le sous-titre du livre est *roman;* le héros d'Olivier Todd s'appelle Ross. Mais en page 4 de couverture, un texte de l'éditeur assure au lecteur que Todd, c'est Ross. Habile procédé publicitaire, mais qui ne change rien. Si Ross, c'est Todd, pourquoi porte-t-il un autre nom? Si c'était lui, comment se fait-il qu'il ne l'ait pas *dit?* Qu'il le laisse coquettement deviner, ou que le lecteur le devine malgré lui, peu importe. L'auto-

1. Bertrand Poirot-Delpech, dans *le Monde* du 13 octobre 1972.

biographie n'est pas un jeu de devinette, c'est même exactement le contraire. Manque ici l'essentiel, ce que j'ai proposé d'appeler le *pacte autobiographique.*

Remontant de la première personne au nom propre, me voici donc amené à rectifier ce que j'écrivais dans *l'Autobiographie en France* : « Comment distinguer l'autobiographie du roman autobiographique? Il faut bien l'avouer, si l'on reste sur le plan de l'analyse interne du texte, il n'y a *aucune différence.* Tous les procédés que l'autobiographie emploie pour nous convaincre de l'authenticité de son récit, le roman peut les imiter, et les a souvent imités. » Ceci était juste tant qu'on se bornait au texte moins la page du titre; dès qu'on englobe celle-ci dans le texte, avec le nom de l'auteur, on dispose d'un critère textuel général, l'identité du *nom* (auteur-narrateur-personnage). Le pacte autobiographique, c'est l'affirmation dans le texte de cette identité, renvoyant en dernier ressort au *nom* de l'auteur sur la couverture.

Les formes du pacte autobiographique sont très diverses : mais, toutes, elles manifestent l'intention d'honorer sa *signature.* Le lecteur pourra chicaner sur la ressemblance, mais jamais sur l'identité. On sait trop combien chacun tient à son nom.

Une fiction autobiographique peut se trouver « exacte », le personnage ressemblant à l'auteur; une autobiographie peut être « inexacte », le personnage présenté différant de l'auteur : ce sont là questions de fait (encore laissons-nous de côté la question de savoir *qui* jugera de la ressemblance, et comment), — qui ne changent rien aux questions de *droit,* c'est-à-dire au type de contrat passé entre l'auteur et le lecteur. On voit d'ailleurs l'importance du contrat, à ce qu'il détermine en fait l'attitude du lecteur : si l'identité n'est pas affirmée (cas de la fiction), le lecteur cherchera à établir des ressemblances, malgré l'auteur; si elle est affirmée (cas de l'autobiographie), il aura tendance à vouloir chercher les différences (erreurs, déformations, etc.). En face d'un récit d'aspect autobiographique, le lecteur a souvent tendance à se prendre pour un limier, c'est-à-dire à chercher les ruptures du contrat (quel que soit le contrat). C'est de là qu'est né le mythe du roman « plus vrai » que l'autobiographie : on trouve toujours plus vrai et plus profond ce qu'on a cru découvrir à travers le texte, malgré l'auteur. Si Olivier Todd avait présenté *l'Année du crabe* comme son autobiographie, peut-être notre critique aurait-il été sensible aux failles, aux trous, aux arrangements de son récit? — C'est dire que toutes les questions de *fidélité* (problème de la « ressemblance ») dépendent en dernier ressort de la question de *l'authenticité* (problème de l'identité), qui elle-même s'exprime autour du nom propre.

L'identité de nom entre auteur, narrateur et personnage peut être établie de deux manières :

1. *Implicitement,* au niveau de la liaison auteur-narrateur, à l'occasion du *pacte autobiographique;* celui-ci peut prendre deux formes : *a)* l'emploi de *titres* ne laissant aucun doute sur le fait que la première personne renvoie au nom de l'auteur (*Histoire de ma vie, Autobiographie,* etc.); *b) section initiale* du texte où le narrateur prend des engagements vis-à-vis du lecteur en se comportant comme s'il était l'auteur, de telle manière que le lecteur n'a aucun doute sur le fait que le « je » renvoie au nom porté sur la couverture, alors même que le nom n'est pas répété dans le texte.

2. *De manière patente,* au niveau du nom que se donne le narrateur-personnage dans le récit lui-même, et qui est le même que celui de l'auteur sur la couverture.

Il est nécessaire que l'identité soit établie au moins par l'un de ces deux moyens; il arrive souvent qu'elle le soit par les deux à la fois.

Symétriquement au pacte autobiographique, on pourrait poser le *pacte romanesque,* qui aurait lui-même deux aspects : *pratique patente de la non-identité* (l'auteur et le personnage ne portent pas le même nom), *attestation de fictivité* (c'est en général le sous-titre *roman* qui remplit aujourd'hui cette fonction sur la couverture; à noter que *roman,* dans la terminologie actuelle, implique pacte romanesque, alors que *récit* est, lui, indéterminé, et compatible avec un pacte autobiographique). On objectera peut-être que le roman a la faculté d'*imiter* le pacte autobiographique : le roman du XVIIIe siècle ne s'est-il pas constitué justement en imitant les différentes formes de la littérature intime (mémoires, lettres, et, au XIXe siècle, journal intime)? Mais cette objection ne tient pas, si l'on réfléchit que cette imitation ne peut pas remonter jusqu'au terme dernier, à savoir le *nom* de l'*auteur.* On peut toujours faire semblant de rapporter, de publier l'autobiographie de quelqu'un qu'on cherche ainsi à faire passer pour réel; tant que ce quelqu'un n'est pas l'*auteur,* seul responsable du *livre,* il n'y a rien de fait. Seuls échapperaient donc à ce critère les cas de supercherie littéraire : ils sont excessivement rares, — et cette rareté n'est pas due au respect du nom d'autrui ou à la peur des sanctions. Qui m'empêcherait d'écrire l'autobiographie d'un personnage imaginaire et de la publier sous son nom, également imaginaire? C'est bien ce que, dans un domaine un peu différent, MacPherson a fait pour Ossian! — Cela est rare, parce qu'il est bien peu d'auteurs qui soient capables de renoncer à *leur propre nom.* A preuve que même la supercherie d'Ossian a été éphémère, puisque nous savons qui en est l'auteur, puisque MacPherson n'a pas pu s'empêcher de faire figurer son nom (comme adaptateur) dans le titre!

Une fois ces définitions posées, on peut classer tous les cas possibles en faisant jouer deux critères : rapport du nom du personnage et du nom de l'auteur, nature du pacte conclu par l'auteur. Pour chacun de ces critères, trois situations sont possibles. Le personnage 1) a un nom différent de celui de l'auteur; 2) n'a pas de nom; 3) a le même nom que l'auteur; le pacte est 1) romanesque; 2) absent; 3) autobiographique. En articulant ces deux critères, on obtient théoriquement neuf combinaisons : en fait sept seulement sont possibles, étant exclues par définition la coexistence de l'identité du nom et du pacte romanesque, et celle de la différence de nom et du pacte autobiographique.

Nom du personnage → *Pacte ↓*	≠ nom de l'auteur	= O	= nom de l'auteur
romanesque	1 a ROMAN	2 a ROMAN	
= O	1 b ROMAN	2 b Indéterminé	3 a AUTOBIO.
autobiographique		2 c AUTOBIO.	3 b AUTOBIO.

Le tableau ci-dessus donne la grille des combinaisons possibles; les numéros indiqués sont ceux de la description qui suit; dans chaque case, en bas, l'effet que la combinaison produit sur le lecteur. Il va de soi que ce tableau s'applique seulement aux récits « autodiégétiques ».

1. *Nom du personnage ≠ nom de l'auteur*. Ce seul fait exclut la possibilité de l'autobiographie. Peu importe, dès lors, qu'il y ait ou non, en plus, attestation de fictivité (1 *a* ou 1 *b*). Que l'histoire soit présentée comme vraie (manuscrit autobiographique que l'auteur-éditeur aurait trouvé dans un grenier, etc.) ou qu'elle soit présentée

comme fictive (et crue vraie, rapportée à l'auteur, par le lecteur), — de toute façon, il n'y a pas identité de l'auteur, du narrateur et du héros.

2. _Nom du personnage = 0_ : c'est le cas le plus complexe, parce qu'indéterminé. Tout dépend alors du pacte conclu par l'auteur. Trois cas sont possibles :

a) _Pacte romanesque_ (la nature de « fiction » du livre est indiquée sur la page de couverture) : le récit autodiégétique est alors attribué à un narrateur fictif. Le cas doit être peu fréquent, — aucun exemple n'en vient tout de suite à l'esprit. On serait tenté d'évoquer _A la recherche du temps perdu_, mais pour deux raisons cette fiction ne correspond pas tout à fait à ce cas : d'une part, le pacte romanesque n'est pas clairement indiqué au début du livre, si bien que d'innombrables lecteurs se sont trompés en confondant l'auteur Proust avec le narrateur; d'autre part, il est vrai que le narrateur-personnage n'a aucun nom, — sauf une seule fois, où, dans un même énoncé, il nous est proposé comme hypothèse de donner au narrateur le même prénom qu'à l'auteur (énoncé qu'on ne peut rapporter qu'à l'auteur, car comment un narrateur fictif connaîtrait-il le nom de son auteur?), et où il nous est ainsi signalé que l'auteur n'est pas le narrateur. Cette bizarre intrusion d'auteur fonctionne à la fois comme pacte romanesque et comme indice autobiographique, et installe le texte dans un espace ambigu [1].

b) _Pacte = 0_ : non seulement le personnage n'a pas de nom, mais l'auteur ne conclut aucun pacte, — ni autobiographique, ni romanesque. L'indétermination est totale. Exemple : _la Mère et l'Enfant_, de Charles-Louis Philippe. Alors que les personnages secondaires de ce récit ont des noms, la mère et l'enfant n'ont aucun nom de famille, et l'enfant aucun prénom. On peut bien supposer qu'il s'agit de Mme Philippe et de son fils, mais ce n'est écrit nulle part. De plus la narration est ambiguë (s'agit-il d'un hymne général à l'enfance ou de l'histoire d'un enfant particulier?), le lieu et l'époque sont très vagues, et on ne sait pas qui est l'adulte qui parle de cette enfance. Le lecteur, selon son humeur, pourra le lire dans le registre qu'il veut.

c) _Pacte autobiographique :_ le personnage n'a pas de nom dans le récit, mais l'auteur s'est déclaré explicitement identique au narrateur

---

1. « Elle retrouvait la parole, elle disait : ' Mon ' ou ' Mon chéri ', suivis l'un ou l'autre de mon nom de baptême, ce qui, en donnant au narrateur le même prénom qu'à l'auteur de ce livre, eût fait : ' Mon Marcel ', ' Mon chéri Marcel '. » _A la recherche du temps perdu_, Gallimard, Bibliothèque de la Pléiade, 1954, t. III, p. 75. L'occurrence de la page 157 n'est qu'une répétition.

(et donc au personnage, puisque le récit est autodiégétique), dans un pacte initial. Exemple : *Histoire de mes idées* d'Edgar Quinet; le pacte, inclus dans le titre, est explicité dans une longue préface, signée Edgar Quinet. Dans tout le récit, le nom n'apparaîtra pas une seule fois : mais, de par le pacte, « je » renvoie toujours à Quinet.

3. *Nom du personnage = nom de l'auteur.* Ce seul fait exclut la possibilité de la fiction. Même si le récit est, historiquement, complètement faux, il sera de l'ordre du *mensonge* (qui est une catégorie « autobiographique ») et non de la fiction. On peut distinguer deux cas :

a) *Pacte = 0* (entendons par pacte le pacte du titre ou le pacte liminaire) : le lecteur constate l'identité auteur-narrateur-personnage, quoiqu'elle ne fasse l'objet d'aucune déclaration solennelle. Exemple : *les Mots*, de Jean-Paul Sartre. Ni le titre, ni le début n'indiquent qu'il s'agit d'une autobiographie. Quelqu'un raconte l'histoire d'une famille. Page 14 (édition Folio) le narrateur intervient pour la première fois explicitement dans le récit (« *Il m'intrigue : je sais* qu'il est resté célibataire... », ou « Elle l'aimait, *je crois...* »); page 15, dans l'histoire, apparaît le docteur *Sartre*, qui, page 16, a un petit-fils : « moi ». Par le nom, nous saisissons donc l'identité du personnage, du narrateur et de l'auteur dont le nom s'étale au-dessus du titre : Jean-Paul Sartre. Et, qu'il s'agisse bien de l'auteur célèbre, et non d'un homonyme, cela est prouvé par le texte lui-même, dont le narrateur s'attribue page 48 *les Mouches, les Chemins de la liberté* et *les Séquestrés d'Altona*, et page 211, *la Nausée*. L'histoire même nous donnera les aspects les plus divers de ce nom, depuis la rêverie sur la gloire : « Ce petit Sartre connaît son affaire; s'il venait à disparaître, la France ne sait pas ce qu'elle perdrait » (p. 80), jusqu'aux déformations familières (et familiales) du prénom : « André trouve que Poulou fait des embarras » (p. 188).

On pourra juger ce critère parfaitement contingent. L'occurrence du nom propre dans le récit se produit parfois très longtemps après le début du livre, à propos d'un épisode mineur dont on sent bien qu'il pourrait disparaître du texte sans que son aspect global change : ainsi dans l'autobiographie de J. Green, *Partir avant le jour* (Grasset, 1963), c'est seulement à la page 107, dans une anecdote sur la distribution des prix, que le nom apparaît. Parfois même cette occurrence du nom dans le texte est unique et allusive. C'est le cas dans *l'Age d'homme*, où Michel se lit derrière « Micheline [1] »; reste que, pratiquement toujours, il apparaît. Naturellement, en général, le pacte

_____

1. Michel Leiris, *L'Age d'homme*, coll. « Folio », 1973, p. 174.

autobiographique ne mentionne pas le nom : notre nom nous est si évident, et il figurera sur la couverture. C'est ce caractère inéluctable du nom qui fait qu'à la fois il ne soit jamais l'objet d'une déclaration solennelle (l'*auteur*, par le fait même qu'il est auteur, se suppose toujours plus ou moins connu du lecteur), mais qu'il finisse toujours par resurgir dans le récit. Au demeurant, ce nom lui-même peut être donné en clair, ou, dans la mesure où il s'agit presque toujours d'un nom d'auteur, impliqué par l'attribution que se fait le narrateur des ouvrages de l'auteur (si Quinet ne se nomme pas, il nomme ses ouvrages, ce qui revient au même).

b) *Pacte autobiographique :* c'est le cas le plus fréquent (car très souvent, pour ne pas figurer en tête du livre de façon solennelle, le pacte figure néanmoins dispersé et répété tout au long du texte.)

Exemple : *les Confessions de Jean-Jacques Rousseau;* le pacte figure dès le titre, il est développé dans le préambule, et confirmé tout au long du texte par l'emploi de « Rousseau » et de « Jean-Jacques ».

J'appellerai donc ici « autobiographies » les textes qui entrent dans les cas 2*c*, 3*a*, 3*b*; pour le reste, nous lisons comme des romans les textes entrant dans les cas 1*a*, 1*b*, 2*a*; et, selon notre humeur, la catégorie 2*b* (mais sans nous dissimuler que c'est *nous* qui choisissons).

Dans ce type de classification, la réflexion sur les cas limites est toujours instructive, plus éloquente que la description de ce qui va de soi. Les solutions que je décrète impossibles le sont-elles vraiment? Deux domaines sont ici à explorer : d'abord le problème des deux cases aveugles du tableau ci-dessus, ensuite le problème de l'*auteur anonyme*.

- *Les cases aveugles :* a) Le héros d'un roman déclaré tel, peut-il avoir le même nom que l'auteur? Rien n'empêcherait la chose d'exister, et c'est peut-être une contradiction interne dont on pourrait tirer des effets intéressants. Mais, dans la pratique, aucun exemple ne se présente à l'esprit d'une telle recherche. Et si le cas se présente, le lecteur a l'impression qu'il y a erreur : ainsi l'autobiographie de Maurice Sachs, *le Sabbat*, avait été publiée en 1946 chez Corrêa, avec le sous-titre *Souvenirs d'une jeunesse orageuse;* elle a été rééditée en 1960 chez Gallimard (et reprise en 1971 dans la collection du Livre de Poche) avec le sous-titre *roman :* comme le récit est fait par Sachs en son nom propre (il s'y donne même, en plus de son pseudonyme, son véritable nom : Ettinghausen), et que la responsabilité du sous-titre est manifestement de l'éditeur, le lecteur conclut à l'erreur; b) Dans une autobiographie *déclarée*, le personnage peut-il avoir un nom différent de l'auteur (la question du pseudonyme

mise à part)? Cela ne se voit guère [1]; et si, par un effet d'art, un autobiographe choisissait cette formule, il resterait toujours des doutes
au lecteur : ne lit-il pas un roman, tout simplement? Dans ces deux
cas, on le voit, si la contradiction interne était volontairement choisie
par un auteur, elle n'aboutirait jamais à un texte qu'on lirait comme
une autobiographie; ni vraiment non plus comme un roman; mais
à un jeu pirandellien d'ambiguïté. A ma connaissance, c'est un jeu
auquel on ne joue pratiquement jamais *pour de bon*.

Dans le tableau ci-dessus, la diagonale montante qui comprend
les deux cases aveugles et la case centrale trace donc une zone d'indétermination (du « ni l'un ni l'autre » de la case centrale au « les deux
à la fois » des cases aveugles).

- *L'auteur anonyme* : ce tableau suppose que l'auteur a un nom;
un dixième cas devrait donc être envisagé : le cas de l'auteur anonyme.
Mais ce cas (avec les subdivisions qu'il engendrerait selon que le
personnage a un nom ou pas, et qu'un *éditeur* conclut à la place de
l'auteur absent tel ou tel pacte avec le lecteur), — ce cas est aussi
exclu par définition, l'auteur d'une autobiographie ne pouvant être
anonyme. Si la disparition du nom de l'auteur est due à un phénomène accidentel (manuscrit retrouvé dans un grenier, inédit et non
signé), de deux choses l'une : ou bien, à un endroit quelconque du
texte, le narrateur se nomme, et une recherche historique élémentaire
permet de savoir s'il s'agit d'une personne réelle, étant donné que
par définition une autobiographie raconte une histoire datée et située;
ou bien le narrateur-personnage ne se nomme pas, et il s'agit ou bien
d'un texte entrant dans la catégorie 2 *b*, ou bien d'une simple fiction.

---

1. Malgré les apparences, ce n'est pas le cas de la *Vie de Henry Brulard* de
Stendhal. Ce texte pose des problèmes très délicats du fait qu'il est inachevé, et
non préparé pour une publication immédiate. Aussi est-il difficile de décider si
Henry Brulard est un pseudonyme d'auteur ou seulement un nom de personnage,
puisque le texte n'a jamais pris la forme d'un manuscrit conçu pour l'édition :
les titres humoristiques étaient conçus, non pour l'*édition*, mais pour « MM. de la
Police », — en cas de surprise; le sous-titre « Roman imité du *Vicaire de Wakefield* »
a la même fonction de supercherie burlesque. Le fait qu'il s'agit d'une véritable
autobiographie, provisoirement « camouflée », apparaît de manière évidente à la
lecture du texte lui-même. Le nom de Brulard n'apparaît que trois fois dans le
texte (*Œuvres intimes*, Bibliothèque de la Pléiade, 1955, p. 6, 42 et 250) : sur ces
trois occurrences, deux manifestent le camouflage : p. 6, Brulard est surchargé
par-dessus le nom de Beyle; p. 250, les « sept lettres » de Brulard étaient d'abord
cinq; et dans tout ce passage savoureux, Bernard est à Brulard ce que Brulard est à
Beyle. Le reste du temps, le nom de famille est représenté par « B. » (qui peut
s'appliquer indifféremment à Beyle ou à Brulard) mais aussi tout simplement par
Beyle, ce qui signe l'autobiographie (p. 60, 76, 376) ou par S. (Stendhal) (p. 247),
ce qui revient au même.

Si l'anonymat est intentionnel (texte publié), le lecteur est en état de légitime méfiance. Le texte peut avoir l'air vrai, donner toutes sortes de précisions vérifiables ou vraisemblables, sonner juste, — il reste que tout cela s'imite. Au mieux, ce serait une sorte de cas extrême, analogue à la catégorie 2 *b*. Tout repose alors sur la décision du lecteur. On aura une idée de la complexité du problème en lisant par exemple les *Mémoires d'un vicaire de campagne, écrits par lui-même* (1841), attribués à l'abbé Epineau, que sa charge ecclésiastique aurait contraint à garder provisoirement l'anonymat [1].

Certes en déclarant impossible une autobiographie anonyme, je ne fais qu'énoncer un corollaire de ma définition, et non la « prouver ». Libre à chacun de déclarer la chose possible, mais il faudra alors partir d'une autre définition. On voit qu'ici, tout tient, d'une part, au lien que j'établis, à travers la notion d'*auteur*, entre la personne et le nom; d'autre part, au fait que j'ai choisi pour définir l'autobiographie, la perspective du lecteur. Pour n'importe quel lecteur, un texte à allure autobiographique, qui n'est assumé par personne, ressemble comme deux gouttes d'eau à une fiction.

Mais je pense que cette définition, loin d'être arbitraire, met en lumière l'essentiel. Ce qui définit l'autobiographie pour celui qui la lit, c'est avant tout un contrat d'identité qui est scellé par le nom propre. Et cela est vrai aussi pour celui qui écrit le texte. Si j'écris l'histoire de ma vie sans y dire mon nom, comment mon lecteur saura-t-il que c'était *moi?* Il est impossible que la vocation autobiographique et la passion de l'anonymat coexistent dans le même être.

Les distinctions ici proposées, l'attention accordée au nom propre, ont donc une grande importance sur le plan pratique comme critères de classement; sur le plan théorique, elles imposent plusieurs séries de réflexions dont je ne ferai qu'évoquer les linéaments.

a) *Auteur et personne :* l'autobiographie est le genre littéraire qui, par son contenu même, marque le mieux la confusion de l'auteur et de la personne, confusion sur laquelle est fondée toute la pratique et la problématique de la littérature occidentale depuis la fin du XVIIIe siècle. D'où l'espèce de *passion du nom propre*, qui dépasse la simple « vanité d'auteur », puisque, à travers elle, c'est la personne elle-même qui revendique l'existence. Le sujet profond de l'autobiographie, c'est le nom propre. On songe à ces dessins de Hugo, étalant son propre nom en lettres gigantesques à travers un paysage en clair-obscur. Le désir de gloire et d'éternité si cruellement démystifié

---

1. Ces *Mémoires* anonymes sont, dans leur seconde édition (1843), préfacés par A. Aumétayer. Cette préface porte à son comble l'ambiguïté.

par Sartre, dans *les Mots*, repose tout entier sur le *nom propre* devenu nom d'auteur. Imagine-t-on aujourd'hui la possibilité d'une littérature *anonyme?* Valéry y rêvait déjà il y a cinquante ans. Mais il ne semble pas qu'il ait lui-même songé à la pratiquer, puisqu'il a fini à l'Académie. Il s'est donné la gloire de rêver à l'anonymat... Le groupe de *Tel Quel*, en mettant en question la notion d'auteur (la remplaçant par celle de « scripteur »), va dans le même sens, mais ne pratique pas davantage la chose.

b) *Personne et langage :* on a vu plus haut que l'on pouvait légitimement se demander, à propos de la « première personne », si c'était la personne psychologique (conçue naïvement comme extérieure au langage), qui s'exprimait en se servant de la personne grammaticale comme d'un instrument, ou si la personne psychologique n'était pas un *effet* de l'énonciation elle-même. Le mot « personne » contribue à l'ambiguïté. S'il n'y a pas de personne en dehors du langage, comme le langage c'est autrui, il faudrait en arriver à l'idée que le discours autobiographique, loin de renvoyer, comme chacun se l'imagine, au « moi » monnayé en une série de noms propres, serait au contraire un discours aliéné, une voix mythologique par laquelle chacun serait possédé. Naturellement, les autobiographes sont en général au plus loin des problèmes du héros beckettien de *l'Innommable* se demandant qui dit « je » en lui : mais cette inquiétude affleure dans quelques livres, comme par exemple *le Traître* de Gorz, — ou plutôt dans l'espèce de transcription qu'en a faite Sartre *(Des rats et des hommes)*. Sous le nom de « vampire », Sartre désigne ces voix qui nous possèdent. La voix autobiographique en fait sans doute partie. S'ouvrirait alors — toute psychologie et mystique de l'individu démystifiées — une analyse du discours de la subjectivité et de l'individualité comme mythe de notre civilisation. Chacun sent bien d'ailleurs le danger de cette indétermination de la première personne, et ce n'est pas hasard si on cherche à la neutraliser en la fondant sur le nom propre.

c) *Nom-propre et corps-propre :* l'acquisition du nom propre est sans doute dans l'histoire de l'individu une étape aussi importante que le stade du miroir. Cette acquisition échappe à la mémoire et à l'autobiographie, qui ne peut raconter que ces baptêmes seconds et inverses que sont pour un enfant les accusations qui le figent dans un rôle à travers un qualificatif : « voleur » pour Genet, « youpin » pour Albert Cohen (*O vous, frères humains*, 1972). Le nom premier reçu et assumé qui est le nom du père, et surtout le prénom qui vous en distingue, sont sans doute des données capitales de l'histoire du *moi.* A preuve que le nom n'est jamais indifférent, qu'on l'adore ou qu'on le déteste, qu'on accepte de le tenir d'autrui ou qu'on préfère ne le recevoir que de soi : cela peut aller jusqu'à un système généralisé de jeu ou de fuites, comme chez Stendhal[1]; à la valorisation du prénom comme chez Jean-Jacques (Rousseau); et, plus banalement, à tous ces jeux du hasard, de la société ou de l'intimité sur ces quelques lettres où chacun croit instinctivement qu'est déposée l'essence de son être. Jeux sur l'orthographe et le sens : du malheur de s'appeler François Nourissier, par exemple[2]; sur le sexe : Michel ou Micheline Leiris (cf. note p. 30)? Présence du nom dans la voix de ceux qui l'ont prononcé : « Ah Rousseau, je vous croyais un bon caractère », disait Marion. Méditation enfantine sur l'arbitraire du nom, et recherche d'un second nom qui soit essentiel, comme chez Jacques Madaule[3]. Histoire du nom lui-même, établie souvent bien fastidieusement au gré du lecteur dans ces préambules en forme d'arbre généalogique.

Quand on cherche donc, pour distinguer la fiction de l'autobiographie, à fonder ce à quoi renvoie le « je » des récits personnels, nul besoin de rejoindre un impossible hors-texte : le texte lui-même offre à son extrême lisière ce terme dernier, le nom propre de l'auteur, à la fois textuel et indubitablement référentiel. Si cette référence est indubitable, c'est qu'elle est fondée sur deux institutions sociales : l'état civil (convention intériorisée par chacun dès la petite enfance) et le contrat d'édition; il n'y a alors aucune raison de douter de l'identité.

COPIE CONFORME

Identité n'est pas ressemblance.

L'identité est un *fait* immédiatement saisi — accepté ou refusé, au niveau de l'énonciation; la ressemblance est un *rapport*, sujet à discussions et à nuances infinies, établi à partir de l'énoncé.

L'identité se définit à partir des trois termes : auteur, narrateur et personnage. Narrateur et personnage sont les figures auxquelles renvoient, *à l'intérieur du texte*, le sujet de l'énonciation et le sujet de l'énoncé; l'auteur, représenté à la lisière du texte par son nom, est alors le référent auquel renvoie, de par le pacte autobiographique, le sujet de l'énonciation.

1. Cf. Jean Starobinski, « Stendhal pseudonyme », in *l'Œil vivant*, éd. Gallimard, 1961.
2. François Nourissier, *Un petit bourgeois*, coll. « Livre de Poche », 1969, p. 81-84.
3. Jacques Madaule, *L'Interlocuteur*, éd. Gallimard, 1972, p. 34-35.

Dès qu'il s'agit de *ressemblance*, on est obligé d'introduire un quatrième terme symétrique du côté de l'énoncé, un réfé ent extra-textuel qu'on pourrait appeler le prototype ou, mieux, le *modèle*.

Mes réflexions sur l'identité m'ont amené à distinguer surtout le roman autobiographique de l'autobiographie; pour la ressemblance, c'est l'opposition avec la *biographie* qui va devoir être précisée. Dans les deux cas, d'ailleurs, le vocabulaire est source d'erreurs : « roman autobiographique » est trop proche du mot « autobiographie », lui-même trop proche du mot « biographie », pour que des confusions ne se produisent pas. L'autobiographie n'est-elle pas, comme son nom l'indique, la biographie d'une personne écrite par elle-même? On a donc tendance à la percevoir comme un cas particulier de la biographie, et à lui appliquer la problématique « historicisante » de ce genre. Beaucoup d'autobiographes, écrivains amateurs ou confirmés, tombent naïvement dans ce piège : c'est que cette illusion est nécessaire au fonctionnement du genre.

Par opposition à toutes les formes de fiction, la biographie et l'autobiographie sont des textes *référentiels :* exactement comme le discours scientifique ou historique, ils prétendent apporter une information sur une « réalité » extérieure au texte, et donc se soumettre à une épreuve de *vérification*. Leur but n'est pas la simple vraisemblance, mais la ressemblance au vrai. Non « l'effet de réel », mais l'image du réel. Tous les textes référentiels comportent donc ce que j'appellerai un « *pacte référentiel* », implicite ou explicite, dans lequel sont inclus une définition du champ du réel visé et un énoncé des modalités et du degré de ressemblance auxquels le texte prétend.

Le pacte référentiel, dans le cas de l'autobiographie, est en général coextensif au pacte autobiographique, difficile à dissocier, exactement, comme le sujet de l'énonciation et celui de l'énoncé dans la première personne. La formule en serait non plus « Je soussigné », mais « Je jure de dire la vérité, toute la vérité, rien que la vérité ». Le serment prend rarement une forme aussi abrupte et totale : c'est une preuve supplémentaire d'honnêteté que de la restreindre au *possible* (la vérité telle qu'elle m'apparaît, dans la mesure où je puis la connaître, etc., faisant la part des inévitables oublis, erreurs, déformations involontaires, etc.), et que de signaler explicitement le *champ* auquel ce serment s'applique (la vérité sur tel aspect de ma vie, ne m'engageant en rien sur tel autre aspect).

On voit ce qui fait ressembler ce pacte à celui que conclut n'importe quel historien, géographe, journaliste, avec son lecteur; mais il faut être naïf pour ne pas voir, en même temps, les différences. Nous ne parlons pas des difficultés pratiques de l'épreuve de *vérification* dans le cas de l'autobiographie : puisque l'autobiographe nous raconte justement —, c'est là l'intérêt de son récit —, ce qu'il est seul à pouvoir nous dire. L'étude biographique permet facilement de rassembler d'autres informations et de déterminer le degré d'exactitude du récit. La différence n'est pas là : elle est dans le fait, assez paradoxal, que cette exactitude n'a pas une importance capitale. Dans l'autobiographie, il est indispensable que le pacte référentiel soit *conclu*, et qu'il soit *tenu* : mais il n'est pas nécessaire que le résultat soit de l'ordre de la stricte ressemblance. Le pacte référentiel peut être, d'après les critères du lecteur, mal tenu, sans que la valeur référentielle du texte disparaisse (au contraire), — ce qui n'est pas le cas pour les textes historiques et journalistiques.

Ce paradoxe apparent tient naturellement à la confusion que jusqu'ici j'ai entretenue, en suivant l'exemple de la plupart des auteurs et critiques, entre la biographie et l'autobiographie. Pour la dissiper, il faut restituer ce quatrième terme qu'est le *modèle*.

Par « modèle », j'entends le réel auquel l'énoncé prétend *ressembler*. Comment un texte peut-il « ressembler » à une vie, c'est une question que les biographes se posent rarement et qu'ils supposent toujours résolue implicitement. La « ressemblance » peut se situer à deux niveaux : sur le mode négatif — et au niveau des éléments du récit —, intervient le critère de l'*exactitude;* sur le mode positif — et au niveau de la totalité du récit —, intervient ce que nous appellerons la *fidélité*. L'exactitude concerne l'*information*, la fidélité la *signification*. Que la signification ne puisse être produite que par les techniques du récit et par l'intervention d'un système d'explication impliquant l'idéologie de l'historien n'empêche pas le biographe de la concevoir comme étant sur le même plan que l'exactitude, en rapport de ressemblance avec la réalité extra-textuelle à laquelle tout le texte renvoie. Ainsi Sartre, déclarant sans vergogne que sa biographie de Flaubert est un « roman vrai [1] ». Le modèle, dans le cas de la biographie, est donc la vie d'un homme « telle qu'elle a été ».

On peut donc construire, pour représenter l'entreprise biographique, le schéma suivant, dans lequel la division en *colonnes* distingue le texte et le hors-texte, et la division en *lignes* le sujet de l'énonciation et le sujet de l'énoncé. Inclus à l'intérieur de la barre de séparation du texte et du hors-texte, l'auteur, dans la position marginale qui est celle de son nom sur la couverture du livre.

---

1. Interview accordée au *Monde*, le 14 mai 1971.

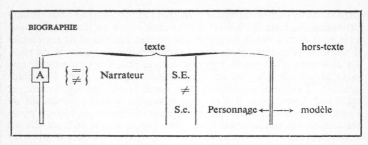

Abréviations :   A   = Auteur   *Relations :*   ⎰ = identique à
            S.E. = Sujet de l'énonciation   ⎱ ≠ non-identique à
            S.e. = Sujet de l'énoncé   ↔ ressemblance

Commentaire du schéma. Dans la biographie, l'auteur et le narrateur sont parfois liés par une relation d'*identité.* Cette relation peut rester implicite ou indéterminée, ou s'expliciter, par exemple, dans une préface (comme par exemple celle de *l'Idiot de la famille,* où le biographe, Sartre, explique qu'il a des comptes à régler avec son modèle, Flaubert). Il peut aussi arriver qu'aucune relation d'identité ne soit établie entre l'auteur et le narrateur. L'important est que, si le narrateur emploie la première personne, ce n'est jamais pour parler du personnage principal de l'histoire : celui-ci est quelqu'un d'autre. Aussi, dès qu'il est concerné, le mode principal du récit est-il la troisième personne, ce que G. Genette appelle la narration hétérodiégétique. La relation du personnage (dans le texte) au modèle (référent hors-texte) est certes d'abord une relation d'identité, mais surtout de « *ressemblance* ». A dire vrai, dans le cas du sujet de l'énoncé, la relation d'identité n'a pas la même *valeur* que pour le sujet de l'énonciation : elle est simplement une donnée de l'énoncé sur le même plan que les autres, elle ne prouve rien, elle a elle-même besoin d'être prouvée par la ressemblance.

On aperçoit déjà ici ce qui va opposer fondamentalement la biographie et l'autobiographie, c'est la hiérarchisation des rapports de ressemblance et d'identité; dans la biographie, c'est la ressemblance qui doit fonder l'identité, dans l'autobiographie, c'est l'identité qui fonde la ressemblance. L'identité est le point de départ réel de l'autobiographie; la ressemblance, l'impossible horizon de la biographie. La fonction différente de la ressemblance dans les deux systèmes s'explique par là.

Cela devient manifeste dès que l'on trace le schéma correspondant à l'autobiographie :

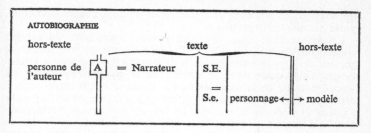

Le récit personnel (autodiégétique) apparaît ici comme absolument irréductible au récit impersonnel (hétérodiégétique).

En effet, dans le cas du récit personnel, que signifie le signe « égale » (=) qui se trouve entre le sujet de l'énonciation et celui de l'énoncé? Il implique *identité* de fait; et cette identité, à son tour, entraîne une certaine forme de ressemblance. Ressemblance avec qui? S'il s'agit d'un récit fait exclusivement au passé, la ressemblance du personnage au modèle pourrait être envisagée exclusivement, comme dans la biographie, comme un rapport vérifiable entre personnage et modèle; mais tout récit à la première personne implique que le personnage, même si on raconte de lui des aventures lointaines, est aussi en même temps la personne *actuelle* qui produit la narration : le sujet de l'énoncé est double en ce qu'il est inséparable du sujet de l'énonciation; il ne redevient simple, à la limite, que quand le narrateur parle de sa propre narration actuelle, jamais dans l'autre sens, pour désigner un personnage pur de tout narrateur actuel.

On réalise alors que le rapport désigné par « = » n'est pas du tout un rapport *simple*, mais plutôt un *rapport de rapports;* il signifie que le narrateur est au personnage (passé ou actuel) ce que l'auteur est au modèle; — on voit que ceci implique que le terme ultime de vérité (si l'on raisonne en termes de ressemblance) ne peut plus être l'être-en-soi du passé (si tant est qu'une telle chose existe), mais l'être-pour-soi, manifesté dans le présent de l'énonciation. Que dans sa relation à l'histoire (lointaine ou quasi contemporaine) du personnage, le narrateur se trompe, mente, oublie ou déforme, — et erreur, mensonge, oubli ou déformation prendront simplement, si on les discerne, valeur d'aspects, parmi d'autres, d'une énonciation qui, elle, reste authentique. Appelons authenticité ce rapport intérieur propre à l'emploi de la première personne dans le récit personnel; on ne le confondra ni avec l'identité, qui renvoie au nom propre, ni avec la ressemblance, qui suppose un jugement de similitude entre deux images différentes, porté par une tierce personne.

Ce détour était nécessaire pour saisir l'insuffisance du schéma concernant l'autobiographie. L'illusion est celle de tous ceux qui partent de la problématique de la biographie pour penser à l'autobiographie. Construisant le schéma de la biographie, j'avais été amené, à cause de la non-identité du narrateur et du personnage, à distinguer *deux* « *côtés* » pour la référence hors-texte, situant à gauche l'auteur et à droite le modèle. Le fait qu'il s'agissait de rapports *simples* d'identité du côté de l'auteur, et de ressemblance du côté du modèle, permettait une présentation linéaire. Pour l'autobiographie, la « référence » se fait d'un seul côté (confusion de l'auteur et du modèle) et le rapport qui articule identité et ressemblance est en fait un rapport de rapports qui ne peut se représenter linéairement.

On aurait donc les deux formules suivantes :

Biographie : A est ou n'est pas N; P ressemble à M.
Autobiographie : N est à P ce que A est à M.
(A = auteur; N = narrateur; P = personnage; M = modèle)

L'autobiographie étant un genre référentiel, elle est naturellement soumise en même temps à l'impératif de ressemblance au niveau du modèle, mais ce n'est qu'un aspect secondaire. Le fait que *nous* jugions que la ressemblance n'est pas obtenue est accessoire à partir du moment où nous sommes sûrs qu'elle a été visée. Ce qui importe, c'est moins la ressemblance de « Rousseau à l'âge de seize ans », représenté dans le texte des *Confessions*, avec le Rousseau de 1728, « tel qu'il était », que le double effort de Rousseau vers 1764 pour *peindre :* 1) sa relation au passé; 2) ce passé tel qu'il était, avec l'intention de ne rien y changer.

Dans les cas de l'identité, le cas limite et exceptionnel, qui confirmait la règle, était celui de la *supercherie;* dans le cas de la ressemblance, ce sera la *mythomanie :* c'est-à-dire, non pas les erreurs, les déformations, les interprétations consubstantielles à l'élaboration du mythe personnel dans toute autobiographie, mais la substitution d'une histoire carrément *inventée*, et *globalement* sans rapport d'exactitude avec la vie; comme pour la supercherie, c'est extrêmement rare, et le caractère référentiel attribué au récit est alors facilement mis en question par une enquête d'histoire littéraire. Mais, disqualifié comme autobiographie, le récit gardera tout son intérêt comme fantasme, au niveau de son énoncé, et la fausseté du pacte autobiographique, comme conduite, restera pour nous révélatrice, au niveau de l'énonciation, d'un sujet à intention malgré tout autobiographique que nous continuerons à supposer au-delà du sujet truqué. C'est revenir donc à analyser sur un autre plan, non plus le rapport biographie-autobiographie, mais roman-autobiographie, à définir ce qu'on pourrait appeler *l'espace autobiographique*, et les effets de *relief* qu'il engendre.

L'ESPACE AUTOBIOGRAPHIQUE

Il s'agit maintenant de montrer sur quelle illusion naïve repose la théorie si répandue selon laquelle le roman serait plus vrai (plus profond, plus authentique) que l'autobiographie. Ce lieu commun, comme tous les lieux communs, n'a pas d'auteur ; chacun, tour à tour, lui prête sa voix. Ainsi André Gide : « Les Mémoires ne sont jamais qu'à demi sincères, si grand que soit le souci de vérité : tout est toujours plus compliqué qu'on ne le dit. Peut-être même approche-t-on de plus près la vérité dans le roman [1]. » Ou François Mauriac : « Mais c'est chercher bien haut des excuses, pour m'en être tenu à un seul chapitre de mes mémoires. La vraie raison de ma paresse n'est-elle pas que nos romans expriment l'essentiel de nous-même ? Seule la fiction ne ment pas ; elle entrouvre sur la vie d'un homme une porte dérobée, par où se glisse, en dehors de tout contrôle, son âme inconnue [2]. »

Albert Thibaudet a donné au lieu commun la forme universitaire du « parallèle », sujet idéal de dissertation, opposant le roman (profond et multiple) et l'autobiographie (superficielle et schématique) [3].

Je démontrerai l'illusion en partant de la formulation proposée par Gide, ne serait-ce que parce que son œuvre fournit un incomparable terrain de démonstration. Qu'on se rassure : je n'entends pas du tout prendre la défense du genre autobiographique, et établir la vérité de la proposition contraire, à savoir que ce serait l'autobiographie qui serait la plus vraie, la plus profonde, etc. Renverser la proposition de Thibaudet n'aurait aucun intérêt : sinon de montrer qu'à l'endroit ou à l'envers, c'est toujours *la même* proposition.

En effet : au moment même où en *apparence* Gide et Mauriac rabaissent le genre autobiographique et glorifient le roman, ils font *en réalité* bien autre chose qu'un parallèle scolaire plus ou moins contestable : ils désignent l'espace autobiographique dans lequel ils désirent qu'on lise l'ensemble de leur œuvre. Loin d'être une condam-

1. André Gide, *Si le grain ne meurt*, coll. « Folio », 1972, p. 278.
2. François Mauriac, *Commencements d'une vie*, in *Écrits intimes*, Genève-Paris, éd. La Palatine, 1953, p. 14.
3. Albert Thibaudet, *Gustave Flaubert*, éd. Gallimard, 1935, p. 87-88.

nation de l'autobiographie, ces phrases souvent citées sont en réalité une forme indirecte du pacte autobiographique : elles établissent en effet de quel ordre est la vérité dernière que visent leurs textes. Dans ces jugements, le lecteur oublie trop souvent que l'autobiographie apparaît à deux niveaux : en même temps que l'un des deux *termes* de la comparaison, elle est le *critère* qui sert à la comparaison. Quelle est cette « *vérité* » que le roman permet d'approcher mieux que l'autobiographie, sinon la vérité personnelle, individuelle, intime, de l'auteur, c'est-à-dire cela même que vise tout projet autobiographique ? Si l'on peut dire, c'est en tant qu'autobiographie que le roman est décrété plus vrai.

Le lecteur est ainsi invité à lire les romans non seulement comme des *fictions* renvoyant à une vérité de la « nature humaine », mais aussi comme des *fantasmes* révélateurs d'un individu. J'appellerai cette forme indirecte du pacte autobiographique *le pacte fantasmatique*.

Si l'hypocrisie est un hommage que le vice rend à la vertu, ces jugements sont en réalité un hommage que le roman rend à l'autobiographie. Si le roman est plus vrai que l'autobiographie, alors pourquoi Gide, Mauriac et bien d'autres ne se contentent-ils pas d'écrire des romans? A poser la question ainsi, tout devient clair : s'ils n'avaient pas écrit et publié *aussi* des textes autobiographiques, même « insuffisants », personne n'aurait jamais vu de quel ordre était la vérité qu'il fallait chercher dans leurs romans. Ces déclarations sont donc des ruses peut-être involontaires mais très efficaces : on échappe aux accusations de vanité et d'égocentrisme quand on se montre si lucide sur les limites et les insuffisances de son autobiographie; et personne ne s'aperçoit que, par le même mouvement, on étend au contraire le pacte autobiographique, sous une forme *indirecte*, à l'ensemble de ce qu'on a écrit. Coup double.

Coup double, ou plutôt vision double, — écriture double, effet, si je puis risquer ce néologisme d'emploi, de *stéréographie*.

Ainsi posé, le problème change complètement de nature. Il ne s'agit plus de savoir lequel, de l'autobiographie ou du roman, serait le plus vrai. Ni l'un ni l'autre; à l'autobiographie, manqueront la complexité, l'ambiguïté, etc.; au roman, l'exactitude; ce serait donc : l'un plus l'autre? Plutôt : l'un *par rapport à* l'autre. Ce qui devient révélateur, c'est l'espace dans lequel s'inscrivent les deux catégories de textes, et qui n'est réductible à aucune des deux. Cet effet de relief obtenu par ce procédé, c'est la création, pour le lecteur, d'un « espace autobiographique ».

A ce point de vue, l'œuvre de Gide et celle de Mauriac sont typiques: tous deux ont organisé, il est vrai pour des raisons différentes, un échec spectaculaire de leur autobiographie, contraignant ainsi leurs lecteurs à lire dans le registre autobiographique tout le reste de leur production narrative. Quand je parle d'échec, il ne s'agit pas de porter un jugement de valeur sur des textes admirables (Gide) ou estimables (Mauriac), mais de faire simplement écho à leurs propres déclarations, et de constater qu'ils ont *choisi* de laisser leur autobiographie incomplète, fragmentée, trouée et ouverte [1].

Cette forme de pacte indirect est de plus en plus répandue. Autrefois c'était le lecteur qui, malgré les dénégations de l'auteur, prenait l'initiative et la responsabilité de ce type de lecture; aujourd'hui auteurs et éditeurs le lancent au contraire dès le départ dans cette direction. Il est révélateur que Sartre lui-même, qui a un instant envisagé de continuer *les Mots* sous la forme d'une fiction, ait repris la formule de Gide : « Il serait temps que je dise enfin la vérité. Mais je ne pourrai la dire que dans une œuvre de fiction », et qu'il ait ainsi explicité le contrat de lecture qu'il aurait suggéré à son lecteur :

> Je projetais alors d'écrire une nouvelle dans laquelle j'aurais voulu faire passer de manière indirecte tout ce que je pensais précédemment dire dans une sorte de testament politique qui aurait été la suite de mon autobiographie et dont j'avais abandonné le projet. L'élément de fiction aurait été très mince; j'aurais créé un personnage dont il aurait fallu que le lecteur pût dire : « *Cet homme dont il est question, c'est Sartre.* »
> Ce qui ne signifie pas que, pour le lecteur, il y aurait dû y avoir coïncidence du personnage et de l'auteur, mais que la meilleure manière de comprendre le personnage aurait été d'y chercher ce qui venait de moi [2].

Tous ces jeux, qui montrent clairement la prédominance du projet autobiographique, se retrouvent, à des degrés divers, chez beaucoup d'écrivains modernes. Et ce jeu peut naturellement être lui-même imité à l'intérieur d'un roman. C'est ce qu'a fait Jacques Laurent dans *les Bêtises* (Grasset, 1971), en nous donnant à lire à la fois le texte de fiction qu'aurait écrit son personnage, puis différents textes « autobiographiques » du même. Si jamais Jacques Laurent publie un jour sa propre autobiographie, les textes des *Bêtises* prendront un « relief » vertigineux...

---

1. Voir ci-dessous, p. 165-196, « Gide et l'espace autobiographique. »
2. Interview accordée à Michel Contat, *le Nouvel Observateur*, 23 juin 1975.

Au terme de cette réflexion, un bref bilan permet de constater un déplacement du problème :

- *Côté négatif :* certains points restent flous ou insatisfaisants. Par exemple, on peut se demander comment l'identité de l'auteur et du narrateur peut être établie dans le pacte autobiographique lorsque le nom n'est pas répété (cf. ci-dessus p. 29); on peut rester sceptique devant les distinctions que je propose dans *Copie conforme*. Surtout, les deux essais intitulés *Je soussigné* et *Copie conforme* n'envisagent que le cas de l'autobiographie à narration autodiégétique, alors que j'avais souligné que d'autres formules de narration étaient *possibles :* les distinctions établies tiendraient-elles, dans le cas de l'autobiographie à la troisième personne?

- *Côté positif :* en revanche mes analyses m'ont semblé fécondes chaque fois que, dépassant les structures apparentes du texte, elles m'amenaient à mettre en question les positions de l'*auteur* et du *lecteur*. « Contrat social » du nom propre et de la publication, « pacte » autobiographique, « pacte » romanesque, « pacte » *référentiel*, « pacte » *fantasmatique*, toutes les expressions employées renvoient à l'idée que le genre autobiographique est un genre *contractuel*. La difficulté à laquelle je m'étais heurté dans ma première tentative tenait à ce que je cherchais en vain, au niveau des structures, des modes ou des voix du récit, des critères clairs pour fonder une différence dont pourtant n'importe quel lecteur fait l'expérience. La notion de « pacte autobiographique » que j'avais alors élaborée, restait flottante, faute de voir qu'un élément essentiel du contrat était le nom propre. Qu'une chose si manifeste ne m'ait pas alors frappé, montre que ce genre de contrat est implicite, et, semblant fondé sur la nature des choses, n'arrête guère la réflexion.

La problématique de l'autobiographie ici proposée n'est donc pas fondée sur un rapport, établi de l'extérieur, entre le hors-texte et le texte — car un tel rapport ne pourrait être que de ressemblance, et ne prouverait rien. Elle n'est pas fondée non plus sur une analyse interne du fonctionnement du texte, de la structure ou des aspects du texte publié; mais sur une analyse, au niveau global de la *publication*, du contrat implicite ou explicite proposé par l'*auteur* au *lecteur*, contrat qui détermine le mode de lecture du texte et engendre les effets qui, attribués au texte, nous semblent le définir comme autobiographie.

Le niveau d'analyse utilisé est donc celui du rapport *publication / publié*, qui serait parallèle, sur le plan du texte imprimé, au rapport *énonciation / énoncé*, sur le plan de la communication orale. Pour être poursuivie, cette recherche sur les contrats auteur / lecteur, sur les codes implicites ou explicites de la publication, — sur cette frange du texte imprimé, qui, en réalité, *commande* toute la lecture (nom d'auteur, titre, sous-titre, nom de collection, nom d'éditeur, jusqu'au jeu ambigu des préfaces), — cette recherche devrait prendre une dimension historique que je ne lui ai pas donnée ici [1]. Les variations dans le temps de ces codes (dues à la fois aux changements d'attitude des auteurs et des lecteurs, aux problèmes techniques ou commerciaux de l'édition) feraient apparaître beaucoup plus clairement qu'il s'agit de codes, et non de choses « naturelles » et universelles. Depuis le XVIIe siècle, par exemple, les usages touchant l'anonymat ou l'emploi du pseudonyme ont beaucoup changé; les jeux sur l'allégation de réalité dans les ouvrages de fiction ne se pratiquent plus aujourd'hui de la même manière qu'au XVIIIe siècle [2]; en revanche, les lecteurs ont pris le goût de deviner la présence de l'auteur (de son inconscient) même derrière des productions qui n'ont pas l'air autobiographiques, tant les pactes fantasmatiques ont créé de nouvelles habitudes de lecture.

C'est à ce niveau global que se définit l'autobiographie : c'est un mode de lecture autant qu'un type d'écriture, c'est un *effet contractuel* historiquement variable. Toute la présente étude repose en réalité sur les types de contrat qui ont cours actuellement : d'où sa relativité et l'absurdité qu'il y aurait à la vouloir universelle. D'où aussi les difficultés rencontrées dans cette entreprise de définition, — je voulais expliciter en un système clair, cohérent et exhaustif (qui rende compte de tous les cas), les critères de constitution d'un corpus (celui de l'autobiographie) constitué en réalité selon des critères multiples, variables dans le temps et selon les individus et souvent non cohérents entre eux. Réussir à donner une formule claire et totale de l'autobiographie, ce serait en réalité échouer. En lisant cet essai où j'ai essayé de pousser aussi loin que possible la rigueur, on aura souvent senti que cette rigueur devenait arbitraire, inadéquate à un objet qui était peut-être plutôt du ressort de la logique chinoise telle que la décrit Borges, que de celui de la logique cartésienne.

Au bout du compte, cette étude m'apparaîtrait donc être elle-même plutôt un document à étudier — (tentative d'un lecteur du XXe siècle pour rationaliser et expliciter ses critères de lecture) qu'un texte

1. Sur ce problème, voir ci-dessous p. 311-341 « Autobiographie et histoire littéraire. »
2. Cf. Jacques Rustin, « Mensonge et vérité dans le roman français du XVIIIe siècle », *Revue d'histoire littéraire de la France*, janvier-février 1969.

« scientifique » : document à verser au dossier d'une science historique des modes de *communication* littéraire.

L'histoire de l'autobiographie, ce serait donc, avant tout, celle de son mode de lecture : histoire comparative où l'on pourrait faire dialoguer les contrats de lecture proposés par les différents types de textes (car rien ne servirait d'étudier l'autobiographie toute seule, puisque les contrats, comme les signes, n'ont de sens que par des jeux d'opposition), et les différents types de lectures pratiquées réellement sur ces textes. Si donc l'autobiographie se définit par quelque chose d'extérieur au texte, ce n'est pas en deçà, par une invérifiable ressemblance avec une personne réelle, mais au-delà, par le type de lecture qu'elle engendre, la créance qu'elle sécrète, et qui se donne à lire dans le texte critique.

2. Lecture

La punition des enfants,
lecture d'un aveu de Rousseau

LE REFUS DE LIRE

En racontant l'épisode de la fessée donnée par Mlle Lambercier[1], Rousseau fait « le premier pas et le plus pénible dans le labyrinthe obscur et fangeux de (ses) confessions » (p. 18). C'est le pas le plus célèbre : mais peut-être aussi le pas le plus méconnu, le texte le moins lu. L'incongruité bloque toute réflexion. Le lecteur se sent tenu de réagir rapidement, il n'a pas le temps de lire. Aussi ce qui domine est-il la réaction d'humeur, qui masque le refus de lire.

Les réactions des premiers lecteurs de 1782 marquent toutes une totale incompréhension, aussi bien chez les partisans de Rousseau que chez ses adversaires. Ces derniers s'étonnent qu'il ait prétendu intéresser le public par tant de « niaiseries puériles », tant de détails sans intérêt, qui « impatientent » le lecteur[2]; certains isolent au milieu de ces bagatelles insignifiantes la fessée, pour en signaler le scandale en ironisant. Ainsi le critique de *l'Année littéraire*, qui trouve tous les détails du premier livre « très ordinaires », mais... :

> ce qui n'est pas commun assurément, ce qu'on peut remarquer comme rare, extraordinaire, *unique*, c'est l'explication curieuse et détaillée des sensations qu'il éprouva lorsque le châtiment des enfants lui fut infligé par la main de Mlle Lambercier, sœur de son maître de pension; si le trop sincère Jean-Jacques n'avait aucun respect pour la pudeur, s'il ne craignait point de blesser la délicatesse de ses lecteurs, par des idées aussi étranges, il devait du moins redouter la honte et le mépris que le monde attache à des goûts bizarres qui annoncent une organisation vicieuse; cet aveu d'une faiblesse

---

1. Pour l'étude des textes des *Confessions*, les références des citations renvoient au tome I des *Œuvres* de Rousseau dans l'édition de la Pléiade, 1959.
2. Cf. pour cette réaction La Harpe, *Correspondance littéraire*, 1801, t. III, p. 373 (lettre CLXVIII); le *Journal des gens du monde*, 1782, t. I, p. 107.

involontaire, mais extravagante, fait au public sans nécessité, sans aucun fruit, doit étonner les· uns, faire rougir les autres, fournir au plus grand nombre une source intarissable de mauvaises plaisanteries, et imprimer à la mémoire de Rousseau un ridicule ineffaçable [1].

Du moins ce critique a-t-il été sensible à la longueur et à la bizarrerie de cet aveu, plus perspicace en cela que les partisans de Rousseau : ainsi le critique du *Journal de Monsieur*, classe la fessée parmi les puérilités inintéressantes, et soupçonne Mlle Lambercier d'avoir « adouci la rigueur » du châtiment; Ginguené, lui, ne retient, de tout l'épisode, que le conseil pédagogique [2].

Le XIXe siècle a jeté un voile pudique sur cet épisode. Ce sont les sexologues qui ont levé ce voile : Kraft-Ebing le premier qui, en analysant la perversion qu'il baptisa, d'après Sacher Masoch, du nom de « masochisme », la fit également parrainer par Rousseau [3]. Mais sa lecture du texte de Rousseau reste superficielle (il reproche à Rousseau de n'avoir pas saisi la dimension symbolique du masochisme...), et ses propres explications de l'origine du masochisme par l'hérédité sont contestables. A partir de Kraft-Ebing, la fessée de Mlle Lambercier devient un cliché, une idée reçue. Elle apparaît dans presque toutes les études sexologiques ou psychanalytiques traitant du masochisme, soit sous la forme d'une référence rapide et schématique [4], soit au contraire sous la forme d'une citation démesurée du texte de Rousseau,

---

1. *L'Année littéraire*, 1782, t. IV, p. 155-156; sur cette réaction de dégoût, voir aussi la lettre de Mme de Boufflers à Gustave III, du 1er mai 1782; sur l'attention privilégiée accordée à la fessée, voir la manière dont Bachaumont la transforme en une « anecdote curieuse » dans ses *Mémoires secrets* (t. XX, p. 272).

2. *Journal de Monsieur*, 1782, t. II, p. 368; Ginguené, *Lettres sur les « Confessions » de Rousseau*, 1791, p. 21.

3. Kraft-Ebing, *Psychopathia sexualis* (1869), Paris, G. Carré, 1895; le cas Rousseau est analysé p. 156-159; p. 195, Kraft-Ebing reproche à Rousseau une interprétation associationniste de son cas qui est en réalité celle de A. Binet (cf. p. 51, n. 1); quant à l'origine du masochisme, on sait que Kraft-Ebing l'attribue à l'hérédité, — ce serait « un signe de dégénérescence fonctionnelle » (p. 191).

4. Ainsi chez Charles Féré, médecin de Bicêtre, dans l'*Instinct sexuel*, Alcan, 1899, p. 138 (manuel de sexologie répressive très représentatif de la première orientation des études sexologiques); chez Freud également, le cas Rousseau est évoqué sommairement sous forme de cliché dans les *Trois Essais sur la théorie de la sexualité* (éd. Gallimard, coll. « Idées », 1962, p. 90). De Freud, sur le problème du masochisme, voir « On bat un enfant » (1919; traduit dans la *Revue française de psychanalyse* en 1933) et « Le problème économique du masochisme » (1924; traduit dans la *Revue française de psychanalyse* en 1928). Rousseau n'est évoqué dans aucune de ces deux études, la première portant d'ailleurs sur les *fantasmes* de fustigation.

qui dispense l'auteur de tout commentaire développé [1]. Dans les deux cas, le résultat est le même : le texte n'est pas lu, et l'affaire est classée.

Quant aux réactions des critiques modernes, elles éludent en général la lecture du texte. Ou bien on fait des pirouettes, comme Cocteau :

> Le postérieur de Jean-Jacques est-il le soleil de Freud qui se lève? J'y distingue plutôt le clair de lune romantique. Se croire malade parce qu'on garde le souvenir d'une fessée charmante est encore une preuve de candeur [2].

Ou bien, comme J. Guéhenno, après avoir résumé le texte de manière caricaturale, on affiche une incrédulité totale; on écoute les aveux de Jean-Jacques avec une indulgence larmoyante, ce seraient des élucubrations invraisemblables, destinées à cacher la pauvreté de sa vie sexuelle :

> Pauvre vieil homme! Quelle manie de s'accuser, mais aussi quelle habileté à le faire. Ce n'est qu'un vieil homme qui parle, aux médiocres amours, et qui regrette et qui explique, comme il peut, leur médiocrité et sa timidité à entreprendre [3].

J. Guéhenno se bouche les oreilles pour ne pas entendre ce que dit Rousseau : ce n'est même pas un « contresens », c'est un refus délibéré d'écouter. On pourrait croire la critique universitaire moderne moins pudibonde, et, en tout cas, plus attentive à la lettre du texte. Il n'en est rien. Les deux « sommes » rousseauistes de P. Burgelin et de J. Starobinski sont très discrètes sur cet épisode. Pierre Burgelin expédie ainsi ce passage :

---

1. La technique de la longue citation dispensant de toute analyse sérieuse du texte a été employée par exemple par : A. Binet, « Le fétichisme dans l'amour », in *Revue philosophique*, 1887, t. XXIV, p. 252-256; René Laforgue, *Psychopathologie de l'échec*, Cahiers du Sud, Marseille, 1941, p. 158 s.; S. Nacht, *Le Masochisme*, éd. Payot, 1965, p. 37-39. Paul Jury, dans « La fessée de Jean-Jacques Rousseau », *Psyché*, II, février 1947, p. 159-182, consacre une analyse plus longue au passage, en développant le diagnostic de Laforgue. Mais il ne *lit* pas le texte, il étudie un « cas ». Il semble d'ailleurs avoir lu distraitement le livre I des *Confessions* (erreurs de fait).

2. *Tableau de la Littérature française*, préface d'André Gide, éd. Gallimard, 1939, p. 294. Plus loin, p. 316, Cocteau dira d'ailleurs le contraire, affirmant que « la fessée de Mlle Lambercier correspond chez lui à quelque chose de profond »...

3. J. Guéhenno, *Jean-Jacques, en marge des « Confessions »*, éd. Grasset, 1948, t. I, p. 29.

Pour être complet, il faudrait ajouter l'élément de mystère que la correction de Mlle Lambercier lui a révélé. Simple accident personnel, pense-t-il d'ailleurs, d'où il ne tire qu'une leçon de prudence à placer dans une *Morale sensitive*[1].

Quant à Jean Starobinski, il a choisi de construire toute sa fondamentale analyse du « projet » de Rousseau à partir de l'épisode du peigne cassé, sans tenir compte du fait que cet épisode était explicitement lié par Rousseau à celui de la fessée[2].

Ce qui est frappant dans la plupart des lectures de l'épisode, c'est que leurs auteurs croient pouvoir *résumer* un texte de cinq pages en cinq lignes : et ils ne commencent à raisonner qu'à partir de ces cinq lignes, où il ne reste en général presque rien de Rousseau. Je prendrai le parti inverse d'essayer de lire mot à mot la première de ces pages, quitte à écrire vingt pages, pour comprendre ce qui essaie de se dire à travers cet aveu.

AVOUER A QUI ?

Un lecteur moderne est frappé par la longueur du texte de Rousseau, mais surtout par sa complexité : extraordinaire architecture de tons (désignant une conduite très complexe), lenteur de la transition, de l'articulation avec les développements précédents; cheminement très sophistiqué du raisonnement qui mène au récit de la première fessée; dédoublement de l'épisode de la fessée, suivi d'un premier aperçu des conséquences; puis retour en arrière, vers un second ordre de causes (l'éducation puritaine), dont on devine soudain qu'il est peut-être cause première de la fessée elle-même; et développement, cette fois plus nourri et plus subtil, des conséquences, s'épanouissant en une sorte de provocation lyrique. Et brusquement, l'aveu se retournant sur lui-même, désignant sa propre impossibilité. A grands traits, voilà la première impression. Comme dans les passages les plus réussis des *Confessions*, le lecteur est séduit par la mobilité du ton. Jamais Rousseau ne « s'installe » dans un ton, jamais il ne tient la note. Il ne s'agit pas de « bigarrure » gratuite. Dans le préambule du manuscrit de

1. P. Burgelin, *La Philosophie de l'existence de Jean-Jacques Rousseau*, PUF, 1952, p. 374.
2. Dans *Jean-Jacques Rousseau, la Transparence et l'Obstacle* (éd. Gallimard, 1971), Jean Starobinski donne valeur d'archétype à l'épisode du peigne cassé (p. 18), l'épisode de la fessée n'apparaissant qu'incidemment, et dans une formule qui oppose les deux épisodes; l'épisode de la fessée est utilisé dans la suite du livre, p. 161, à propos du masochisme moral, p. 204-208, à propos de l'exhibitionnisme, et de l'articulation du ruban de Marion et de l'exhibitionnisme à Turin.

Neuchâtel, Rousseau explique que son style fait partie de son histoire, et qu'il peindra ainsi *doublement* l'état de son âme : mais ce n'est pas en superposant deux états chronologiquement et affectivement séparés : ce doublement ne peut se comprendre que comme une conduite de répétition. Il n'y a pas un présent qui parle *du* passé : mais un passé qui parle *dans* le présent. Ou qui *essaie* de parler. Quand on laisse flotter son attention, le jeu des tons, dans sa mobilité même, apparaît comme un projet stratégique très cohérent : ces esquives, ces ruses, ces détentes humoristiques, ces épanouissements lyriques, ces crispations orgueilleuses, ces retraits dessinent sans doute, au niveau apparent, une sorte de carte en relief des interdits, des obstacles intériorisés; en creux, l'unique force du désir, qui cherche une issue, qui veut retrouver la parole.

En effet, dans des aveux comme ceux de la fessée ou du ruban de Marion, il faut distinguer deux niveaux d'énonciation et d'écoute du discours, le premier masquant le second: à la surface, tout à fait explicite, s'étalant presque impudiquement, le système de la faute et de la culpabilité, système moral, avec ses dédales de distinguo, de justifications, sa mauvaise foi; tout renvoie le lecteur à l'univers juridique du « procès », à l'univers moral de la « confession » : même si nous transposons en termes de fantasmes, il reste que c'est la culpabilité qui s'exhibe; dessous, ou plutôt *à travers* ce discours de la faute, on peut lire, tantôt explicite, tantôt voilé, le langage de l'amour, de la demande d'amour. Procès, confession, laissent entendre qu'il s'agit du rapport de Rousseau à tous les autres; l'emploi du discours autobiographique public confirme cette idée; mais le langage de l'amour ne s'adresse qu'à un seul être, à l'autre, et désire restaurer, au-delà de toutes les médiations, une relation duelle irrémédiablement perdue. Et si le système de la faute masque la demande d'amour pour pouvoir l'exprimer, n'est-ce pas que la faute première serait l'amour ?

Entre l'aveu et la chose avouée, le rapport n'est pas celui d'un discours à son contenu, d'une action à un objet; l'aveu est une tentative de renversement d'une seule et même conduite : et, le plus souvent, la « faute » (pour employer le vocabulaire moral) ou le « manque », que l'aveu doit effacer *maintenant*, c'est l'absence d'aveu *alors*, et non la chose à avouer. Tout se passe comme si le verbe avouer devait s'employer de manière intransitive. Et comme si le contenu de l'aveu masquait sa destination. Quel lecteur ne s'est senti gêné de lire des aveux comme celui de la fessée, parce qu'il percevait obscurément qu'il était là — lui, lecteur d'autobiographie, dont la présence est inscrite dans le texte même — à la place de quelqu'un d'autre, qu'il recevait, par substitution, une déclaration d'amour? Les aveux autobiographiques sont des sortes de « lettre à Rodrigue », que tout le monde lit sauf le destinataire. Ou plutôt : qui se donnent à lire à tout le monde faute de pouvoir jamais trouver leur vrai destinataire.

Il y a en effet un modèle de l'aveu idéal pour Rousseau : c'est l'aveu *contemporain* de la faute, qui efface non la faute (cela est secondaire), mais la rupture de communication. Ainsi l'incident de la « rue des moineaux » (*Confessions*, livre VIII), qui servit à Rousseau pour écrire l'épisode où Saint-Preux avoue à Julie la débauche à laquelle il s'est laissé entraîner (*La Nouvelle Héloïse*, IIᵉ partie, lettre 26). Dans les *Confessions*, Rousseau dit : « J'en allégeai le poids par ma franche et prompte confession » (p. 355); et le pardon de Thérèse lui permet de sentir « la bonté du cœur de (sa) Thérèse ». Dans *la Nouvelle Héloïse*, la technique du roman par lettres permet, après l'aveu, de faire entendre la voix qui pardonne, et qui aime. Tout aveu est à la recherche de cette voix. Aussi l'aveu *différé* s'expose-t-il à tomber dans le silence. Dans les aveux *écrits* des *Confessions* on lit d'abord ce silence, l'appel de la seconde personne, et son absence. Peut-être d'ailleurs cette absence, qui empêche l'aveu de jamais remplir sa fonction, est-elle cela même qui a rendu possible le franchissement des résistances. On ne trouve la force de rouvrir cette porte murée, que si l'on sent qu'il n'y a plus personne qui attende derrière. L'obstacle intérieur ne se lève qu'à partir du moment où un obstacle extérieur remplit sa fonction. On ne retrouve la parole que lorsque l'écoute de l'autre a disparu. On fait alors le geste de rétablir la communication, avec l'amère liberté du « trop tard ». Et cette parole, qui vous est restée en travers de la gorge toute la vie, on en mime une délivrance, qui, vaine, sera toujours à recommencer, faute d'atteindre l'autre.

Qui est cet « autre »? Nul lecteur, contemporain ou à venir; mais, semble-t-il, la personne même envers laquelle on a péché, envers laquelle il n'y a péché que parce qu'on l'aime, et qu'on désire en être aimé. Mais cette personne, elle-même, peut être Mˡˡᵉ Lambercier, Marion, Maman, ou n'importe qui. L'anecdotique importe peu. De l'une à l'autre, c'est une chaîne de substitution : toutes sont à la place d'une, qui manque. Aussi de l'une à l'autre, l'aveu aurait-il pu être transféré : mais c'est leur identité même qui amène la répétition du silence. Ce n'est que lorsque la chaîne s'arrête, que la parole reprend, ou plutôt l'écriture.

Ainsi, à qui est adressé le récit du ruban de Marion? Et comment se fait-il que le lecteur soit gêné : est-ce à cause, vraiment, de la disproportion entre le crime et le remords, de la roublardise et de la naïveté de la stratégie adoptée? Ou parce que, sans le bien percevoir, le lecteur sent que ces disproportions et cette virtuosité ne sont que des signes et des conséquences, voilés, indirects, d'une demande d'amour qui s'adresse, à travers lui, à quelqu'un d'irrepérable? L'histoire de Marion n'est que secondairement l'histoire d'un crime. Dans son origine, c'est l'histoire d'un aveu manqué : d'un aveu *d'amour*. Un amour cherche à se dire, et s'aide des circonstances pour trouver un langage assez paradoxal, un langage inversé. Langage obscur sans doute, pour Marion et pour Jean-Jacques sur le moment, mais dont le narrateur devine finalement le sens véritable. Que la mauvaise honte, l'amour-propre aient ici joué un grand rôle c'est certain : mais en suggérant ce langage inverse, les circonstances n'ont fait qu'ouvrir une issue à un désir qui cherchait à s'exprimer, et n'arrivait pas, ou hésitait, à le faire (le langage du ruban donné, pour être très conventionnel et peu opaque, n'en est pas moins indirect). Accuser Marion, c'est donc un acte manqué-réussi, qui inverse symboliquement les sens de la séduction (Rousseau aurait reçu passivement le ruban, comme plus tard il se fera enlever par deux jeunes demoiselles, ou séduire par des femmes entreprenantes), mais en même temps laisse affleurer une pulsion sadique dans laquelle Rousseau n'arrive pas à se reconnaître (mais qu'il nous faudra bien envisager pour comprendre son masochisme) : tous les aspects de cette scène renvoient finalement à l'amour. Quant aux remords dont Rousseau s'est dit poursuivi tout au long de l'existence, ils sont une manière de prolonger indéfiniment la parole d'amour (inversée) qu'il a réussi à obtenir d'elle par ce stratagème. Cette conduite inversée du héros en face de Marion, le narrateur la *répète* en face du lecteur. L'énoncé du désir vient, dans la stratégie de l'aveu, comme un élément à décharge (« et pourtant je l'aimais ») à l'intérieur du système de la faute, qui finalement reste donc intact même pour le narrateur, et garde jusqu'à la fin sa fonction protectrice. Ce qui ne peut pas être dit, c'est que c'est le désir lui-même qui est la faute, car, si on le disait, le système de la faute devenant transparent, le désir apparaîtrait directement et sans protection. Au niveau de l'écriture autobiographique, l'aveu ne peut donc redonner la parole au désir qu'à travers les mêmes détours que dans les conduites vécues. L'aveu n'est pas le moins du monde le retour à une transparence originelle : le langage qu'il libère est encore un langage aliéné. La véritable libération eût été d'avouer devant Marion sa faute, c'est-à-dire en fait, son amour. C'était impossible, ce l'est demeuré. L'aveu n'a pu se faire par substitution :

> Cependant je n'ai jamais pu prendre sur moi de décharger mon cœur de cet aveu dans le sein d'un ami. La plus étroite intimité ne me l'a jamais fait faire à personne, pas même à Mme de Warens (p. 86).

Et il n'arrive à se faire, finalement, que dans le vide, et encore par l'intermédiaire de cet autre ruban, indéfini, qu'est l'écriture. Mais la destination réelle de l'aveu est ici indiquée : la plus étroite intimité. Ce cœur « transparent comme le cristal » a donc gardé, jusqu'au bout, son secret. Le secret du ruban, mais aussi le secret de la fessée :

> On peut juger de ce qu'ont pu me coûter de semblables aveux, sur ce que dans tout le cours de ma vie, emporté quelquefois près de celles que j'aimais par les fureurs d'une passion qui m'ôtait la faculté de voir, d'entendre, hors de sens, et saisi d'un tremblement convulsif dans tout mon corps, jamais je n'ai pu prendre sur moi de leur déclarer ma folie, et d'implorer d'elles dans la plus intime familiarité la seule faveur qui manquait aux autres (p. 18).

Dans « la plus intime familiarité ». Le texte de la fessée annonce, et en même temps éclaire, le texte du ruban. L'aveu a ici sa véritable dimension : il est demande d'amour, toute sa finalité serait d'obtenir la réponse. Et comme il est impossible, il ne peut venir que trop tard, et déplacé. Et non pas directement, mais à travers les méandres d'un labyrinthe.

DANS LE LABYRINTHE

Le texte de Rousseau est souvent abusivement simplifié : on y voit la découverte de l'origine enfantine d'une perversion, l'enfant ayant la révélation de la fonction érotique de la zone fessière. C'est réduire le texte à l'anecdote, et refuser de le lire. Le derrière et la localisation des zones érogènes sont des éléments secondaires du système. Plus que le derrière, c'est la *main* qui importe, parce qu'elle est le signe de la personne qui inflige la punition. Le texte de Rousseau est construit de manière à subordonner les éléments proprement sexologiques à une interprétation *symbolique* de l'origine et du fonctionnement de sa perversion. On voit bien sa stratégie : il s'agit pour lui de montrer que sa dépravation, loin d'être due à un banal abandon au plaisir charnel, trouve au contraire son origine dans les sentiments les plus purs; exactement comme dans le ruban de Marion, où l'on découvre que c'est par tendresse qu'il a exécuté la pauvre fille. Chaque fois, le renversement « paradoxal » qu'instaure Rousseau nous semble d'une grande lucidité, comme s'il défaisait le travail de l'inconscient : mais la lucidité est seulement partielle; pour mener à son terme le renversement et comprendre pourquoi il y a eu renversement, il faut inverser aussi le lieu de la culpabilité. Ce qui est donné comme excuse et comme justification (l'amour), ne serait-il pas le crime? et le crime apparent (la déviation sexuelle) n'aurait-il pas fonctionné en réalité dans la vie comme excuse? Toujours est-il qu'au début, il y a l'amour. Ou plutôt : le désir d'amour :

> Être aimé de tout ce qui m'approchait était le plus vif de mes désirs. J'étais doux, mon cousin l'était; ceux qui nous gouvernaient l'étaient eux-mêmes. Pendant deux ans entiers je ne fus ni témoin, ni victime d'un sentiment violent (p. 14).

Très vite, cette harmonie du groupe se trouve restreinte et comme nommée dans ce qui la fonde : l'harmonie du couple que forment l'enfant et le personnage maternel. Pour l'harmonie du groupe, ce qui la mettait en valeur était l'absence d'agressivité des adultes. C'est une fausse note due à l'enfant qui va mettre en péril l'harmonie du couple. C'est lui qui est l'auteur d'une agression. Cette agression est d'ailleurs à peine nommée : il s'agit d'une hésitation, d'un simple trébuchement, tout involontaire, dans la récitation du catéchisme.

A partir de cette initiale et fondamentale position du désir d'amour, l'analyse, puis le récit, vont progresser très lentement. Il ne faut pas attribuer cette lenteur seulement à la prudence ou à la honte, ni voir, dans les sophismes que je vais démonter, des leurres destinés à abuser le lecteur. Rousseau sait que son dessein est paradoxal, c'est-à-dire qu'il explore une nouvelle *logique* des sentiments, dont l'irrationalité risque de surprendre le lecteur : aussi ménage-t-il avec soin une transition insensible, aussi se sert-il de ce qui, dans la rhétorique classique, serait artifice (ambiguïtés et glissement de sens), pour préparer des renversements surprenants. Mais, surtout, il s'agit, par ces obscurités d'où la lumière ne sort que progressivement, de mimer la surprise même de l'enfant devant le tour inattendu que prennent ses sentiments. Nous sommes amenés à sentir qu'il ne comprend pas ce qui lui arrive, qu'il est le premier étonné. Tout ce qui, au niveau du plaidoyer, est ruse, peut devenir, au niveau du récit, réalisme psychologique. L'ignorance et l'innocence de l'enfant, et celles du lecteur, coïncident ici. Le narrateur dévoile lentement les choses, mimant le cheminement de la prise de conscience de l'enfant. A travers tous ces méandres, une seule chose reste fixe et fondamentale : l'amour. C'est ce qu'il fallait nous faire sentir. Trois étapes permettent cette modulation.

Première étape.

> Je me souviendrai toujours qu'au Temple répondant au catéchisme, rien ne me troublait plus quand il m'arrivait d'hésiter, que de voir sur le visage de Mlle Lambercier des marques d'inquiétude et de peine. Cela seul m'affligeait plus que la honte de manquer en public, qui m'affectait pourtant extrêmement : car quoique peu sensible aux louanges je le fus toujours beaucoup à la honte, et je puis dire ici que l'attente des réprimandes de Mlle Lambercier me donnait moins d'alarmes que la crainte de la chagriner.

C'est pour montrer combien il était sensible à cet amour pur et total, que Rousseau raconte l'épisode du catéchisme. Cet épisode peut se lire au niveau le plus banal. Rien ne nous amène à remarquer l'ambiguïté possible du mot « troublait », précisé par la suite comme douleur morale (affliction, alarmes). L'origine même de la situation est estompée : l'agression commise par l'enfant est une simple hésitation, mentionnée dans une incise, et finalement subordonnée à son effet, seul important : un enfant sensible, qui souffre de faire souffrir la personne maternelle. L'intensité de cette souffrance, preuve de l'amour, va être mesurée par une *comparaison :* tout ce texte est construit sur des comparaisons d'intensité, et tous les sophismes portent sur des glissements à la fois sur le sens des mots désignant les termes comparés, et sur le sens même du rapport de comparaison. L'instrument de mesure va être ici l'amour-propre, et ce qui le fait souffrir, la honte. Une comparaison très simple, et semble-t-il très cohérente, nous est proposée; elle paraît avoir fonction d'exprimer un superlatif absolu : la blessure d'amour-propre est immense, mais la blessure d'amour la surpasse encore. L'amour-propre est subordonné à l'amour, donc Jean-Jacques est bon. Donc :

	A		B
(1)	douleur de chagriner Mlle Lambercier	>	honte de manquer en public

Amour et amour-propre sont ici parallèles, séparés. Mais il n'y a entre eux aucune opposition, donc aucun choix à faire (ce qui sera le cas au moment du ruban de Marion), juste une différence d'intensité entre deux douleurs. Le texte semble limpide. Pourtant une lecture plus attentive permet de discerner un certain nombre de glissements, dont la pertinence échappe totalement au lecteur lors d'une première lecture, mais le conduisent à accepter plus facilement la suite. La dernière phrase du paragraphe est construite de manière circulaire : le même raisonnement est énoncé deux fois de suite, une fois dans un sens (douleur plus grande que la honte, qui pourtant était très grande), une fois dans l'autre sens (la honte était très grande, pourtant elle était moins grande que la douleur) : la douleur d'amour se trouve ainsi au début et à la fin de la phrase, et sort grandie, victorieuse, de cette espèce de traversée de la honte médiane. Mais les termes du raisonnement ne sont pas exprimés par les mêmes mots, et l'on pense bien que le souci de variété ne suffit pas à rendre compte des changements, encore moins de l'ordre de ces changements. Le passage de la première à la deuxième expression de l'intensité de la honte, qui fait charnière, est une simple explication, renvoyant au début du paragraphe où il avait affirmé n'avoir eu naturellement aucune vanité. Mais pour les deux termes de la comparaison, deux modulations ont eu lieu. D'une part on est passé de « la honte de manquer en public » à « l'attente des réprimandes de Mᴵˡᵉ Lambercier » : c'est-à-dire d'une expression générale et vague (qui situait l'amour-propre comme un point de comparaison extérieur à, et différent de, l'amour), à la nomination concrète et précise de la forme que prend la sanction sociale qui engendre la honte : la réprimande (verbale, mais agressive), et son acteur : Mᴵˡᵉ Lambercier, qui se trouve ainsi placée elle-même dans une situation ambiguë, puisqu'elle joue un rôle aussi bien dans le domaine de l'amour-propre que de l'amour. D'autre part, on est passé du fait à l'*attente* du fait : nuance importante qui permettra plus loin d'introduire de manière très naturelle la métamorphose du fait lui-même. Ces modulations introduisent, dans la comparaison élémentaire schématisée plus haut, le jeu nécessaire à sa transformation.

Deuxième étape.

> Cependant elle ne manquait pas au besoin de sévérité, non plus que son frère : mais comme cette sévérité, presque toujours juste, n'était jamais emportée, je m'en affligeais et ne m'en mutinais point. J'étais plus fâché de déplaire que d'être puni, et le signe du mécontentement m'était plus cruel que la peine afflictive.

Pour un lecteur non averti, cette seconde étape semble une simple répétition. Il faudra la transition embarrassée qui suit pour qu'il se rende compte, rétrospectivement, qu'il s'agit d'un discours à double sens. Les deux incises « non plus que son frère » et « presque toujours juste », comme d'ailleurs l'hypothèse ici écartée d'une « mutinerie », ouvrent l'espace où s'inscrira l'épisode du peigne cassé. Mais le « non plus que son frère » prépare habilement la possibilité ultérieure du distinguo sur l'identité de la « main » qui inflige la fessée. D'autre part, nous sommes revenus de l'*attente* au *fait* lui-même, mais nous sommes restés cette fois au niveau du châtiment concret, et non au niveau de la « honte » en général. Le schéma de la comparaison donnerait maintenant :

	A		B
(II)	douleur causée par le signe du mécontentement	>	douleur causée par la peine afflictive

La différence avec (I) ne semble pas énorme. Mais le lecteur entend Rousseau dire qu'il doit « s'expliquer mieux »; il réalise brusquement qu'un aveu vient de lui être fait sans qu'il s'en soit rendu compte; et il est maintenant incité non pas à écouter un aveu, ce qui le maintiendrait en position d'écoute et de critique, mais à déchiffrer une énigme, ce qui le force à entrer lui-même dans le jeu, à expliquer le paradoxal cheminement de la sensibilité, et à s'y compromettre. Le texte est construit de telle manière qu'il est impossible d'identifier en quoi consiste la faute sans avoir au préalable compris la logique affective qui fait de cette faute une paradoxale conséquence de l'amour le plus pur. Et comprendre cette logique, c'est renoncer à condamner. La stratégie de Rousseau a donc consisté à décaler l'analyse du sentiment, amorcée depuis le début du paragraphe précédent, et la rhétorique de l'aveu (« il est embarrassant... »), qui n'arrive que lorsque l'aveu a déjà été fait sous une forme cryptée. Se retournant en effet sur le début de notre paragraphe, le lecteur perçoit alors (et bien plus encore après avoir lu la suite) que la ressemblance de (I) et de (II) n'est qu'une illusion. Le « cependant » qui ouvre le paragraphe organise une opposition entre « sévérité » et un terme antérieur qui doit donc signifier mansuétude : ce qui nous renverrait au tout début du paragraphe précédent où l'égalité d'âme des éducateurs était établie (la distinction entre la sévérité et l'emportement, qui suit ici, le confirme); mais dans le contexte immédiat, sévérité ne peut s'opposer qu'au mot réprimande qui, lui, désigne non pas un degré d'intensité de la punition, mais une modalité (la réprimande est une punition *verbale*); il est alors nécessaire d'avoir recours à un classement des modalités de punition entre elles pour déduire ce que veut dire le mot sévérité, qu'il désigne une punition *physique*, et qu'il est un euphémisme pour désigner la fessée. Dans la suite, d'ailleurs, jamais la fessée ne sera nommée par son nom propre, mais uniquement par des locutions contournées (la punition des enfants), des mots très généraux (la correction, le châtiment), ou des périphrases où elle est désignée par la fonction qu'elle occupe dans la situation (« la seule faveur qui manquait aux autres », etc.) [1]. Qu'on excuse ces longueurs : tout commentaire d'une ambiguïté ou d'une ellipse paraît laborieux : mais il était nécessaire de montrer comment le jeu sémantique fait que l'expression permet de comprendre, sans inviter à comprendre. De la même manière ce n'est que rétrospectivement que l'on saisit que le rapport de comparaison s'est transformé au point d'être méconnaissable, c'est-à-dire de n'être plus un rapport de comparaison du tout. Le terme B, en effet, était dans le rapport (I) présenté au superlatif (l'*intensité* de la honte), et en fonction de comparant. Or ici toutes les expressions qui le désignent (être puni, la peine afflictive), ont perdu cette marque du superlatif (être puni, la peine afflictive), alors que les expressions renvoyant au terme A, elles aussi sobrement désignées, gardent, par leur place dans la comparaison, l'idée d'intensité. Mieux : dans la première phrase, l'emploi d'une expression négative pour désigner B (« et ne m'en mutinais point ») laisse pressentir que non seulement l'intensité de la douleur B s'est estompée, mais qu'elle a disparu. Naturellement il y a un pas à franchir de l'acceptation résignée du châtiment qui est ici suggérée, à l'acceptation joyeuse et au désir du châtiment : mais la route est ouverte. En effet la raison donnée à cette acceptation résignée amène aussi le lecteur à la perception confuse

---

1. Rousseau a abordé dans l'*Émile*, à propos de l'éducation sexuelle de son élève le problème du langage à employer pour parler de la sexualité (*Œuvres*, Pléiade, t. IV, p. 649; voir p. 1608, note 3), distinguant le langage de l'honnêteté (appeler les choses par leur nom) du langage de la « décence » (qui est en réalité, par ses détours et ses circonlocutions, un langage beaucoup plus « obscène » que le premier). Il parlera à son élève le langage de l'honnêteté : « Ce que je dois dire à mon Émile n'aura rien que d'honnête et de chaste à son oreille, mais pour le trouver tel à la lecture il faudrait avoir un cœur aussi pur que le sien » (IV, p. 649). On retrouve une formule analogue dans le discours préparé par Rousseau pour introduire la lecture des *Confessions;* il avertit les dames que « c'est au cœur à purifier les oreilles » (I, p. 1186), ce qui laisserait croire qu'il emploie dans ses aveux le langage direct de l'honnêteté. On sait qu'il n'en est rien. A ce point de vue le style des *Confessions* présente un bizarre mélange des deux styles : en parlant d'épisodes secondaires, Rousseau s'est permis d'employer toutes sortes d'expressions crues et triviales qui ont choqué ses contemporains, l'ont fait juger bas et dégoûtant, — un style de valet; mais quand il s'agit d'aveux directs et affectivement importants, Rousseau emploie le plus souvent le langage que lui-même qualifie d'obscène, c'est-à-dire un langage dont la décence est si grande qu'elle aboutit à l'obscurité. C'est le cas ici, comme aussi dans les aveux relatifs au « dangereux supplément ».

d'un changement essentiel : les motivations qui sont de l'ordre de l'amour A, se sont glissées dans le domaine B; cette interpénétration des deux domaines avait été suggérée dès la fin du paragraphe précédent par le double rôle de Mlle Lambercier. A et B étaient deux domaines séparés, et A l'emportait sur B en intensité. Maintenant A et B sont deux domaines subordonnées, et A utilise les éléments de B. S'il s'afflige, c'est que cette sévérité est juste et qu'elle est la compensation de la douleur qu'il sait avoir causée par sa faute; s'il ne se mutine *pas*, c'est que la sévérité n'est *pas* emportée (correspondance des deux termes négatifs) : le contraire de l'emportement, nous l'avons vu, c'est la douceur, signe de l'harmonie dans l'amour, objet du désir initial de Jean-Jacques. On voit qu'ici sont éliminés, dans l'évocation du châtiment, tous les éléments qui sont de l'ordre de la honte (la honte ne réapparaîtra que dans le paragraphe suivant, à la fin du processus, où elle émergera de ce silence, paradoxalement voluptueuse), et qu'en revanche sont suggérés, mais indirectement par des négations ambiguës, tous les éléments affectifs. Nous sommes ainsi préparés à l'idée paradoxale que la fessée est le lieu d'une communication *affective* satisfaisante : reste certes qu'ici encore aucun élément, fût-il indirect ou négatif, ne laisse deviner l'aspect *sensuel* de cette communication. Au terme de cette analyse, on voit qu'on est très loin, avec la formule II, d'une *comparaison* d'intensité de deux douleurs appartenant à des domaines différents : on en est souterrainement arrivé à l'*articulation* paradoxale de la douleur et du plaisir dans un unique domaine, l'amour.

Transition.

> Il est embarrassant de s'expliquer mieux, mais cependant il le faut. Qu'on changerait de méthode avec la jeunesse si l'on voyait mieux les effets éloignés de celle qu'on emploie toujours indistinctement et souvent indiscrètement! La grande leçon qu'on peut tirer d'un exemple aussi commun que funeste me fait résoudre à le donner.

Le terrain ainsi préparé et l'ambiguïté conduite à son comble, Rousseau avoue... qu'il vient d'avouer. Nous avons vu les raisons de cette stratégie de l'énigme. Reste qu'il a besoin de courage, et qu'il a besoin de *montrer ce besoin* avant de faire réellement preuve de courage. La honte, estompée au niveau de l'énoncé précédent, rejaillit au niveau de l'énonciation, comme par équilibre. Tandis que le personnage s'achemine lentement vers la volupté de la honte, le narrateur assume la honte de cette volupté. Et par la timidité qu'il manifeste envers nous, il nous donne une idée de la force des résistances qui l'empêchèrent de faire aux femmes qu'il a aimées le même aveu. Le voici donc brusquement pédagogue; le temps de deux phrases, il prend le ton du précepteur de l'*Émile* : — Mais si ce problème est pédagogiquement capital, comment se fait-il qu'il n'en ait pas parlé dans l'*Émile*[1]? Cela sonne faux, pour une raison très simple : c'est qu'un discours pédagogique s'exprime en clair, et qu'ici nous n'avons qu'un enchaînement d'énigmes. Énigme portant sur ce que recouvre le mot de « méthode »; énigme, également, sur les « effets éloignés » : nous ne sommes même pas au clair sur les effets immédiats! Cette technique narrative transforme l'aveu en roman policier, le lecteur étant requis de participer au déchiffrement, et stimulé par l'annonce de découvertes intéressantes (suspens) : chaque fois, dans la suite des *Confessions*, qu'il sera question de la vie affective et sexuelle de Rousseau, cette technique sera employée. Ici, Rousseau en tire d'autres avantages : au cas où le lecteur situerait sa réflexion sur le terrain de la *responsabilité*, il est clairement établi que l'enfant non seulement n'est pas responsable (plus loin nous verrons que la récidive arriva « sans qu'il y ait de ma faute, c'est-à-dire de ma volonté »), mais qu'il est victime d'une erreur pédagogique : derrière le « on » qui emploie la fessée indistinctement et souvent indiscrètement, les Lambercier sont présents, eux aussi. Quant au caractère, « aussi commun que funeste » de cet exemple, il est nécessaire dans le cadre d'un discours pédagogique. Mais toute la suite du récit prouvera le contraire. On débouchera sur l'exceptionnel (tout se passera « dans le sens contraire à ce qui devait s'ensuivre naturellement »), et sur la volupté et sur la pureté (« je n'ai pas laissé de beaucoup jouir... » et « des sentiments purs et des mœurs honnêtes »). La générosité pédagogique est la mascarade nécessaire à un désir qui n'ose, dans l'aveu même, avouer le désir qu'il a de s'avouer, et se démasquer. Mais au fait, de quoi s'agit-il?

---

1. Rousseau a abordé le problème des châtiments corporels en 1740 dans le *Mémoire à M. de Mably* (*Œuvres complètes*, Pléiade, t. IV, p. 4-5), en reprenant les arguments de Locke et de Rollin (voir la note de P. Burgelin sur le passage). Le ton de Rousseau dans ce passage correspond à l'indignation ressentie après la fessée *injuste* consécutive à l'épisode du peigne cassé, absolument pas à l'alarme devant un traitement susceptible d'éveiller et de pervertir la sexualité. Dans l'*Émile*, aucune remarque sur le châtiment corporel. En revanche, un curieux développement sur la différence d'attitude des filles et des garçons en face du châtiment, où tout ce qui est dit de la soumission des filles nous rappelle la fessée de Mlle Lambercier, alors que tout ce qui est dit de la révolte des garçons rappelle l'épisode du peigne cassé (*ibid.*, p. 750-751).

Troisième étape.

> Comme Mlle Lambercier avait pour nous l'affection d'une mère, elle en avait aussi l'autorité, et la portait quelquefois jusqu'à nous infliger la punition des enfants, quand nous l'avions méritée. Assez longtemps elle s'en tint à la menace, et cette menace d'un châtiment tout nouveau pour moi me semblait très effrayante; mais après l'exécution, je la trouvai moins terrible à l'épreuve que l'attente ne l'avait été, et ce qu'il y a de plus bizarre est que ce châtiment m'affectionna davantage encore à celle qui me l'avait imposé. Il fallait même toute la vérité de cette affection et toute ma douceur naturelle pour m'empêcher de chercher le retour du même traitement en le méritant : car j'avais trouvé dans la douleur, dans la honte même, un mélange de sensualité qui m'avait laissé plus de désir que de crainte de l'éprouver derechef par la même main. Il est vrai que, comme il se mêlait sans doute à cela quelque instinct précoce du sexe, le même châtiment reçu de son frère ne m'eût point du tout paru plaisant. Mais de l'humeur dont il était, cette substitution n'était guère à craindre, et si je m'abstenais de mériter la correction, c'était uniquement de peur de fâcher Mlle Lambercier; car tel est en moi l'empire de la bienveillance, et même de celle que les sens ont fait naître, qu'elle leur donna toujours la loi dans mon cœur.

Rousseau va maintenant expliciter tout ce qui était implicite dans la deuxième étape. Il recommence son récit. Mais avec une lenteur extraordinaire, dont la fonction est à la fois de mimer (autant qu'il est possible) la surprise de l'enfant et la difficulté qu'il a à *penser* ce qui lui arrive, à l'exprimer à l'intérieur des catégories en usage, mais aussi de rendre impossible toute lecture réductrice ou triviale. L'origine symbolique et affective de la perversion est partout mise en évidence. Pour commenter cette partie du texte, nous avons la chance de pouvoir la comparer à la version antérieure du manuscrit dit de Neuchâtel (Pléiade, I, p. 1155).

> Comme Mlle Lambercier prenait de nous les soins d'une mère, elle en exerçait aussi l'autorité. Ce droit la mettait dans le cas de nous infliger quelquefois l'ordinaire châtiment des enfants. Je redoutais cette correction plus que la mort, avant de l'avoir reçue. A l'épreuve je ne la trouvai pas si terrible, et quoiqu'il ne me soit jamais arrivé de rien faire à dessein de la mériter, j'avais plus de penchant à la désirer qu'à la craindre.

Le texte de cette première version est beaucoup plus court : Rousseau dressera d'ailleurs plus loin un constat d'échec pour ce qui est de l'explication [1]. Il voit bien la chaîne causale qui mène de la fessée à toute la suite de son histoire sexuelle; mais il ne discerne pas la chaîne causale qui aboutit à la fessée : « J'ignore pourquoi cette sensualité précoce », ajoute-t-il dans cette première version. Tout se passe comme s'il n'avait pas encore compris le rapport de la fessée avec le développement précédent. Si l'on compare la première à la seconde version, on voit que manquent dans la première *toutes* les mentions ayant rapport au lien affectif réciproque qui existe entre Mlle Lambercier et l'enfant, donc toutes les analyses qui finalement expliquent l'origine et le fonctionnement de cette perversion dans le second texte, et la relient à ce qui précède; manque également l'idée du plaisir lié à la honte. C'est donc en relisant son texte et en le retravaillant que Rousseau a fait la découverte décisive, a réussi à remonter en deçà de l'épisode vers son origine. Une variante, en apparence minime, dans les deux rédactions de la première phrase montre la métamorphose de l'explication. « Comme Mlle Lambercier *prenait de nous les soins* d'une mère », devient : « *avait pour nous l'affection* d'une mère » : on passe de la fonction technique colorée affectivement, à l'affectivité pure et simple. Et c'est justement sur ce *mot* affection, employé cette fois à propos de l'enfant, que toute la suite sera construite (cf. « m'affectionna davantage », « toute la vérité de cette affection », « la bienveillance », « ... la loi dans mon cœur »). Le paragraphe de la seconde version *commence* et se *termine* par l'affirmation de la supériorité de l'affectivité.

Le nouveau récit disjoint Mlle Lambercier de son frère; seule, elle réunit cette fois de manière explicite en sa personne l'affection et l'autorité : mais nous saisissons que ces deux domaines ne coïncident plus du tout avec le couple amour/amour-propre du début : l'autorité est aussi du côté de l'amour : la mise en facteur commun du mot *mère*, dont la reprise par « en » article la phrase, estompe définitivement le côté social de la honte et de l'amour-propre, et situe toute la suite dans le cadre d'une relation intime et duelle, dont on va explorer la contradiction interne. Le « nous » qui englobe Jean-Jacques et son cousin fait vite place au « je ». Le voici seul, face à elle seule. Et la liaison de l'affection à l'autorité à propos d'un châtiment

1. Charly Guyot, dans *De Rousseau à Marcel Proust* (Ides et Calendes, Neuchâtel, 1968, p. 47-48), compare les deux versions du texte. Il trouve la première version « plus réaliste » et voit dans le long développement de la seconde « un visible souci de justification », « le désir de s'innocenter ». Si l'on en restait à cette évidence assez superficielle, on en tirerait la conclusion que le second texte est « moins réaliste », et que le souci de justification amène à cacher, ou du moins à voiler, la vérité. Nous essaierons de montrer que c'est exactement le contraire qui s'est passé.

rappelle le vieux proverbe « qui aime bien, châtie bien », qu'il suffira de renverser pour deviner que la fessée est perçue (et recherchée) par l'enfant comme *signe* d'affection, conduite fréquente des enfants auxquels les signes ordinaires de l'affection manquent. Tout est maintenant prêt pour l'aveu en clair du plaisir ressenti. Pourtant nous n'y aboutirons qu'à travers un nouveau parcours labyrinthique, dont je suivrai plus rapidement les cinq étapes :

1. La séquence de l'attente, préparée au 1er paragraphe, est reprise : elle doit permettre à la fois de montrer la candeur de l'enfant, et de ménager une surprise. Mais la peur évoquée ici semble n'être ni la crainte de chagriner le personnage maternel (amour), ni celle de la honte publique (amour-propre), mais la peur physique de la souffrance : glissement important, car c'est lui qui permettra par un simple renversement de suggérer l'idée (jusqu'ici totalement absente du texte) du plaisir physique.

2. *(Mais...)* : voici le fait lui-même, mais l'on ne sait pas en quoi consiste l'élément nouveau. La phrase est ambiguë : elle peut, sur un plan très banal, exprimer que l'attente avait grossi dans l'imagination une douleur finalement très supportable. La suite va nous faire comprendre que « moins terrible » est une litote : il ne s'agit pas d'une diminution de la douleur, mais de l'irruption du plaisir. Il est naturel que l'enfant, ignorant tout du plaisir, ne perçoive d'abord ce plaisir que négativement, sur le mode du soulagement; et qu'identifiant enfin la présence de quelque chose de plaisant, il se le formule dans le seul langage qu'il connaisse, celui de l'affectivité.

3. *(Et ce qu'il y a de plus bizarre...)* : loin de localiser le plaisir dans son propre corps et d'identifier ce que nous appellerions la zone érogène, l'enfant le rapporte affectivement à sa véritable source, qui est l'amour de la mère, et ne ressent que la joie du rapport rétabli. D'où ce « m'affectionna encore davantage » (ce qui prouve qu'il n'était pas si pleinement heureux qu'il le prétendait plus haut...), cette gratitude qui laisse dans l'ombre l'intermédiaire du plaisir physique et connaît le vrai objet de son amour.

4. *(Il fallait même)* : l'affection accrue est présentée comme le résultat de la fessée, et en même temps comme ce qui va limiter... ce par quoi cette affection s'est accrue, et que Rousseau n'a pas encore nommé. Il est capital que, dans le texte lui-même, le mécanisme de contrôle de la sensualité soit mis en place avant que soit nommée la chose contrôlée; et que ce mécanisme de contrôle soit présenté non comme l'effet d'une censure morale, ou de quelque chose d'extérieur, mais comme étant produit lui-même par la même chose que la chose contrôlée : ici apparaît l'un des thèmes les plus riches de la psychologie

de Rousseau : l'effet contradictoire, ce qu'il appellera souvent une chose « qui se contient par elle-même » (cf. p. 41), qui évoque pour nous, plus qu'un système moral de contrôle, un système physique de tension de forces contraires, l'équilibre paradoxal de la peur et du désir. A dire vrai, cette contradiction que Rousseau perçoit dans l'effet, on peut penser qu'elle n'est que le reflet de la contradiction qui est dans la cause. Toujours est-il que le discours du narrateur *répète* la conduite de l'enfant : le désir n'a le droit d'apparaître sous son vrai nom dans le texte qu'à l'intérieur d'une phrase où il est affirmé qu'il n'aura jamais droit à la parole, jamais le droit de se manifester par une demande explicite : mais en même temps la phrase nomme, sur le mode de la dénégation, la manière dont il saura indirectement s'exprimer. Si le châtiment est signe indirect de l'amour, la faute sera le signe indirect de la demande d'amour. Que Rousseau s'interdise consciemment d'user de ce langage n'empêche nullement que cette demande s'exprime malgré lui. On le verra bien avec Marion. L'équilibre du contrôle ici analysé nous rappelle la comparaison d'intensité du schéma I : le renversement est total, mais il s'est fait si progressivement que nous ne nous en apercevons pas. De « Cela seul m'affligeait plus que la honte de manquer en public » à « il fallait toute la vérité de cette affection [...] pour m'empêcher de chercher le retour... », on est passé d'une comparaison d'ordre logique et quantitatif à l'analyse d'un système de forces contradictoires et indissolubles.

5. *(Car)... :* le plaisir est enfin nommé, mais maintenu à distance par une série de tournures : « j'avais trouvé », explication rétrospective, qui le situe déjà au passé; « dans la douleur » (douleur physique, dont l'attente causait tant d'effroi); et, réapparaissant dans le texte après une longue éclipse, « dans la honte même » (l'humiliation sociale, présentée au début comme l'affectant « extrêmement », — d'où le « même », qui marque le comble du retournement); « un mélange de sensualité » : enfin le paradoxal plaisir physique qui entre en *composition* avec la douleur et la honte, et se trouve un instant avoué en clair « plus de désir que de crainte »... (crainte renvoyant ici à la peur de la douleur physique, et à celle de la honte sociale; et non à la crainte de peiner Mlle Lambercier, dont il a été dit justement qu'elle était plus forte que le désir au début de cette même phrase). La double formule (dans la douleur, dans la honte même) articule dans la même expérience ce que les psychanalystes appellent le masochisme érogène et le masochisme moral, et prépare l'analyse ultérieure des conduites amoureuses, mais aussi du comportement général de l'adulte.

67

Cette formule assez claire et positive serait-elle le dernier terme de l'aveu? Ce serait imaginer l'aveu sous la forme d'un vecteur aboutissant à un point, alors que nous sommes au milieu d'un mouvement circulaire qui réalise un instant de *tangence* avec la ligne droite de la vérité, — ou plutôt de frôlement, et n'a pu approcher de si près la vérité du désir que poussé par une force dont la trajectoire doit obligatoirement l'écarter de nouveau de cette ligne. Ce même discours, qui a pu s'excentrer jusqu'à parler du désir, doit revenir maintenant sur lui-même. Nous retrouvons depuis « il fallait même toute la vérité... » jusqu'à la fin du paragraphe, exactement la même structure qu'à la fin du paragraphe 1 : (affection plus grande que le désir : car ce désir était grand) (ce désir étant grand parce que lié au sexe; mais l'affection plus grande que le désir parce que liée au cœur). La place médiane occupée dans le paragraphe 1 par la honte l'est maintenant par le plaisir. Le trajet aller-retour part de l'intensité de l'affection présentée comme facteur de contrôle et d'inhibition, pour y revenir finalement en laissant le dernier mot à la « loi » du cœur, paradoxalement renforcée par cela même que le cœur doit réprimer (le « et *même* de celle que les sens ont fait naître » énonce un comble paradoxal qui est exactement l'inverse du « dans la honte même », et qui l'équilibre). Cette structure qui établit la suprématie de l'affectivité permet donc, en sa partie médiane, d'évoquer le désir : « de l'éprouver derechef *par la même main* ». L'analyse de ce facteur (absent dans la première version du texte), en même temps qu'elle fait glisser l'accent de la zone érogène du corps de l'enfant à l'*agent* érogène, introduit à un double développement opposé : éveil précoce de la sexualité (précoce puisque pour Rousseau la sexualité n'existe pas avant la puberté), « la main » représentant alors en Mlle Lambercier l'élément *féminin*, indépendamment de sa personne et de ses relations avec Jean-Jacques; permanence de l'affectivité, liée au rapport d'amour. En établissant une si brutale opposition entre le sexe et le cœur, le narrateur répète ici aussi la conduite de l'enfant. Et en nommant enfin la sexualité « précoce », ce qui évoque implicitement la suite du développement sexuel, il nous prépare à voir dans cet épisode l'origine de toutes ses conduites sexuelles. Cela fait, par une habile transition, on pivote autour de M. Lambercier, on remonte du sexe à l'amour, et tout se termine sur le mot « cœur ».

Ici commence un nouveau récit. Le lecteur est d'abord sensible à un changement de ton :

> Cette récidive que j'éloignais sans la craindre arriva sans qu'il y eût de ma faute, c'est-à-dire, de ma volonté, et j'en profitai, je puis dire, en sûreté de conscience.

Le jeu sur l'ambiguïté des mots (distinction des deux sens possibles de « faute », infraction à une loi, ou responsabilité) et sur les registres de vocabulaire (« sûreté de conscience » renvoyant à la casuistique jésuite) n'est plus, comme précédemment, le moyen implicite des ruses du narrateur : dans une atmosphère détendue, celui-ci se plaît à souligner lui-même ses jeux de langage (« c'est-à-dire », « je puis dire »), s'essayant à faire sourire le lecteur en ayant l'air de reprendre lui-même l'attitude d'un adulte qui redonne aux choses leur juste proportion et sourit des petites ruses de celui qu'il fut. L'humour a souvent dans les aveux de Rousseau cette fonction de marchandage avec le lecteur : Rousseau fait la moitié du chemin vers le lecteur adulte, pour que celui-ci fasse la moitié du chemin vers l'enfant, et compatisse. Ces instants de détente durent peu : ici l'on voit bien que c'est le soulagement d'avoir réussi à faire le plus gros de son aveu, et l'espoir d'avoir désarmé le lecteur, qui permettent à Rousseau cette fugitive nuance humoristique. Rousseau, gêné d'entamer son aveu, jouait tout à l'heure au pédagogue solennel : « Qu'on changerait de métho- de... ». Maintenant, soulagé, il badine : modulation d'ailleurs nécessaire pour qu'au paragraphe suivant il puisse passer à l'offensive en revendiquant une situation extraordinaire. Pour l'instant, il s'abandonne au jeu sur les mots. C'est sans doute la chute du ton par rapport au paragraphe précédent qui explique que les commentateurs négligent presque toujours l'épisode de la *seconde* fessée, sans voir que Rousseau y dit des choses fort différentes, et très révélatrices. Cette importance, on peut la sentir à voir le *sujet* qui fait les frais du jeu humoristique : les différents niveaux auxquels peut se situer l'idée de *faute*; on peut la sentir aussi au travail effectué par Rousseau entre les deux versions. La première disait simplement, sans distinguer nettement entre plusieurs fessées :

> La modeste Mlle Lambercier s'étant sans doute aperçue à quelque signe que ce châtiment n'allait pas à son but, déclara qu'elle y renon- çait parce qu'il la fatiguait trop, et j'eus quelque regret, sans savoir pourquoi, de lui voir tenir sa parole.

La seconde version, plus détaillée, dissocie ces deux étapes plus nettement, et isole dans une « seconde et dernière fessée » la découverte de
Mlle Lambercier :

> Cette récidive, que j'éloignais sans la craindre, arriva sans qu'il y
> eût de ma faute, c'est-à-dire, de ma volonté, et j'en profitai, je puis
> dire, en sûreté de conscience. Mais cette seconde fois fut aussi la
> dernière : car Mlle Lambercier s'étant sans doute aperçue à quelque
> signe que ce châtiment n'allait pas à son but, déclara qu'elle y renon-
> çait et qu'il la fatiguait trop. Nous avions jusque-là couché dans sa
> chambre, et même en hiver quelquefois dans son lit. Deux jours
> après on nous fit coucher dans une autre chambre, et j'eus désormais
> l'honneur dont je me serais bien passé d'être traité par elle en grand
> garçon.

Ce second récit, ordinairement négligé par les commentateurs, sans
doute parce qu'apparemment moins scandaleux, est en réalité aussi
important que le premier. Il prend tout son sens à la lumière des analyses de J. Starobinski : aussi est-il assez paradoxal que J. Starobinski lui-même ne l'ait pas mis à sa juste place. En prenant comme
point de départ de *la Transparence et l'Obstacle* l'épisode du *peigne
cassé*, en en faisant une sorte d'origine absolue, J. Starobinski a effectué un choix arbitraire. Il dissocie deux épisodes que Rousseau a
explicitement liés de manière, nous le verrons, inextricable. Il choisit
celui qui, dans le texte, se trouve le second; il élimine le premier, et
avec lui, tout l'aspect sexuel du problème. Il est revenu dans *l'Œil
vivant* sur cet aspect. Mais pour que ces nouvelles analyses puissent
s'intégrer à l'analyse globale du projet de Rousseau telle qu'elle était
conçue dans *la Transparence et l'Obstacle*, il faudrait que l'épisode
de la fessée y retrouve sa place fondatrice.

L'épisode de la fessée se passe au niveau de ce que J. Starobinski
appelle les signes naturels, ce langage direct de l'émotion, langage qui
n'a pas à être lu, puisque le signifiant et le signifié sont la même chose.
Au début du texte, l'enfant perçoit directement l'harmonie du groupe
et le trouble que sa conduite apporte à cette harmonie : il est charmé
de *voir* tout le monde content de lui et de toute chose; ce qui le
trouble, c'est de « *voir* sur le visage de Mlle Lambercier des *marques*
d'inquiétude et de peine »; ce qu'il redoute, c'est le *signe* du méconten-
tement. Lui-même participe à cette transparence en toute naïveté.
Or cette transparence est dangereuse : « Mlle Lambercier s'étant
sans doute aperçue *à quelque signe* que ce châtiment n'allait pas à son
but. » Quel est ce signe? S'agit-il d'une formule enveloppée pour
désigner, par exemple, une érection? Il semble plus probable que le

« sans doute » indique une hypothèse que l'adulte narrateur trouve nécessaire pour expliquer la conduite de Mlle Lambercier, et le « quelque » l'ignorance où il est resté de la nature exacte de ce signe de satisfaction. Ce sont justement cette ignorance et cette naïveté qui engendrent la catastrophe. Celle-ci, pour être moins dramatiquement orchestrée que celle du peigne cassé, n'est pas moins importante, et lui est chronologiquement antérieure. J. Starobinski écrivait, à propos du peigne cassé :

> C'est l'opposition bouleversante de l'*être-innocent* et du *paraître-coupable* [...] En même temps que se révèle confusément la déchirure ontologique de l'être et du paraître, voici que le mystère de l'injustice se fait intolérablement sentir à cet enfant[1].

Dans l'épisode du peigne, c'est l'application injuste de la loi qui met en évidence l'absence de transparence; ici, c'est l'existence même d'une *loi* qui est révélée au sein de la transparence réciproque. L'enfant signifiait son plaisir de manière ingénue, sans songer à se cacher, sans avoir idée que c'était mal; s'il s'abstenait de mériter la fessée, c'était pour éviter la faute première qui, peinant Mlle Lambercier, entraînait le châtiment : il n'avait pas idée que le plaisir qu'il prenait au châtiment pût la peiner. Il a donc laissé voir son plaisir; et elle lui a, à son tour, signifié (mais cette fois dans un langage indirect) que ce plaisir la fâchait et qu'il était *interdit :* et la marque d'amour qu'il avait réussi à obtenir par le châtiment lui est finalement refusée. L'enfant découvre que la transparence est imprudente, dangereuse, et que le voile est nécessaire; l'expression du désir compromet sa réalisation, la transparence aboutit au refus de la demande d'amour. Dans la mesure où il y a malentendu, c'est l'enfant qui en est responsable, par ignorance des lois du monde adulte; on voit qu'ici le malentendu ne porte pas sur le *fait*, comme dans le peigne, mais sur la *valeur* elle-même, sur le conflit de deux ordres de valeur : la demande d'amour, chez l'enfant, se heurte à l'ordre moral instauré par le tabou. L'enfant comprendra la leçon : nous rejoignons ici, sur le plan du récit, la problématique de l'aveu : le désir ne saura plus s'avouer que par des voies indirectes; l'enfant craint, s'il montre son désir, de se voir frustré (plus de fessée) et exclu (chassé du lit). Tout nous porte à croire, contrairement à ce que dit Rousseau, que la quête du signe d'amour dans le châtiment était *déjà*, de la part de l'enfant, une conduite indirecte par laquelle il essayait de rétablir une communication rom-

1. Jean Starobinski, *Jean-Jacques Rousseau, la Transparence et l'Obstacle*, 1971, p. 19.

pue : voici que cette ruse inconsciente a été éventée, et qu'il se retrouve devant le manque initial, mais enrichi d'une double expérience, celle du tabou et celle de la volupté.

Le tabou.

Par sa conduite, Mlle Lambercier signifie à l'enfant l'interdit de l'inceste (elle est la mère, — et dans un passage, disjoint, que nous analyserons tout à l'heure, on apprend que Rousseau l'aime comme une mère, « et peut-être plus »). Cet interdit lui est signifié simultanément de deux manières.

a) *Sur le plan des actes*, il est sevré de fessée, mais aussi exclu de la chambre et du *lit;* cette seconde sanction ne figurait pas dans la version initiale de l'épisode. Rousseau s'en est donc souvenu (ou, s'il s'en souvenait déjà, en a compris la signification) au moment où il a approfondi l'interprétation. Le lit désigne l'intimité physique et le contact. Sur le plan des mœurs, cette promiscuité était, semble-t-il, habituelle, au XVIIIe siècle, où l'on ne traitait l'enfant en être sexué qu'à partir d'une dizaine d'années. Il est vrai que nous sommes ici chez un pasteur genevois calviniste, et nous savons par ailleurs que Mlle Lambercier avait attiré à son frère bien des ennuis, quelques années auparavant, parce que, disaient de mauvaises langues, elle laissait son frère la venir voir dans sa chambre le matin [1]. Mais de tout cela Jean-Jacques ne savait rien. Et il est plus important de saisir les échos que le thème du lit maternel pouvait évoquer pour un enfant privé, jusqu'à son arrivée à Bossey, de cette expérience, et pour le narrateur, qui, visiblement, pense à l'épisode symétriquement inverse de l'adolescent attiré bon gré mal gré dans le lit de Maman à Chambéry. Les deux épisodes se superposent jusque dans le vocabulaire : à Bossey, « j'eus désormais l'honneur, dont je me serais bien passé, d'être *traité par elle en grand garçon* »; à Chambéry, Maman vit « qu'il était temps *de me traiter en homme* », et Jean-Jacques s'en serait bien passé, dit-il. L'expression « traité par elle en grand garçon » n'apparaît que dans la seconde version. La terreur de l'inceste (et de tout rapport sexuel) semble correspondre à la peur de perdre l'amour pour avoir gagné le plaisir, peur profondément enracinée dont nous voyons dans le présent récit, sinon l'origine, du moins le reflet.

b) *Sur le plan du langage*, Mlle Lambercier lui signifie la loi du silence; quand il ne savait pas sa leçon de catéchisme, la douleur de

1. Cf. Pierre-Maurice Masson, *La Religion de Jean-Jacques Rousseau*, 1916, p. 21.

Mlle Lambercier se lisait sur son visage et la faute était sanctionnée explicitement. Maintenant, au contraire, non seulement la faute est interdite, mais il est interdit de parler et de la faute, et de la loi. Les *signes* par lesquels se manifeste la réprobation sont indirects et voilés : c'est par déduction que l'enfant (inconsciemment) et le narrateur doivent trouver le rapport qu'il y a entre certaine décision ou parole, et leur véritable intention. A cette occasion, Mlle Lambercier pratique le *mensonge* (elle déclara... qu'il la fatiguait trop), ou l'*omission* (le geste sans autre explication que la proximité chronologique qui suggère le lien de cause à effet : « deux jours après... »). Pas plus que le désir, la répression du désir n'a droit à s'exprimer, autrement que par des mensonges ou des détours. Scène muette : le lecteur ne remarque pas cette perte du langage direct, alors que dans la scène du peigne cassé la rupture de la communication sera présentée comme un scandale. C'est qu'ici ce langage est profondément perdu : l'enfant et l'adulte acceptent cette perte, l'ont intériorisée définitivement. Non seulement le narrateur n'a pas un seul mot de reproche, mais il félicite Mlle Lambercier à la fois de ses actes, et de sa discrétion. Dans la première version « la *modeste* Mlle Lambercier », « qui seule sait son motif », est admirée pour sa conduite. Dans la seconde version, le long développement sur la modeste éducation reçue par Jean-Jacques viendra également sanctifier l'ignorance totale où il a été maintenu. Il y a là un problème de langage beaucoup plus fondamental que celui que pose le peigne cassé. Et même, pourquoi ne pas supposer que si la revendication de la transparence et de la justice prend une telle violence dans l'épisode du peigne cassé, c'est parce que se reporte sur ce terrain-là (où la revendication est en accord avec le code moral et trouve donc toute liberté de s'exprimer) une protestation inconsciente et impossible sur son terrain véritable, qui est celle du désir contre le code moral lui-même. Que reflètent ces protestations d'innocence, ce goût de la justice, sinon l'impossible revendication du droit d'être « coupable », du droit au désir? Les sophismes de Rousseau, ses contradictions, ne peuvent s'expliquer à partir de la seule scène du peigne cassé. Ils deviennent au contraire très compréhensibles dès qu'on suppose ce paradoxal transfert, cette sublimation. L'élaboration d'une morale du sentiment, la manière dont Rousseau, au début du livre IV de l'*Émile*, confond dans une seule expérience l'éveil sexuel de la puberté et l'éveil moral par la *pitié*, la théorie de la conscience et du « dictamen », constitueront également des efforts de synthèse du désir et du tabou : Rousseau essaie de donner à la conscience morale, qui interdit, la forme même de la chose interdite, c'est-à-dire du désir. Tout cet aspect essentiel de l'œuvre de Rousseau n'est explicable que si l'on voit dans l'épisode du peigne cassé la résurgence paradoxale et sublimée du langage du désir étouffé dans l'épisode de la fessée. Lui-même le sentait bien : son obstination à lier très étroitement ces deux épisodes contre toute logique apparente l'indique.

La volupté.

Au terme de ce long circuit, la communication avec la mère se trouve donc rompue : mais, en même temps qu'il a acquis une nouvelle expérience de l'interdit, l'enfant se retrouve en possession d'un nouveau pouvoir, — d'un nouveau langage : celui du corps. Dans l'épisode lui-même, ce plaisir du corps n'apparaît que comme un résidu : il ne devient l'essentiel que lorsque l'essentiel s'est évanoui. Les lectures de ce texte qui privilégient et isolent l'expérience du plaisir, en le situant dans le cadre d'une analyse sexologique, le réduisent à une banalité. Il y avait longtemps que les mœurs des « flagellants » et le caractère érogène de la zone fessière étaient connus. Et attribuer à une fessée reçue dans le jeune âge l'origine de ce goût serait une découverte bien simplette. C'est seulement si l'on a bien saisi le long chemin que Rousseau a tracé du problème de l'amour jusqu'à la fessée (envisagée comme terme et conséquence) que l'on peut saisir comment l'on va de la fessée (envisagée cette fois non comme origine, mais comme *relais*) à la « perversion ». Il est impossible de lire sur un plan sexologique et physiologique un texte qui ne parle finalement que de rapports symboliques du début à la fin. Quand le plaisir apparaît dans le texte, nous avons vu que l'enfant et le narrateur avaient peine à l'identifier : ce n'est pas seulement à cause de la nouveauté de l'expérience; c'est que le signe était vécu dans sa totalité et que, comme dans tout processus de signification qui fonctionne correctement, le signifiant (l'excitation de la zone fessière) disparaissait derrière le signifié (l'amour accordé), ou plutôt ne faisait qu'un avec lui. Le plaisir ne prenait de *valeur* que d'être signe d'amour et l'amour d'*existence* que d'être signifié dans le plaisir. Le plaisir était transparent, et l'amour devenait sensible. Tous deux étaient fondus dans la plénitude du signe. Il y avait certes déjà à ce niveau « perversion », ou plutôt « inversion » dans la mesure où le code des valeurs semble inversé entre l'émission du signe et sa réception. Mais le signe finalement fonctionnait. Mais dès que l'émetteur (Mlle Lambercier) a compris que le récepteur (l'enfant) avait inversé le code, il a supprimé le signe (ce qui est une manière de s'adapter au nouveau code de l'enfant pour lui signifier, dans un langage qu'il comprenne, la désapprobation de la faute initiale, mais surtout de la faute qu'est l'inversion du code). Le signifié (l'amour) est donc refusé, et disparaît avec le signe; l'enfant reste tout seul avec le signifiant, l'excitabilité de son corps, mais que cette expérience a lié dans son esprit de manière tellement étroite avec le signifié, qu'il va essayer toute sa vie de reconstituer le signifié à partir de la réactivation du signifiant. Jean Starobinski a souligné que l'exhibitionnisme n'était pour Rousseau qu'un *moyen* d'obtenir le châtiment; mais à son tour obtenir le châtiment n'est qu'un moyen de *s'imaginer* obtenir l'amour. Dans la fin de son analyse, Rousseau montre comment dans sa timidité, n'osant solliciter le châtiment physique, il a « amusé » son goût par des rapports qui lui en conservaient l'idée (« être aux genoux d'une maîtresse impérieuse, obéir à ses ordres, avoir des pardons à lui demander... ») : si ce déplacement du signifiant du registre physique au registre moral se fait si facilement chez l'adulte, c'est bien évidemment parce que la littéralité du signifiant importe peu, et que la perversion est *dans son origine même* un système symbolique : peu importent les déplacements du signifiant et l'inversion du code, si on peut en fin de compte croire atteindre au signifié qui est l'amour. D'ailleurs le déplacement qu'effectue l'adulte reproduit à l'envers le déplacement qui était au point de départ, et éclaire rétrospectivement un mécanisme que l'analyse de Rousseau laisse dans la pénombre. L'expérience de l'enfant allait de la réprimande (qu'il prétend craindre par amour) à la punition physique (où l'excitation physique vient en réalité donner un support concret à un élément moral agréable qui devait déjà figurer dans la réprimande) : la découverte du plaisir physique ne faisait que révéler un masochisme moral. L'adulte, en renonçant aux fessées pour des réprimandes, ne fait que remonter la chaîne vers son origine : il n'y perd rien sur le plan du plaisir, puisque, par le jeu des associations déjà fixées, la réprimande fonctionne désormais comme double signifiant, renvoyant en même temps qu'au signifié fondamental qu'est l'amour, à l'autre signifiant qu'est le plaisir. Et, la leçon de Mlle Lambercier ayant été bien comprise, tandis qu'il tire de la réprimande à la fois l'idée de l'amour, et la réalité du plaisir (« plus ma vive imagination m'enflammait le sang »), il s'arrange pour que l'inversion du code ne puisse être saisie par sa maîtresse (« plus j'*avais l'air* d'un amoureux transi »). Reste qu'au bout du compte, c'est l'amour qui est l'objet du désir. L'expression « en faire autant de Demoiselles Lambercier » frappe le lecteur d'abord par sa fonction pudique de périphrase, en même temps que par la saveur humoristique liée à l'idée de multiplication : mais ce jeu stylistique n'en est pas un ; l'expression est à prendre au pied de la lettre : tout le jeu compliqué des conduites masochistes a pour but de refabriquer, à partir des personnes réelles, l'image de la personne qui répond à la demande d'amour, personne qui, accidentellement, s'est trouvée baptisée « Mlle Lambercier ».

L'OUVERTURE DU TEXTE

Je ne descendrai pas plus loin pour l'instant dans le « fil des affections secrètes » : je désirais montrer que, dans le travail d'exploration mené par Rousseau, l'essentiel est la *remontée* vers l'origine. Si je raisonne en termes freudiens, je puis essayer de remonter plus loin que lui, ou différemment : reste que la direction de recherche vers l'amont, et l'origine affective et symbolique de la perversion, sont indiquées par Rousseau de manière très nette. La comparaison des deux versions du texte montre qu'il s'agit d'une véritable recherche, c'est-à-dire d'une compréhension et d'une formulation qui n'est devenue possible que dans l'écriture, et qui n'existait pas dans le souvenir. Que, pour l'enfant, cette complexe et paradoxale logique de l'affectivité ait été tout à fait obscure, c'est évident ; mais l'adulte a dû s'y reprendre à plusieurs fois pour tirer les choses au clair. L'aveu n'est pas, comme on l'imagine en pensant à la confession, l'expression au-dehors d'une chose déjà connue et formulée au-dedans : à ce compte, Rousseau n'aurait eu qu'à dire « toute ma vie, j'ai eu envie d'être fessé » ; au contraire, à peine le « pénitent » a-t-il avoué ce qu'il croit être son péché, ce qu'il s'imaginait cacher aux autres, qu'il s'aperçoit qu'il y a *autre chose*, et que la difficulté s'est simplement déplacée : ce qui l'empêchait de parler, l'empêche encore de *comprendre*. Retrouver la parole, quand elle a été perdue, ce n'est pas émettre des sons : c'est retrouver le sens caché d'un discours crypté. L'usage des techniques de l'énigme dans l'aveu se justifie par là : et si Rousseau n'est pas allé au fond de l'énigme lui-même, du moins il a saisi qu'il y avait énigme, il a été sensible à la présence du « bizarre » (l'un de ses mots favoris). Alors que les lectures réductrices et simplistes qu'on fera plus tard de l'épisode semblent témoigner chez leurs auteurs d'une résistance à l'aveu : on peut accepter d'écouter, et refuser de comprendre.

Dans cette remontée vers l'origine, il faut faire à l'envers tout le travail de l'inconscient, dénouer tout ce qui s'est noué : comme dans le travail de l'analyse, la progression suppose de progressifs déblocages ; mais en même temps elle est perpétuellement entravée par la

76

répétition au niveau du discours du nœud qu'elle prétend dénouer. Dans le présent aveu, il semble que Rousseau s'acharne surtout à retrouver la parole qui avait été perdue au moment de la *seconde* fessée; et qu'il envisage ce langage comme le « dernier terme » de ses efforts. Pourtant ce langage inversé et indirect ne correspond en rien à la « transparence » qu'il prétend chercher dans sa relation à l'autre; le problème qui reste posé, c'est celui du blocage initial de l'expression directe de la demande d'amour. Le langage à retrouver, c'est celui de cette demande. Cela, bien sûr, le texte de Rousseau ne peut le dire. C'est déjà beaucoup que, par ses analyses, et par ses répétitions de la conduite bloquée, il nous donne la possibilité de sentir ce désir, et d'en supposer l'existence.

Jusqu'ici j'ai essayé de ne rien dire d'autre que ce que Rousseau dit lui-même. J'ai adopté sinon son langage, du moins sa problématique et son point de vue. Les perspectives qu'il ouvre me sont apparues infiniment plus riches que les lectures sexologiques ou moralisantes du texte; Rousseau met l'accent sur la nécessité de la remontée, en deçà de la fessée, vers une origine qui a rapport à l'amour, l'affection, le rapport à cet autre privilégié qu'est la mère; l'aspect symbolique de la perversion, comme langage de l'amour perdu, est partout présent; les mécanismes de l'inversion du code et du déplacement du signifiant sont très clairement analysés; la voie qu'il indique donc est celle d'un déchiffrement psychanalytique. Certes il ne fait que l'indiquer; et mon propos ne sera pas de jouer à mon tour au savant, et de proposer un « diagnostic » fondé sur des certitudes, que je n'ai pas, sur l'origine du « masochisme [1] » : ce serait d'ailleurs retomber dans le travers des sexologues : la pauvreté de l'interprétation venant toujours de ce que l'épisode de la fessée est *isolé* du reste du texte. L'explication m'a amené à coller à la lettre du texte : je voudrais seulement en ouvrir maintenant l'interprétation par quelques réflexions sur l'inversion et la condensation.

L'INVERSION

Adoptant la problématique de Rousseau, j'ai été obligé de supposer comme lui que tout partait d'un état d'harmonie générale, rompu

---

1. Cf. pour une critique de l'interprétation traditionnelle du masochisme, Gilles Deleuze, *Présentation de Sacher Masoch*, coll. « 10/18 », 1971. Deleuze reproduit p. 291-295 un souvenir d'enfance de Masoch, parallèle dans sa fonction à la fessée de Mlle Lambercier; mais il ne fait aucune analyse de ce texte dans la longue étude qu'il consacre aux textes romanesques de Masoch.

par la légère faute de l'enfant, qui entraîne la douleur de Mlle Lambercier. Il suffit de mettre à l'envers cette situation pour retrouver la vérité : on part d'une harmonie brisée, que la faute de l'enfant a pour fonction de rétablir. Pour *désirer* être aimé, il faut craindre de ne pas l'être, — et croire ne pas l'être. Rousseau dit très clairement ailleurs que tel était le cas : à Bossey, non seulement il est privé de toute famille naturelle, mais il est devenu, par rapport à son cousin, le parent pauvre, et à ce titre *négligé* par les Lambercier [1]. La faute est un moyen de regagner l'affection, ou du moins l'attention perdue. A ce niveau fondamental, il y a déjà inversion du langage et rupture de la communication : les conduites de l'enfant ont pour fonction d'arracher aux adultes des signes, de les faire sortir de l'indifférence; quant au sens de ces signes, l'enfant s'arrange pour l'inverser à sa guise, il dispose de ce sens sans leur aveu, pour l'accommoder à sa guise : la « communication » ainsi établie est déjà imaginaire, puisqu'elle se fait au mépris du code de l'émetteur. Ce mécanisme de l'inversion des signes, qui permet de déchiffrer certaines conduites, Rousseau en a donné la formulation la plus nette dans l'interprétation qu'il donne du « ruban de Marion » :

> Je l'accusais d'avoir fait ce que je voulais faire et de m'avoir donné le ruban parce que mon intention était de le lui donner (p. 86).

Le mécanisme aperçu ici par Rousseau n'aurait-il pas une valeur plus générale? Peut-on le réduire à une analyse anecdotique d'une conduite du genre de la *taquinerie* (la taquinerie exprime par une agressivité ludique, en apparence méchante, un désir qui n'a pas le droit de s'exprimer autrement : Rousseau aurait simplement taquiné à mort la pauvre Marion)? On peut aussi bien en extraire un système de renversement applicable à d'autres conduites. Ainsi :

> *Je lui faisais me faire ce que je voulais lui faire, et l'amenais à me donner des fessées parce que mon intention était de lui en donner.*

---

1. Dans les *Confessions* (I, 13) Rousseau établit que « par la faveur de ceux qui nous gouvernaient, il avait sur moi quelque ascendant sous leurs yeux », situation qui pousse l'enfant dans la solitude à « rétablir l'équilibre ». Dans l'*Émile* (Pléiade, IV, 385), on voit aussi, en face des adultes, l'inégalité de l'héritier (le cousin Bernard) et de l'orphelin (Jean-Jacques), que là aussi l'enfant cherche à compenser.

Le renversement paraît burlesque : mais il mène à l'idée (totalement absente dans le texte) d'un désir de violence chez Jean-Jacques, d'une violence totalement refoulée, qui s'exprime justement par le mythe de la bonté originelle, par le refus de se reconnaître dans quelque acte agressif que ce soit. Cette composante sadique, il est pourtant nécessaire de la supposer à l'origine du masochisme, comme il est nécessaire d'évoquer l'idée d'une méchanceté possible pour comprendre ce qu'est la bonté. Où en trouver des traces dans le texte? D'abord, dans le « trouble » qui saisit l'enfant en voyant la peine de Mlle Lambercier : ce trouble doit comporter une part de plaisir, inavouable, d'avoir ainsi prise sur elle, de pouvoir agir sur elle, en même temps que l'enfant, par cette conduite, la force à lui manifester une attention dont il se sent privé. Comme *en même temps*, ce plaisir ne peut s'avouer, qu'il suscite même la terreur chez l'enfant, l'enfant ne peut se l'avouer qu'en s'en punissant (ou s'en faisant punir par sa « victime »), et en transférant au niveau de la douleur qu'il ressent lui-même l'idée de plaisir. Et pourquoi est-ce inavouable? Si on l'avouait, on perdrait aussi l'amour dont on a besoin. La contradiction que trouve Rousseau dans l'épisode de la fessée, il faut donc la supposer déjà à son origine. Nous trouvons pourtant quelques traces (déplacées) de cette agressivité, au moins deux :

a) *Le catéchisme* : la faute initiale, dont Rousseau dit qu'il se souviendra *toujours*, se passe « au Temple, répondant au catéchisme », quand il lui arrive d'*hésiter*. Dans les *Confessions*, il prend sur lui toute la faute. Mais il suffit de lire *la Nouvelle Héloïse* ou l'*Émile* pour voir quelle agressivité l'adulte a~gardée à l'égard du catéchisme et de ceux qui l' « enseignent ». Julie refuse de faire apprendre le caté-chisme à ses enfants. Dans l'*Émile*, on lit :

> Si j'avais à peindre la stupidité fâcheuse, je peindrais un pédant enseignant le catéchisme à des enfants.

Commentant ce passage, P.-M. Masson y voyait une « revanche rétrospective », une « rancune d'adolescent[1] ».

b) *Le derrière de Mlle Lambercier* : dans la séquence consacrée au séjour à Bossey, les deux épisodes principaux, très fortement liés, de la fessée et du peigne cassé, sont repris en contrepoint humoristique dans les deux épisodes du derrière de Mlle Lambercier et du noyer de la terrasse. Dans les deux cas, d'ailleurs, le récit organise une espèce

1. P.-M. Masson, *op. cit.*, p. 34-36.

de revanche : humiliation de Mlle Lambercier, et triomphe des deux enfants dont la puissance virile est reconnue (leur travail d'art est reconnu comme « aqueduc », mot dont le souvenir suivra Rousseau jusqu'au pont du Gard; et la rivalité du petit arbre est prise au sérieux). Ces deux épisodes compensatoires viennent là pour représenter « toutes les petites anecdotes de cet heureux âge qui me font encore tressaillir quand je me les rappelle ». Le lecteur ne peut manquer de trouver « bizarre » le premier de ces récits :

> Si je ne cherchais que le vôtre [plaisir], je pourrais choisir celle du derrière de Mlle Lambercier, qui, par une malheureuse culbute au bas du pré, fut étalé tout en plein devant le Roi de Sardaigne à son passage : mais celle du noyer de la terrasse est plus amusante pour moi qui fus acteur, au lieu que je ne fus que spectateur de la culbute, et j'avoue que je ne trouvais pas le moindre mot pour rire à un accident qui, bien que comique en lui-même, m'alarmait pour une personne que j'aimais comme une mère, et peut-être plus (p. 22).

Prétérition (je ne vous raconterai pas...), et dénégation (je n'ai pas ri...), certainement tout à fait « sincères » au niveau conscient; mais ce discours traduit une agressivité totalement refoulée, qui ne peut plus s'exprimer qu'à l'envers. Elle s'exprime tout de même dans le simple fait de raconter la chose, ce qui est en réalité pour Rousseau une manière d'en devenir cette fois responsable : car c'est *lui* qui maintenant étale à *nos* yeux ce derrière que le hasard avait étalé devant le roi; elle s'exprime aussi dans le fait d'indiquer que le lecteur doit en rire (l'épisode est finalement garanti « comique en lui-même »); dans le récit d'ailleurs s'équilibrent de manière fort ambiguë les signes de la pitié (une *malheureuse* culbute) et ceux de la joie *(tout en plein)*. Naturellement, sur le plan conscient, Rousseau vit l'épisode dans le registre de la pitié, pour un personnage maternel ainsi mis dans la situation qu'il craint lui-même le plus (comme il vient *justement* de nous le raconter à propos du catéchisme) : la honte publique. Quant au raisonnement qui lie les deux épisodes, il est également étrange : l'anecdote du noyer fut « plus amusante pour moi qui fus acteur au lieu que je ne fus que spectateur de la culbute »; non seulement « plus amusante » laisse entendre que l'épisode du derrière fut aussi amusant, mais la distinction acteur/spectateur laisse rêveur. Rousseau veut-il dire que l'anecdote aurait été plus amusante, si c'était lui qui avait fait la malheureuse culbute? ou si c'était lui qui l'avait fait faire à Mlle Lambercier (méfait enfantin qui serait alors comparable au détournement d'eau dans la seconde anecdote, et rendrait la comparaison cohérente)? Mon propos n'est pas de porter un diagnostic :

il m'a suffi de montrer que par le mécanisme de l'inversion, et par l'analyse des « actes manqués » du texte, la remontée vers l'amont amorcée par Rousseau pourrait être continuée dans un autre langage sans que le texte de Rousseau s'y oppose : on explorerait alors le manque d'amour et la faute comme demande d'amour, on s'interrogerait sur la présence d'un sadisme retourné en masochisme, et sur les raisons de ce retournement.

D'autres hypothèses peuvent aussi venir à l'esprit. Rousseau insiste sur le fait que Mlle Lambercier est une « mère »; les interprètes psychanalystes ont suivi cette indication, pour voir dans l'absence de la mère, dès la naissance, et dans la recherche de mères substitutives, le grand problème de Rousseau. C'est possible, mais ce n'est peut-être qu'une partie de la vérité. Comment ne pas être frappé par les deux attributs que Rousseau donne ici à la mère : l'affection et l'*autorité?* L'autorité n'est-elle pas plutôt l'attribut traditionnel du *père?* Or l'autorité est justement ce qui semble manquer à M. Lambercier, remplacé par sa sœur; c'est aussi ce qui a manqué au père de Jean-Jacques. Tout laisse penser que l'enfant a moins souffert de l'absence d'une mère qu'il n'a connue qu'à travers les effusions sentimentales de son père, que de la démission et de l'irresponsabilité de celui-ci. La quête du châtiment est donc peut-être, autant que la recherche de l'affection maternelle, celle de l'autorité paternelle. Nous nous souvenons alors d'un épisode antérieur des *Confessions* (p. 9-10), où Jean-Jacques, imitant les Sabines, s'interpose entre son frère aîné et son père *qui le bat :* il reçoit une partie de la correction, mais finit par désarmer la colère de son père. Geste héroïque à la Plutarque? Peut-être, — mais aussi, sinon désir d'être battu, du moins découverte d'un signe matériel de l'autorité réservé au méchant frère aîné, et dont Rousseau cherchera vainement à obtenir sa part en devenant à son tour polisson, puis fugitif. C'est la femme qui recueillera, sur le plan des fantasmes, cette fonction d'autorité, et réunira en son personnage les deux rôles du père et la mère.

CONDENSATION

Rousseau insiste sur le caractère extraordinairement précoce de cet épisode. « Cela se passait en 1721, et je n'avais pas encore neuf ans », écrit-il dans la première version; dans la seconde version, il a huit ans. Nous savons qu'en réalité il avait dix ans et trois mois quand il est arrivé chez les Lambercier, et qu'il en est reparti deux ans plus tard.

Si Rousseau a ainsi rajeuni de deux ans l'épisode de Bossey, c'est pour situer le plus haut possible dans son enfance ce paradis perdu, et l'épisode de la perte du paradis. L'effet de ce décalage vers la petite enfance (à la limite Rousseau déclare, p. 16, qu'il avait « un sang brûlant de sensualité presque dès [sa] naissance »), est de souligner l'*innocence* de Rousseau : reçue par un grand garçon de douze ans, la fessée voluptueuse aurait pris un aspect plus trouble. Il se fait donc aussi petit que possible, accentuant sa « précocité », et la situant naturellement comme une exception à la règle générale. Dans l'*Émile*, en effet, Rousseau n'accorde à l'enfant une vie sexuelle qu'à partir de la puberté.

De telles erreurs de chronologie se retrouvent dans tous les récits d'enfance. L'important est de voir que ces souvenirs d'enfance sont restés trente ans ensevelis (p. 21), et que ce n'est que tout récemment que Rousseau s'est mis à penser à Bossey : c'est justement en écrivant l'*Émile* que Rousseau note pour la première fois des souvenirs de cette période; et la comparaison des deux versions de l'épisode de la fessée montre qu'il y a eu toute une élaboration du souvenir dans l'écriture, à la fois sur le plan de la matérialité des faits et sur le plan de l'interprétation. Il faut traiter le récit de la fessée comme une sorte de mythe, plutôt que comme un récit anecdotique et matériellement exact. Il est bien évident que ce n'est pas parce qu'il a reçu une fessée à l'âge de huit ans que Jean-Jacques est devenu masochiste. Une interprétation psychanalytique ne peut pas fonder sur un épisode de cet âge-là, considéré comme « source », l'analyse du développement de la vie sexuelle et affective. Elle demande à la fois qu'on remonte bien en deçà (la fessée n'est que la conséquence et l'amplification de ce qui précède), et qu'on redescende bien au-delà : dans quelle mesure s'agit-il d'une fixation définitive dès cet âge-là? n'est-ce pas plutôt les errements de l'adolescence et la conduite de Mme de Warens qui ont contribué à une régression? Autant de questions qu'il faut se poser, même s'il est impossible d'y répondre avec certitude : du moins ces questions empêchent-elles de lire le texte comme une anecdote vécue explicable par une causalité simpliste.

Cette condensation donne valeur de mythe à l'épisode, sur le plan psychologique; mais elle a aussi un rôle dans la structure narrative des *Confessions*. J'ai arrêté mon explication à la fin de la seconde fessée, au moment du « Qui croirait? », quand Jean-Jacques entreprend de dresser en trois pages un tableau global de toute sa vie sexuelle : tableau qui est à la fois une explication (la logique des conduites amoureuses y est analysée) et un bilan moral (la « dépravation » qui paradoxalement préserve de la « débauche »; thème du

« ce qui devait me perdre me sauva », que nous retrouverons à propos du dangereux supplément) et affectif (bilan positif). Ce bilan moral et affectif, il faut naturellement le lire comme un plaidoyer contre une accusation entièrement implicite : celle d'avoir été un homme et d'avoir désiré une femme. La revendication qui se lit dans le ton de ce plaidoyer est faite d'un mélange curieux de révolte et de soumission : c'est le désir qui nargue le tabou, en lui démontrant qu'il a su se satisfaire malgré l'interdiction (révolte), mais en la respectant (soumission). Cette conduite puérile du narrateur nous le fait apparaître ici comme apparaît ce qu'il dit être, dans les *Dialogues* : « un vieil enfant ». Que sa vie affective soit restée fixée à un stade pré-génital, ce texte le montre bien, avec la curieuse origine qu'il propose pour son dégoût du coït (identifié avec les filles publiques et les chiennes) :

> ... depuis qu'allant un jour au petit Sacconex par un chemin creux, je vis des deux côtés des cavités dans la terre où l'on me dit que ces gens-là faisaient leurs accouplements (p. 16),

description où la topographie renvoie à l'anatomie féminine (chemin creux, les cavités de la terre) et où la toponymie est doublement évocatrice. Tout cela lui « soulève le cœur », comme lui soulèvera le cœur le spectacle du bandit maure éjaculant (p. 67). Mais mon propos n'est pas de porter de trop faciles et stériles diagnostics : l'important est de voir que cette seconde partie présente une condensation des conséquences de la fessée. L'ensemble du texte forme donc un système clos : le récit mythique de l'origine débouche directement sur le bilan global. Ce qui manque, c'est l'histoire détaillée de Rousseau entre l'âge de huit ans et la cinquantaine : le récit en viendra à sa place, successivement, dans l'ordre chronologique normal. Il viendra donc après que la « clef » a été donnée : en livrant la fin dès le commencement, Rousseau prépare son lecteur à la description des conduites concrètes; il est de fait que toutes les étapes de la vie amoureuse de Rousseau sont ici annoncées. Cette technique de la préparation, on la retrouve partout dans le livre I : les conséquences de la fessée sont filées dès le morceau de bravoure où Mlle de Vulson et Mlle Goton, très artificieusement, sont chargées de représenter la dissociation et la complémentarité de l'amour de tête et de l'amour sensuel, dès le morceau où, à propos de l'affabulation, Rousseau signale sa fonction de supplément à sensualité (p. 41) : au point que tout le livre I semble écrit à la lumière du livre IX, où les amours avec Mme d'Houdetot rassemblent d'un seul coup tous les fils de la chaîne secrète. Mais justement : qui lit attentivement le récit de ces dernières et parfaites amours est surpris de voir que Rousseau ne fait alors aucune allusion, même lointaine, ni à son masochisme moral, ni à l'objet précis du désir qui le tourmente, ni à leur origine. La technique de préparation permet en effet de jouer sur les *disjonctions*[1]. Rousseau ne parle explicitement de son masochisme érogène que jusqu'au début du livre III (épisode de l'exhibitionnisme à Turin), c'est-à-dire tant qu'il est presque encore un enfant, et tant qu'il n'a pas renoncé à obtenir une satisfaction réelle et directe. Ensuite, plus un mot. Naturellement, ce mot avait été dit au livre I, au moment où le héros dont nous suivons l'histoire n'est encore qu'un enfant, Rousseau s'autorise à ne *rien* dire quand il fait le récit précis des aventures amoureuses de l'adulte qu'il est : de nouveau il *répète* en face du lecteur l'impossibilité d'avouer qui était la sienne dans sa vie en face de Mme d'Houdetot. Il a suffi pour cela de *déplacer* l'aveu. C'est là un problème capital dans l'étude des aveux sexuels : celui de leur place dans le texte. L'étude des autobiographies de Gide et de Leiris montrerait très bien que tout peut être matériellement dit dans un texte sans qu'en réalité rien ne soit dit; un jeu de disjonction, de déplacement et d'asyndète empêche les morceaux de la vérité de se réunir, et le désir de se manifester à sa place, dans son unité et sa nudité.

Au terme de cette étude du récit de la fessée, il me reste le sentiment que l'aveu dans l'autobiographie est une chose impossible, à cause de l'absence de destinataire, et de la médiation de l'écriture. C'est parce qu'elle est impossible que Rousseau la tente : possible, elle lui ferait trop peur. A l'abri de cette impossibilité, il peut prendre le risque de tout dire. Cela demande malgré tout beaucoup de courage. Reste que ce discours de la sincérité est en réalité encore un discours chiffré. Rousseau aimait l'image du cœur « transparent comme le cristal » : mais le cristal est également un corps solide. S'il laisse passer le regard, c'est en empêchant de laisser passer l'action. L'écriture a cette double fonction, elle peut tenter de dire la vérité, et être dans son existence même le contraire de la vérité. Et cette vérité qu'elle s'essaie à dire, elle ne peut la dire qu'à l'envers, à travers la description de tout ce qui, dans la vie, a empêché de la dire, et en répétant dans le discours ces empêchements. Il ne s'agit pas de rétablir la transparence en détruisant l'obstacle, puisque l'obstacle est en même temps un abri, mais de rendre l'obstacle transparent : à défaut de pouvoir

---

1. La stratégie de la disjonction a été bien mise en lumière par Henri Guillemin dans *Un homme, deux ombres (Jean-Jacques, Sophie, Julie)*, Genève, éd. du Milieu du monde, 1943, p. 118.

jamais dire la vérité du désir, on dira jusqu'au bout ce qui empêche
de la dire [1].

1. On peut imaginer des aveux dans lesquels la stratégie du désir serait différente : c'est le cas des aveux de Rousseau concernant le « dangereux supplément »,
aveux elliptiques et discrets. La masturbation étant une conduite de « non-aveu »,
et cela encore pour le narrateur au moment où il se confesse, il y a contradiction
dans les termes dans l'idée de l'avouer. On ne pourrait l'avouer jusque dans son
fond, qui est le désir, qu'en y renonçant et par un changement total de conduite
sexuelle et affective, dont il ne saurait plus être question pour Rousseau, et qui
aboutirait d'ailleurs à renoncer à l'écriture, et à retrouver la parole. J'ai analysé
ces aveux dans « Le dangereux supplément, lecture d'un aveu de Rousseau »,
Annales, 1974, n° 4, p. 1009-1022.

Le livre I des *Confessions*

> C'est à lui [le lecteur] d'assembler ces
> éléments et de déterminer l'être qu'ils
> composent; le résultat doit être son ouvrage,
> et s'il se trompe alors, toute l'erreur sera
> de son fait. *Confessions*, livre IV.

Comment le livre I des *Confessions* est-il construit?

En s'appuyant sur les indications données par Rousseau lui-même,
Jean Starobinski, Marcel Raymond et Michel Launay ont déjà essayé
de répondre à cette question : on verra combien je leur suis redevable [1].
Si j'ai voulu reprendre à mon tour l'enquête, c'est qu'il m'a semblé que
leur recherche avait été entravée par l'attention accordée à une image
qu'emploie Rousseau, celle du paradis terrestre chrétien et de la chute,
et que cette attention les avait amenés à sous-estimer d'autres structures du texte, et, finalement, sa complexité. Trois principes m'ont
guidé dans cette recherche :

1. *Le livre I peut être considéré comme un tout, comme une unité
fermée et autonome.*

Dans le préambule de son étude sur le livre I, Marcel Raymond
emploie trois expressions pour définir ce livre : il parle d'*ouverture*
(au sens musical), de *microcosme* et de *mythe*. Je partirai de ces mêmes
présupposés. Mais, dans la pratique, M. Raymond privilégie l'idée
d'ouverture, en consacrant son étude à l'inventaire des *thèmes* de ce
premier livre, et en accordant une attention trop limitée aux structures
dans lesquelles ces thèmes fonctionnent. Or, si le livre I est un *microcosme*, il doit non seulement contenir les mêmes éléments que l'ensemble de l'œuvre, mais les organiser *entre eux* de manière à produire
un *tout*. Et s'il est un *mythe*, il faut prendre le terme au sérieux, et lui

---

1. Jean Starobinski, *Jean-Jacques Rousseau, la Transparence et l'Obstacle*,
suivi de *Sept Essais sur Rousseau*, Paris, éd. Gallimard, 1971, chap. I ; Marcel
Raymond, « Lecture du premier livre des *Confessions* », in *Jean-Jacques Rousseau, la Quête de soi et la Rêverie*, Paris, éd. José Corti, 1962, p. 91-115; et Michel
Launay, « La Structure poétique de la Première partie des *Confessions* », *Annales
de la Société Jean-Jacques Rousseau*, XXXVI, 1963-65, p. 49-56.

accorder, par exemple, le sens que lui donne Mircea Eliade[1], une histoire inventée pour répondre à une question et à une angoisse. Aussi est-il nécessaire d'expliciter la question, et de tenir compte de sa complexité, pour analyser cette réponse qu'est l'histoire. Le récit d'enfance tel que le pratique Rousseau serait le mythe individuel que construit l'adulte pour répondre à ses problèmes, exactement comme les mythes religieux de l'origine sont, sur le plan collectif, des réponses que les groupes apportent à leur angoisse : il faut expliquer la déchéance actuelle, et ménager l'éventualité d'un salut, d'un retour à la perfection de l'origine.

2. *La structure de ce tout est fatalement une structure complexe.*

Le grand danger des analyses « mythologiques » d'un texte de ce genre, c'est la réduction à un schéma unique et simpliste, qui a l'air d'avoir la caution de Rousseau, grâce à l'appui d'une ou deux phrases bien choisies. En procédant ainsi, on ramène l'inconnu au connu, et on fait en réalité l'inverse du travail de Rousseau. En étudiant le livre I, je me suis représenté Rousseau comme une sorte de bricoleur en mythologie : pour répondre à sa question personnelle, il va être tenté de puiser dans le répertoire des archétypes que la culture religieuse et classique met à sa disposition. Mais identifier ces emprunts ne suffit pas : l'intéressant est de voir le travail que fait Rousseau à partir de ces matériaux mythologiques a) *en combinant à plusieurs niveaux de son récit des archétypes en apparence assez différents*, b) *en déformant ces archétypes*. Plus que l'emploi d'un mythe, ce sont les variantes que Rousseau lui apporte qui sont révélatrices de sa mythologie personnelle.

Dans mon analyse du livre I, j'opposerai au mythe du paradis et de la chute privilégié par J. Starobinski, M. Raymond et M. Launay un autre mythe : non pour substituer ce second mythe au premier, mais pour l'ajouter. Au demeurant ce second mythe n'exprime pas plus que l'autre la mythologie de Rousseau : j'essaierai de montrer que c'est par la lecture des *écarts* que l'idéologie de Rousseau s'éclaire.

3. *La structure du livre I doit être rapportée, en tant que microcosme, non seulement aux* Confessions *dans leur ensemble, mais à l'anthropologie de Rousseau en général*.

C'était déjà le postulat de J. Starobinski, le point de départ de son analyse dans *Jean-Jacques Rousseau, la Transparence et l'Obstacle*.

---

1. Mircea Eliade, *Aspects du mythe*, Paris, éd. Gallimard, coll. « Idées », 1966; et le *Mythe de l'éternel retour*, Paris, éd. Gallimard, coll. « Idées », 1969. La fonction mythologique du récit d'enfance a été soulignée récemment par J.-M. Chombart de Lauwe, dans *Un monde autre, l'enfance*, éd. Payot, 1971, à partir de l'analyse non des structures, mais des *contenus* des récits d'enfance écrits depuis le milieu du XIXe siècle.

Le texte autobiographique ouvre à la réflexion du lecteur un espace vertigineux : Rousseau en écrivant le livre I des *Confessions*, Sartre en écrivant *les Mots*, nous exposent leur idéologie à plusieurs niveaux simultanément : au moment même où ils racontent, au niveau de l'histoire, les origines de leur vision du monde, celle-ci s'exprime dans la structure du récit et dans tous les aspects de l'énonciation. Ils *parlent* leur idéologie en même temps qu'ils en racontent l'histoire. Aussi est-il intéressant de confronter le récit du livre I avec les textes de théorie que sont l'*Émile* et surtout le *Discours sur les origines de l'inégalité :* les deux dernières sections de cette étude seront consacrées à cette confrontation, et aboutiront à une mise au point sur le sens de l'histoire selon Rousseau, et sur la fonction de la « bonté naturelle » dans son idéologie.

Tels sont les trois principes que j'ai suivis : lire ce livre I comme une totalité structurée et complexe qu'il faut mettre en rapport avec les textes théoriques de Rousseau.

A ces principes théoriques se sont ajoutées des précautions de méthode sur un plan pratique : on ne saurait parler de la structure d'un texte sans tenir compte des informations que l'on possède sur l'histoire de sa composition. Nous savons peu de choses sur la manière dont Rousseau a composé le livre I, sinon qu'il a dû fatalement se poser lui-même le problème de la composition [1]. Depuis 1756, il avait commencé à noter et à collectionner souvenirs et anecdotes : le livre I n'est pas un récit écrit d'un seul jet, d'une seule coulée, mais a été construit par montage ou collage d'éléments déjà écrits. Trois types de témoignages nous restent sur ce travail de composition : 1) Rousseau a été amené à *choisir* parmi ses souvenirs, et à la lumière des souvenirs qui ont été écartés du livre I on peut s'interroger sur le critère de ses choix; 2) le manuscrit de Neuchâtel révèle un premier état du texte, dans lequel la structure du livre I n'est pas encore tout à fait au point; 3) Rousseau lui-même a marqué son souci de composition par un essai de numérotation des paragraphes du début du livre I dans les manuscrits de Paris et de Genève. Dans une annexe placée à la suite de cette étude, j'essaierai de faire le point sur ces témoignages et de les confronter avec le résultat de mes analyses du texte définitif.

Ces analyses seront avant tout descriptives, du moins dans leur premier temps : elles aboutiront chaque fois à des essais d'interpréta-

---

1. Sur la composition des *Confessions*, voir Hermine de Saussure, *Les Manuscrits des Confessions*, Paris, éd. de Boccard, 1958, et l'Introduction de Jacques Voisine dans son édition des *Confessions*, Paris, éd. Garnier, 1964.

tion. Même si le lecteur n'accepte pas ces interprétations, j'ai essayé de lui fournir une description du texte qui permette de l'interpréter sur des bases nouvelles [1].

AU DÉBUT ÉTAIT LA FABLE

Pour analyser la structure d'un texte, il faut d'abord voir ce qui le délimite. Au niveau de *l'histoire*, il semble que les limites soient « naturelles » : le livre commence, comme la plupart des autobiographies, par l'histoire de la famille et la naissance du héros, et se termine sur un événement qui a changé son cadre de vie et sa destinée, la fuite hors de Genève en 1728. Mais au niveau de la *narration* de cette histoire, on a la surprise de découvrir que le livre I est construit de manière à se refermer entièrement sur lui-même, de manière symétrique, par l'emploi d'une même série prise dans un sens au début, et dans le sens inverse à la fin. Une fois écartés le préambule (p. 6) et les trois lignes de transition avec le livre II (p. 44), on découvre l'organisation résumée par le schéma ci-contre.

Le livre commence et s'achève en plein rêve, donnant au lecteur l'image d'une conscience qui baigne dans l'imaginaire. Le récit proprement dit de l'enfance réelle et historique de Jean-Jacques (p. 7-43) n'apparaît que comme un trou entre deux rêves.

C'est là l'effet produit sur le lecteur : car Rousseau semble ne se rendre compte de rien. Tout est pour lui sur le même plan : ce qu'il raconte de ses parents, et qu'il tient de la tradition orale, est pour lui vérité historique; le récit de sa vie à Genève, s'il n'avait pas fui, lui semble aussi de l'ordre du vraisemblable. Pour nous, au contraire, ces deux récits vagues et schématiques apparaissent comme deux romans stéréotypés qui contrastent avec le récit concret et prenant qu'ils encadrent. Aux deux bouts du livre, ils se font écho. Pur mirage, le second roman semble simplement refléter, vers l'avant, ce que le premier roman fait voir en arrière. La vie idyllique dont Rousseau s'exile en fuyant Genève, c'est celle-là même à laquelle il a mis fin en naissant. L'exil répète la naissance. Qu'il s'agisse de pur fantasme, le texte le dit : le second roman n'aurait pu se réaliser que « *si* j'étais tombé dans les mains d'un meilleur maître »; en fuyant,

---

1. Pour le texte des *Confessions*, toutes les indications de pages renvoient au tome I des *Œuvres complètes* dans la collection de la Bibliothèque de la Pléiade, éd. Gallimard, 1959. Pour *Émile* et pour le *Discours sur l'origine de l'inégalité*, le chiffre en caractères romains renvoie au tome de cette même édition des *Œuvres complètes*.

il ne se prive d'aucun avenir, puisque cet avenir lui a déjà été refusé par le sort : il régularise sa situation, plutôt. Refusé par le sort? C'est en réalité la conséquence de la série d'abandons en cascade qu'il vient de vivre, et qui remonte en fait à la naissance elle-même.

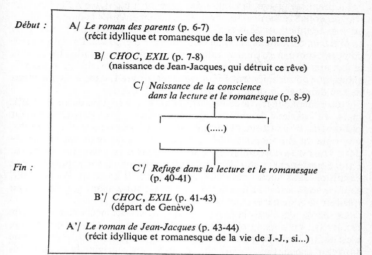

Début :

A/ *Le roman des parents* (p. 6-7)
(récit idyllique et romanesque de la vie des parents)

B/ *CHOC, EXIL* (p. 7-8)
(naissance de Jean-Jacques, qui détruit ce rêve)

C/ *Naissance de la conscience
dans la lecture et le romanesque* (p. 8-9)

(.....)

Fin :

C'/ *Refuge dans la lecture et le romanesque*
(p. 40-41)

B'/ *CHOC, EXIL* (p. 41-43)
(départ de Genève)

A'/ *Le roman de Jean-Jacques* (p. 43-44)
(récit idyllique et romanesque de la vie de J.-J., si...)

Cette seconde rêverie romanesque, dont le héros serait un Jean-Jacques devenu grand, se retrouvera un bon nombre de fois au cours de la vie de Jean-Jacques, ou du moins du récit qu'il en fait : projets d'établissement ou de mariage, et ensuite projet de réforme (retour à la vie obscure du bon artisan), rêveries sur le séjour matriarcal... Ce roman de la fin du livre I sert ici à désigner l'horizon de toute une vie (son projet originel, dirait Sartre). Car la fuite hors de Genève est, *en même temps* qu'une nouvelle forme de l'exil, un geste de retour, un élan vers l'horizon, vers le paradis absent. La naissance est un événement univoque; la fuite de Genève, elle, est équivoque et complexe. L'exil, en effet, ne prend pas la forme d'une exclusion, mais déjà d'un obstacle au retour (les portes du retour sont fermées); et le geste de fuite est en même temps un geste de retour : puisque ce qu'il va aller chercher dans le vaste monde, ce n'est rien d'autre que ce que la cité-mère aurait dû lui donner.

La vie — car déjà nous voyons que le livre I ne raconte pas l'enfance, mais expose un mythe qui renvoie à la vie entière —, la vie n'est que le trajet d'une romance perdue à une romance espérée. La vie est un trou dans l'imaginaire : elle s'oriente tout entière par rapport à deux images.

La première image, le roman des parents, a été livrée à l'enfant par le père, et par les tantes. Ce n'est pas exactement un « roman familial » au sens freudien, ni dans son origine ni dans son contenu : mais dans sa *fonction*, certainement. L'enfant y a cru, l'a enjolivé, l'a repris à son compte : quitte à être exilé, autant que ce soit d'un paradis. En ce sens la formule de Marthe Robert « roman des origines, origine du roman [1] » s'applique admirablement à Rousseau, et le livre I, dans l'organisation de son début et de sa fin, semble fait pour l'illustrer.

Non seulement il y a écho entre A et A' (et ensuite entre B et B'), mais, à l'intérieur de chacune des deux séries, A et C correspondent par-dessus B, exactement comme C' et A' par-dessus B'. A et A', que nous qualifions de fables, sont dans le texte deux récits donnés pour vrais ou vraisemblables, l'un antérieur à la naissance du héros, l'autre postérieur à son départ : aussi le héros réel n'apparaît-il par définition dans aucun des deux. En revanche il apparaît dans le récit, tout de suite après sa naissance, et tout de suite avant son départ, en position non de héros, mais de *lecteur* de romans.

Le héros de l'autobiographie voit sa conscience émerger de la lecture (p. 8), puis se résorber dans la lecture (p. 40-41). La lecture, c'est-à-dire le rapport au texte écrit, ne figure pas dans le récit comme souvenir anecdotique, mais comme expérience originelle et constitutive, et comme aboutissement.

Dans les deux cas, un rapport très clair s'établit pour nous entre le roman (dont le *narrateur adulte* est responsable) et l'expérience de lecture du *héros enfant;* au début, le héros enfant s'éveille à la conscience en lisant des romans laissés par la mère : « Ma mère avait laissé des romans. » On ne saurait mieux dire : parmi ces romans, justement, le petit roman familial. La mère *est* un roman. Et tout roman sera retour à la mère, seul signe qui reste d'elle. A l'autre bout du livre, le roman terminal assumé par le narrateur sort en droite ligne, lui aussi, du genre de rêverie qu'il prête au héros adolescent [2]. Ce que le narrateur produit aux deux bouts du livre, comme souvenir et comme rêve, c'est, en réalité, la lecture même de son héros.

---

1. Marthe Robert, *Roman des origines, origine du roman*, Paris, éd. Grasset, 1972.
2. Cf. p. 41 : « ... que l'état fictif où je venais à bout de me mettre me fît oublier mon état réel dont j'étais si mécontent ».

Nous, nous savons que le « souvenir » du début n'est qu'un rêve; et que le rêve de la fin n'est que le souvenir de ce rêve. Et, surtout, que le rapport du héros au texte n'est pas analogue au début et à la fin. Le livre I n'est pas simplement un trajet aller-retour, un voyage qui s'annule : il décrit la métamorphose qui permet le retour. Le livre I raconte comme on passe de la lecture à l'écriture, c'est-à-dire comment on devient écrivain.

Les expériences initiales sont de pures expériences de lecture, parfaitement naïves : l'enfant-lecteur passe à travers un texte transparent pour s'identifier aux héros du roman. Comme Don Quichotte, il confond le roman et le réel. Du roman, il tire directement une vision de la vie, et une ligne de conduite. Il va devenir, dans sa vie, la même chose que le héros du roman : « je devenais le personnage dont je lisais la vie » (p. 9). De là viendront, tout au long de la vie, l'incurable romanesque et les bouffées héroïques du héros Jean-Jacques; et le livre I raconte, comme un roman d'initiation, la lente dégradation au contact du réel.

Les expériences terminales (p. 40-41) ne sont plus de simples expériences de lecture. Jean-Jacques a lu tous les livres à sa portée[1] et la chair commence à l'émouvoir. Il prend « un parti » qui le sauve de lui-même et calme sa sensualité. C'est de devenir non plus consommateur, mais *producteur* de fantasmes. Il ne s'agit pas encore d'écriture, mais déjà de composition. Certes, son but semble être toujours le même : « tellement que je devinsse un des personnages que j'imaginais » (p. 41). Mais à y regarder de près, on voit que c'est exactement le mouvement inverse du premier. Au début, il faisait naïvement déborder le roman dans la vie, il s'agissait de devenir le personnage dans la vie. Ici, il s'agit de se réfugier dans le roman, de devenir personnage dans un roman qu'on invente. Au début, il devenait le personnage; maintenant il est forcé de prendre le rôle de *l'auteur* : se nourrir des situations, les varier, les combiner, pour se les approprier; en un mot : composer.

L'origine de la lecture se trouve liée à la naissance, et à l'image de la mère; celle de l'écriture, à la puberté, et à un retour à l'univers romanesque assumé et non plus subi.

Aussi ne faut-il pas lire ces pages comme une étape anecdotique de l'adolescence, destinée à être dépassée. Dans le dernier épisode avant la fuite hors de Genève et dans le roman terminal, c'est le projet fondamental de toute la vie du héros qui est esquissé : solution indépassable. La vie de l'adolescent et de l'adulte connaîtra mille péripé-

---

1. Cf. p. 40 : « ... j'épuisai la mince boutique de la Tribu ».

ties : mais elle a été bouclée par avance. Ce qui est raconté ici *déjà*, c'est la révélation de Vincennes, c'est surtout l'écriture de *la Nouvelle Héloïse :* tout se passe comme si, en se fermant ainsi, le livre I avait pour fonction de préparer, en plus petit, la fermeture du livre IX.

Le livre I des *Confessions* est donc entièrement refermé sur lui-même et autonome, exactement comme *les Mots* de Sartre. En apparence c'est l'histoire d'un enfant qui est racontée (jusqu'à seize ans pour Rousseau, onze ans pour Sartre) : en réalité c'est un microcosme qui représente, à travers le récit d'enfance, le projet global de l'homme. Le livre I remplit *à la fois* les deux fonctions : il est le premier acte du drame, et le drame tout entier. Exactement comme une graine est à la fois la première étape du développement de la plante, et la préfiguration de la plante achevée. D'où la structure très complexe de ce livre I, et les différents niveaux de lecture qu'elle permet. Si la composition se relâche progressivement dans la suite des *Confessions*, c'est d'abord parce que cette double exigence ne pèse plus sur les livres suivants, où Rousseau pouvait se contenter de raconter, sans avoir à peindre à la fois l'origine et la totalité.

Le livre I « prépare » donc la suite du récit de deux manières différentes : en exposant une multitude d'*origines*, que nous, lecteurs, nous enregistrons comme devant nous aider à comprendre la suite de l'histoire, suite que nous ne connaissons pas encore, et que Rousseau nous fait désirer; en nous racontant, sans que nous nous en rendions compte, cette suite elle-même. Nous sommes ainsi doublement préparés.

LES QUATRE AGES

Le récit d'enfance, entre la naissance et la fuite, est organisé de manière évidente en quatre étapes. Rousseau lui-même le dit à deux reprises explicitement, et cela ressort facilement de l'analyse du texte. A la fin du livre I, il écrit :

> J'avais joui d'une liberté honnête qui seulement s'était restreinte jusque-là par degrés, et s'évanouit enfin tout à fait. J'étais hardi chez mon père, libre chez M. Lambercier, discret chez mon oncle; je devins craintif chez mon maître, et dès lors je fus un enfant perdu (p. 31).

Cette phrase indique à la fois le découpage en quatre étapes, le critère du découpage (l'éducation et son influence sur la liberté), et le sens de l'évolution : il s'agit d'une *dégradation progressive*. Un schéma rétrospectif analogue est proposé au livre II, à propos de l'éducation religieuse (p. 62).

On reconnaît là le mythe antique des *quatre âges*, tel qu'il est exposé par Hésiode dans *les Travaux et les Jours*, et tel qu'il a couru ensuite pendant toute l'Antiquité[1]. La version la plus connue est celle qu'Ovide a placée au début du livre I des *Métamorphoses*. En voici un résumé :

> Les poètes anciens divisaient l'âge du monde en quatre périodes différentes : 1) l'*âge d'or*, sous le règne de Saturne, ère d'innocence et de bonheur, d'abondance sans travail, de justice idéale, de paix et d'égalité, pendant laquelle un printemps perpétuel faisait de la terre un lieu de délices et dont le nom est resté dans la langue de tous les peuples comme une métaphore poétique ; 2) l'*âge d'argent*, sous le règne de Jupiter, qui marque un degré de moins dans l'état d'innocence et de bonheur; 3) l'*âge d'airain* : l'injustice commence à s'établir sur la terre, l'égalité disparaît, la propriété se fonde et avec elle naissent la rapine et la guerre; 4) l'*âge de fer* : la nature devient avare de ses dons, tous les vices et tous les crimes envahissent la terre. Astrée, déesse de la justice, se réfugie dans les cieux. Ce dernier âge est celui sous lequel nous vivons[2].

Rousseau connaissait parfaitement ce mythe. Il le connaissait même depuis sa toute première enfance, puisque *les Métamorphoses* d'Ovide faisaient partie de la bibliothèque du père de sa mère, à côté de Plutarque (p. 9). Mais il ne s'agit ni de voir là une « source » de Rousseau, ni bien entendu de calquer le contenu des différents âges hésiodiques, pour déchiffrer son récit. Rousseau a seulement pris à ce mythe une conception de l'histoire comme dégradation progressive,

---

1. Sur le mythe des quatre âges et les différentes formes du mythe d'origine, voir Mircea Eliade, *Aspects du mythe*, éd. Gallimard, coll. « Idées », 1966, chap. II, « Prestige magique des origines »; et *le Mythe de l'éternel retour*, éd. Gallimard, coll. « Idées », 1969. Dans sa version indienne, le mythe des quatre âges est intégré à la conception cyclique de l'univers : à la fin du dernier âge, un nouveau processus de création intervient qui fait reprendre le cycle à son début (*le Mythe de l'éternel retour*, p. 134-135). Dans les versions d'Hésiode et d'Ovide, la théorie des âges du monde est dissociée de la doctrine cyclique; mais chez Héraclite, Empédocle, puis dans la tradition stoïcienne, théorie des âges et doctrine cyclique sont associées comme dans la version indienne (*Aspects du mythe*, p. 82-83).
L'idée de se servir de ce mythe pour traduire le mouvement d'une vie a été utilisée plus tard par Fernand Gregh, qui a intitulé les trois volumes de son autobiographie *l'Age d'or*, *l'Age d'airain*, *l'Age de fer* (éd. Grasset, 1947, 1951 et 1956).
2. Larousse, *Grand Dictionnaire universel du XIXe siècle*.

depuis la perfection de l'origine jusqu'à la déchéance actuelle; et il a transposé cet archétype, employé traditionnellement pour présenter les étapes de l'histoire de l'humanité, au déroulement de l'enfance d'un individu.

Le récit du livre I comporte effectivement cinq ruptures qui délimitent quatre périodes. Le plan du livre I est, grossièrement, le suivant :

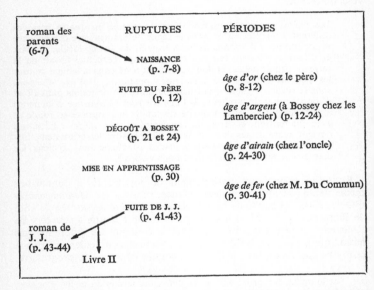

Telle est la grille de lecture du livre I que l'on peut déduire de la phrase citée plus haut. Par commodité, j'utiliserai dans cette étude la nomenclature des âges qu'elle suggère. Cela n'implique, naturellement, ni que Rousseau ait intentionnellement construit son récit en pensant au mythe antique (il a eu seulement recours spontanément au schéma de récit que le mythe utilise), ni que ce mythe soit le moins du monde la « clef » du livre I.

Le mythe des quatre âges n'est en effet qu'une des nombreuses formes du mythe de l'origine; en suivant d'autres indications de Rousseau, on pourrait être tenté de privilégier telle autre version du mythe, où l'état actuel du monde se trouve expliqué non par une dégradation progressive, mais par une chute unique. Rousseau n'aurait-il pas plutôt utilisé la mythologie chrétienne du paradis terrestre et du péché originel? N'écrit-il pas, à la fin de l'épisode du peigne cassé :

> Nous restâmes encore à Bossey quelques mois. Nous y fûmes comme on nous représente le premier homme encore dans le paradis terrestre, mais ayant cessé d'en jouir (p. 20).

Jean Starobinski a suivi cette indication en choisissant l'épisode du peigne cassé comme origine unique de l'histoire de Rousseau, chute fermant le paradis. Mais Rousseau a l'habitude de qualifier d'« uniques » tous les moments dramatiques de sa vie : à force d'être *unique*, le moment de rupture se trouve avoir la figure d'une *série*. La référence au paradis terrestre chrétien est employée ici par Rousseau pour définir un état ambigu de transition (entre « y être encore », et « n'y être plus »), plutôt que pour faire allusion à l'acte dramatique du péché originel, conception qui lui est étrangère [1].

Si Rousseau a fait allusion à la mythologie chrétienne, n'est-ce pas aussi pour lui emprunter ce qu'elle a de commun avec la plupart des mythes de l'origine : l'image du « paradis terrestre », ou de « l'âge d'or »? Si la théorie des quatre âges ne figure pas explicitement dans les textes de Rousseau, en revanche les expressions « siècle d'or » et « âge d'or » reviennent souvent sous sa plume, et c'est une étape obligée pour tout critique rousseauiste que de dresser l'inventaire des formes du mythe paradisiaque, et d'étudier sa fonction dans l'œuvre de Rousseau [2]. Mais la notion d'« âge d'or », détachée de son contexte,

---

1. La comparaison avec le paradis terrestre sert surtout à figurer les premiers symptômes de la culpabilité. Mais pour le reste, la *Genèse* et le livre I des *Confessions* n'ont aucun rapport. Adam est responsable de sa chute; l'enfant est innocent, et victime d'un malentendu. Dans la *Genèse*, Dieu continue à lire dans le cœur des hommes, malgré leur effort pour se cacher. Dans les *Confessions*, le drame vient de ce que les dieux ne puissent pas lire dans le cœur de l'enfant. Les deux textes ont donc peu de rapports. Sur les résistances de Rousseau à l'idée même du péché originel, voir la *Lettre à Christophe de Beaumont* (IV, p. 937-938).

2. Voir par exemple la très pertinente étude du thème de l'âge d'or par Marc Eigeldinger (*Jean-Jacques Rousseau et la Réalité de l'imaginaire*, éd. la Baconnière, Neufchâtel, 1962, chap. VI, « L'Age d'or est insulaire »).

Dans *Jean-Jacques Rousseau et la Quête de l'âge d'or*, Bruxelles, 1970, Jean Terrasse a fait un inventaire des formes du mythe de l'âge d'or : mythe romain, mythe du bon sauvage, mythe de la patrie, mythe de l'enfance. Mais son étude parvient mal à montrer les rapports du mythe avec le récit autobiographique. La description des formes du mythe est précédée d'un portrait psychologique de Rousseau (timidité, imagination, etc.); quand l'auteur en arrive au mythe de l'enfance, il se prévaut de ce portrait préliminaire pour ne pas s'attarder sur le contenu des *Confessions*, et sa description du livre I tient en trois pages (p. 244-247).

c'est-à-dire de la théorie de la dégradation progressive, ne donne guère de moyens pour réfléchir à la structure de l'histoire selon Rousseau. La perfection des commencements est commune à tous les mythes de l'origine; la question précise à laquelle le mythe doit apporter une réponse, c'est de savoir pourquoi cet âge idéal n'existe plus, comment s'explique (c'est-à-dire se justifie) l'état actuel, et quel espoir nous reste de ressaisir la perfection des origines. Or c'est à partir de la théorie des quatre âges que Rousseau a tenté d'articuler sa réponse à cette question essentielle. En construisant le récit de ses propres origines, il était dans la situation d'une sorte d'amateur en mythologie : il avait à choisir dans les archétypes à sa disposition (mythes gréco-latins ou chrétiens, schéma théorique de la genèse tel que lui-même l'avait pratiqué dans le second *Discours* et dans d'autres textes) pour élaborer une histoire qui puisse répondre à la forme très particulière qu'avait prise pour lui la question de l'origine [1]. C'est à partir de cette question que s'éclairent le choix des schémas mythologiques et le traitement que Rousseau leur fait subir.

Dans le mythe des quatre âges, un certain nombre de traits ont dû le fasciner, parce qu'ils dessinaient un canevas de départ, une cellule narrative à partir de laquelle sa réponse pouvait s'élaborer. Trois traits, principalement :

— l'idée de la dégradation progressive, c'est-à-dire la *répétition* de la chute, qui correspond à cette habitude qu'il a de penser comme « uniques » les instants intenses, alors même qu'ils se répètent;

— la manière classique que ce mythe a de lier vertu et bonheur, crime et malheur;

— surtout, le vague dans lequel ce mythe laisse le problème de la *transition* d'un âge à l'autre, des raisons pour lesquelles elle s'effectue, et des attributions de responsabilité. Dans la mythologie chrétienne ces questions sont déjà tranchées, même si c'est de manière mysté-rieuse; ici, au contraire, le flou des transitions laisse à n'importe quelle théorie la possibilité de se greffer sur le mythe. Connue dès l'enfance, cette théorie est comme une mélodie descendante qui se prête à toutes les variations qu'une expérience malheureuse peut suggérer à un adulte.

Au demeurant, on voit déjà les limites de l'utilisation de ce mythe : dans le livre I, la théorie des quatre âges, fondée sur la dégradation de

---

1. Dans les *Rêveries*, c'est dans le mythe du Christ que Rousseau puisera les éléments nécessaires à l'élaboration de son mythe personnel. Cf. S. Lecointre et et J. Le Galliot, « Essai sur la structure d'un mythe personnel dans les *Rêveries du promeneur solitaire* », in *Semiotica*, 1971, n° 4.

l'éducation, ne concerne que le corps du récit (p. 8 à 41), c'est-à-dire l'histoire de l'enfant affronté au réel social; cette histoire est incluse dans — et subordonnée à — la fable plus générale de la naissance, décrite dans la section précédente. Dans la plupart de ses versions, le mythe des quatre âges était lié au modèle cyclique de l'éternel retour : en apparence, ce n'est pas le cas chez Rousseau, puisqu'il sait bien que l'histoire de l'humanité est irréversible; mais, dans la mesure où il applique le mythe des quatre âges à son histoire individuelle, il retrouve tout naturellement l'articulation entre le schéma de la dégradation progressive et celui du retour à l'âge initial. Le schéma circulaire du livre I présenté ci-dessus joue donc, par rapport au récit médian de la dégradation progressive, le même rôle que le mythe de l'éternel retour dans les mythologies anciennes.

Ce qui rend le retour possible, c'est qu'en réalité l'origine n'a jamais été totalement perdue; aussi le schéma de la dégradation progressive va-t-il se trouver brouillé, ou altéré. Par rapport à la descente linéaire et continue du mythe des quatre âges, le récit de Rousseau présente deux traits originaux : chez lui ce n'est pas le premier, mais le second âge, qui représente l'apogée, si bien que la progression est d'abord légèrement ascendante; d'autre part, la ligne du récit est double et combine sans cesse la *dégradation* et la *régénération*. En effet, la question à laquelle répond le mythe rousseauiste n'est pas la même que celle à laquelle répondait le mythe des quatre âges : Rousseau ne doit pas seulement expliquer l'imperfection de l'état actuel, il doit en même temps prouver et expliquer la persistance de la bonté originelle au sein de cet état, dans son propre cœur. D'où l'élaboration de ce mythe contradictoire, nécessaire pour rendre compte de la contradiction vécue.

Une fois ces limites posées, on peut suivre l'indication donnée par Rousseau, et entrer, par la naissance, dans le cycle de la dégradation.

ROMAN (p. 6-7)

En naissant, Jean-Jacques a mis fin au paradis. Est-ce à dire qu'il s'est senti coupable de la mort de sa mère, ou, plus profondément, cru rejeté par elle, qui s'est réfugiée dans la mort plutôt que de le voir? Pour l'instant, lecteur du texte, je ne fais qu'écouter les voix qui parlent. « Je suis né à Genève en 1712 d'Isaac Rousseau Citoyen et de Susanne Bernard Citoyenne. » Acte de naissance du Citoyen de Genève. « Un bien fort médiocre... » C'est un roman qui commence :

on y voit des questions d'argent et d'héritage, des inégalités sociales, des absences, des tentations : mais l'amour triomphe de tout. *Omnia vincit amor.* Les deux héros sont même nommés le « jeune amant », « sa maîtresse ». Une fois surmontées toutes les épreuves, le couple ne vécut pas heureux en ayant beaucoup d'enfants : il eut Jean-Jacques, et la mère mourut. Qui parle? Qui chante cette romance? En lisant les premiers livres des *Confessions,* je suis sensible aux très rares voix qui résonnent, aux *paroles* restées intactes, aux quelques mots qui vibrent depuis un demi-siècle dans une mémoire. Ces paroles sont excessivement rares : chansons de la tante Suzanne, « Carnifex », « Un aqueduc! », « Barnâ Bredanna », « Goton tic tac Rousseau », « que je savais, que je savais », « Adieu rôti », « courage », et, plus loin, au livre II, la première phrase de Mme de Warens, et les trois mots de Marion. La voix déterminante, en ce début, c'est celle du père. On l'entend deux fois :

> Jean-Jacques, parlons de ta mère (...) Ah! disait-il en gémissant, rends-la-moi, console-moi d'elle; remplis le vide qu'elle a laissé dans mon âme. T'aimerais-je ainsi si tu n'étais que mon fils?

Et, après les lectures nocturnes des romans laissés par la mère :

> Allons nous coucher; je suis plus enfant que toi.

C'est de cette voix que semble aussi sortir le petit roman initial, pris à son propre compte ensuite par le narrateur. Cette voix dit des choses si étranges, que Rousseau s'en est souvenu, et que les commentateurs psychanalystes s'y sont intéressés : l'enfant est implicitement rendu responsable de cette perte, qu'il doit réparer en payant de sa personne. Ces propos introduisent une certaine confusion dans les rapports de parenté. Confondu avec la mère, le fils change de sexe, de génération, et de relation : peut-on être à la fois le fils et l'épouse de quelqu'un? Dans la seconde réplique, le père se présente presque comme le frère cadet de son fils, par rapport à la mère absente. Elle est celle dont on parle, celle qu'on lit. Père et fils communient en la mère absente par la lecture, qui remplace l'intimité conjugale perdue. La nuit de lecture à la place de la nuit d'amour. Le texte est à la place de la mère, la supplée.

On entend pourtant la mère aussi : la légende familiale a retenu d'elle les cinq vers d'un impromptu qui porte, justement, sur les relations de parenté dans une famille où deux couples de frère et sœur se sont épousés[1]. A la lumière de ces troubles de la parenté, le lecteur repense à d'autres phénomènes : dans l'âge d'or et dans l'âge d'argent, comment sont représentées les instances parentales? Chaque fois le couple parental est composé d'un frère et d'une sœur : Isaac Rousseau et Suzanne Rousseau (qui porte le même prénom que la mère), et M. et Mlle Lambercier; dans l'âge d'airain, le couple parental sera un vrai couple, l'oncle et la tante Bernard, mais justement lié par un double lien de fraternité aux parents de Rousseau. (A l'âge de fer, ne restera plus que le maître, M. Du Commun.)

Ce trouble qui affecte la fonction parentale, on le retrouve à d'autres niveaux de l'histoire : ce seront la figure troublante d'une mère séductrice, Mme de Warens, et l'horreur de l'inceste (que l'on retrouvera, décalée, au livre VII, avec Anzoletta); cela est bien connu. Mais ce n'est pas tant la figure de la mère qui est absente dans la vie de Jean-Jacques (au contraire on la lit partout), que celle du père.

NAISSANCE (p. 7-8)

Le récit de la naissance est fait en deux fois, en deux vagues. Rousseau naît d'abord pour ses parents (fin du récit les concernant, depuis

---

1. Rousseau cite en note cet impromptu, citation destinée à montrer l'habileté et les talents de sa mère. Mais ce n'est peut-être qu'un alibi : ce qui frappe dans ces vers, et qui a dû frapper Rousseau, c'est moins leur habileté que le sujet sur lequel s'exerce cette habileté : les structures de la parenté dans la famille. Je cite à mon tour ces vers :

> Ces deux Messieurs qui sont absents
> Nous sont chers de bien des manières;
> Ce sont nos amis, nos amants;
> Ce sont nos maris et nos frères,
> Et les pères de ces enfants.

Si les propos du père introduisaient une certaine confusion dans les rapports de parenté, que dire de l'impromptu maternel! Il vaut la peine de voir en quoi consiste « l'esprit » de cet impromptu, par exemple sur le quatrième vers. Tout porte sur l'ambiguïté dans l'emploi de « nos » : car on peut comprendre que l'un des absents est frère de l'une et mari de l'autre, et l'autre absent, l'inverse; ou, hypothèse burlesque que la construction permet, que chaque femme a épousé son propre frère, à l'égyptienne! C'est naturellement cette hypothèse, aussitôt repoussée, qui donne sur le « l'impromptu. Le lecteur, à son tour, esquisse un impromptu. A la place des deux belles-sœurs pensant à leurs maris absents, il revoit le père et le fils pensant à la mère absente :

> Cette femme qui est absente
> Nous est chère de deux manières,
> C'est notre mère, notre amante...

« Je fus le triste fruit de ce retour... » jusqu'à la fin du § 5), avant de naître à son propre compte (« J'étais né presque mourant... », début du récit le concernant lui), les deux récits sont disposés autour d'un blanc. Ils ont en commun d'organiser une sorte de ballet de la vie et de la mort, et donnent au lecteur l'idée que toutes les contradictions ultérieures ne feront que reproduire la contradiction originelle, celle d'une naissance funèbre. Dans le même acte, la mère fait naître Jean-Jacques, et Jean-Jacques fait mourir la mère. Meurtrier, il est en même temps meurtri. Coupable et victime, et tous deux sans le vouloir ni le savoir. Ou plutôt : nous devinons que tout cela ne s'est formé que plus tard, au cours de la petite enfance, par la faute du père. Les véritables acteurs de la naissance, ce sont les auteurs du *récit* de la naissance.

La première naissance, ici, est celle racontée par le père. Jean-Jacques retranscrit cet étrange dialogue, en fils pieux, *pour prouver que* son père était non seulement un homme de bien, mais un cœur sensible et fidèle, et qu'il fut inconsolable. Le sujet de ce discours, c'est le père, et cette séquence s'inscrit dans la logique de la romance initiale, de l'amour, qui triomphe de tout. Avant, on avait vu l'amour triompher du voyage, de l'inégalité sociale, de l'absence et des tentations. Et maintenant, le voici qui triomphe de la mort. Cette histoire touchante prend un sens entièrement différent dès qu'on admet que le sujet n'est pas la relation du père à la mère, mais celle du fils au père. Il n'y a pas besoin d'être grand clerc pour sentir l'effet produit par un tel discours sur un enfant, déclaré responsable de la mort de sa mère, et sommé de la remplacer par un père dont les « embrassements », les « convulsives étreintes » et les « caresses » sont pleins de regrets. L'enfant se sent incapable de combler cette béance dont il est cause, et qui est sa cause. Mais, à un second niveau, ce récit se laisse lire autrement. Le père a fait deux tentatives pour remplacer sa femme : en séduisant son fils, et en se remariant. Ces deux tentatives sont paradoxalement présentées sur le même plan, toutes deux comme des preuves de fidélité. L'ordre même du récit suggère le sens : mon père *m*'a trompé en se remariant. Fidèle à sa femme, peut-être, infidèle à son fils, sûrement. Le fait que tout ce paragraphe soit à la gloire du père sur le plan explicite n'empêche pas d'entendre le reproche [1]. On verra (livre II, p. 55-56) comment Jean-Jacques sait associer l'éloge et le blâme. Après tout, le lecteur a le droit de s'étonner. Isaac Rousseau s'est remarié le 5 mars 1726 : à ce moment-là,

---

1. Voir sur tout ce passage la minutieuse et pertinente analyse de Nicole Kress-Rosen, « Réalité du souvenir et vérité du discours, étude de l'énonciation dans un texte des *Confessions* », in *Littérature*, 1973, nº 10, p. 20-30.

Jean-Jacques a quatorze ans, et il est en apprentissage depuis un an chez le graveur Du Commun. Or cet événement n'est pas raconté : du moins pas raconté *à sa place*. Une allusion anticipante, ici; au livre II (p. 55), une brève mention rétrospective; mais pendant l'âge de fer, il n'en sera pas dit un mot.

Déjà le lecteur sent que l'abandon par la mère n'a été vécu par l'enfant qu'à travers ses relations au père, c'est-à-dire à travers l'abandon par le père. La mère se retrouvera indéfiniment dans des substituts imaginaires, et dans l'imaginaire lui-même. La carence du père est, elle, irrémédiable : Rousseau passera sa vie à la reproduire. Enfant abandonné, il abandonnera ses enfants. Son père lui déclare : « je suis plus enfant que toi »; Jean-Jacques déclarera, devenu vieux : « je suis un vieil enfant ». Loin d'être une étape de la maturation, l'identification au père signifiera pour lui la fixation dans l'immaturité. D'où l'ambiguïté des passages concernant le père : car tout ce que Rousseau pourrait lui reprocher, c'est ce qu'il a lui-même à se reprocher. Le respect que l'on a pour ses parents se rencontre ici avec l'indulgence qu'on a pour soi-même : c'est ainsi qu'il faut lire aux deux niveaux à la fois la critique du père, dans le livre II (p. 55-57).

Le second récit de la naissance : « J'étais né presque mourant » multiplie les signes d'infirmité et de maladie, qui maintiendront vivant le rapport à la mère tout au long de la vie, à la fois expiation et cicatrice. Ce n'est pas une vie où il est arrivé accidentellement des malheurs : c'est une vie qui *est* en elle-même malheur. D'où le refrain : « et ma naissance fut le premier de mes malheurs », « et fit tous les malheurs de ma vie ». Expiation masochiste? Mais on peut entendre derrière ce refrain une autre mélodie, plus agressive. Apparaît la tante Suzanne Rousseau, qui fera fonction de mère. Il faut croire que, dans cette affaire, la responsabilité se trouve au moins partagée, puisque s'adressant à sa tante, il dit : « Chère tante, je vous pardonne de m'avoir fait vivre », étrange formule de remerciement. Elle implique, en effet, qu'il garde rancune à quelqu'un de sa naissance, et de sa survie. On ne sait trop si la tante Suzanne est « pardonnée » en raison de sa longévité, des souffrances conjugales par lesquelles elle aurait expié le crime d'avoir fait survivre l'enfant, ou de son inlassable dévouement. S'il lui pardonne à elle, c'est qu'il ne pardonne pas à quelqu'un d'autre, et c'est qu'il y a quelque chose à pardonner. Dans cette formule affleure, déniée, une agressivité fondamentale qu'il faut bien supposer aussi chez Rousseau, quoiqu'il n'ait jamais accepté de la reconnaître, quoique toute son anthropologie ait été construite pour en exclure la possibilité. Rousseau était « méchant ». Mais il avait peur de sa méchanceté. Il pardonne, il est bon. Et à la place de la mère qu'il n'a pas, et qui a manqué à tous ses devoirs, il récapitule ce qu'il a (« J'*ai aussi* ma mie Jacqueline »), ceux qui, *eux*, ne se sont pas dérobés, et restent fidèles au poste, comme si leur unique préoccupation était de se conserver en vie assez longtemps pour pouvoir survivre à Jean-Jacques et l'assister en cette naissance à rebours, l'agonie. Curieusement, le paragraphe dérive à travers les soins portés aux vieux et aux malades : mais la pente est irrésistible (tante Suzanne soignant son mari usé par la boisson → Jean-Jacques regrettant de ne pouvoir soigner tante Suzanne → Jean-Jacques veillé à sa mort par tante Suzanne et Jacqueline). Jean-Jacques ne s'est introduit dans la série comme soigneur que pour se transformer en soigné. Se servant de ces figures substitutives, il dessine l'idéal enfantin d'une vie *enclose* à l'intérieur de la vie de la mère (qui préexistait à l'enfant, et lui survit), idéal opposé à la réalité d'une vie *forclose*. En même temps on devine, à travers cette anticipation, que la mort, si effrayante soit-elle, est fascinante parce qu'elle est aussi retour à la naissance, et à la mère.

La naissance est un récit : du père à l'enfant, du narrateur au lecteur. Le sens de l'événement apparaît dans la manière dont on en parle. Si l'on met à part les indications initiales qui sont de l'ordre de l'état civil, date et identité, la naissance est double récit entendu (celui du père au fils), émis (celui du fils, à qui ?), le second fonctionnant comme réponse au premier.

Cette rupture initiale est très complexe. Elle ouvre l'âge d'or, mais ferme un paradis antérieur. L'enfant (cet enfant que le narrateur est toujours) se sent coupable, et victime. Les sentiments qu'il manifeste sont ambigus. Il est naturellement impossible de se servir de la référence à un mythe comme celui des quatre âges pour simplifier cette rupture, pour en faire une chute justifiée, une injustice subie. Chacune des ruptures suivantes (fuite du père, dégoût à Bossey, apprentissage) sera elle-même complexe. C'est d'ailleurs très naturel dans un système de dégradation progressive à seuils multiples. Encore plus naturel, si le processus lui-même n'est pas *seulement* de l'ordre de la dégradation. Car après tout, naître, cela conduit aussi à vivre.

L'AGE D'OR (p. 8-12)

L'ordre du texte.

A Genève, dans la maison paternelle, de 1712 à 1722. Quel est *l'ordre du récit* à l'intérieur de cet âge ? On discerne tout de suite deux ordres différents combinés.

L'ordre chronologique : au début, on a l'impression qu'une histoire va être racontée selon cet ordre. L'origine de la conscience est datée : « j'ignore ce que je fis jusqu'à cinq ou six ans »; le passage des romans aux Romains correspond, lui aussi, à une succession temporelle : « Les romans finirent avec l'été de 1719. L'hiver suivant ce fut autre chose. » Mais après ces indications, la chronologie disparaît totalement; même l'histoire du frère n'est pas datée ni située par rapport aux autres événements ou états, qui apparaissent contemporains les uns des autres. L'ordre véritable est différent.

L'ordre mythique : on découvre vite que le récit de l'âge d'or est construit selon le même principe que l'ensemble du livre I : *l'ordre circulaire*. C'est la même structure qui informe le tout et les parties. Le livre I est à l'image de l'ensemble de la vie; l'âge d'or, à l'image de l'ensemble du livre I. La fin fait écho au début, le reproduit à l'envers en bouclant le cercle : ce sont les deux expériences de la *lecture* et de la *musique* (l'imaginaire), qui encadrent et limitent la première expérience de la vie réelle, la description du groupe familial et de l'éducation. La conscience s'éveille dans la lecture (§ 2, 3 et 4) et se résorbe dans la musique (§ 8) : cette expérience de l'imaginaire occupe les deux tiers du texte. Au milieu, un tiers seulement pour la description du réel. Encore ce réel est-il évoqué en termes très généraux, avec fort peu d'anecdotes et de traits précis. La perfection ne se raconte pas, le bonheur n'a pas d'histoire. Aussi les deux anecdotes médianes (la correction reçue par le frère aîné; Mme Clot) sont-elles justement les exceptions qui confirment la règle. Tout récit implique un changement, le passage de l'éternité à l'histoire. Ici l'histoire est à la fois ralentie et contrariée, et cherche (ce qui sera le mouvement de toute la vie de Rousseau) à s'annuler en se développant, à concilier l'irréversible et le retour. Une vie familiale quasi idyllique apparaît, entre le rêve de la lecture, et le souvenir de la musique.

La lecture.

Non seulement l'expérience de la lecture est première, mais elle est présentée comme originaire (c'est *de là* que vient la suite) et totale (*toute* la suite). Elle est divisée en deux étapes bien séparées chronologiquement : lecture des romans, *puis* lecture des Romains. Cette succession (justifiée par des détails précis) a un sens très important pour la suite de l'histoire : elle fonde une contradiction essentielle, qui sera analysée au § 9. Pour l'instant, nous avons *deux bibliothèques*. Chaque bibliothèque est l'héritage laissé par une *personne*, et finalement représente cette personne : lire les livres qu'elle a laissés, c'est s'*identifier* à elle. On pourrait être tenté, étant donné la nature des lectures et leur origine, d'établir une classification simple : *les romans* renverraient à la mère (source de tout le côté romanesque et féminin du caractère de Jean-Jacques); *les Romains*, au père (côté héroïque et masculin). Mais ce serait fausser totalement le texte, qui dit des choses très différentes : le père de Jean-Jacques est toujours assis à côté de Jean-Jacques, c'est-à-dire du côté des lecteurs, dans la salle; ce que Jean-Jacques imite en lui, c'est le lecteur de roman (les romans, ils les lisent « *tour à tour* »; les Romains sont l'objet *entre eux* d'entretiens, et suivre l'exemple du père, c'est *se croire* grec ou romain); le père n'est à l'origine d'aucune des deux bibliothèques, et participe exactement de la même manière à la lecture des deux types de livres. La mère, au contraire, est à l'origine des deux bibliothèques, et la subdivision féminin/masculin, loin d'opposer la mère au père, est *intérieure* à la mère, comme le montre, sur le plan de la généalogie, le fait que la bibliothèque des Romains vienne du père de la mère. Ici encore apparaît symétriquement à l'omniprésence maternelle, la carence du Père.

Les lectures introduisent un double système de contradiction. Chaque lecture donne à l'enfant une idée du monde (romanesque, héroïque) qui est sans rapport avec la vie réelle, et fera de lui un désadapté; d'autre part, les deux modèles de lecture sont *entre eux* contradictoires. Les deux lectures sont présentées (p. 8) comme successives; elles formeront un caractère *à la fois* rêveur et héroïque (p. 12), mais dont les tendances s'exprimeront *successivement*, par l'alternance de deux personnages, le Citoyen de Genève et le Berger extravagant [1]. Les lectures sont donc la matrice de toutes les contradictions dont Rousseau aura à faire le récit, et il se servira constamment, au cours du livre, des schèmes d'opposition ici établis. Le récit de l'âge d'argent et de l'âge d'airain sont entièrement structurés sur ce modèle. Le problème que peut se poser le lecteur, c'est de savoir si les lectures sont *l'origine* de ces contradictions, ou si elles n'en sont pas seulement le *premier signe*. Auquel cas l'origine serait à trouver ailleurs.

Par rapport au narrateur, la question qui se pose est celle de la *valeur* des différentes conduites ici évoquées : est-ce l'imaginaire qui a tort, et le réel raison? ou l'imaginaire raison, et le réel tort? A lire le texte, on voit bien que les deux jugements sont exprimés. La contradiction du narrateur vient de ce qu'il émet à la fois des jugements de valeur (l'imaginaire a raison : il est visiblement satisfait

---

1. Cf. livre IX, p. 416-417.

d'avoir une raison « d'une autre trempe », et un « caractère indompt-
able et fier »), et des jugements de réalité (l'imaginaire est désadapté
dans un monde dégradé : il n'a pu se *guérir* des « notions bizarres
et romanesques, et son caractère fier l'a *tourmenté* dans les situations
les moins propres à lui donner l'essor »). L'accent peut naturellement
changer : tantôt c'est visiblement la fierté qui domine[1]; tantôt,
l'équilibre est réalisé entre la fierté et la déploration tragique[2]. Il est
vrai que, la première fois, Rousseau parle seulement de la contradiction de l'imaginaire et du réel; la seconde fois, il s'agit plutôt de
la contradiction intérieure à l'imaginaire. C'est alors qu'il module
du « l'un et l'autre » triomphant au « ni l'un ni l'autre » tragique.

Dans la perspective d'une *dégradation progressive*, ce qui caractérise le premier âge, c'est que le rêve et le réel sont (presque) de
plain-pied, alors que dans les étapes suivantes, le fossé se creusera.
La section médiane (§ 5, 6 et 7) décrit justement un univers dans
lequel les valeurs imaginaires (amour et justice) sont encore respectées : l'univers d'une enfance, non certes naturelle, puisque c'est
chose impossible, mais préservée par une éducation idéale. Ce côté
idéal se voit au vague du récit : on est encore tout près de l'univers
de la romance. La perfection n'est rendue sensible que par des oppositions (avec l'éducation de son frère; avec la mauvaise éducation
ordinaire), ou des exceptions (épisode de Mme Clot). Les transitions
du rêve au réel se font insensiblement et harmonieusement : on
glisse du rêve au réel par une modulation sur l'héroïsme (au mime
de l'héroïsme de Scevola correspond l'héroïsme réel de Jean-Jacques
s'interposant entre son père et son frère); et, dans l'autre sens, on
remonte du réel au rêve par une modulation sur l'amour. Tel est
l'âge d'or : on circule à travers la page du roman. Telle est, du moins,
l'image qu'en donne Rousseau. Car cette enfance harmonieuse et
heureuse, nous n'oublions pas qu'elle est née d'une rupture tragique,
et qu'elle suppose déjà, malgré tout, que le réel et le rêve ne sont plus
la même chose. A dire vrai, il suffit de lire la section médiane pour
s'en rendre compte.

Mon frère.

Ce paragraphe laisse le lecteur mal à l'aise. Rousseau-narrateur
condamne à la fois la négligence de son père, et le libertinage de son
frère. Il met en lumière sa propre innocence (il aimait tendrement

1. P. 8-9.
2. P. 12.

son frère), il cite un trait de vertu, prend acte du départ de son frère et termine lestement : « et voilà comment je suis demeuré fils unique ». Bon débarras... Au début du paragraphe suivant, le frère n'est déjà plus que « ce pauvre garçon ».

L'histoire de ce « pauvre garçon » vaut la peine qu'on la reconstitue. Né en 1705, François est resté tout seul avec sa mère jusqu'à l'âge de six ans; alors tombe du ciel, en 1711, un père qu'il n'avait jamais vu; non seulement ce père fait aussitôt un second enfant à la mère, mais ce second enfant tue la mère en naissant. En l'espace de dix mois, on lui a troqué sa mère contre deux étrangers. Ces deux étrangers, père et frère, s'entendent, sinon contre lui, du moins en dehors de lui. On deviendrait polisson et fugueur à moins. Rousseau ne semble rien soupçonner ni imaginer de tout cela. Qu'enfant il ne l'ait pas compris, c'est bien naturel. Que narrateur des *Confessions*, il continue à ne le pas comprendre, c'est qu'il est resté bien enfant, ou qu'il y a quelque intérêt. Cet aveuglement est d'autant plus curieux que l'histoire de François est, décalée et aggravée, sa propre histoire, et que, abandonné à son tour par son père, il fera exactement la même chose, polissonnage, puis fugue. Il refuse de se reconnaître dans cette image. Il joue ici, *narrateur*, le rôle d'un enfant « sage » qui se donne les gants de la générosité, et se lave ensuite les mains de tout ce qui est arrivé. Sa condescendance et sa légèreté sonnent faux. On se souvient peut-être trop, aussi, que pendant toute sa jeunesse des problèmes d'héritage l'amèneront à regretter que son frère, disparu, n'ait pas donné signe de vie en mourant officiellement, en sorte que Jean-Jacques puisse toucher sa part d'héritage. Toujours est-il que tout ne va pas bien dans le paradis familial : la première scène à laquelle nous assistons est une querelle violente. Elle servira, certes, à établir la bonté de Jean-Jacques, et à dessiner par contraste l'excellente éducation qu'il a reçue, lui.

La scène du châtiment, pourtant, a une autre fonction : montrer que l'enfant vivait naturellement au diapason de l'héroïsme, qu'il était capable d'inventer des conduites dignes des héros de Plutarque. Ou plutôt de Tite-Live : le modèle de cette scène, en effet, ce sont les Sabines s'interposant entre leurs parents et leurs maris, et arrêtant la bataille.

Pour le lecteur, la scène peut avoir aussi un autre sens : comment ne pas penser, en lisant ceci, aux fessées reçues de Mlle Lambercier? La première épreuve de la violence est vécue dans le rapport au père : le spectacle du père en colère contre l'autre fils est si insupportable que c'est un soulagement d'intervenir, dût-on soi-même recevoir des coups; à l'occasion de ces coups reçus, le fils découvre le pouvoir qu'il a sur son père, puisqu'il le force à s'arrêter ; mais il découvre peut-être aussi *le pouvoir du père*, dans un de ses signes les plus frappants. Dans la mesure où il semble que le grand manque, c'est celui du père, il n'est pas impossible que l'enfant ait découvert là, physiquement, une présence et une puissance qui lui manquaient, et que ce soit aussi cela qu'il ait cherché, une fois abandonné par son père.

Éducation.

La section qui suit (§ 6, et début du § 7) se présente simultanément comme une apologie personnelle et comme une démonstration générale. Apologie, puisqu'il faut établir qu'à l'origine Jean-Jacques était bon *naturellement*. Démonstration, puisque selon les théories de l'*Émile*, cette bonté naturelle ne saurait être préservée dans une vie sociale que par une éducation parfaite. Aussi toutes ses chutes futures seront-elles mises au compte de la carence ou des défaillances de ses éducateurs. On tient là le fil conducteur de la théorie des quatre âges : la dégradation principale sera celle des éducateurs, parfaits à l'âge d'or, presque parfaits mais déjà susceptibles d'erreurs à l'âge d'argent, négligents à l'âge d'airain, mauvais à l'âge de fer. D'où la chute progressive de Jean-Jacques, passant par étapes d'un état proche de l'état de nature (bonté préservée par l'éducation) à l'état de société (le vice et la méchanceté engendrés par la tyrannie). La métamorphose de l'instance parentale et du groupe familial dans la vie individuelle de l'enfant Jean-Jacques, est parallèle à la métamorphose de la vie sociale, dans l'histoire globale de l'humanité.

La démonstration reprend les théories de l'*Émile* sur le caprice, naissant de l'adulation exagérée, et sur la perversion sociale, apportée par le contact des autres enfants. Non gâté à l'intérieur, soustrait à la contagion extérieure, Jean-Jacques semble élevé dans une sorte de serre chaude. Les « défauts » de son âge ne sont que des tendances naturelles en elles-mêmes innocentes : il est préservé de ce qui est pour lui l'essence même de la « méchanceté » : prendre plaisir à faire du mal. Il n'y est pas incité par la tyrannie ou l'adulation, ni par le spectacle de la violence (il oublie qu'il vient de nous raconter comment son père en colère battait son grand frère).

« Je tondis de ce pré la largeur de ma langue » : dans les plaidoyers d'innocence, il est toujours bon, pour prouver une sincérité scrupuleuse, d'avouer une faute minime qui fait ressortir de manière éclatante l'innocence de l'ensemble de la conduite. C'est la première et évidente fonction de l'épisode de Mme Clot, qui a tant surpris les contemporains par sa trivialité. Nous pouvons lui trouver un autre sens : cette violence irrespectueuse peut aussi avoir une valeur érotique, ou du moins symbolique, comme l'a remarqué Jean Starobinski [1]. Mme Clot, qui va aux vêpres, est « la vieille la plus grognon que je connus de ma vie » : cela nous fait penser à cette « vieille dévote bien rechignée » que n'était pas, à la grande surprise de Jean-Jacques, Mme de Warens (p. 49). Si l'épisode était insignifiant, comment expliquer qu'il fasse encore *rire* le narrateur? Le narrateur se sert de ce rire pour établir *de facto* aux yeux du lecteur qu'il est resté l'enfant d'alors, donc qu'il est bon. A l'abri de ces attestations d'innocence et de puérilité, ce rire manifeste une détente, la décharge d'une agressivité qui a trouvé une issue camouflée et sans danger. « Voilà la courte et véridique histoire de mes méfaits enfantins », fait écho au « Voilà comment je suis demeuré fils unique ».

Au début du paragraphe suivant, Rousseau tresse l'apologie-démonstration, qu'on croyait terminée, avec le thème de l'amour réciproque et partagé. D'abord présenté comme une harmonie générale, par une transition habile (habile parce qu'ayant l'air de porter sur un autre sujet : les occupations quotidiennes d'où la « fantaisie » est exclue), l'amour se trouve restreint et précisé en une relation *duelle* (j'étais toujours avec ma tante), et se résorbe en une rêverie-souvenir sur la musique.

Musique.

La tante (sœur cadette du père) remplit la fonction maternelle; suppléant la mère, elle en donne une première image substitutive, qui sera suivie par bien d'autres. Absente dès l'origine, la mère va tirer de cette absence même une force extraordinaire. Pour n'avoir été nulle part, elle sera partout, il sera impossible de la perdre; aucune figure ne l'épuisera. Quand les figures féminines feront défaut, on la retrouvera dans ses figures fondamentales, elles indéfiniment déroulées, que sont l'écriture et la musique. *Lire* et *écouter* sont les premières expériences fondamentales; et quand textes et voix se seront effacés, quand la vie et l'âge auront éloigné les personnes substitutives, il ne restera plus qu'à *écrire* et à *chanter*. Au début du récit de l'âge d'or, la mère apparaissait dans les lointains à travers des *textes*; à la fin de ce récit, elle se manifeste dans la proximité d'une voix; d'un côté, l'écriture; de l'autre, la parole. « Le goût ou la passion pour la musique » dont parle Rousseau, de nombreux textes montrent que c'est avant tout celui de la musique *vocale*, et plus particulièrement

1. Jean Starobinski, *La Relation critique*, éd. Gallimard, 1970, p. 132.

celui de la voix féminine, c'est-à-dire la présence directe immédiate, sans écran ni relais, de la voix maternelle. Naturellement, il y a encore ici relais, puisque la voix est celle de tante Suzanne, mais le relais ne change pas le mode de présence : la parole entendue. Entendue autrefois, cette parole n'est plus qu'un souvenir; pour lui redonner présence, pour en refaire une parole vivante, la seule solution est de la reprononcer soi-même. Le passage de la lecture (p. 8-9) à l'écriture (p. 41) se trouve représenté en plus petit, non plus au niveau du seul héros, mais entre le héros et le narrateur, dans cet épisode de la chanson. Marmotter en pleurant de petits airs qui reviennent de l'enfance, c'est naturellement le degré le plus élémentaire du *retour;* écrire *la Nouvelle Héloïse,* les *Confessions,* c'en est le degré le plus élaboré : redonner vie à une voix à travers la sienne. On voit bien d'ailleurs qu'ici Rousseau ne se comporte pas du tout à un niveau élémentaire en reproduisant la chanson de la tante Suzanne : il dit tout autre chose, à la fois *moins* et *plus* qu'elle. *Moins,* puisque le texte de la chanson est tragiquement troué d'une lacune; *plus,* puisque son propre texte, encadrant la chanson, parle *de* la lacune, à défaut de pouvoir la combler. Dans sa disposition typographique même, cet épisode en apparence banal semble symbolique : toute l'écriture est là pour combler un trou qu'il y a dans la parole. Comment expliquer autrement la mise en scène dramatique de ce trou de mémoire?

Naturellement, le lecteur peut prendre l'épisode au niveau *apparent,* au niveau de la psychologie de la mémoire. Mais à ce niveau, il s'apercevra vite que la lacune est une fausse lacune. Non point parce que, la chanson originale ayant été retrouvée, on voit bien que la partie oubliée ne change rien au sens. Mais parce qu'en réalité, il ne manque presque rien : l'air, Rousseau s'en souvient en entier; les paroles, finalement aux trois quarts. De plus, Rousseau sait bien que la lacune n'est pas l'oubli matériel de certains mots : s'il s'abstient de se documenter pour les retrouver, c'est certes par crainte de profaner le souvenir (ici le raisonnement de Rousseau nous rappelle ce qu'il dira de Mlle Goton et de Mlle de Vulson, p. 28), mais aussi parce que, les mots une fois restitués, il continuerait à manquer l'essentiel. La défaillance de mémoire n'est ici que le signifiant d'une faille plus fondamentale. Ce n'est pas en « écrivant à Paris » que lui reviendra, non pas le reste des paroles, mais la parole qui manque.

Une autre interprétation se présente à l'esprit, qui met en cause la lettre même de la chanson : c'est une chanson d'amour, dans un monde conventionnel de bergerie, l'univers de la romance; la Bergère n'ose écouter le « chalumeau », et évoque les dangers (sociaux) de l'amour. Pourquoi Rousseau s'est-il souvenu de *cette* chanson, plutôt que de tant d'autres? Cette chanson a l'air si banal, qu'on en oublie qu'elle a été *choisie*. La tante savait « une quantité prodigieuse d'airs et de chansons ». Rousseau en a gardé plusieurs dans la mémoire : il ne les cite pas. De celles qu'il a oubliées, quelques-unes réémergent miraculeusement. Et parmi celles-ci, il choisit de nous parler d'une « surtout » : il souligne lui-même qu'il y a dispro-portion entre le contenu apparent de cet air, et l'effet qu'il produit sur lui : « C'est un caprice auquel je ne comprends rien. » Cette absurdité soulignée ferait penser qu'il s'agit d'un souvenir-écran; à moins que ce ne soit, en sens inverse, la déclaration d'absurdité qui soit un écran, destiné à masquer un sens fort clair. Chanson du refus d'amour, fondé sur la peur de l'amour, dont on voit bien le rapport qu'elle a avec la conduite de Rousseau, et la peur que lui a toujours inspirée l'amour conçu en termes génitaux. « Et toujours l'épine est sous la rose. » Alors qu'il prétend avoir oublié la seconde moitié des paroles, sauf les rimes, il se rappelle très bien, et en entier, le dernier vers...

C'était donc là le paradis, l'âge d'or, dans lequel le rêve et la réalité communiquaient autant qu'il est possible, et où une petite société parfaite avait su préserver la bonté de la nature. Lecture et musique se répondent aux deux bouts du paradis, l'entourent et le ferment. Signes, en amont, d'un autre paradis déjà perdu par la naissance; sources, en aval, des seules voies de retour possibles, au sein d'un monde dégradé.

LA FUITE DU PÈRE (p. 12)

La naissance l'avait privé de mère ; un « accident », à dix ans, lui enlève son père, et interrompt ce « train d'éducation ». L'âge d'or, c'était donc un certain système éducatif, une forme de société. A l'âge suivant, l'instance parentale et le « train d'éducation » seront différents.

Le récit qui est fait ici par Rousseau reproduit très probablement la version qui avait cours dans la famille Rousseau à l'époque, c'est-à-dire le point de vue du père. C'est la dernière étape du roman familial. La comparaison avec le déroulement « réel » des faits n'a pour nous d'autre intérêt que de voir qu'ici, c'est la légende familiale qui s'exprime. Mais cette légende est elle-même « réelle » : elle a été vécue par l'enfant, et apparaît encore au narrateur comme la vérité.

Une petite société familiale, close et harmonieuse, va être brisée par une injustice qui a pour cadre la grande société, la Cité. Apparaît le premier « méchant », le capitaine Gautier, et avec lui un système imparfait qui se fait le *complice* de sa méchanceté. C'est la première injustice; une société mauvaise est liguée contre une famille heureuse mais précaire. Non seulement le père n'est pas coupable dans l'incident évoqué, mais il n'est pas coupable, aux yeux de l'enfant, d'avoir fui. Sa conduite est racontée sur le mode héroïque (modèle : les héros de Plutarque) : c'est un homme fier et intransigeant sur les principes, prêt à des sacrifices pénibles (« s'expatrier pour le reste de sa vie »). Pas un instant n'apparaît l'idée qu'il a pu avoir tort dans l'incident, et n'avoir pas eu de sacrifices pénibles à faire pour fuir. En un mot, qu'il a abandonné son fils. Le manteau de l'héroïsme est jeté sur les faiblesses de Noé. Le récit du livre II (p. 55-56) montrera que Jean-Jacques n'est pas entièrement dupe, et qu'il fait preuve, dans la défense de son père, de la mauvaise foi dont il saura se servir à usage personnel.

Si les suites de cet accident ont influé sur le reste de sa vie, c'est non seulement par des conséquences matérielles, mais parce que cet accident semble être la *matrice* des principaux accidents de la vie de Jean-Jacques. On reconnaît ici en germe le modèle de deux ruptures ultérieures, celles qui sont le plus dramatiquement orchestrées dans ce récit d'enfance : l'injustice qui brise une petite société unie, ce sera l'épisode du peigne cassé, où Jean-Jacques aura lui aussi une conduite héroïque à la Plutarque; les menaces des méchants, ce seront les attitudes du maître Du Commun et du capitaine Minutoli, qui forceront Jean-Jacques à l'exil.

L'AGE D'ARGENT (p. 12-24)

L'ordre du texte.

D'octobre 1722 à la fin de l'automne 1724, c'est-à-dire de dix ans à douze ans, Jean-Jacques passe deux ans à Bossey. On sait que sa mémoire l'a trompé sur les *dates* de ce séjour, qu'il situe deux ans plus tôt, de huit à dix ans. Cette erreur a une double fonction : elle recule vers l'enfance cet âge qui fut le dernier à être paradisiaque; d'autre part elle ménage, en aval, la place pour l'âge d'airain.

Le récit de ces deux ans occupe douze pages (contre quatre pour l'âge d'or); ce qui frappe, c'est non seulement sa longueur (Rousseau lui-même avoue que cette narration lui fait plaisir), mais le détail et la variété des souvenirs, qui s'opposent à la brume idyllique de l'âge d'or, et la présence de quatre *scènes*, dont trois sont très développées et abondamment commentées. Il y a donc un changement de *rythme* du récit. Dans l'âge d'or ne figuraient que quatre passages « singulatifs » (Scevola, le père battant le frère aîné, Mme Clot, la chanson de tante Suzon), qui arrivaient chaque fois après un développement itératif ou un résumé, et servaient d'exemples concrets à l'état ou la série qui faisait l'objet principal du récit (« Un jour, une fois... »[1]). Dans l'âge d'argent, les développements itératifs ont certes encore une large place, mais les quatre scènes, loin d'être des illustrations annexes d'un état général, s'organisent en un vaste système d'événements symboliques qui constituent globalement l'image d'une *rupture*. Il est assez paradoxal que la rupture ne soit pas racontée à la fin de l'âge d'argent, mais qu'elle fasse l'objet de tout le corps du récit; et que, malgré cela, cet âge d'argent fasse figure de paradis. Ce n'est peut-être un paradoxe qu'en apparence. Toujours est-il que l'ordre du récit est assez complexe.

L'ordre chronologique : le récit donne une série de points de repères : les deux fessées de Mlle Lambercier auraient eu lieu plutôt vers le début du séjour (Rousseau se donne huit ou neuf ans); la scène du peigne cassé, plutôt vers la fin (p. 20 : « Nous restâmes encore à Bossey quelques mois »); de toute façon la fessée est antérieure à l'épisode du peigne cassé, puisqu'à propos de cet épisode Rousseau parle d' « amortir » ses sens dépravés. On pourrait croire alors le récit terminé, puisqu'on voit les deux enfants quitter Bossey : or Rousseau fait succéder au récit de la rupture un second récit émerveillé qui abou-

---

1. J'emploie ici la terminologie proposée par G. Genette dans « Discours du récit », in *Figures III*, éd. du Seuil, 1972 (chap. III, « Fréquence »). Dans cette terminologie, « récit itératif » désigne le récit qui raconte en une fois ce qui s'est produit plusieurs fois, « récit singulatif » celui qui raconte une fois ce qui s'est produit une fois. Selon G. Genette, le récit classique repose essentiellement sur l'alternance du sommaire et de la scène, à laquelle le récit proustien substituerait de manière originale l'alternance de l'itératif et du singulatif (p. 170). La chose est vraie si l'on prend Balzac pour modèle du « récit classique ». Mais il existe plusieurs types de « récit classique », et G. Genette a sans doute surestimé l'originalité de la technique proustienne. Ce que Proust a inventé, c'est d'introduire dans le roman un mode de narration traditionnellement employé, au moins depuis Rousseau, dans toutes les autobiographies, en particulier dans le récit d'enfance. De la même manière, le jeu combinatoire de la diachronie interne et de la diachronie externe (p. 167-169) dans le récit de « Dimanche à Combray », ne fait qu'exploiter systématiquement un schéma dont le modèle était bien connu de Proust comme de tous les lecteurs d'autobiographies, celui du livre III des *Mémoires d'outre-tombe* où un même mouvement accomplit le cycle d'une journée, le cycle des saisons, et l'ensemble du séjour à Combourg (en particulier dans les chap. XI à XIV).

tit à deux anecdotes qui sont insituables dans le temps [1]. Chronologiquement, une seule chose est sûre pour le lecteur : que l'*histoire* du peigne est un épisode terminal, et irréversible; mais cette évidence est pourtant atténuée par l'ordre du *récit*, qui en fait un événement médian, et réversible. A dire vrai, exactement comme pour l'âge d'or, la structure du récit a très peu de rapports avec la chronologie. La signification jaillit de l'ordre du texte, et non d'une anecdotique et impossible référence au calendrier.

L'ordre mythique : on retrouve d'abord le trait déjà noté à propos de l'âge d'or. La structure interne de ce récit est *circulaire*, ce qui est très étonnant pour une histoire qui est celle d'une rupture irréversible. Tout commence par une évocation de bonheur. Trois éléments nouveaux, mais tout de même bénéfiques (la campagne, l'étude, l'amitié), amènent le narrateur à évoquer l'harmonie parfaite du petit groupe au centre duquel se trouve l'enfant (p. 14) : on se croit revenu au temps de l'âge d'or. Mais cette harmonie est vite rompue : l'épisode de la fessée, et celui du peigne cassé, brisent l'éternité et mettent en marche le temps, pour le meilleur et pour le pire. On arrive au bas de la pente, et, semble-t-il, à la fin du récit. Jusqu'ici l'ordre est strictement descendant. A ce moment-là, on assiste à ce qu'on appellerait musicalement une reprise *da capo*, avec la brusquerie propre à ce type de reprise. Dans les trois dernières pages, c'est le thème du bonheur qui revient : et, exactement comme dans la dernière séquence de l'âge d'or, il est vu cette fois principalement à travers la mise en scène de la mémoire. Mais ce n'est pas un pur *da capo*; c'est plutôt une synthèse complexe du *bonheur* initial, et de la *rupture* médiane. Cette synthèse s'appelle la *revanche* : l'épisode de la culbute et celui du noyer sont exactement le *renversement* de l'épisode de la fessée et de celui du peigne cassé, et ils suggèrent, non seulement un renversement de situation, mais un renversement du *sens* de la rupture, le passage du fantasme de l'exclusion au rite d'initiation. A la lumière du *da capo*, les deux événements centraux apparaissent dans une lumière très ambiguë : la rupture qui engendre l'histoire implique à la fois dégradation et progrès. On découvre là pour la première fois, dans la structure du récit du livre I, et au niveau de l'histoire de l'individu, le grand problème du *sens* de l'histoire. Fermant le récit de l'âge d'argent, ce *da capo* n'indique pas seulement une régression (retour en deçà de l'irréversible grâce à la mémoire), mais aussi un dépassement.

1. L'anecdote du noyer, pourtant, doit être antérieure à l'épisode du peigne cassé, puisqu'il était dit, p. 21, « nous cessâmes de cultiver nos petits jardins ».

Le récit repose donc sur quatre grandes scènes, dont Rousseau a très fortement souligné l'articulation [1]. Chaque groupe oppose une scène qui est du domaine des romans, à une scène héroïque qui est du côté des Romains, conformément à la distinction des deux types de lecture posée au début de l'âge d'or. Les deux groupes entre eux s'opposent par le *registre* de la narration, tragique pour le premier, héroï-comique pour le second :

	ROMANS (la liaison amoureuse)	HÉROÏSME (l'ordre social)
registre tragique (séquence médiane)	La fessée	Le peigne cassé
registre héroï-comique (séquence da capo)	La culbute	Le noyer de la terrasse

Les quatre épisodes sont trop étroitement liés pour qu'aucun d'eux puisse être interprété isolément. Le sens de l'âge d'argent, c'est celui du *rapport* de ces quatre histoires. Cela se voit très clairement pour la modulation du tragique à l'héroï-comique (avec ce que l'humour implique de liberté reconquise), mais beaucoup moins nettement dans le sens du passage des Romans à l'Héroïsme. Quel *rapport* y a-t-il entre l'histoire de la fessée et celle du peigne cassé? C'est sans doute de ce *rapport*, nous le verrons, qu'est *né* Rousseau.

Travail et loisir.

L'âge d'argent s'ouvre sur la différenciation du travail et du loisir, qui fournit un nouveau critère pour distinguer les quatre âges et pour envisager leur suite comme l'histoire d'une dégradation. A l'âge d'or, en dehors de toute contrainte, travail et loisir se confondaient en une activité heureuse (la lecture). A l'âge d'argent, Rousseau entre chez un maître, dans une forme de système scolaire; apparaît l'emploi du temps. Le temps de la journée est divisé en deux parties : pendant les « heures d'étude », le travail est obligatoire. C'est la première contrainte sociale que rencontre l'enfant. Mais cette différenciation

1. Cf. p. 18, la liaison de l'épisode de la fessée avec celui du peigne cassé; et p. 22, celle de l'épisode de la culbute de Mlle Lambercier avec celle du noyer.

n'apporte pas de déséquilibre ou de dysharmonie. M. Lambercier reçoit un satisfecit de son ancien élève. L'équilibre obtenu à Bossey va être rompu dans les deux âges suivants, mais par deux excès strictement opposés. A l'âge d'airain, le loisir dégénérera en oisiveté, par la faute d'éducateurs négligents, qui reçoivent un blâme de leur ancien élève; à l'âge de fer, le travail dégénérera en esclavage, par la faute d'un maître dur, et l'apprenti le sabotera en se livrant clandestinement à ses occupations de loisir pendant le travail, puis en fuyant pour retrouver sa liberté.

Sur cet exemple, on voit que, si la ligne générale est la dégradation, ce n'est pas une ligne en pente droite et que la première situation *sociale* où se trouve l'enfant en sortant de la cellule familiale, loin d'être présentée comme une chute, apparaît comme un *progrès*, comme l'accession à un état d'équilibre meilleur, dont le seul défaut sera d'être éphémère. Tout le premier paragraphe célèbre cet équilibre retrouvé, dans une atmosphère l'expansion euphorique. Après ses excès de lecture, l'enfant est ramené à son « naturel ». Le travail lui fait aimer les jeux, mais sans que les jeux le dégoûtent du travail. Le loisir, c'est la découverte de la campagne (jusqu'à dix ans, Jean-Jacques a été un petit citadin), et, comme la nature a une fonction maternelle, l'exil à Bossey est en même temps déjà une forme du *retour*. La contrainte même du travail est exercée de manière si intelligente et si mesurée que l'enfant apprend sans peine. L'âge d'argent apparaît ici comme un épanouissement, et l'analyse devient presque lyrique. L'apprentissage de la relation sociale est bénéfique : le travail n'est pas pesant, et l'enfant découvre l'amitié.

Amitié.

L'amitié est une des principales valeurs de l'existence de Rousseau, et un point capital de son apologie. Le drame de sa vie d'adulte, ce serait celui des amitiés trahies; la preuve de sa bonté, ce serait justement son aptitude à l'amitié. Son aptitude *naturelle* à la *sociabilité*, pourrait-on dire, en employant une formule qui mette en lumière la contradiction de son système. A Bossey, dans un système d'éducation positif, l'aptitude naturelle trouve à se développer. A Genève, d'autre part, Jean-Jacques était fils unique, centre du groupe familial. Ici, il découvre l'existence de l'autre, présenté comme un égal, un alter ego; il a pour la première fois l'occasion de découvrir les situations de concurrence et de solidarité, et d'inventer un comportement social.

Le lecteur peut être surpris, non point tant de voir la relation sociale apparaître d'abord sous un jour favorable, que de voir célébrer

117

comme un progrès le passage de l'imaginaire au réel. Deux fois de suite, Rousseau souligne ce point : « Deux ans passés au village adoucirent un peu mon âpreté romaine et me ramenèrent à l'état d'enfant », et : « Jusqu'alors je n'avais connu que des sentiments élevés, mais imaginaires ». On peut entendre dans ces phrases un écho du système cyclique décrit au livre IX à propos de crises plus récentes (p. 416-418) : il s'agit en réalité de revenir, non pas de l'imaginaire au réel, mais des Romains au roman. Car ce réel auquel il revient, cet « état d'enfant », cet « état paisible », a pour caractéristique d'être une *réalisation* parfaite de l'imaginaire, et non de se poser, selon une figure plus attendue, comme ce qui fait mal à l'imaginaire et frustre le désir. L'amitié avec son cousin est en effet racontée exactement comme une romance : « Deux vrais amis vivaient au Monomotapa ». Mais cette romance éveille en nous, lecteurs, des échos : peut-être vaut-il peine d'y prêter attention.

A Bossey, Jean-Jacques Rousseau vit dans une famille entièrement substitutive : un faux père, une fausse mère (qui est la sœur cadette du « père »), et un frère substitutif, qui est un double cousin. Deux séries d'échos apparaissent. D'abord, ce passage s'oppose au paragraphe de l'âge d'or sur le frère ; Rousseau nous avait alors fait comprendre que ce n'était pas sa faute s'il n'avait pu avoir de liaison fraternelle avec son frère. C'était le seul point négatif de l'âge d'or : il se trouve ici réparé, Rousseau le souligne. On est donc en progrès. Mais surtout, à lire le style de cette idylle amicale, on reconnaît le ton sur lequel était raconté le roman des parents, et plus précisément leurs amours enfantines vers huit-dix ans (âge des deux cousins à Bossey selon Rousseau). Il suffit de lire les textes à la suite :

Roman des parents	dès l'âge de huit à neuf ans ils se promenaient ensemble tous les soirs sur la Treille ; à dix ans ils ne pouvaient plus se quitter. La sympathie, l'accord des âmes affermit en eux le sentiment qu'avait produit l'habitude.
Roman des cousins	L'habitude de vivre ensemble dans un état paisible m'unit tendrement à mon cousin Bernard (...) nous séparer était en quelque sorte nous anéantir (etc.).

Le rapprochement se fait ici non pas entre la vie réelle des parents, et la relation réelle de Jean-Jacques et de son cousin, mais entre leurs images chez le narrateur adulte. Il semble que, pour lui, l'amitié apparaisse comme le moyen de reconstruire le paradis que sa naissance a détruit : le couple des deux enfants répéterait l'idylle des parents.

Non seulement Jean-Jacques retrouve un vrai frère, mais il trouve un moyen de réaliser pour son propre compte l'espèce de liaison étrange que lui proposait son père, et qui, dans l'esprit du père, était destinée à remplacer l'idylle parentale détruite. Le modèle de l'amitié, pour Jean-Jacques, c'est naturellement l'étrange complicité établie par son père, qui pervertissait à la fois les rapports de génération et les rapports de sexe, et faisait de l'amitié un substitut avoué de l'amour. De même sexe, le père et le fils, ou maintenant les deux amis, se voient interdire tout autre rapport que symbolique. Dans le rapport au père, puis dans l'amitié, se construit ce sentiment « indéfinissable », plus fort qu'une simple amitié, plus calme et durable que l'amour, et qui caractérisera aussi ses relations avec maman. Le rapprochement avec l'amour peut paraître forcé : c'est que j'explicite ce qui est latent. Mais le texte de Rousseau souligne bien, ne serait-ce que par ces parallélismes, que la découverte de l'amitié, si elle est un *progrès* sur le plan de la sociabilité, est en même temps un *retour* sur le plan de l'affectivité, c'est-à-dire la restauration d'un état antérieur perdu.

Ce texte sur l'amitié, exactement comme le texte précédent sur le loisir et le travail, fournit un critère pour suivre l'évolution de l'enfant dans les quatre âges. Mais la chaîne est ici héroïque : c'est l'histoire d'un sentiment qui résiste à la dégradation. L'âge d'airain mettra l'amitié à l'épreuve de la persécution sociale. L'âge de fer la verra devenir, dégradée en « complaisance », l'occasion involontaire d'une première faute : c'est que personne ne répond plus à l'amitié de Jean-Jacques, comme le montre, à la fin de l'âge de fer, l'oraison funèbre de son amitié avec son cousin, détourné de lui par ses parents.

Au cœur de cette amitié, apparaît, en effet, la première expérience de *l'inégalité sociale*. Dans le texte de l'âge d'argent, à Bossey, c'est un simple germe, qui peut passer inaperçu. Le rapport des deux frères, à l'âge d'or, se répète ici, mais décalé. Jean-Jacques chez son père était le *préféré;* maintenant, il est le *négligé*, et cela pour des raisons sociales : il était le fils légitime, il devient enfant adopté, son cousin prenant figure de fils légitime [1]. Le fossé de l'inégalité sociale s'accentuera aux âges suivants : à l'âge d'airain, les perspectives de carrière des deux enfants divergent; à l'âge de fer, la vie sépare les deux cousins et les parents Bernard accentuent cette distance pour des raisons sociales, répétant ainsi les difficultés qu'avaient justement connues

1. Cf. p. 21 : « la prédilection qu'on avait pour lui dans la maison, comme fils de mon tuteur », et « par la faveur de ceux qui nous gouvernaient, il avait sur moi quelque ascendant sous leurs yeux ».

les parents de Rousseau. Le lecteur garde l'impression que, d'un âge à l'autre, ce n'est pas seulement le *système d'éducation* qui change, mais le statut social de l'enfant : il descend l'échelle sociale. A l'âge d'or, il était fils unique d'un bon citoyen de Genève; à l'âge de fer, il n'apparaît plus que comme un prolétaire exploité et un polisson abandonné. La suite des âges manifeste un progressif *déclassement*. D'où, dans toute la suite du récit, l'ambition du héros qui veut retrouver sa situation sociale d'origine (ambition qui est figurée justement par le « roman » de Jean-Jacques à la fin du livre I). Le désir de Rousseau n'est pas de parvenir, mais de *re*venir; non pas de trouver une place, mais de *re*trouver *sa* place.

L'apogée.

D'après ces deux premières pages, Bossey apparaît moins comme un lieu d'exil que comme un lieu de retour : découverte de la campagne-mère (la nature), ouverture du cœur à l'amitié. Les acquisitions purement sociales sont présentées comme neutres (le travail scolaire, l'inégalité des deux enfants). Et, semble-t-il, rien n'est perdu par rapport à l'âge d'or : on a plutôt regagné ce qui déjà manquait alors. On arrive à une sorte d'apogée : « La manière dont je vivais à Bossey me convenait si bien, qu'il ne lui a manqué que de durer plus longtemps pour fixer absolument mon caractère. » Comme tout apogée, celui-ci est suivi fatalement d'une chute, ici annoncée. On se demande déjà ce qui va interrompre ce nouveau « train d'éducation ». Le groupe « familial » substitutif est représenté comme totalement harmonieux, c'est-à-dire n'apportant aucun des deux vices de l'état social dégradé : la violence (le désir de faire du mal), et l'amour-propre. Le seul « défaut » qu'ait Jean-Jacques est un trait de caractère, mais non point un vice : sa mobilité, et le passage cyclique de l'exaltation des Romains à la langueur des romans. Qu'est-ce qui a donc empêché Rousseau de se « fixer »?

La rupture.

Deux événements dramatiques arrachent l'enfant à son bonheur : la fessée, et le peigne cassé. J'analyserai ici comment ces deux événements, par leur ambivalence et leur articulation, figurent la rupture [1].

---

1. Pour un commentaire précis de chacun de ces deux récits, je renvoie, pour le premier, à « La punition des enfants » ci-dessus, et pour le second à une étude intitulée « Le peigne cassé », à paraître dans *Poétique*, 1976, n⁰ 25.

On peut naturellement se demander si ces deux événements ont existé, et s'ils ne sont pas une condensation mythique, comme celle que Sartre évoque à propos de Genet :

> Sans doute cette « coupure » n'est pas très aisément localisable : elle se promène au gré de ses humeurs et de ses mythes entre sa dixième et sa quinzième année. Peu importe : elle existe, il y croit; sa vie se divise en deux parties hétérogènes : avant et après le drame sacré. Il n'est pas rare, en effet, qu'une mémoire condense en un seul moment mythique les contingences et les perpétuels recommencements d'une histoire individuelle [1].

Rousseau, lui aussi, hésite d'une version à l'autre sur son âge, sur le nombre de fessées. L'important est qu'il y a drame sacré : on passe de l'éternité à l'histoire, de l'indifférenciation à la singularité, de l'informe à l'irréversible. Mais cette coupure surprend le lecteur par sa double complexité :

a) *Il y a en réalité non pas une coupure, mais deux*, chacune correspondant à l'un des deux aspects des lectures initiales (l'ordre amoureux; l'ordre social). Ces deux coupures ne sont pas juxtaposées, mais articulées entre elles de manière étrange. Lisons le paragraphe de « transition » :

> En remontant de cette sorte aux premières traces de mon être sensible, je trouve des éléments qui, semblant quelquefois incompatibles, n'ont pas laissé de s'unir pour produire avec force un effet uniforme et simple [...]

(c'est-à-dire l'association de la sensualité et de l'affection la plus pure, se réunissant paradoxalement dans l'expérience de la fessée, et engendrant le personnage à la fois brûlant et chaste que croit avoir été Jean-Jacques)

> et j'en trouve d'autres qui, les mêmes en apparence, [...]

(que signifient « les mêmes en apparence »? Ce qu'ont en commun la fessée et le peigne, c'est d'être survenus à l'occasion d'une faute (réelle ou supposée) qui fut suivie d'un châtiment par fessée)

> ont formé par le concours de certaines circonstances

---

1. Jean-Paul Sartre, *Saint Genet, Comédien et Martyr*, Paris, éd. Gallimard, 1952, p. 9.

(ces « circonstances », ce ne sont pas ici des choses accessoires, mais l'essentiel : l'injustice faisant découvrir à l'enfant l'opacité des consciences)

> de si différentes combinaisons

(c'est-à-dire l'héroïsme vertueux opposé à la luxure chaste)

>> qu'on n'imaginerait jamais qu'ils eussent entre eux aucun rapport.

Qu'on excuse cette longue traduction, fort nécessaire, puisqu'au moment où le lecteur aborde cette transition, il ne sait pas quelle est la seconde expérience; et que, quand il aura lu la suite, il ne reviendra pas sur la transition. Si bien que jamais il n'aura l'occasion de voir clairement le sophisme sur lequel est fondé ce paragraphe, ni de s'étonner, ni de *s'interroger*. Les concepts de ressemblance et de contradiction avec lesquels Rousseau jongle ici sont employés en des sens différents aux différents niveaux (contradiction *interne* entre les deux sentiments au moment de la fessée; ressemblance extérieure du support des deux expériences; différence profonde des circonstances décisives; contradiction externe de l'héroïsme et de la luxure). Quand on débrouille cet écheveau, on s'aperçoit qu'il n'y a rien là d'extraordinaire ou de surprenant, — sinon le sophisme qui consiste à s'étonner que deux expériences qui ont un seul trait commun (la fessée), et beaucoup de traits différents, aboutissent à des résultats différents!

Dans l'analyse de la « punition des enfants », j'ai essayé de montrer que le sophisme, loin d'être une manière de mentir, est le moyen d'exprimer une vérité trop complexe ou trop nouvelle, qu'on ne saurait approcher que de cette manière indirecte et voilée. Ce que Rousseau veut établir, c'est qu'il y a un *rapport paradoxal* entre les deux expériences. Le côté paradoxal est ici amplement souligné; en revanche l'élément commun (par rapport auquel il y a paradoxe) une fois débrouillé le texte, se réduit à peu de chose : tout cela s'est passé à l'occasion de fessées. Cette orchestration ne se justifie que s'il y a une *autre chose* en commun entre les deux épisodes; mais une autre chose, qui a perdu pour toujours la parole, et qui ne peut justement retrouver la parole qu'en la pervertissant, dans le sophisme.

Cet autre chose serait la protestation du désir. Dans « La punition des enfants », j'ai suggéré comment la révolte contre la loi pouvait se manifester à un autre niveau, par une révolte contre les violations de la loi; l'impossible révolte du désir contre le tabou, jugulée au niveau de l'amour par l'intériorisation du tabou, se manifeste à un autre niveau par la revendication contre l'injustice. Il y a déplacement et sublimation de la révolte, transfert d'énergie d'un niveau à un autre. Dès qu'on admet cette hypothèse, on trouve lumineuse cette phrase qui ne serait sans cela qu'un piètre sophisme, ou une transition rhétorique forcée :

> Qui croirait, par exemple, qu'un des ressorts les plus vigoureux de mon âme fut trempé dans la même source d'où la luxure et la mollesse ont coulé dans mon sang?

Cette phrase dit l'essentiel : l'énergie héroïque a la même origine que la passivité amoureuse; non point au niveau de « circonstances », mais au niveau de sa source; ce qui est exprimé, au niveau de la rhétorique dans le langage du « paradoxe », c'est un processus physique de jeu de forces. L'image du « ressort » évoque justement l'idée d'une force puissante qui a tendance à se développer proportionnellement à la pression qu'elle a préalablement subie. Une fois décomprimé, en expansion, le ressort a tendance à retomber : cela conduit à une autre métaphore chère à Rousseau, celle de l'*oscillation* à laquelle il faudrait ajouter l'idée d'*inertie* [1]. Toutes ces métaphores sont cohérentes; elles tendent à décrire le « caractère » comme un système physique dans lequel l'énergie se conserve. Brimée d'un côté, elle cherchera issue ailleurs, où elle pourra. Si elle ne rencontre plus de contradiction, elle reste comme elle est. Cette analyse physique de l'énergie esquissée par Rousseau a ceci de très pénétrant que Rousseau ne se laisse pas abuser par les niveaux très différents, les aspects très variés, que prennent les manifestations de cette énergie : c'est la même force qu'il sent en action derrière les activités les plus contradictoires. Les termes de la métaphore soulignent la contradiction : cette phrase oppose le solide (ressort... trempé : idée de l'acier) et le liquide (source... coulé), comme elle oppose la froideur (tremper, c'est refroidir brusquement un métal chauffé à blanc) à la tiédeur (luxure, mollesse, sang), et plus globalement l'énergie (vigoureux) à la passivité (couler). Mais ces mêmes termes permettent, à travers l'ambivalence de l'idée de « tremper », de faire *s'engendrer* les contraires.

L'essentiel qui est dit ici, ce n'est pas seulement l'articulation de deux anecdotes, ni même de deux traits de caractère : c'est la source où s'est « trempée » toute l'idéologie de Rousseau. Je montrerai

---

1. Pour l'idée d'oscillation, voir p. 12 et p. 417; pour celle d'inertie, p. 41, où Rousseau se représente comme « difficile à ébranler et à retenir ».

plus loin que l'idée intenable de « bonté naturelle » trouve là son origine. On peut d'ailleurs avoir déjà une idée des contradictions que cette « trempe » va entraîner en regardant quelle valeur Rousseau accorde à ces deux moments de rupture.

b) *Chaque coupure est revendiquée autant que subie :* le lecteur reste avec l'idée que ces deux événements traumatisants ne sont ni des malheurs arrivés à un enfant jusque-là serein, ni le commencement d'un processus de dégradation, né d'événements que le narrateur regrette. Ils sont au contraire ce qu'il a de plus cher au monde, *le fondement de son identité.* « Quand il vivrait cent mille ans », pour reprendre sa formule, il ne voudrait pas que cela se soit passé autrement. Des deux épisodes se dégage une troublante atmosphère de volupté — du second comme du premier : volupté de la colère autant que volupté de l'abandon. Des deux épisodes jaillit, en même temps que la découverte du plaisir, la revendication de la valeur. Sur le moment, c'est le trouble qui l'emporte : mais quand les choses se démêlent, on voit que ces événements qui ont révélé à l'enfant sa *singularité*, l'ont en même temps amené à se construire un *système de valeurs* qui a pour fonction de concilier l'inconciliable. L'enfant ne saurait faire autrement que de reprendre à son compte tout le système de valeurs de son groupe familial et social (système qui vient justement de lui interdire le plaisir et de lui faire éprouver l'injustice), et d'exprimer *à l'intérieur* de ce système son plaisir et son droit, qu'il a découverts en réalité comme étant ce que ce système rejetait à l'extérieur. D'où les plaidoyers qui suivent chacune des deux anecdotes, l'apologie paradoxale de la *luxure chaste,* et de la *révolte vertueuse,* deux formules qui sont d'intenables formations de compromis entre la revendication (luxure et révolte), et la soumission (chasteté et vertu). Toute l'idéologie de Rousseau prend sa source dans cette contradiction initiale. C'est un enfant pris au piège : il ne s'identifiera ni à son désir, ni à la loi sociale : ce qui est vraiment *lui,* c'est la solution folle qu'il a inventée pour en sortir. Les événements de rupture sont le véritable acte de naissance de son moi : si, abstraitement, la rupture peut nous apparaître comme une dégradation, elle est en réalité en même temps une *fission,* une source prodigieuse d'énergie brusquement libérée, et mise au service d'un travail inverse de construction. Le choc est ponctuel : l'énergie dégagée, elle, semble indéfinie. Et il est évident que l'épisode du choc lui apparaîtra rétrospectivement comme ambivalent : acte de rupture, il sera une dégradation; rendant nécessaire un travail de reconstruction, et fournissant l'énergie nécessaire, le choc sera source de « progrès ». L'entrée dans l'histoire est irréversible : mais ce processus irréversible prend, dès qu'il se déclenche, la forme du retour. La brisure, irréparable, engendre une construction extrêmement complexe qui peut paraître à l'adulte d'une valeur plus grande que le mythique bloc inentamé qu'il était avant. On retrouve ici la dialectique de la chute et du progrès, telle que Rousseau l'avait esquissée dès le *Discours sur l'origine de l'inégalité.*

Piège, contradiction, issue : on aura reconnu au vocabulaire ici employé l'analogie que je vois entre le cas de Rousseau, et celui de Genet tel que Sartre l'analyse. Il s'agit d'une simple analogie. Les situations sont différentes, et les issues inventées diamétralement opposées, mais apparemment aussi absurdes, fécondes en sophismes et en tourniquets. Aussi absurde de vouloir *être* mauvais, qu'*être* bon... Aussi contradictoire, que ce soit dans la révolte ou dans la surenchère, de vouloir concilier l'aspiration du moi et l'exigence sociale qui la condamne.

Cette réaction très complexe à la rupture explique l'émotion intense, et tout compte fait voluptueuse, qui se dégage du récit d'événements en principe si regrettables. Elle explique aussi l'aspect extrêmement paradoxal que prend le temps dans l'épisode du peigne. La rupture crée l'histoire : il y a désormais un avant et un après [1]. Mais en même temps qu'il engendre l'histoire, le traumatisme la fige pour toujours dans son instant initial, qui devient l'archétype de *l'instant éternel.* L'enfant n'est arraché à la fixité de la stabilité que pour découvrir la fixité de la rupture. « Ces moments me seront toujours présents quand je vivrais cent mille ans » (p. 20). Dans la mesure où la rupture est en même temps singularisation du moi, prise de conscience, et lieu de volupté aussi bien que de violence, il apparaît que l'apogée de l'évolution n'est pas, comme mon découpage l'a suggéré d'abord, le calme qui précède la rupture, mais la rupture elle-même.

Les deux anecdotes se terminent de la même manière. Après une anticipation globale plaçant toute la vie de Rousseau sous le signe, finalement bénéfique, de cette rupture (la fessée : jouissance et chasteté; le peigne cassé : vertu ombrageuse et amour de la justice), le récit se termine sur le mode de la catastrophe : bouffée de honte du narrateur et mutisme du héros près des femmes aimées, pour la fessée; fin du paradis, apprentissage du mensonge et départ de Bossey, pour le peigne cassé. Cette dernière catastrophe semble définitive et irrémédiable. Elle est pourtant, dès les lignes suivantes, effacée et dépassée.

---

1. C'est pour illustrer ce moment de rupture que Rousseau a utilisé les images chrétiennes du péché originel, p. 20.

Da capo.

Le bonheur resurgit, filtré par la mémoire. Le narrateur nostalgique voudrait « ressaisir la vie par les commencements ». Notre première surprise est de voir que cet âge, bouleversé par des ruptures si violentes, redevient « cet heureux âge ». D'après les détails cités : « un baromètre, un grand calendrier, des framboisiers », on s'attendrait à ce que les petites anecdotes de cet heureux âge tournent à l'idylle, comme cela se passera pour l'évocation de la vie de maîtrise au livre III (p. 122-123). Nouvelle surprise : les anecdotes racontées sont exactement du même ordre que celles qui avaient occasionné les ruptures tragiques : une anecdote scabreuse fait pendant à l'épisode de la fessée; le récit d'un conflit autour d'un « aqueduc » fait pendant au conflit du peigne cassé. Mais deux choses ont changé. C'est d'abord le *ton* : du tragique, où l'adulte peut paraître attendri, sot ou ridicule à force de prendre puérilement à cœur les émotions de l'enfant qu'il a été et qu'il est resté, on passe à l'héroï-comique, où la distanciation humoristique apparente entraîne le lecteur dans un jeu de complicité plus subtil. C'est aussi, d'autre part, la valeur et l'issue des conflits : j'ai montré ci-dessus la fontion de revanche qu'a la narration de l'anecdote qui raconte la glissade de Mlle Lambercier. L'histoire du noyer de la terrasse, elle aussi, raconte un renversement de situation.

Cette fois, en effet, il s'agit à l'origine d'un dégât réellement commis par l'enfant. Le récit de l'aventure est fait lentement, à dessein : la narration humoristique du projet des enfants est destinée à créer un suspens romanesque qui force le lecteur à devenir leur complice. Le système de dénouement est double : surprise de la découverte, où se manifestent de nouveau les dangers de la transparence (en montrant leur plaisir, les enfants susciteront la répression); surprise de la métamorphose de la catastrophe en un triomphe intime, assez différent du triomphe antérieur [1].

L'objet même de l'anecdote mérite réflexion : mise en concurrence d'une bouture de saule et d'un gros noyer, dérivation frauduleuse du liquide vital de l'un à l'autre; arrosage, construction d'un aqueduc. L'épisode oppose les enfants au personnage paternel M. Lambercier. Tous les détails suggèrent une lecture symbolique sans doute trop facile, la rivalité du fils et du père s'exprimant autour des attributs de la virilité. L'important est le tour que prend ce conflit : exactement

---

1. Dans l'épisode du peigne cassé, Rousseau se représentait « en pièces, mais triomphant » (p. 19).

comme dans l'épisode précédent, l'adulte perd le contrôle de sa conduite. Mlle Lambercier glissait, M. Lambercier se met en colère de manière assez puérile. Les rôles s'inversent : M. Lambercier détruit à grands coups le petit canal signe de l'entreprise rivale; mais, en même temps, il donne statut adulte à cette entreprise rivale en la prenant un instant au sérieux. Dans une colère enfantine, il baptise la rigole « aqueduc », et par ce seul mot accepte l'entrée des enfants dans l'âge viril. L'épisode passe du registre de la castration symbolique à celui du rite initiatoire : combattue en apparence, l'identification au père est finalement tacitement acceptée. Il est révélateur que, dans le dernier paragraphe, l'attendrissement de Rousseau se porte non sur l'arbre planté « ailleurs » par le soin des deux cousins, mais sur le noyer paternel, qui n'est plus le rival que l'on voulait concurrencer, mais le modèle auquel on a été admis à s'identifier.

L'épisode du noyer présente des fantasmes de revanche : renversements de situation, renversements de ton. Dernier des quatre épisodes, il dit sur le seul mode possible, celui de l'humour et de la nostalgie (car ce ne fut qu'un incident, cela ne se produisit qu'une fois : la réduction de l'épisode excuse l'audace de ce qui est dit), le désir de revanche et la protestation, non plus contre l'injustice (peigne cassé), mais contre la loi, et contre ceux qui la représentent.

L'AGE D'AIRAIN (p. 24-30)

L'ordre du texte.

Jean-Jacques est à Genève, de nouveau, sous la tutelle de l'oncle Bernard. Il est resté dans cette situation seulement quelques mois. Il est revenu à Genève dans l'hiver 1724-1725, et, fin avril 1725, il entre en apprentissage chez Du Commun; encore faut-il placer dans cet intervalle de quelques mois les premières tentatives professionnelles chez M. Masseron, qui durent bien prendre quelques semaines. Cette période n'a donc pas duré « deux ou trois ans », comme croit se le rappeler Rousseau. Elle ne s'étale pas entre dix et treize ans, mais recouvre seulement quelques mois d'un garçon de douze ans et demi. Rousseau se trompe à la fois sur la durée et sur la date. Quelles sont les *fonctions* de cette erreur? Il s'agit d'abord de compenser l'erreur touchant l'âge d'argent. Rousseau croit être revenu de Bossey à dix ans; il sait qu'il est entré en apprentissage à presque treize ans; il faut meubler l'intervalle. Il s'agit aussi de ménager une transition entre le « paradis » et l'enfer, de créer une sorte de purgatoire, de palier dans la dégradation. Et sans doute cette période indécise et vide était-elle particulièrement propre à être évaluée chronologiquement de manière fantaisiste.

L'erreur devient encore plus compréhensible dès qu'on cesse de raisonner en invoquant seulement les mécanismes de la mémoire. La structure du récit demandait qu'une telle erreur fût commise : dans la perspective d'une progression continue, une étape intermédiaire était nécessaire. Ces quelques mois se déplacent et se dilatent pour être l'occasion d'un récit qui manifeste une évolution, dont nous verrons qu'elle est en même temps dégradation et développement.

Le récit est beaucoup plus court que pour l'âge d'argent : cinq pages. Le principe de composition circulaire observé dans les deux âges précédents se retrouve ici, mais réduit à un procédé narratif employé pour amorcer et clore le récit (il n'apparaît guère au niveau thématique). Ce qui définit cet âge, au niveau des événements, c'est l'attente d'une décision sur son orientation professionnelle, qui ouvre une parenthèse à laquelle l'entrée en apprentissage mettra fin[1]. Cette attente est interprétée par le narrateur comme l'époque du *temps perdu*[2]. En quoi ce temps est-il « perdu »? Pour le comprendre, il faut se rappeler les théories de l'*Émile*[3] : la dernière période de l'enfance, celle qui précède la puberté, est la plus propice à l'apprentissage intellectuel : moment très court où l'individu a déjà les forces d'un adulte sans en avoir encore les besoins (sexuels), et se trouve à la tête d'un excédent d'énergie qu'il peut employer à apprendre.

Mis à part le début et la fin, l'ordre chronologique n'a aucun rôle dans la composition d'ensemble du récit, qui est en gros divisé en deux développements (l'amitié, l'amour); il réapparaît simplement à l'intérieur de chaque développement pour organiser une évolution qui, chaque fois, se termine par des formes de « catastrophes » (persécution du cousin Bernard; dénonciation de ses rapports avec Mlle Goton; trahison de Mlle Vulson).

L'ordre est naturellement thématique, comme le souligne bien l'articulation principale[4]. Cet ordre ne se comprend que par référence aux thèmes évoqués dans les âges précédents. Les « chaînes

1. Cf. p. 24-25 : « en attendant qu'on résolût ce qu'on ferait de moi » et p. 30 : « Après de longues délibérations... ».
2. Cf. p. 25 : « perdant à peu près mon temps » et p. 30 : « Ainsi se perdait en niaiseries le plus précieux temps de mon enfance. »
3. *Émile*, IV, p. 427.
4. « Me voilà déjà redresseur des torts. Pour être un Paladin dans les formes, il ne me manquait que d'avoir une Dame; j'en eus deux » (p. 26).

d'affections secrètes », qui partent des origines, commencent ici à se différencier, à s'emmêler, à créer une toile, un dessin plus complexe. L'ordre du récit, en même temps qu'il raconte une dégradation, sur le plan de la valeur, effectue progressivement un passage du simple au complexe, un montage progressif de la personnalité, une tressage des différents fils. Nous n'avons pas de mal à suivre cette démonstration, pour deux raisons : le principe de composition de la personnalité nous a été donné dès le début (c'est la contradiction); les modes de composition du récit soulignent parallélisme et antithèses.

A la différence de l'âge d'argent, l'âge d'airain ne comporte aucune anecdote *développée*; seules quelques anecdotes ponctuelles illustrent les phases de l'évolution de l'amitié et de l'amour. L'analyse ou les passages itératifs donnent pour l'essentiel au récit un rythme de loisir, sans aucune rupture violente. Mais, tout au long d'un récit assez détendu, la multiplication des signes indique à la fois la dégradation de la vie sociale de l'enfant, et la maturation de sa vie affective. Ce n'est plus là réellement un enfant, mais déjà un adulte en miniature.

L'amitié.

La première partie du texte reprend et tresse les mêmes thèmes que la première partie de l'âge d'argent (travail et loisir, situation sociale, l'amitié), en y ajoutant le thème héroïque (défense de Barna Bredana) qui, lui, correspond au développement qui suit l'épisode du peigne cassé. La situation est-elle donc stationnaire? Non. Il y a dégradation : mais pour l'instant cette dégradation n'a pas l'air liée au drame de Bossey. Elle vient avant tout du changement de statut social de l'enfant, et, de nouveau, du changement d'*éducation*. Pour la première fois, les éducateurs se trouvent *accusés*. L'oncle et la tante Bernard s'opposent au père et à la tante Suzon : le plaisir ou la dévotion les éloigne de tout zèle éducatif. Les enfants sont laissés à l'abandon : si cela n'aboutit pas à la catastrophe, le mérite en est attribué aux bons effets de l'éducation antérieure [1]. Le rôle des éducateurs consistera donc ici à faire perdre son temps à l'enfant, puis à imaginer pour lui une orientation professionnelle désastreuse.

1. Cf. p. 26. Cet argument est d'ailleurs en contradiction avec celui qui sera employé à l'âge de fer, p. 31, où Rousseau dit : « Il faut que, malgré l'éducation la plus honnête, j'eusse un grand penchant à dégénérer... »

Mais aussi à encaisser de l'argent. Pour la première fois l'argent intervient dans l'histoire. Rousseau suggère l'hypocrisie de son oncle : l'enfant a trop peu d'argent pour faire des études : aussi le laisse-t-on végéter et lui interdit-on l'avenir qui est envisagé pour son cousin; mais il a suffisamment d'argent pour qu'on le garde à la maison en payant « comme il était juste, une assez forte pension »! Accusation voilée, et sans doute peu justifiée (Rousseau n'est resté que quelques semaines ou quelques mois chez son oncle), mais qui est le signe d'une prise de conscience de la chute sociale.

La négligence des éducateurs a une autre conséquence. Dans toutes les relations, les amours ou les conflits, Jean-Jacques s'adressait auparavant aux personnages parentaux. Dans l'âge d'airain, les « parents » ne sont plus évoqués qu'à propos de leur démission pédagogique, au début et à la fin; pour le reste, ils disparaissent complètement de la scène. Pour la première fois, les conflits et les amours de l'enfant vont avoir pour objet des partenaires *extérieurs* au groupe familial, et amèneront, l'enfant à découvrir la *méchanceté sociale* (persécution, médisance, mensonge), dont il n'avait eu jusqu'à présent écho qu'à travers la fuite de son père, persécuté par le capitaine Gautier.

Dans ce climat de dégradation sociale, la persistance d'éléments non encore dégradés tient du miracle. Rousseau insiste sur le loisir qui ne dégénère pas en polissonnerie, et sur l'amitié idyllique maintenue. Sur deux points, même, il y a une forme de progrès :

— Le développement des activités ludiques (imitation des marionnettes, des sermons, etc.), qui continuent les conduites d'imitation esquissées dans l'âge d'or (Scevola) et l'âge d'argent (le saule) : mais cette fois il s'agit d'imiter les adultes en tant que *producteurs d'imaginaire*. Cette initiation à l'activité d'auteur se retrouvera à la fin de l'âge de fer, à l'occasion de la rêverie affabulatrice; sous sa forme magique puérile, cette conduite aboutira à la catastrophe du concert de Lausanne (livre IV), et, sous sa forme adulte, à l'écrivain Rousseau. Le roman est toujours à l'horizon.

— Le rôle de justicier : c'est le côté « romain ». L'héroïsme ne pouvait s'exprimer à l'âge d'or que dans l'imaginaire (Scevola); à l'âge d'argent, l'héroïsme prenait deux voies différentes, mais qui avaient toutes deux pour caractéristiques d'être très « égoïstes » : l'indignation contre l'injustice subie (le peigne cassé), la fierté devant la reconnaissance de sa propre puissance (le saule et le noyer); ici, pour la première fois, l'héroïsme a l'occasion de se manifester dans le réel et au profit d'autrui, mais c'est aussi parce que l'enfant a découvert une société mauvaise. *Barnâ Bredanna*, c'est le modèle des persécutions et des lapidations futures. L'héroïsme n'a lieu de s'exercer que dans un univers dégradé [1].

Transition.

Rousseau souligne, avec un humour un peu appuyé, l'analogie entre la structure de l'âge d'airain et les âges précédents. Tout remonte à la lecture des romans, à Don Quichotte et Dulcinée :

> Me voilà déjà redresseur des torts...

C'est le côté Romain, héroïque. « Déjà » manifeste la fierté, au-delà de l'humour. Déjà : — cet adverbe (et le tour de cette transition) permettent de voir la contradiction intérieure (les deux mouvements inverses) du développement de ce récit : la nostalgie, et la satisfaction. Toute une partie de l'organisation du texte souligne la dégradation, la chute du haut de la perfection et du bonheur naturel; une autre partie salue, au fur et à mesure qu'ils apparaissent dans l'histoire, les traits principaux du moi actuel issu de cette dégradation. La contradiction n'est pas totale, bien sûr, puisque ce moi réagit à sa manière contre la dégradation. Mais la joie que Rousseau, comme beaucoup d'autobiographes, éprouve à se reconnaître (« déjà ») montre bien évidemment que, malgré sa nostalgie, il ne voudrait pour rien au monde être autre que ce qu'il est. L'irréversibilité de la rupture n'est peut-être pas un si grand mal que cela : la rupture n'est-elle pas la forme la plus intime et la plus profonde de la liaison? Le mouvement général du texte n'est donc pas celui d'une dégradation; ni même, comme je le disais un peu grossièrement plus haut,

1. C'est sans doute dans cette section que Rousseau aurait eu l'occasion de raconter les deux anecdotes qu'il avoue avoir volontairement omises, parce qu'elles étaient trop à son honneur : les doigts écrasés par le jeune Fazy, le coup de mail reçu sur la tête (*Quatrième Promenade*, p. 1036-1038). Anecdotes certes bien « romaines », manifestant la générosité et l'amitié, où pourtant une lecture moins naïve pourrait voir l'étrange complicité de la victime avec son bourreau. Il ne s'agit point d'un pacte masochiste, mais de tout autre chose : l'enfant sympathise avec son bourreau et *s'identifie* à lui dès lors que le bourreau devient un coupable sur le point d'être démasqué et puni injustement (puisque les deux récits excusent plus ou moins les bourreaux). C'est là le même mécanisme qu'au livre VIII, lorsque Rousseau craint qu'un imposteur qui prétend le connaître ne soit démasqué (p. 377).
C'est probablement à cause de l'ambiguïté de ces épisodes, autant que pour ne pas se vanter, que Rousseau les a supprimés. A l'âge d'airain, il ne doit être question que de générosité : la culpabilité sera mise en scène plus tard, dans l'épisode du ruban de Marion.

d'une association de deux mouvements contradictoires (qu'on supposerait juxtaposés et non articulés); il est celui d'une *métamorphose*. Tous les éléments s'inscrivent à la fois dans deux registres : produits par rupture d'avec la valeur antérieure, ils sont en même temps source d'une valeur présente. Le changement de décor s'effectue sous nos yeux : en même temps que la nature est détruite par la société, elle prend sa revanche sur cette destruction par l'élaboration de formations complexes (les traits du moi actuel), ambiguës mais sacrées.

Cela est très visible dans le ton de cette transition. Si, à la rigueur, l'héroïsme peut sembler une valeur, le lecteur aura beaucoup plus de mal à admettre qu'il y ait lieu d'être fier d'avoir eu toute sa vie partagée entre l'amour de tête et les « tête-à-tête assez vifs » avec une Mlle Goton. Or le ton reste le même :

> Pour être un Paladin dans les formes, il ne me manquait que d'avoir une Dame; j'en eus deux.

Après les Romains, les romans; après les suites du peigne cassé, les suites de la fessée. Le très long épisode sur les deux demoiselles ne fait que montrer la première conséquence de l'épisode de la fessée.

L'amour.

Ce développement occupe trois longues pages, et laisse le lecteur assez sceptique. Non que ces aventures soient inventées, ou exagérées : deux passages montrent qu'elles sont encore vivantes pour le narrateur [1]. Mais le peu de précision, la rareté des souvenirs racontés, et surtout l'ondoiement d'un discours qui cherche à établir, par des analyses générales, parallélismes et oppositions, tout montre clairement au lecteur que les épisodes réels ont été métamorphosés en archétypes, et que Rousseau a projeté sur eux rétrospectivement et assez intentionnellement une problématique qui n'a pas été découverte à leur occasion, et qui ne s'adaptait à eux qu'en partie. Ici la logique et les nécessités de la démonstration semblent l'avoir emporté sur les données du souvenir. Mlle de Vulson et Mlle Goton sont utilisées pour décrire la première conséquence de la fessée, c'est-à-dire le second maillon de cette chaîne d'affections. L'essentiel c'est la

---

1. Pour Mlle Goton, le narrateur déclare qu'elle avait « une figure difficile à oublier, et que je me rappelle encore, souvent beaucoup trop pour un vieux fou » (p. 27); pour Mlle de Vulson, l'épisode de la promenade sur le lac, p. 29, manifeste la réalité des sentiments qu'elle inspira.

division, due à l'impossibilité d'avoir pour la même personne *désir* et *amour.* Quoique Rousseau ne le dise pas, c'est la conséquence immédiate de la *seconde fessée* : la leçon donnée tacitement par Mlle Lambercier a été comprise, le tabou intériorisé. Certes, les affections « se contenaient par elles-mêmes » — mais il fallait bien que le désir ainsi expulsé trouvât à se satisfaire autrement. D'où la division en deux : l'amour-affection brûlant et chaste, et avoué; et la satisfaction sexuelle secrète, réelle comme avec Mlle Goton, sollicitée en vain comme à Turin, et finalement solitaire comme le sera, tout au long de la vie de Rousseau, la masturbation. Entre les deux chaînes, la rupture est complète; elles coexistent sans communication, sans se heurter, malgré leur totale opposition (c'est-à-dire *à cause de* cette opposition). Rousseau décrit admirablement, comme s'il en comprenait l'origine, cette division du comportement. Il en est même fier, comme d'une singularité personnelle dont il a finalement tiré beaucoup de bonheur. Au moment même où il l'écrit, cette division le rassure encore contre l'angoisse qu'amènerait la brusque convergence du désir et de l'amour sur une seule et même personne. Narrateur, il organise une opposition *trop* systématique. La division ainsi établie ne sera compromise que deux fois par la suite, et chaque fois au prix d'émotions très violentes : une fois dans la terreur et les larmes (livre V, quand « Maman » l'initie), une seconde fois dans le délire et l'enthousiasme (livre IX). Nous disons « compromise » : car, même avec Mme d'Houdetot, la réunion sur une seule personne du désir et de l'amour n'a été possible qu'au prix d'une division de la *conduite* de Rousseau, et d'une grande mauvaise foi dans cette conduite de répétition qu'est la narration du récit.

Cette longue séquence a donc une fonction capitale dans la « chaîne » de l'amour : elle est là pour articuler l'expérience initiale de la fessée avec *toutes* les expériences ultérieures, préparant la division du comportement qui va être permanente du livre II au livre VIII, avant qu'au livre IX la réunion du désir et de l'amour puisse se réaliser. La division du désir et de l'amour, exposée ici de manière assez complaisante, deviendra soudain au livre IX objet de regrets :

> Comment se pouvait-il qu'avec des sens si combustibles, avec un cœur tout pétri d'amour je n'eusse pas du moins une fois brûlé de sa flamme pour un objet déterminé? (p. 426).

C'est ici le personnage qui parle : car après avoir lu le livre I, nous supposons que le narrateur des *Confessions* a au moins une vague appréhension de la manière dont cela « se pouvait ». Le schéma qu'il nous propose dès le livre I, c'est celui d'une expérience complexe où l'amour et le plaisir se mêlent, mais qui tombe sous le coup de l'interdiction : pour conserver l'amour, il faut renoncer au plaisir (Mlle Lambercier). Toutes les expériences ultérieures opéreront cette dissociation, d'une part, en choisissant des objets différents pour la satisfaction du sexe et celle du cœur; d'autre part, chaque fois que le cœur est engagé, en divisant la conduite de manière à contenir la sensualité. Même l'aventure avec Mme d'Houdetot n'échappe pas à cette loi, malgré la réconciliation qu'a cru y voir Rousseau.

La fonction capitale du présent épisode se voit à la manière dont Rousseau a essayé, vers l'amont, de souligner tout ce que cette division doit à Mlle Lambercier, vers l'aval de préparer les amours divisées et paradoxales, en particulier celles avec Maman. Le laborieux développement du parallèle est le moyen d'établir toutes ces connexions.

Liaison amont. Elle apparaît de manière frappante dans le passage suivant :

> Je craignais également de leur déplaire; mais j'étais plus complaisant pour l'une et plus obéissant pour l'autre. Pour rien au monde je n'aurais voulu fâcher Mlle de Vulson, mais si Mlle Goton m'eût ordonné de me jeter dans les flammes, je crois qu'à l'instant j'aurais obéi (p. 28-29).

Les deux sentiments contradictoires, adressés à la même personne, qu'éprouvait l'enfant à la suite de la première fessée (peur de fâcher, désir d'être puni), se trouvent séparés et reportés sur deux personnes différentes. « Pour rien au monde » (c'est-à-dire : même pas pour obtenir mon plaisir) « je n'aurais voulu fâcher Mlle Vulson », — nous rappelle le « c'était uniquement de peur de fâcher Mlle Lambercier » (p. 15); la soumission enthousiaste au châtiment (présentée ici sous la forme d'un holocauste volontaire, qui fait curieusement écho à l'épisode Scevola...) rappelle le désir d'éprouver encore ce traitement « par la même main ». Mlle Goton, d'ailleurs, est entièrement du côté de l'institutrice sévère : son rôle était de « faire la maîtresse d'école », c'est-à-dire, nous le comprenons à demi-mot, de donner des corrections. Son « petit air imposant et fier » correspond à « l'autorité » de Mlle Lambercier.

Liaison aval. Outre la division des deux séries, ce qui est ici assez gauchement préparé, c'est d'abord la liaison avec Maman. La maladresse tient à ce que les deux liaisons sont trop différentes : la comédie enfantine et le plaisir purement social qui sont liés à l'épisode Vulson jurent avec la spontanéité et l'atmosphère intime des rapports avec Mme de Warens, et font douter de la vérité du rapprochement. Celui-ci porte sur un seul point, mais capital : « Présent, ses caresses m'étaient douces au cœur, non aux sens. J'étais impunément familier avec elle; mon imagination ne me demandait que ce qu'elle m'accordait », ceci préparant le côté extraordinaire de l'amour pour Mme de Warens — sentiment qu'au livre III Rousseau présentera comme supérieur à l'amour [1] — et la répugnance extraordinaire qu'il aura à s'unir à elle [2].

Mais la liaison aval se manifeste aussi du côté de Mlle Goton : l'état de trouble général, allant jusqu'aux palpitations et aux risques d'évanouissement qui est ici décrit, c'est exactement celui qui sera décrit à propos de Mme d'Houdetot (p. 445), et l'on soupçonne le second épisode d'avoir servi de modèle au premier.

Quant aux fins des deux épisodes qui « devaient toujours avoir l'air un peu romanesque », elles annoncent aussi deux aspects de la rupture avec Mme d'Houdetot : la pression sociale découvrant et interdisant la liaison, et le double jeu de l'intéressée qui est en réalité fidèle à Saint-Lambert.

D'autres ressemblances intentionnelles pourraient sans doute être remarquées. L'essentiel n'est pas dans telle ou telle analogie, mais dans la manière dont l'épisode sert d'articulation entre *l'amont* et *l'aval*, et permet de rattacher, à travers lui, *tous* les épisodes amoureux ou sexuels des *Confessions* à l'épisode de Mlle Lambercier, comme à leur unique et contradictoire origine.

Bilan.

Cet âge de transition se perd-il vraiment en « niaiseries »? Oui, sur le plan pédagogique; et la niaiserie tient surtout ici au fait que déjà, exilé du paradis, et affronté pour la première fois à autrui, Jean-Jacques se dépeint comme une parodie d'adulte. Ce qui domine, c'est l'idée d'un *jeu* désadapté. Mais cela mis à part, les traits de caractère qu'il se prête restent très estimables : l'amitié persiste, la création imitative se développe, l'héroïsme s'affirme, l'ambiguïté d'une vie amoureuse, dont il semble finalement assez satisfait, s'ébau-

---

1. P. 104 et p. 106-109.
2. P. 194-195. On peut s'étonner de l'emploi que Rousseau fait à trois reprises de l'adverbe « impunément », p. 28, 195 et 445. C'est une formule pudique pour dire « sans éjaculation ». Son emploi est déplacé au Livre I, où il s'agit d'un enfant de douze ans, dont la puberté sera tardive : il s'explique mieux si l'on suppose que le narrateur pense en réalité à Madame de Warens.

che. Mais les parents ont disparu, le monde social apparaît avec ses deux tares : *l'inégalité* (manifestée pour la première fois par l'argent), et la *méchanceté* (persécution, injustice, mensonge). Surtout : ce temps perdu est en même temps trop court, puisqu'il n'est qu'un entracte, prélude à la véritable entrée dans l'univers social, c'est-à-dire dans l'âge de fer.

L'AGE DE FER (p. 30-41)

L'ordre du texte.

Le récit couvre trois ans (avril 1725 — mars 1728), de la treizième à la seizième année. Peu de points de repère dans le texte, sinon qu'un an s'est écoulé avant que Jean-Jacques se mette à voler (p. 32).

A la différence des trois âges précédents, la structure principale du récit est cette fois chronologique et non thématique. C'est une histoire qui nous est racontée, le récit expose successivement les étapes d'une évolution. Cette structure se trouve par moments masquée par l'ampleur des digressions explicatives et par le fragment d'autoportrait qu'elles amènent; mais le lecteur sent bien que, cette fois, il suit à l'intérieur de la section l'enchaînement d'un processus, enchaînement qui n'était jusqu'alors visible qu'au niveau de l'enchaînement des sections elles-mêmes. Mais enchaînement chronologique ne veut pas dire ligne simple de développement. Nulle part mieux qu'ici on ne saisit le double mouvement, simultané et contradictoire, du texte (dégradation/progrès). Ce n'est pas seulement une suite diachronique de dégradation et de progrès[1]. D'un bout à l'autre de l'âge de fer, l'évolution se fait de manière complexe. Cela est dû au fait que le texte obéit simultanément à deux exigences contradictoires : la *démonstration* d'une thèse, et l'*apologie* personnelle.

(a) *Démonstration : c'est la tyrannie qui engendre tous les vices.* Le mensonge, le vol et la bassesse sont les produits de l'esclavage[2]. Cette thèse est longuement exposée : c'est à cette occasion que Rousseau donne la clef de son récit, la division en quatre phases sur laquelle j'ai fondé mon analyse. Pour que la démonstration soit complète, il faudrait que Jean-Jacques soit devenu un franc-coquin. On devine que la chose n'est pas possible! Certes il se prétend arrivé à « la bassesse

---

1. Chute très nette de la page 30 à la page 39, puis remontée de la page 39 à la page 41.
2. P. 30-32.

d'un vaurien [1] ». Aussitôt il ajoute « Cependant... ». En fait, ce « cependant » est loin d'être une surprise; depuis le début de cette séquence, un autre système était à l'œuvre :

(b) *Apologie : la bonté naturelle persiste en Jean-Jacques.* Pour quelques signes de dégradation dont la responsabilité revient à la société, on trouve de nombreux signes de résistance et de régénération, dont le mérite va à la nature fortifiée par la première éducation. Dégradée et contrariée, la bonté naturelle se manifeste par l'apparition de conduites contradictoires, de bizarreries, de fuites : c'est-à-dire de conduites condamnées par la société. Mais, bien évidemment, ces conduites inadaptées sont valorisées par Rousseau, puisque c'est justement l'imperfection de la société qui en est responsable, et qu'à travers elles la bonté naturelle se fraye une issue. La contradiction et l'inadaptation sont certes une dégradation par rapport aux états antérieurs, mais tout de même une réaction et un progrès par rapport au statut d'esclave qui est imposé à l'enfant. Selon le point de vue qu'on adopte, elles sont donc dégradation ou progrès, exil ou retour.

L'utilisation simultanée de ces deux systèmes explique les contradictions flagrantes du récit de l'âge de fer. Pour prouver le système (a), il faut que la chute soit brutale : « cela se fit très rapidement, sans la moindre peine, et jamais César si précoce ne devint si promptement Laridon [2] »; pour prouver le système (b), il faut que la chute soit lente et progressive : « j'avais demeuré plus d'un an chez mon maître sans pouvoir me résoudre à rien prendre [3] ». De la même manière, pour prouver (a), il faut que la chute soit totale (« la bassesse d'un vaurien »); pour prouver (b), qu'elle soit seulement partielle : « Cependant en prenant les vices de mon état il me fut impossible d'en prendre tout à fait les goûts [4]. »

Ce qui est contradiction au niveau du discours du narrateur devient conflit et résistance au niveau de l'histoire du héros. Les formules extrêmes liées au système (a) représentent ce qui aurait dû arriver, — mais qui n'est pas arrivé à cause de l'existence du système (b); dès que la démonstration semble assez établie, l'apologie se développe et détruit les effets extrêmes. Mais qu'on ne croie pas qu'il s'agisse de procédés d'avocat, de trucages et d'artifices. Comme dans l'analyse de la fessée de Mlle Lambercier, loin d'être source d'artifice, l'apologie engendre une recherche psychologique originale. En essayant de montrer que c'est la persistance de la « bonté naturelle » qui engendre

1. P. 39.
2. P. 31.
3. P. 32.
4. P. 39.

ces conduites contradictoires, Rousseau est amené à analyser toutes ces conduites *dans leur propre logique*, à reprendre à son origine la démarche de la demande d'amour et du désir : ainsi la psychologie de l'enfant voleur, qui n'est pas sans rappeler les analyses initiales du *Saint Genet* de Sartre. Prises dans cette nouvelle perspective, toutes les conduites bizarres, contradictoires ou asociales, deviennent autant de signes négatifs des valeurs que la société étouffe. La revendication (il est vrai encore honteuse) de ces « défauts » implique pour le narrateur une condamnation de la société qui le condamne. Pour le héros, ces défauts deviennent, sinon des vertus, du moins le signe de sa résistance au système social; en même temps que les « routes » d'une dégradation qu'il subit, ils sont les routes paradoxales de la régénération, et, donc, d'une forme de progrès.

Il était nécessaire de démêler ces deux fils pour suivre dans leurs méandres les étapes de l'âge de fer. Nécessaire, aussi, de voir la transformation du paysage humain par rapport à l'âge précédent. Non seulement il y a disparition totale de la famille, mais il y a disparition totale de toute relation d'amitié ou d'amour avec qui que ce soit. Aucune figure féminine; quant à l'amitié avec le cousin Bernard, il n'en est plus question, nous saurons pourquoi quand Rousseau en fera l'oraison funèbre[1]. Il n'y a plus personne : l'âge de fer est un grand désert humain. Seules figures : le tyran Du Commun, le voleur Verrat, l'entremetteuse-libraire la Tribu, premières silhouettes picaresques de cette humanité ordinaire (c'est-à-dire méchante parce qu'aliénée) dont le héros (inadapté parce que bon) rencontrera de nombreux échantillons. Devant ce vide total, que va devenir le cœur sensible de Jean-Jacques? « Être aimé de tout ce qui m'entourait était le plus vif de mes désirs[2]. » En l'absence de toute personne, c'est la relation aux objets qui va devenir capitale; elle servira de « supplément » à l'affection manquante. D'où une espèce de régression au stade « oral », à la nourriture. Que la nourriture soit là à la place de *l'autre*, qu'elle soit une régression substitutive qui n'est pas sans rapport avec le « dangereux supplément », c'est Rousseau lui-même qui le suggère : « Je ne me suis jamais occupé de ma bouche que quand mon cœur était oisif[3]. » Objets, nourriture, puis lecture, rempliront la même fonction de supplément à l'amour

1. P. 42.
2. P. 14.
3. P. 35. Pour les rapports établis par Rousseau entre lecture et masturbation cf. p 40; et entre lecture et nourriture, p. 269. Sur l'attitude de Rousseau en face de la nourriture, voir l'étude de Jean-Claude Bonnet, « Le système de la cuisine et du repas chez Rousseau », *Poétique*, 1975, no 22.

disparu. Si on les désire, c'est sur le plan symbolique comme chose *donnée* par la personne qui aime, comme signe de son amour (exactement comme au moment de la fessée). Mais tout va ensemble : en même temps que le donateur, la donation a disparu. L'apprenti vit dans la pénurie complète : ce qu'on ne lui donne plus, il va essayer de le prendre. Si l'on ne peut dérober un sentiment (quoique les conduites masochistes n'en soient pas loin), on peut dérober des objets que l'on identifie à ce sentiment. On devient voleur par gourmandise, mais l'on était devenu gourmand par manque d'amour. A l'origine du vol, il y a un amour frustré, un cœur sensible.

Cette relation silencieuse à l'objet qui supplée l'amour ne tolère aucune médiation; Rousseau entend bien montrer qu'il n'y a aucun rapport entre le vol tel qu'il le pratique, geste naïf d'amour, fondé en dernier ressort sur la *valeur affective* de l'objet volé, et le vol tel qu'il se pratique dans la société mauvaise, et qui a pour fin dernière le *pouvoir social* représenté par l'argent. Privé d'amour, économiquement exploité, l'enfant ne se laissera pas aller à la totale polissonnerie; même les gestes qui ont l'air d'être une dégradation manifestent en fait la persistance de la bonté naturelle. A travers la gourmandise, le vol, la lecture, la rêverie, et la fuite, c'est la même et légitime protestation du désir qui s'exprime.

Les étapes.

Jean-Jacques est d'abord orienté vers un métier. Non seulement socialement, il tombe de son haut, mais, intellectuellement, il est jugé inepte, « âne », jugement dont il mettra longtemps à se remettre [1]. Réorienté après un échec humiliant, il apprend un métier qu'il aime, avec un maître qu'il déteste. Un premier paragraphe vient présenter la chute comme immédiate et totale; mais la suite du texte va nuancer ce tableau. Rousseau établit les responsabilités : l'injustice et la violence du maître engendrent les vices de l'apprenti [2]; et Jean-Jacques a résisté un an avant de voler. Deux épisodes vont montrer sa chute progressive dans le vol. L'épisode des asperges met en lumière que ce sont « de bons sentiments mal dirigés qui font faire aux enfants le premier pas vers le mal », et oppose la candeur de Jean-Jacques à l'odieuse lâcheté de M. Verrat, auquel le narrateur prête, par pure hypothèse, exactement l'attitude que Jean-Jacques aura en face de

1. Cf. ses protestations p. 113; et p. 363, il avoue que le doute sur son talent l'a poursuivi jusqu'au succès du premier *Discours*.
2. P. 31-32. Cette section correspond aux textes initiaux de l'âge d'argent et de l'âge d'airain.

Marion au livre II. Une fois l'habitude prise, Rousseau nous raconte un vol de routine, l'épisode des pommes[1] : la technique de l'anecdote, analogue à celle du noyer de la terrasse, rend le lecteur complice (« lecteur pitoyable, partagez mon affliction ») et lui prouve de nouveau la candeur de Jean-Jacques (il n'a pas prévu qu'il se trahissait). Grâce à ces deux anecdotes, le lecteur a été conduit à admettre qu'il ne s'agissait que d' « espiègleries ». Rousseau profite de cette indulgence envers l'enfant pour l'étendre à toutes les conduites analogues de sa vie adulte : dans une énorme digression[2], il analyse d'un seul coup toute sa relation à la nourriture et à l'argent, faisant finalement ressortir comment toutes ses conduites dans ce domaine manifestent sa bonté (sensualité naïve, immédiateté, goût de l'indépendance), les contradictions et les bizarreries étant, elles, la conséquence des conditions dégradées de la vie sociale. Cette très longue analyse, tout à fait a-temporelle, a l'air d'interrompre le récit : en fait, elle joue un rôle de métamorphose, c'est elle qui va *inverser* le sens de l'évolution au niveau du récit. Au moment où la digression commençait, l'enfant était sur une pente descendante, il s'installait tranquillement dans l'habitude du vol; quand quatre pages plus loin l'enfant reparaît, il est sur une pente montante : il cherche à échapper à sa condition d'apprenti. Le nouveau personnage qui apparaît alors semble singulièrement mûri par rapport au voleur naïf que nous avions quitté plus haut; ce qui nous est dit ici trop rapidement, mais qui est sans doute l'essentiel, c'est qu'il s'est *ennuyé*, c'est-à-dire qu'il a pris conscience du vide, et qu'il n'a pas accepté l'aliénation : cet insupportable manque d'amour sera le grand temps de ressort[3]. A partir de ce moment va s'effectuer de manière très rapide une remontée vers l'origine perdue. Depuis le début du livre I, on avait eu le récit d'une histoire que subissait le héros; désormais, on va le voir réagir et construire lui-même sa destinée, inventer une issue. Les trois pages où cette violente réaction est évoquée[4] sont sans doute l'articulation la plus importante des *Confessions* : elles amènent le microcosme du livre I à se refermer lui-même, mais aussi, en aval, elles annoncent, au niveau du macrocosme, cet autre « retour » que sera le livre IX. Toute cette fin d'apprentissage semble racontée

1. P. 33-34.
2. P. 35-39.
3. Cf. dans le livre V, p. 219 : « j'étais donc brûlant d'amour sans objet ». Au livre IX, p. 416, 424 et 427, le vide et l'insatisfaction sont évoqués en des termes analogues.
4. P. 39-41.

à la lumière du séjour à l'Hermitage et de la composition de *la Nouvelle Héloïse*. La première flambée de la puberté et le dernier amour sont évoqués en termes analogues, de manière à ce que l'une annonce l'autre.

Le premier mouvement (folie de lecture) a l'air d'être un retour en arrière : les effets de la dégradation sociale se trouvent brusquement effacés (il est *guéri* du vol); et le contact est retrouvé avec la grande passion de l'âge d'or, la lecture, alors que l'âge de fer avait été défini, en son début, comme une rupture avec l'univers culturel de l'âge d'or [1]. Cette passion prend des formes aussi extrêmes que lorsque Jean-Jacques la partageait avec son père : lecture en circonstances incongrues [2], aboutissant à l'épuisement de la bibliothèque [3].

Le second mouvement (refuge dans la rêverie) est au contraire un dépassement : l'effervescence de la puberté change les termes du problème en permettant à l'adolescent de devenir *producteur* de fantasmes; la sensualité et le désir d'amour lui font chercher la solitude, et se perdre dans la rêverie. C'est l'auteur de *la Nouvelle Héloïse* qui apparaît. Il suffit de comparer le texte du livre I à celui du livre IX : les similitudes du raisonnement et des termes sont telles qu'on a presque l'impression d'une répétition pure et simple [4]. Refuge dans un monde enchanté, goût pour la solitude venant d'un cœur trop aimant mais auquel cette conduite donne l'air misanthrope : tout y est, sauf une chose, essentielle, le passage du fantasme à l'écriture [5]. L'adolescent croit à la possibilité du monde enchanté, puisqu'il le désire, et qu'il ne connaît rien : le plus simple est de partir à sa recherche, et de fuir.

LA SORTIE DE GENÈVE (p. 41-43)

Dans son ambiguïté, le récit de la sortie de Genève éclaire toute la structure du livre I. L'événement signifie à la fois dans les deux trames : exil et chute, dans la trame de la dégradation; retour et progrès, dans celle de la résistance et de la régénération. D'où un double récit qui rend l'ambiguïté vraisemblable. L'événement doit

1. P. 31.
2. P. 8 : « toute la nuit »; p. 39 : « partout ».
3. P. 8 : « La bibliothèque de ma mère épuisée »; p. 39 : « en moins d'un an j'épuisai la mince boutique de la Tribu ».
4. Livre I, p. 40-41; livre IX, p. 427-428.
5. Livre IX, p. 431.

être à la fois *subi* comme un malheur qu'on a tout fait pour empêcher, et *assumé* comme une décision lucidement prise. Il doit être à la fois présenté comme le passage à un état moins satisfaisant, et comme le passage à un état plus satisfaisant. Pour saisir cette ambiguïté dans toute son ampleur, il faut naturellement dépasser la fin du livre I, et lire la suite du récit au livre II [1]. Cette ambiguïté met naturellement en lumière un décalage entre le héros, plutôt porté à l'optimisme, et le narrateur, qu'une plus large expérience rend pessimiste. L'ambiguïté est, affectivement, celle du désir et de la nostalgie. Mais le désir du héros n'était-il pas déjà de nostalgie, c'est-à-dire désir du retour?

L'analyse du récit est ici délicate à faire parce que chaque section a double fonction, et parce que le récit est coupé d'une longue séquence hypothétique (le roman de Jean-Jacques) qui vient, par sa place dans le récit, en modifier le sens. J'appellerai (a) la chaîne de la dégradation, (b) la chaîne de la régénération.

— (« J'atteignis... qui les valent », p. 41) : l'état où il se trouve immédiatement avant l'événement est ambigu : (a) *abandon, solitude*, dus à la situation sociale; (b) *insatisfaction*, par laquelle se manifeste le cœur sensible. Dans son ensemble, c'est un état douloureux que l'on aspire à quitter.

— (« Les dimanches... commençait pour moi », p. 41-42) : l'événement est présenté d'abord dans l'optique (a) comme une forclusion cauchemardesque : ce n'est pas de la faute de Jean-Jacques, mais d'une sorte de conjuration du maître Du Commun et du capitaine Minutoli. Le récit insiste sur l'absence de toute mauvaise intention de la part de Jean-Jacques, et sur la présence d'une force supérieure (la course impuissante, la voix étouffée, la *coupure* irrémédiable). Cette coupure n'est irrémédiable qu'à cause d'une décision prise antérieurement. La proposition « ... que je résolus de ne pas m'y exposer » a en effet deux sens possibles, que nous ne comprenons qu'après coup : soit « en évitant de commettre la faute » (« ma vigilance... »), soit « en me soustrayant au châtiment » : et ce sera la décision de fuir.

— (« Dans le premier transport de ma douleur... encore une fois », p. 42) : de *subi*, l'événement devient *assumé*. Jean-Jacques prend un « parti » (cf. déjà plus haut, p. 41 « mon inquiète imagination prit un parti... »), celui de fuir pour retrouver la liberté. Ce geste solennel (« je jurai ») pourra s'insérer dans la chaîne (b), comme une réaction

___

1. P. 45, le départ lui-même; et p. 55-56, la conduite de son père devant son départ.

contre l'état aliéné et un retour au bonheur perdu. Pour l'instant, et jusqu'à la fin du livre I, l'accent va pourtant être mis sur la dégradation subie.

— (« A mon entrée en apprentissage... faits pour nous aimer », p. 42-43) : dernier signe de la dégradation, l'inégalité sociale détruit enfin l'amitié[1]. C'est, dans le domaine de l'amitié, la première trahison. Tout cet épisode raconte une *demande d'amour* repoussée. Non seulement son maître tyrannique l'a acculé à la fuite, mais ceux qui auraient dû le retenir, et qu'il a sollicités, n'ont rien fait. Le reproche, à travers le cousin, s'adresse en réalité aux personnages parentaux, l'oncle et la tante Bernard, et il annonce le reproche principal, qui sera fait au père. Malgré les apparences, Jean-Jacques n'a pas fui : une fois de plus, il a été *abandonné*.

Toute la fin du livre I va dramatiser l'événement dans la perspective de la chute et de l'exil; pour ce faire, Rousseau va *interrompre son récit* par deux séquences qui vont décrire le paradis dont le prive cet événement, et l'enfer auquel il le conduit[2]. Ces deux séquences, employées pour établir la chaîne (a), sont de purs fantasmes du narrateur, et le lecteur voit bien qu'ils n'ont aucun rapport avec ce que vit le héros. Le paradis perdu est une pure *hypothèse*, une rêverie : ce n'est pas l'exil qui le fait perdre, c'est parce qu'il était déjà perdu qu'on va ailleurs. L'enfer obtenu est une pure *anticipation*, dont le récit est habilement différé. Ce n'est qu'au prix de ce double fantasme que le récit prend cette couleur (a).

Il suffit de lire le début du livre II pour voir le sens du récit s'orienter dans la perspective (b) : passage d'un enfer antérieur (solitude et insatisfaction; menaces du patron, abandon par la famille), à un paradis postérieur (l'indépendance, la rêverie, le voyage), grâce à une décision solennelle et consciente (« prendre son parti »). La première phrase du livre II annonce cette métamorphose du sens de l'événement. Le second sens d'ailleurs n'efface pas le premier, mais s'ajoute à lui.

> Autant le moment où l'effroi me suggéra le projet de fuir m'avait paru triste, autant celui où je l'exécutai me parut charmant (p. 45).

---

1. Cette « oraison funèbre » de l'amitié renvoie aux passages correspondants de l'âge d'argent, p. 13-14, et de l'âge d'airain, p. 25-26.
2. Le paradis perdu est évoqué dans ce que j'ai appelé plus haut le « roman de Jean-Jacques », p. 43-44; l'enfer obtenu est évoqué dans les trois lignes qui servent de transition avec le livre II : « Au lieu de cela... quel tableau vais-je faire? Ah! n'anticipons point sur les malheurs de ma vie! » (p. 44).

La sortie de Genève est donc à la fois expulsion subie, et dynamique temps de *ressort*. Cette logique est d'ailleurs celle qui présidera aux principales articulations du récit dans les livres II et III [1]. L'incurable optimisme du héros pourra paraître, aux yeux de la société, inexpérience, chimère, irréalisme, — en un mot folie. Rousseau, par ses présentations humoristiques, fait semblant d'accepter ces jugements; il les prévient pour les désarmer. Sur le plan de la valeur, cet optimisme manifeste que malgré la dégradation subie, le héros est resté *inentamé* dans son désir d'amour et dans sa candeur. « Je n'avais qu'à m'élancer pour m'élever et voler dans les airs ». Bien des chutes sont à prévoir. Mais pas plus que celle qui précède, l'histoire à venir ne sera simple. La nature n'est pas seulement passivement dégradée par la société : elle s'enrichit et se métamorphose dans la lutte qu'elle mène contre cette dégradation. L'histoire est dialectique.

LE SENS DE L'HISTOIRE

Cette dialectique de l'histoire m'a conduit assez loin du mythe des âges, que j'avais pris, sur la suggestion de Rousseau, comme première hypothèse. Pour éclairer ou confirmer mon analyse, et voir comment s'articulent chez Rousseau l'anthropologie (science de l'homme) et l'autobiographie (étude d'*un* homme, moi), je vais comparer l'histoire racontée au livre I des *Confessions* avec les œuvres théoriques antérieures [2].

On pense naturellement d'abord à l'*Émile*. Certes l'*Émile* décrit l'éducation idéale d'un enfant tenu à l'écart de la société, et les *Confessions* l'histoire réelle d'un enfant genevois, ce qui interdit toute comparaison terme à terme. Néanmoins le lecteur est frappé par la méthode qu'emploie Rousseau pour construire son livre. On reconnaît, comme dans les *Confessions*, l'existence d'une sorte de plan *a priori*, qui fixe le sens de l'évolution, et auquel les données du réel seront amenées à se conformer. Ce plan figure dans le manuscrit Favre sous la forme suivante :

1. Voir sur ce point l'analyse de Michel Launay, article cité.
2. Sur l'anthropologie de Rousseau, voir la mise au point de Michèle Duchet dans *Anthropologie et histoire au siècle des lumières*, éd. Maspero, 1971, p. 322 376.

1. L'âge de nature   12
2. L'âge de raison   15
3. L'âge de force   20
4. L'âge de sagesse   25

1. L'âge de bonheur
   tout le reste de la vie (IV, 60)

Dans sa *forme*, ce schéma comporte exactement les mêmes traits que celui du livre I des *Confessions* : la division d'une évolution en quatre phases, et la suggestion d'une fermeture cyclique. Chaque âge est défini par un concept, et par un découpage chronologique. Ces concepts désignent ici à la fois des types de comportement prédominant, et des valeurs (nature et raison : ce sont les deux phases de la connaissance; force et sagesse, les deux phases de la morale). La ligne générale de l'évolution est celle d'un développement des facultés naturelles. Ce qui est étrange, dans ce schéma, c'est la séparation entre l'âge de sagesse et l'âge de bonheur, et l'arrêt de la numérotation avec le retour au 1 (qui cette fois ne commence aucune série). On devine d'abord que le bonheur n'a pas d'histoire : « tout le reste de la vie », c'est le *statu quo*, un état qui peut se décrire, mais qui n'a pas d'histoire (exactement comme le « roman de Jean-Jacques » à la fin du livre I des *Confessions*), alors que l'éducation, elle, a une histoire, que ce soit celle d'un épanouissement ou d'une dégradation. Surtout : la disposition typographique et le choix du n° 1 impliquent l'idée d'un retour à l'origine, d'une analogie entre le terme de l'éducation et son point de départ. Comme il ne saurait s'agir de pur recommencement, il faut penser à une métamorphose, à la réalisation explicite d'un projet d'abord virtuel. On voit qu'on est là en pleine mythologie. Pour les premiers âges, Rousseau s'appuie sur le développement physique du corps humain : comment se fait-il qu'à partir de vingt-cinq ans, cet alibi « naturaliste » disparaisse, que l'évolution de l'âge d'homme à la maturité, au déclin et à la vieillesse n'apparaisse pas? L'éducation aboutit à une sorte de point d'orgue; l'histoire débouche en pleine éternité.

Le schéma du manuscrit Favre, confronté au livre I des *Confessions*, montre la permanence d'une certaine *forme* utilisée pour penser à l'histoire : l'évolution par phases, la division en quatre phases, la structure fermée effectuant le retour. Mais le contenu (c'est-à-dire la délimitation et la définition des phases) et le sens de l'évolution sont tout à fait différents dans les deux textes.

Dans l'*Émile*, Rousseau délimite les âges d'après des critères *natu-*

rels, quasiment physiologiques, qu'il substitue aux critères sociaux qui réglementent l'éducation à son époque. Il cherche à redécouvrir les différentes phases de la croissance de l'individu, et à tirer de l'observation de ces données naturelles les règles et l'ordre dans lesquels on doit faire l'éducation. Les critères qui servent à déterminer les *seuils* sont donc naturels : la naissance, le passage à la parole, la maturité physique des douze ans, sans sexualité; l'explosion de la puberté; et enfin l'entrée dans la vie d'homme, par le mariage — ici c'est un critère social, le but même de l'éducation. En principe, il n'y a là aucune hiérarchie, simplement une succession naturelle organisée en vue de l'arrivée à l'âge adulte. Certes, un âge est privilégié, celui de douze ans à la puberté, où le pouvoir de l'individu excède son désir, et où une énorme énergie se trouve disponible pour l'apprentissage intellectuel. Mais la ligne d'ensemble est finalement une ligne de croissance et de progrès, dans la perspective de la nature, alors que la mythologie des âges dans les *Confessions* est une mythologie de la décadence, dans laquelle les critères qui servent à déterminer les seuils sont non pas *naturels*, mais uniquement *sociaux* (changements de milieu et d'éducation). On a vu, sur un certain nombre de points, que Rousseau se reporte au classement de l'*Émile* (perte du temps précieux vers douze-quinze ans; explosion de la puberté, etc.), mais les deux structures ne se recoupent pas du tout, elles ont visiblement un statut différent.

Les âges de la vie, dans l'*Émile*, sont en principe établis par l'observation que l'adulte fait des enfants qu'il a vus et qu'il voit; la période à classer couvre donc *toute* la vie de l'enfant, depuis la naissance jusqu'à l'établissement social (majorité, mariage, etc.); les critères sont fondés sur l'observation, ils sont extérieurs. Dans les *Confessions*, les « âges » sont une sorte d'ordre de la mémoire, et la période à classer commence seulement à l'âge de cinq ou six ans, et s'arrête (pour le livre I) à l'âge de seize ans, quand Rousseau quitte Genève.

Surtout : les préoccupations intellectuelles qui sous-tendent les deux classifications sont totalement différentes :

— Restitution archéologique d'une croissance « naturelle » pure, la classification de l'*Émile* sert de masque à une entreprise analytique de construction d'un modèle de la personnalité : la division en âges est utilisée pour justifier une certaine division de la personnalité en *niveaux*, ou en *facultés*, que l'on peut ainsi éduquer *successivement*, et *indépendamment* (les facultés non encore arrivées à maturité étant justiciables, pendant les âges antérieurs, d'une « éducation » purement négative) : éducation des sens, *puis* de l'intellect, enfin du cœur. Les autres facteurs étant abolis, elle étudie analytiquement les facultés de l'individu isolé, soustrait à toute histoire.

— Construction mythologique d'une croissance « sociale » pure, la classification des *Confessions* sert de masque au mythe du passage progressif de l'état de nature à l'état social : les différents âges de cette décadence reproduisent (de plus ou moins près) le modèle de la dégénérescence qui accompagne la formation des sociétés. La variable est maintenant la société, et l'histoire. Mais, exactement comme dans l'*Émile*, les étapes de cette histoire cachent un dessein *analytique* : il s'agit de faire correspondre à chaque âge un trait ou un degré de l'aliénation sociale.

Au terme de cette comparaison, les structures des âges de la vie dans l'*Émile* et les *Confessions* apparaissent opposées dans leur contenu, mais analogues dans leur forme. Ce sont des sortes de maquettes théoriques. Dans l'*Émile*, les étapes de la croissance d'un homme naturel sont exposées en utilisant le modèle du montage progressif, comme dans le cas de la statue de Condillac; dans les *Confessions*, les étapes de la déformation de l'homme social sont exposées selon le mythe de la dégénérescence progressive, à l'image des âges d'Hésiode.

Mais les *Confessions* ne racontent pas *seulement* une dégradation sociale : elles racontent aussi la croissance d'un individu (le développement de ses sens, de son cœur, de son esprit), et la résistance que la nature oppose à la dégradation. L'évolution est aussi un progrès, comme dans l'*Émile*. Aussi faut-il remonter, en deçà de l'*Émile*, jusqu'au *Discours sur l'origine de l'inégalité*, pour trouver le véritable terme de comparaison. Comme les *Confessions*, le *Discours* ne raconte pas seulement la dégradation, mais les progrès de l'humanité. Les deux textes sont, bien sûr, très loin de se superposer. Mais leur rapprochement est éloquent.

Au début du *Discours sur l'origine de l'inégalité*, l'apostrophe au lecteur semble annoncer le préambule du livre I des *Confessions;* c'est ici que l'articulation de l'autobiographie et de l'anthropologie est la plus nette. Même projet de dévoiler à son semblable une histoire, celle de l'homme de la Nature devenant l'homme de l'Homme, mais gardant, dans son irréversible dégradation, les traces de l'homme naturel et la nostalgie du retour. Même manière de prendre le lecteur à témoin, de lui jeter un défi. Les différences tiennent naturellement à ce que l'homme du *Discours*, c'est « toi », chaque lecteur, et que l'histoire est une reconstruction entièrement hypothétique concernant l'histoire de la collectivité; tandis que l'homme des *Confessions* c'est « moi », individu exceptionnel, dont l'histoire est véridique.

Mais au-delà des différences, les analogies sont frappantes. Rousseau lui-même établit une comparaison entre la vie de l'homme individuel et celle de l'espèce, sur le point précis de la succession des âges :

> C'est pour ainsi dire la vie de ton espèce que je te vais décrire d'après les qualités que tu as reçues, que ton éducation et tes habitudes ont pu dépraver, mais qu'elles n'ont pu détruire. Il y a, je le sens, un âge auquel l'homme individuel voudrait s'arrêter; tu chercheras l'âge auquel tu désirerais que ton espèce se fût arrêtée (III, p. 133).

Cette comparaison est elle-même fondée sur l'expérience intime (« il y a, *je le sens* »). L'inspiration autobiographique de la théorie est soulignée. Dans le *Discours* comme dans les *Confessions*, il semblerait que le processus décrit soit une dégradation fatale et continue (le présent est mauvais, l'avenir pire, aucun retour arrière n'est possible). Pourtant, à bien lire le *Discours*, on s'aperçoit que l'évolution y est aussi compliquée et ambiguë que dans les *Confessions* : « Tu chercheras l'âge auquel tu désirerais que ton espèce se fût arrêtée » : cette phrase est révélatrice. Elle montre que contrairement à ce que suggèrent les images banales de « l'âge d'or » et du « paradis », ce n'est pas l'origine de l'histoire qui est l'objet de la nostalgie. Le désir de retour ne vise nullement à remonter au point de départ de l'évolution, ni même à annuler tout phénomène d'évolution. L'objet regretté, c'est *l'une* des étapes de l'évolution, et non son début. Le phénomène d'évolution n'est donc pas considéré en lui-même comme fondamentalement néfaste : non seulement la croissance naturelle d'un organisme individuel est un phénomène d'épanouissement et de progrès, mais le processus qui arrache l'homme à l'immobilité de la vie animale pour le conduire à l'état social n'est pas non plus mauvais. Rousseau ne désire d'aucune manière le retour au premier âge, que ce soit les premières années de la vie (dont aucun souvenir ne reste), ou le premier stade de l'humanité (qu'il restitue par pure hypothèse). Ni le sort du nourrisson, ni celui de l'homme des bois ne lui inspirent la moindre nostalgie. Il les voit, sur beaucoup de points essentiels, inférieurs à l'homme fait ou à l'homme civilisé, à la fois pour l'intelligence et pour l'affectivité. La croissance de l'individu et celle de l'humanité sont en réalité des phénomènes d'évolution *complexe*. La croissance passe par des phases que l'on peut définir d'après le *rapport* du coefficient de progrès et du coefficient de dégradation. L'histoire individuelle idéale (l'*Émile*), ou réelle (les *Confessions*), comme l'histoire collective *(Discours)*, connaissent trois phases successives :

a) une phase initiale où le progrès l'emporte sur la dégradation;
b) une phase médiane où le progrès arrive à son maximum, mais enclenche par cela même un développement de la dégradation;
c) une phase ultérieure où la dégradation l'emporte sur le progrès.
J'ai réduit là le modèle à ses termes les plus généraux, qui conviennent aux trois situations. Dans tous les cas, l'objet de la nostalgie est la phase médiane, qui est le sommet de la courbe — avec ce que les sommets sont de vertigineux. Cette phase médiane n'a aucun des caractères qu'on attribue d'habitude à l'âge d'or ou au paradis. Elle n'est ni première, ni conçue comme une éternité différente de l'histoire, ni simple; elle est médiane, elle est un produit de l'histoire, elle est ambiguë et complexe. Elle est conçue comme un *instant*, fugitif et instable, que l'on désirerait fixer. On voudrait le transformer en un âge d'or et un paradis, certes : mais c'est impossible. Non tant parce que l'histoire est irréversible, que parce qu'il y a contradiction dans les termes à vouloir éterniser un moment de l'histoire, qui tient toute sa précaire vertu de l'évolution elle-même. L'objet du désir, c'est un moment qui est à la fois apogée et rupture.

Dans l'*Émile*, où pourtant l'idée de dégradation ne devrait guère apparaître, la période de douze à quinze ans (livre III), est présentée comme une phase médiane supérieure à la fois à ce qui précède et à ce qui suit, parce qu'alors les possibilités de progrès l'emportent de beaucoup sur les exigences du besoin :

> Cet intervalle où l'individu peut plus qu'il ne désire, bien qu'il ne soit pas le temps de sa plus grande force absolue, est, comme je l'ai dit, celui de sa plus grande force relative. Il est le temps le plus précieux de la vie; temps qui ne vient qu'une seule fois; temps très court, et d'autant plus court comme on verra dans la suite, qu'il lui importe plus de le bien employer (IV, 427).

Tout souligne l'équilibre *relatif* et la précarité de cette phase médiane.
Dans le *Discours*, surtout, ce thème de l'âge médian est annoncé dès l'introduction. Dans la première partie, Rousseau souligne l'ambiguïté de valeur de ce qui est le moteur de l'histoire humaine : la *perfectibilité* (III, p. 142). Celle-ci « réside parmi nous tant dans l'espèce, que dans l'individu »; c'est elle qui développe toutes les autres facultés, et amène à l'homme à la fois à se perfectionner et à se dégrader. « C'est elle, qui faisant éclore avec les siècles ses lumières et ses erreurs, ses vices et ses vertus, le rend à la longue le tyran de lui-même, et de la nature ». Mais l'évolution supposée de l'humanité primitive est complexe. Au sortir de l'état de nature décrit dans la

première partie, Rousseau la fait aboutir à un premier état social, que nous appellerons l'âge patriarcal (III, p. 167-171). Or cet état est, aux yeux de Rousseau, en très net progrès sur l'état de nature : l'homme n'a pas encore perdu grand-chose de sa liberté et de sa tranquillité, et il a acquis ce qui fait justement de lui un homme *bon*, non plus cette pitié générale et aveugle de l'homme naturel, mais le *sentiment* qui nous attache à une autre personne :

> Les premiers développements du cœur furent l'effet d'une situation nouvelle qui réunissait dans une habitation commune les maris et les femmes, les pères et les enfants; l'habitude de vivre ensemble fit naître les plus doux sentiments qui soient connus des hommes, l'amour conjugal, et l'amour paternel. Chaque famille devint une petite société d'autant mieux unie que l'attachement réciproque et la liberté en étaient les seuls liens (III, p. 168).

Si cette vie patriarcale a quelques défauts (apparition des commodités superflues, de la jalousie liée à la passion, de la vanité venant de la comparaison), ces défauts sont encore peu développés, et les progrès l'emportent de beaucoup. Cet état patriarcal (qui fait penser à Clarens, et à Bossey) est visiblement le sommet de l'évolution humaine. Il faut citer tout au long les quelques phrases où Rousseau établit ce bilan; car l'analogie avec la courbe du récit autobiographique y est évidente :

> Ainsi quoique les hommes fussent devenus moins endurants, et que la pitié naturelle eût déjà souffert quelque altération, ce période du développement des facultés humaines, tenant un juste milieu entre l'indolence de l'état primitif et la pétulante activité de notre amour-propre, dut être l'époque la plus heureuse, et la plus durable. Plus on y réfléchit, plus on trouve que cet état était le moins sujet aux révolutions, le meilleur à l'homme, et qu'il n'en a dû sortir que par quelque funeste hasard qui pour l'utilité commune eût dû ne jamais arriver. L'exemple des Sauvages qu'on a presque tous trouvés à ce point semble confirmer que le genre humain était fait pour y rester toujours, que cet état est la véritable jeunesse du monde, et que tous les progrès ultérieurs ont été en apparence autant de pas vers la perfection de l'individu, et en effet vers la décrépitude de l'espèce (III, p. 171).

Après cet âge optimum, la courbe va redescendre, la découverte de la métallurgie et de l'agriculture engendre la division du travail, l'accumulation de son produit, et la propriété; et, comme conséquence, le développement de l'inégalité, et de l'hypocrisie (III, p. 171-176). Devant le désordre permanent, on a recours au contrat social, qui a lui-même pour conséquence une progressive dégénérescence du gouvernement, aboutissant à un état de désordre analogue à celui qui avait précédé le contrat social (III, p. 176-191); ce dernier âge (l'âge actuel) est curieusement construit sur un modèle cyclique du retour à l'origine : mais c'est bien sûr un cycle infernal.

Cette évolution ressemble, par deux de ses aspects, à celle du livre I des *Confessions* :

a) *la dégradation par degrés.* On peut la voir non seulement utilisée pratiquement par Rousseau dans l'organisation des deux récits, mais théoriquement énoncée dans des termes pratiquement analogues :

Discours	Il expliquera [...] pourquoi l'homme originel *s'évanouissant par degrés*, la société n'offre plus aux yeux du sage qu'un assemblage d'hommes artificiels et de passions factices qui sont l'ouvrage de ces nouvelles relations, et n'ont aucun vrai fondement dans la nature (III, p. 192).
Confessions	J'avais joui d'une liberté honnête qui seulement *s'était restreinte* jusque-là *par degrés*, et *s'évanouit* enfin tout à fait (p. 31).

b) *le passage par un âge médian optimum*, qui réalise un état de perfection relative, auquel on aurait aimé se fixer :

Discours	Cet état était le moins sujet aux révolutions, le meilleur à l'homme [...] et il n'a dû en sortir que par quelque funeste hasard (III, p. 171).
Confessions	La manière dont je vivais à Bossey me convenait si bien, qu'il ne lui a manqué que de durer plus longtemps pour fixer absolument mon caractère (p. 14).

Par un certain nombre de thèmes également, les deux textes se ressemblent : le thème du travail et de l'oisiveté, lié au problème de l'indépendance; le thème de l'apparition de la vanité et de la jalousie [1]. Naturellement, ces ressemblances ne portent que sur un certain nombre de schèmes essentiels, et dans leur développement des textes qui parlent, l'un, de l'histoire hypothétique de l'humanité, l'autre, de l'enfance réelle d'un individu, ne sauraient se correspondre terme à terme dans le détail.

Quelle conclusion tirer de ces analogies? Les éditeurs du *Discours* soulignent tout ce que Rousseau doit à ses devanciers. On peut aussi se demander si Rousseau n'a pas imaginé la jeunesse de l'humanité

1. Pour la vanité, *Discours*, III, p. 169, et *Confessions*, p. 24; et pour la jalousie, *Discours*, III, p. 169, et *Confessions*, p. 27-28.

à la lumière de ses souvenirs d'enfance. Il a sans doute été guidé dans cette construction par la pertinence secrète qu'elle pouvait avoir avec sa propre histoire. Mais cette histoire elle-même n'était pas alors construite : en 1755, il n'avait pas encore rassemblé ses souvenirs en une suite liée. Aussi pouvons-nous nous demander, en sens inverse, si ce n'est pas la reconstitution anthropologique qui lui a fourni un langage pour exprimer son histoire personnelle. Mais entre la théorie et l'enfance, il ne faut pas imaginer un rapport simple et à sens unique (l'une « influençant » l'autre), ni même une succession de rapports (l'enfance inspirant la théorie, qui lui fournit en retour un langage). D'abord, parce que ni la théorie ni la vision de l'enfance ne sont des choses en soi qui pourraient entretenir des « rapports »; ensuite, parce qu'elles sont deux aspects d'une même activité, celle d'un homme adulte qui cherche avant tout à donner un sens à sa situation actuelle. Le problème de Rousseau est sur ce point exactement le même que celui de Sartre. On pourrait, à la lumière des *Mots*, se demander si c'est l'enfance de Sartre qui l'a amené à écrire *l'Être et le Néant*, *Qu'est-ce que la littérature?* et *Questions de méthode*, — ou si ce sont ces livres qui lui ont fourni un langage pour parler de son enfance. La question est vaine : il s'agit toujours de la même chose. Comme il est également vain de se demander si Rousseau ou Sartre ont « déformé » leur enfance, en lui appliquant, rétrospectivement et artificiellement, les théories de leur âge adulte.

De cette confrontation nous tirerons plutôt l'idée que cette écriture seconde et toujours ultérieure qu'est l'autobiographie a chance d'être plus féconde et plus complexe, parce qu'elle met la théorie à l'épreuve d'une forme de réel, l'enfance, qui, de source, devient objet, ou plutôt qui, restant source du discours, devient son champ d'application par excellence. Ce retournement du discours sur son origine est une grande épreuve de vérité. Et il est bien possible qu'à son tour la théorie sorte transformée de cette épreuve. Il ne faut pas oublier que les *Confessions* sont le premier texte « réaliste » de Rousseau; toute l'anthropologie antérieure est composée sur le modèle de la reconstruction théorique et idéale *(Discours, l'Émile, le Contrat Social)*, ou de la fiction *(la Nouvelle Héloïse)*. On a beau dire que l'autobiographe « déforme » son enfance, le souvenir de notre enfance ne laisse pas si facilement déformer. Il est peut-être « déformé », en ce sens qu'il ne correspond pas à ce qui a été vécu (mais qui en jugera, — et qu'importe?); mais, tel qu'il est, il est indéformable, il s'impose. Le texte des *Confessions* souligne cent fois cette *urgence* du souvenir qui s'impose au narrateur, et déclenche des séries d'émotions sur lesquelles il n'a pas de prises, ce qui entraîne sur le plan de l'énonciation d'incroyables répétitions de conduites puériles. Mais en même temps, chaque fois, le souvenir manifeste sa *résistance à l'interprétation*. Dans le discours théorique, ou dans la fiction, les faits finissent toujours, après avoir intrigué ou soulevé des problèmes, par se soumettre au système d'explication; les faits ne résistent qu'autant que notre attention scrupuleuse les fait résister, ils cèdent et obéissent lorsqu'elle se lasse et que le désir l'emporte, ils n'ont pas d'énergie propre. Le souvenir, lui, en a une. Tant qu'on ne lui aura pas redonné vraiment la parole, il gênera. Et cette parole ne dit pas forcément ce qu'on attend; elle se met à brouiller le discours théorique, à le montrer inadéquat, et, qui sait? hypocrite. Tous les lecteurs des *Confessions* ont remarqué la faculté qu'a le narrateur de *s'étonner* de ce qu'il raconte, d'avouer qu'il ne comprend pas bien. On voit bien où est la source profonde de son étonnement : le regard d'autrui lui a renvoyé de lui une image qu'il ne reconnaissait pas, mais où il était bien obligé d'admettre qu'il y avait du vrai. Sous son regard apparaissent alors beaucoup de conduites qualifiées de « bizarres », d' « étranges », « — ce qu'on a peine à croire », etc. Tout le génie de Rousseau dans les *Confessions* tient au fait qu'il n'a presque jamais fait taire cet étonnement, et qu'au contraire il n'a cessé de vouloir y voir clair — au besoin contre ses propres théories. Le vrai courage est de remettre en question des théories si passionnément et si longuement élaborées, bien plus que de dévoiler des choses honteuses ou ridicules. Certes, parfois, pour se rassurer, Rousseau recourra à la formule magique de « l'exception », pour n'avoir pas à détruire son idéologie [1]. Mais les analyses de ces conduites « étranges » sont souvent menées très loin, avec une pénétration étonnante (analyse de l'origine et du fonctionnement d'une perversion sexuelle; analyse de la psychologie de l'enfant voleur; du calomniateur par amour, etc.). Rousseau arrive à concilier ces explications avec les cadres généraux de son anthropologie : on a vu comment les grands schèmes de l'évolution du *Discours* étaient utilisés dans le livre I des *Confessions;* et de nombreuses références implicites sont faites aux théories de l'*Émile* sur le développement humain et sur l'éducation. Mais sur un certain nombre de points, le texte des *Confessions* met en question l'anthropologie antérieure : sur le plan de la vie affective et sexuelle de l'enfant, tout ce qui est dit dans le livre I des *Confessions*, dénonce l'*Émile* comme une fiction. Rousseau s'en tire en mettant tout ce qu'il analyse sur le compte d'une «précocité» qui lui serait particulière. De tels décalages peuvent avoir aussi pour effet d'éclairer l'origine et la fonction de la théorie. Aussi me suis-je demandé si la structure

---

1. P. 62, par exemple.

étrange de l'âge d'argent, présenté comme l'âge idéal auquel on voudrait faire retour, alors que toutes les scènes racontées sont des scènes de rupture, ne pouvait pas permettre de comprendre l'un des fondements de l'anthropologie de Rousseau, le mythe de la bonté naturelle. En effet, dans le *Discours*, l'âge patriarcal présentait un état d'équilibre fait de la *coexistence*, de la juxtaposition d'éléments bons (sentiments d'amour, vie en famille), et de quelques éléments mauvais encore insignifiants, mais germes des futures dégradations. Dans les *Confessions*, l'âge d'argent présente le bon et le mauvais intégrés dans des expériences conflictuelles et contradictoires, et la volupté semble moins liée à la jouissance d'un état tranquille qu'à l'expérience de la rupture. Il est fort possible que cette divergence étrange du récit autobiographique révèle la fonction et l'origine de la théorie. C'est ce que je vais essayer de montrer en construisant à mon tour une sorte de fable théorique.

LE DÉSIR ET LA LOI

Rousseau se fait de l'histoire une idée complexe, qui combine les deux schémas classiques apparemment contraires du progrès et de la décadence.

Le Progrès. L'humanité, animale et barbare à l'origine, se discipline à mesure qu'elle se civilise :

| méchanceté naturelle | $\longrightarrow$ | passage par une forme de contrat social | $\longrightarrow$ | bonté civile |

Sous cette forme, naturellement, ce n'est pas la théorie de Rousseau, mais celle de Hobbes [1]. Mais on trouve des traces de ce schéma chez Rousseau : dans l'idée même de « contrat social », qui vient, il est vrai, remédier non à la méchanceté naturelle, mais à un état social de barbarie ; et surtout, dans l'acte d'association en famille qui nous semble, à nous, être le pacte social par excellence, et qui est représenté comme la source de l'amour conjugal et de l'amour paternel, « les plus doux sentiments qui soient connus des hommes [2] », sentiments qui n'existent pas à l'état de nature.

La Décadence. L'humanité, sauvage et bonne à l'origine, se dégrade progressivement en s'associant :

1. Rousseau y fait allusion dans le second *Discours*, II, p. 136.
2. *Discours*, II, p. 168.

bonté
naturelle $\longrightarrow$ association et
relation à autrui $\longrightarrow$ méchanceté
civile

Ces deux schémas sont, chez Rousseau, associés et articulés. C'est à l'âge patriarcal que naissent les sentiments les plus doux (que Rousseau dit si souvent « naturels ») et les germes de corruption et de violence : et ils naissent de la même situation. C'est à Bossey que l'enfant atteint le sommet du bonheur, et que se produit la double rupture qui détermine sa vie affective et sa vie éthique.

La question se pose de savoir si cet instant complexe et instable d'équilibre et de rupture n'est pas le centre même de l'histoire de Rousseau, s'il ne figure pas la rencontre du *désir* et de la *loi* ; et si les complexités et les contradictions apparentes ne sont pas les conséquences de cette rencontre. Le récit de Bossey est une mise en scène du traumatisme ; c'est pour trouver une solution à ce violent conflit que se seraient créées des formations de compromis, dont la plus étrange est l'idée de la « bonté naturelle ».

Pour comprendre cette formation, le mieux est de repartir d'une situation d'aveu, en analysant rapidement, par exemple, la manière dont Rousseau avoue qu'il a abandonné ses enfants. Ses aveux sur ce point semblent avoir peu de rapports avec les aveux faits au livre I : il ne s'agit pas d'une faute lointaine, mais de celle d'un adulte dont le narrateur se sent très proche ; l'acte n'avait pas été dissimulé, et c'est du dehors que l'accusation est revenue sur Rousseau. Les aveux qui sont faits au livre VII et au livre VIII laissent au lecteur l'impression que Rousseau ne se sent pas coupable : que, s'il est si malhabile à se défendre, c'est qu'il n'est pas assez convaincu d'avoir à le faire. Le cynisme calculé des aveux du livre VII, les sophismes vertueux des aveux du livre VIII montrent, en fait, la complicité du narrateur avec le personnage : on y sent non pas le recul de quelqu'un qui s'est rétrospectivement convaincu d'avoir commis une faute, mais la résurgence des attitudes d'un homme sûr d'avoir bien agi. Il s'efforce d'intérioriser la condamnation qui lui est revenue du dehors, de donner raison à ses accusateurs, mais il n'y parvient guère. Pour lui, visiblement, une faute n'est réelle que lorsque le sentiment de la faute l'accompagne : car sinon, il faudrait croire qu'il a pu être méchant.

Reprenons son système de défense : au centre du débat se trouve « les entrailles de père », ce sentiment paternel naturel qui est bon, la voix de la nature. Il s'étonne qu'elle n'ait pas parlé ; il voit tout ce qui a pu venir à la traverse : le mauvais exemple, une situation économique difficile, la crainte de les livrer à la tribu Levasseur, de nobles sentiments à la Plutarque... Il suppose donc que la voix de la nature était toujours présente en lui (il en a mille autres preuves), mais que des jeux de circonstances l'ont étouffée. Rousseau tient pour admis qu'on ne peut que désirer et aimer les enfants. Au pire, les circonstances aidant, il a pu être indifférent à leur égard. A aucun moment n'intervient l'hypothèse selon laquelle on pourrait avoir, négativement, horreur — non pas des enfants en général, mais d'*avoir*, soi, des enfants; — que les « entrailles » peuvent aussi parler dans le sens du dégoût. Nous pouvons très bien faire une telle hypothèse : cette horreur devant la paternité correspond à la fixation infantile de la personnalité de Rousseau. Devenir père, c'est être arraché au statut infantile, être projeté vers la mort. Ou plutôt : l'identification au père amène justement Rousseau à reproduire la conduite dont il s'est senti victime, en abandonnant à son tour ses enfants. Qu'on relise, au livre II, le procès du père (p. 55-56) : l'ambiguïté de ce texte vient de ce que l'accusation n'arrive à s'exprimer qu'au travers d'un discours d'excuse; et ce discours d'excuse est lui-même à double fin : c'est à la fois la précaution d'un fils respectueux qui n'ose exprimer que latéralement la profonde rancune d'avoir été abandonné, mais aussi la précaution d'un narrateur qui met en place son propre système de défense, pour avoir abandonné lui-même ses enfants. Pas plus que son père, Jean-Jacques ne saurait être accusé d'être un père dénaturé :

> Non, je le sens et le dis hautement, cela n'est pas possible. Jamais un seul instant de sa vie J.-J. n'a pu être un homme sans sentiment, sans entrailles, un père dénaturé (p. 357).

Pour lire ce cri du cœur, il faut bien voir qu'il contient deux propositions : à la fois la peur panique d'être reconnu méchant, c'est-à-dire la soumission inconditionnelle à la loi intériorisée, mais aussi la revendication souterraine du statut naturel de sa conduite dont il admet pourtant qu'elle est contraire à la loi. Et qu'on lise bien le ton agressif de cette phrase, si surprenant par rapport à son contenu. La protestation du narrateur, dans l'épisode du peigne cassé, pouvait traduire l'indignation naturelle et légitime d'une victime innocente, puisqu'aussi bien il n'avait pas cassé le peigne. Ici, les enfants ont bel et bien été abandonnés, au mépris du « sentiment naturel » : or la protestation est encore plus véhémente! Il y a là une faille du comportement du narrateur que tous les lecteurs remarquent, mais qu'ils n'approfondissent pas trop, comme s'ils étaient eux-mêmes gênés. On couvre la chose de mots vagues, égocentrisme, sophisme, orgueil, — à moins qu'une accusation de folie, plus expéditivement, ne prévienne tout examen. Ce qui se dévoile brusquement dans ce discours, c'est la « raison d'état » : la certitude que le désir ne saurait avoir tort, et la volonté de le concilier à tout prix avec la loi. Quand cette conciliation se révèle impossible, il ne reste plus au sujet, menacé, qu'à *affirmer* désespérément qu'il est impensable qu'elle soit impossible — c'est-à-dire à donner, pour preuve de sa possibilité, sa nécessité, le besoin qu'il a d'elle.

Ici se dévoile un instant un besoin qui, d'habitude, trouve à se satisfaire par des formations de compromis et par des voies détournées, comme j'ai essayé de le montrer plus haut en analysant les deux épisodes de Bossey.

La loi (l'interdiction) a été tellement intériorisée, que Rousseau n'ose plus exprimer un désir qui doit lui coûter l'amour. Il est mal d'aimer recevoir des fessées, d'abandonner des enfants. Rousseau est le premier à le reconnaître. Mais en même temps il ne renoncera jamais à son désir. Pris entre le respect de la loi qu'il a appris à craindre, et la légitimité naturelle de son désir, il aura recours à des conduites de compromis par lesquelles il essaie de dépasser la contradiction.

Ainsi, il essaiera désespérément de dire qu'il est *innocent de fait* (bonne intention, circonstances atténuantes, erreurs, etc.), pour faire comprendre ce qu'il ne peut pas dire, ce qui est impossible à dire : qu'il est *innocent de droit*. Toute l'ardeur que Rousseau met à se défendre de la faute est détournée de son véritable but : c'est l'ordre moral lui-même qu'en réalité il désirerait attaquer, contre lequel proteste son désir. Mais, échaudé, il est obligé, par peur d'être exclu, d'utiliser cette énergie, non contre l'ensemble du système moral, mais à l'intérieur de ce système, c'est-à-dire par la disculpation, par le remords, par la confession, seules voies qui permettent de concilier la répétition de la faute (c'est-à-dire l'expression détournée du désir) avec le respect du code moral. La culpabilité, avec ses différentes formes (honte, etc.), est une véritable *formation de compromis* dans laquelle arrivent à se côtoyer l'expression et le camouflage du désir. La persistance de la culpabilité n'est que l'expression de la persistance de la faute, c'est-à-dire du désir; derrière l'idée que « le remords en durera autant que ma vie », il y a « le désir en durera autant que ma vie », chose impossible à dire, mais nécessaire à dire.

On comprend mieux désormais le rôle du *sophisme* dans la rhétorique de Rousseau : c'est l'instrument idéal de la conciliation — il permet d'articuler l'ordre du désir et l'ordre de la moralité, de mener le double jeu indispensable à la survie. Et le meilleur exemple de ces sophismes, c'est l'idée de *bonté naturelle*.

Cette idée repose sur l'utilisation, apparemment absurde, de deux concepts qui s'excluent, puisque l'état de nature est par définition antérieur à la loi, et se définit par son absence. L'état naturel imaginé par Rousseau n'est pas véritablement un état antérieur à la loi, dans lequel tout serait moralement indifférent. C'est un état dans lequel existeraient seules les tendances bonnes, sans aucune tendance mauvaise. Ce raisonnement est d'ailleurs aussi extravagant que celui des adeptes d'une nature mauvaise, que la loi viendrait civiliser. Double absurdité, d'employer, pour parler d'un état par définition étranger à la loi, la problématique qu'elle engendre; et de n'employer que la moitié de cette problématique, comme si l'idée de bonté pouvait se concevoir seule. Pour Rousseau, à l'état de nature, le bien était déjà le bien; le mal était, lui, indifférent.

L'absurdité de cette théorie s'estompe si on accepte de lire l'implicite, c'est-à-dire de remettre la théorie sur ses pieds. Il y a, derrière, une autre proposition qui, elle, n'a rien de logiquement absurde, mais, qui est moralement insoutenable, inavouable : ce n'est pas la bonté qui définit la nature, mais la nature (l'état antérieur à la loi), ce qui est bon. C'est le *désir* que la loi est venue brimer, qui est bon. Cette impossible revendication (que l'on trouverait explicitement dans la logomachie de Sade), renversée, reniée, écrasée, on peut l'entendre derrière cette nostalgie de la bonté naturelle, où la revendication du désir est travestie dans les termes de la loi.

En continuant ce raisonnement, on découvrirait que le passage de la nature à l'état social ne se définit pas par l'introduction du mal, de la méchanceté (thèse explicite de Rousseau), mais par la découverte de l'interdiction, de l'idée de faute et de châtiment, qui scinde les désirs naturels en une part acceptée par l'ordre social, et l'autre refoulée; le véritable vice de l'ordre social serait cette division même, contre laquelle le désir exclu ne pourra qu'indéfiniment protester. Pour aller jusqu'au bout, il faudrait donc reconnaître que c'est la *loi* qui est mauvaise.

Ainsi, derrière la nostalgie explicite d'un état de nature où seules existeraient les tendances « bonnes », il faudrait lire la nostalgie d'un état où rien n'était interdit; et derrière le regret d'un état social méchant, la revendication du désir contre la loi. Mais exprimer les choses aussi crûment, c'est simplifier Rousseau : car justement, cela c'est ce qu'il *ne peut pas* dire, et ce n'est pas *tout* ce qu'il a à dire. La régression que je viens d'effectuer n'est qu'une étape de l'analyse. Il faut aussitôt faire le trajet de retour vers la sublimation morale pour saisir le véritable projet de Rousseau, qui tient autant à la loi qu'à son désir.

Pour saisir l'ambiguïté du système qu'il va construire, en faisant noyauter la morale par le désir, en le faisant s'exprimer non pas contre elle, ce qui est impossible, mais à travers elle, le plus simple est de se rapporter à un autre aveu, celui du ruban de Marion.

Au niveau apparent, la dramatisation du remords est utilisée dans un système de justification. Rousseau commence par grossir exagérément le crime (en allant jusqu'à *supposer* qu'il a poussé la pauvre fille à la prostitution, alors qu'il n'a aucune idée de ce qu'elle est devenue depuis), ce qui lui permet d'étaler un remords intense, qui est preuve d'une conscience morale très exigeante, qui est elle-même preuve de la persistance de la bonté naturelle en Jean-Jacques. Telle est au premier abord la stratégie. Mais on n'y comprend rien si l'on rejette le sophisme en y voyant simplement le désir de se justifier, de s'excuser. Tout le sophisme tient à l'ambiguïté du remords : ce qui prouverait une conscience morale très exigeante, ce serait le regret. Le remords, lui, « prouve » certes quelque chose, mais *aussi* dans un autre sens : il faut inverser la chaîne, en la déchiffrant à la lumière des indications données par Rousseau lui-même. La faute elle-même, dit-il, a été commise par amour. L'intensité du remords est signe d'une faute énorme derrière laquelle il faut lire l'intensité du désir. Le remords montre que le coupable est impuissant à s'arracher à sa faute, c'est-à-dire à l'obstination du désir. Donc, selon le sens dans lequel on prend la chaîne, le remords prouve la soumission à la loi, ou la revendication d'un désir. La conduite de remords fonctionne dans les deux sens à la fois, c'est une sorte de système oscillatoire entre le désir et la loi, dont la résultante est la formation de compromis imaginaire de la « bonté naturelle », à laquelle correspond également dans l'imaginaire la « méchanceté sociale », mythe où s'exprime la rancune impossible à adresser à son véritable objet, qui est la loi.

On voit qu'au centre de ce système est le *moment* crucial de la faute et du châtiment, et l'idée d'injustice. S'il s'agissait ici d'un passage de l'individuel au social, comme l'anthropologie de Rousseau le présente, ce serait difficile à comprendre : ce qui fait fonctionner le système, c'est l'intériorisation de la loi, à laquelle le désir a trouvé profit : car, en acceptant la loi, c'est l'amour que l'on cherche à regagner. La loi est oppression, mais en même temps, elle est amour; le désir est crime, mais en même temps il est aussi chose légitime et indestructible. Cette explosive contradiction est au cœur de l'idéologie de Rousseau : c'est du moins ce que laisse percevoir l'*autobiographie*. Le moment crucial de rencontre du désir et de la loi, il semble que jamais Rousseau n'ait pu le *dépasser*; mais il n'y est pas resté bloqué ou fixé, non plus. Il s'est employé à le travailler de l'intérieur : l'idée d'oscillation que j'ai employée plus haut est insuffisante aussi parce qu'elle suppose l'immobilité; l'oscillation s'est amplifiée, elle a fourni l'extraordinaire énergie que Rousseau a mis à reconstruire toute une anthropologie, jusqu'à la retourner enfin sur lui-même. Le sophisme et le paradoxe sont, sur le plan de la logique, les instruments privilégiés de ce *travail* : loin d'y voir piètres ruses ou artifices, comme on l'a si souvent fait, il faut y voir les moyens d'une appréhension dialectique d'une situation elle-même contradictoire. C'est manière d'*habiter* le moment de rupture, et de le faire travailler. Aussi le point essentiel de l'histoire de Rousseau est-il ce point médian, que j'ai situé dans l'articulation de l'épisode de la fessée et de celui du peigne cassé. Le paradis n'est pas *antérieur* à la rupture, mais intérieur à elle : il est l'effort de retournement de la rupture en un équilibre — substituer au conflit du désir et de la loi qui est l'acte de naissance de la conscience, l'accord de la loi du désir avec le désir de la loi.

ANNEXE

Le texte et son histoire

Le choix des souvenirs.

Le texte a été composé à partir de souvenirs notés progressivement en vue de la rédaction éventuelle d'une autobiographie. Rousseau a choisi parmi ces souvenirs, comme il le signale lui-même à son lecteur p. 21 : « Que n'osé-je lui raconter de même toutes les petites anecdotes de cet heureux âge [...] » Nous pouvons nous interroger sur les critères du choix en examinant les souvenirs éliminés du texte des *Confessions* dont il reste trace soit dans d'autres œuvres, soit dans les brouillons des *Confessions*. Quoi que dise Rousseau, le critère du choix n'est pas « l'intérêt du lecteur », apprécié en termes conventionnels, c'est-à-dire en tenant compte du peu d'importance accordé à cette époque aux souvenirs de la petite enfance, considérés comme bagatelles ou niaiseries. Le critère est évidemment celui de la pertinence par rapport à l'histoire racontée et à la démonstration entreprise. Ainsi s'explique l'élimination de l'épisode déjà raconté dans l'*Émile* (IV, p. 385-386), comme celle de la leçon de cosmographie donnée par le père (I, p. 1159-1160) : ces anecdotes servent d'illustrations à des conseils pédagogiques très généraux, qui pourraient intéresser un lecteur indépendamment de l'histoire de Jean-Jacques, et n'ont qu'un rapport secondaire avec le fil de l'autobiographie. D'autre part l'épisode de la Bible du pasteur

Lambercier souligne malgré tout la déchéance sociale de l'enfant et son agressivité à l'égard de son cousin, qu'au contraire Rousseau a atténuées dans le récit des *Confessions* pour ne pas faire tache dans le récit de l'apogée harmonieux du début de l'âge d'argent. De manière analogue, c'est pour leur trop grande pertinence autobiographique qu'ont été éliminées les deux anecdotes racontées dans les *Rêveries* (I, p. 1036-1038), qui auraient donné de l'enfant une image trop compliquée et déjà coupable.

La première version.

Le manuscrit de Neuchâtel présente, pour le livre I, une série de différences avec le texte définitif. Dans cette première version, l'équilibre des âges n'est pas encore complètement au point, ni l'interprétation de l'âge d'argent. Si l'on met à part l'existence d'un préambule beaucoup plus long et nuancé que celui du texte définitif, les principales différences sont les suivantes :

a) L'âge d'or est encore à l'état embryonnaire. Il comprend uniquement le récit de naissance, et la lecture des romans et des Romains : Rousseau enchaînait tout de suite sur la fuite du père. Les paragraphes sur la mauvaise éducation reçue par son frère, sur la bonne éducation qu'il reçut lui-même, sur sa tante Suzon et la musique, ont été ajoutés plus tard. Dans cette première version, l'âge d'or comprenait donc uniquement la *dangereuse* éducation par la lecture, origine des contradictions de son caractère, et ne comprenait pas la *saine* éducation par l'amour et la liberté bien réglée, conforme aux préceptes de l'*Émile*. La seconde version a enrichi et nuancé l'image de l'enfant chimérique, et posé les bases de l'éducation qui préserve la nature, élément indispensable à la démonstration ultérieure. Dans cette première version, l'âge d'argent dominait encore plus nettement l'âge d'or que dans la première.

b) L'âge d'argent n'est pas encore totalement interprété et structuré. J'ai analysé ci-dessus l'élaboration de l'interprétation entre la première rédaction et la deuxième, la place stratégique accordée à l'affection dans la genèse de la perversion. D'autre part Rousseau n'a pas encore établi un lien serré entre la fessée et l'épisode du peigne cassé, qui sont seulement juxtaposés.

c) A l'âge d'airain, d'importantes différences de rédaction et de ton manifestent l'incertitude où se trouvait Rousseau quant à la signification à accorder aux épisodes de Mlle de Vulson et de Mlle Goton.

Ces variantes ne doivent pas être interprétées comme signes d'une « déformation » que Rousseau aurait apportée après coup à des souvenirs supposés d'abord « authentiques », mais comme témoignage de la recherche du *sens* qu'impose à l'autobiographie la construction d'un récit où chaque souvenir se trouve mis en rapport avec tous les autres, et voit son sens modifié, enrichi, approfondi par les exigences que manifeste sa place dans la structure. Les nécessités de construction et d'écriture du récit amènent l'autobiographe à faire un travail d'interprétation que la mémoire seule ne saurait fournir. La comparaison de la première version avec la seconde ne nous livre naturellement qu'une vue très fragmentaire de cette élaboration, son ultime étape, c'est-à-dire la mise en place de la clef de voûte, ce qui, en suivant ma lecture du livre I, fait tout tenir ensemble : l'interprétation et la structuration de l'âge d'argent.

La numérotation des paragraphes.

Nous possédons une sorte de lecture du livre I faite par Rousseau lui-même : la tentative de numérotation qui figure dans les manuscrits de Genève et de Paris. Cette numérotation a été publiée correctement pour la première fois en 1964 par Jacques Voisine dans son édition des *Confessions;* les éditions antérieures l'omettent ou la simplifient (comme c'est le cas pour l'édition de la Bibliothèque de la Pléiade). Michel Launay, dans son étude sur « la structure de la première partie des *Confessions* » (cf. p. 87), a essayé de fonder sur cette numérotation une description et une interprétation du livre I. Son ingénieuse déduction ne tient pas assez compte des différents aspects de cette étrange tentative :

a) Rousseau a choisi un système à deux chiffres : un chiffre à l'encre rouge désigne un groupe de paragraphes, un chiffre à l'encre noire chacun des paragraphes de ce groupe. Cette numérotation est donc pour lui une manière de créer une structure intermédiaire entre le paragraphe et le livre : en effet les numéros n'apportent rien de spécifique au niveau des paragraphes eux-mêmes, déjà distingués, signalés typographiquement par le passage à la ligne, ils n'ont de sens que pour distinguer des groupes de paragraphes. Rousseau semble avoir utilisé d'ailleurs un autre signe pour effectuer cette même séparation entre groupes de paragraphes : un espacement occupé par deux traits horizontaux au début de la ligne, ou un espacement seul. L'édition de Jacques Voisine nous renseigne malheureusement peu sur ces procédés de présentation.

b) Faut-il attribuer un sens précis à cette numérotation? J. Voisine appelle les groupes de paragraphes des « chapitres »; je préférerai les nommer « séquences ». Le rapport de la séquence aux paragraphes est le même que celui du paragraphe aux phrases. C'est donc une grande unité d'organisation du texte, qui correspond à un découpage du récit ou à une articulation du discours, unité narrative ou démonstrative facilement identifiable sans ce moyen. C'est d'ailleurs sans doute pourquoi Rousseau a abandonné rapidement cette tentative de numérotation qui soulignait trop des structures déjà évidentes, et nuisait par sa rigidité à la souplesse des transitions. La question serait de savoir plutôt pourquoi il l'avait entreprise : désir de s'assurer de la cohérence de son texte, d'en mettre en évidence le rythme? L'invention d'un système de notation aussi minutieux pour un récit autobiographique me semble surtout avoir pour fonction de souligner le rythme rhétorique ou « musical » du texte, ses grands mouvements, et de s'assurer contre d'éventuelles failles dans l'enchaînement.

c) Si cette numérotation souligne les articulations du texte et le répartit en séquences, elle ne donne aucune indication particulière sur la structure de l'histoire et ne fonde pas plus l'analyse que Michel Launay en déduit qu'elle ne saurait confirmer la mienne. Pour qu'une telle numérotation donnât des indications nettes sur la structure du texte, il faudrait que Rousseau ait employé un système à *trois* chiffres qui lui aurait permis de regrouper les séquences elles-mêmes en quelques chapitres. Il n'est même pas sûr qu'un tel système (seul susceptible de noter l'organisation que M. Launay ou moi-même essayons de discerner dans le texte) eût été décisif, car l'organisation du texte est d'une grande complexité et ne dépend pas seulement des grandes unités de *surface*.

d) Enfin ce qui empêche de voir dans cette numérotation le point de départ d'une analyse du texte du livre I, c'est que la tentative a été faite par Rousseau à la fois sur les livres I, VII et IX dans des conditions exactement semblables et passablement étranges. On comprend certes qu'il ait choisi pour un essai ces trois livres-là, les deux premiers parce qu'ils commencent les deux Parties des *Confessions*, le troisième à cause de son importance et de l' « unité d'action » qui en fait un petit roman. Mais comment expliquer :

— le contraste entre la minutie calligraphique du numérotage (choix d'encres de couleur différente) et le caractère méthodique du système à deux chiffres, et la négligence avec laquelle la chose a été réalisée : omission progressive des chiffres rouges, paragraphes sautés (dans les livres VII et IX), puis abandon des chiffres noirs eux-mêmes.

— le contraste entre l'abandon du numérotage, et la répétition de la tentative?

— comment se fait-il que ces essais de numérotation figurent sur les *deux* manuscrits de manière à la fois parallèle et différente (dans l'effilochage de la tentative)? A chaque fois l'un des deux manuscrits pousse plus loin et plus rigoureusement l'effort, le manuscrit de Genève pour le livre I, celui de Paris pour les livres VII et IX.

Il est donc hasardeux de tirer des conclusions de ces chiffres pour l'étude de la structure du livre I, du moins en l'état actuel de notre connaissance des manuscrits.

Gide et l'espace autobiographique

1. L'ESPACE AUTOBIOGRAPHIQUE

UN JEU DE TEXTES

La situation de Gide en face du récit autobiographique peut sembler paradoxale.

D'un côté, toute sa vie et son œuvre semblent tendues vers la construction et la production d'une *image* de soi. Il ne s'agit pas là de ce qu'on appelle banalement une « inspiration autobiographique », l'écrivain utilisant des matériaux empruntés à sa vie personnelle, mais d'une stratégie visant à constituer la personnalité à travers les jeux les plus divers de l'écriture. Sans doute faudrait-il forger un mot nouveau pour distinguer cette attitude générale en face de l'écriture, de ce qu'il est convenu d'appeler *stricto sensu* « autobiographie », c'est-à-dire le récit rétrospectif de la genèse de la personnalité assumé par l'auteur lui-même. Quand ce jeu de textes comprend *aussi* un récit autobiographique *stricto sensu*, j'ai choisi de le désigner par l'expression « espace autobiographique ».

D'un autre côté, le grand récit autobiographique de la maturité, *Si le grain ne meurt*, peut décevoir ou intriguer des lecteurs qui s'attendraient à y trouver justement une forme de totalisation explicite, assumée cette fois dans le cadre du pacte autobiographique proprement dit — ou qui essaieraient de juger ce récit en se référant aux *Confessions* de Rousseau. Ce récit ambigu et suspensif, qui semble composé non pas à partir d'un point fixe, à un moment où les jeux seraient déjà faits, mais dans une perspective mobile qui laisse place pour un jeu à venir, ne peut que dérouter, et fasciner.

J'évoquerai plus loin les critiques que Gide lui-même a portées contre ce qu'il imaginait être les limites du récit autobiographique [1].

1. Pour éviter d'encombrer cette analyse de citations, j'ai choisi de renvoyer le plus souvent par des notes aux principaux textes de Gide sur les questions évoquées. Les références renvoient, pour toutes les œuvres qui y sont rassemblées, aux trois volumes parus dans la Bibliothèque de la Pléiade, chez Gallimard :

L'image de cet « être de dialogue » qu'il était, il a voulu qu'elle fût la résultante de tous les textes qu'il écrivait, textes qui, pris un à un, ne prétendaient nullement à la fidélité autobiographique, mais qui, par leurs jeux réciproques, dans *l'espace* qu'à eux tous ils constituaient, définissaient l'image de Gide, sans la réduire ni la fixer, en réalisant non sa ressemblance, mais sa *dissemblance*. L'espace autobiographique ainsi obtenu articule certes une complexité, au niveau de la variété des énoncés, mais surtout produit, au niveau de l'énonciation, un effet d'*ambiguïté* [1].

Complexité et ambiguïté ne sont pas la même chose. La complexité n'est que l'état d'un système où des éléments en grand nombre entretiennent des rapports multiples. Elle est le contraire de la simplicité, mais elle n'exclut nullement la clarté, elle peut simplement lui faire obstacle, entraîner une part de mystère. Ainsi le narrateur de *Si le grain ne meurt* s'amuse souvent à donner plusieurs explications possibles d'une même conduite, pour produire des effets de relief psychologique, quitte à justifier ensuite le dédale de l'analyse par la complexité de l'objet étudié. Voici par exemple les explications qu'il donne du plaisir qu'il prend à rebuter les critiques :

> Qu'on n'aille pas voir trop d'apprêt dans ce que j'en dis : le mouvement est spontané, que j'analyse. Si le ressort est compliqué, qu'y puis-je? La complication, je ne la recherche point; elle est en moi. Tout geste me trahit, où je ne reconnais point toutes les contradictions qui m'habitent [2].

Si l'énoncé semble compliqué, c'est que l'objet l'est. L'*ambiguïté*, elle, est tout autre chose: c'est, au niveau de l'énonciation, l'indécision du *sens*, c'est-à-dire, en fin de compte, l'incertitude où se trouve le lecteur de la position du narrateur par rapport à ce qu'il raconte.

I, *Journal 1889-1939*, 1948; II, *Journal 1939-1949, Souvenirs*, 1954; III, *Romans, récits et soties, œuvres lyriques*, 1958. (J désignera le Journal, et Si, *Si le grain ne meurt*.) J'utilise pour les autres textes les abréviations suivantes :

C : *Corydon*, éd. Gallimard, 1948.

CAG 4 : *Cahiers André Gide n⁰ 4*, éd. Gallimard, 1973.

Corr. GV : André Gide et Paul Valéry, *Correspondance (1890-1942)*, éd. Gallimard, 1955.

Corr. GMG : André Gide et Roger Martin du Gard, *Correspondance (1913-1951)*, éd. Gallimard, 1968, 2 volumes.

JFM : *Journal des Faux-Monnayeurs*, Gallimard, 1927.

1. Sur l'ambiguïté et le refus de choisir entre les contraires, voir par exemple *Journal*, I, p. 31 [1892]; p. 777, le texte essentiel sur l'*état de dialogue;* p. 801, sur la fécondité de la contradiction.

2. I, p. 526-527.

Dans la complexité, des explications différentes peuvent être propo-sées d'une conduite du personnage; elles peuvent fort bien n'être pas pour cela exclusives, et créer un effet de mystère psychologique attrayant pour le lecteur. L'ambiguïté se situe au niveau fondamental des valeurs ou de la vision du monde du narrateur, où le choix nous semble d'ordinaire requis, et où un système d'indécision ne peut qu'engendrer le malaise. Cette indécision peut affecter des récits simples aussi bien que complexes : elle pourra naturellement prendre prétexte de la complexité des choses racontées, comme on le voit dans le texte cité ci-dessus. Alors se crée le jeu complice où l'ambi-guïté de l'énonciation se greffe sur la complexité de l'énoncé, jeu qui est celui de la « *complication* » si bien analysée par Du Bos [1]. La complication n'est pas du tout le jeu d'une structure trop développée pour qu'on puisse la connaître — elle est fondée sur la coexistence des *contradictoires*, et se situe, en dernier ressort, non dans le registre psychologique (ce n'en est qu'une conséquence), mais dans le registre *éthique*.

L'ambiguïté gidienne suppose qu'en fin de compte le lecteur ne puisse pas réduire ou fixer la position de l'auteur, malgré le désir qu'il aura inévitablement de le faire, étant donné les *problèmes* éthiques que posent presque toutes ses œuvres. Cette ambiguïté sera implicite ou explicite, selon que l'auteur se cache ou se manifeste. Dans le premier cas, celui de la fiction, c'est par une abstention systé-matique de jugements explicites que l'auteur maintient *ouverts* les problèmes au lieu de trancher : la préface de *l'Immoraliste* résume fort bien sa stratégie. Dans le second cas, celui où l'auteur prend la parole en son nom propre, c'est au contraire par une surabondance de prises de position contradictoires que Gide obtient le même résul-tat : il cherche alors, pour reprendre l'expression qu'il emploie au début du *Retour de l'enfant prodigue*, à laisser « éparse et confondue la double inspiration qui [l']anime [2] ». Même si l'engagement personnel a d'autres avantages que nous verrons plus loin, il est évident que c'est le régime de la fiction qui est le plus propice au libre développement des contraires et des « dissemblances ». Gide se sent alors libre de pousser tour à tour à l'extrême, dans des sortes d'*essais* de lui-même, chacune des virtualités de son être : liberté vis-à-vis du lecteur, — mais aussi libération de soi-même. La fiction devient *à la fois* confidence personnelle (quant au germe des attitudes décrites) et dépersonnalisation (quant à l'excessive ou exclusive

---

1. Charles Du Bos, *Le Dialogue avec André Gide* (Paris, Au Sans Pareil, 1929), p. 143-149.

2. III, p. 475.

réalisation de ce trait particulier), *à la fois* souvenir et expérimentation, *à la fois* narcissisme et autocritique. Le régime de la fiction est souvent présenté par Gide sur le mode d'une hygiène, d'une *purge* qui lui permet à la fois de s'accomplir et de se débarrasser de lui-même [1]. Il éprouve grande volupté à ces exercices qui lui permettent de dire « je » sur le mode de l'hypothèse, de la virtualité, sans tomber dans le « moi » autobiographique [2]. Ce jeu des fictions n'est pas seulement hygiène : Gide cherche en même temps, à travers lui, à monter les éléments d'un système plus complexe. C'est manière de flirter avec l'autobiographie. Si chaque œuvre contient sa part de confidence, ce serait naturellement une erreur complète que d'y voir des confessions. Mais l'ensemble des œuvres forme un système dont les excès et les autocritiques s'équilibrent, se compensent : au niveau de la totalité on rejoint l'image du moi, et celle-ci, quoique toute virtuelle, devient *nécessaire à supposer* pour unifier le champ de la fiction. L'espace autobiographique qu'implique ce type de fictions est clairement présenté par Gide dans un texte où il définit deux sortes de « façons de regarder et de peindre la vie » qui dans certains romans se rejoignent : l'une, objective, fondée sur l'observation des gestes et des événements, l'autre subjective, qu'on trouvera décrite ci-dessous. Sans doute souhaitait-il que toutes deux se combinent dans son œuvre, comme dans celle de Dostoïevski. Reste que c'est la seconde seule qui semble véritablement la définir :

> L'autre qui s'attache d'abord aux émotions, aux pensées, et risque de rester impuissante à peindre quoi que ce soit qui n'ait d'abord été ressenti par l'auteur. La richesse de celui-ci, sa complexité, l'antagonisme de ses possibilités trop diverses, permettront la plus grande diversité de ses créations. Mais c'est de lui que tout émane. Il est

1. Ce double aspect autobiographique et autocritique apparaît très bien dans la présentation, fatalement allusive, que Gide fit à Claudel de *la Porte étroite*, où il l'invite à la fois à deviner « *la part secrète de confidence* » et à bien saisir que « *l'idée même du livre porte en soi sa critique* » (Paul Claudel et André Gide, *Correspondance*, éd. Gallimard, 1949, p. 90); voir l'exposé de la « *loi de rétroaction* » dans *J*, I, p. 40-41 [1893]; à propos de *l'Immoraliste*, Gide fut obligé de préciser à Jammes la dynamique de ses fictions, et donne avec des formules très frappantes la définition de tout son « équilibre » romanesque (purge, débarras, alternance, complexité...) (Francis Jammes et André Gide, *Correspondance (1893-1938)*, éd. Gallimard, 1949, p. 199-200.) Voir aussi, à l'occasion de *la Porte étroite* : I, p. 275-276 et 365; à propos des *Caves du Vatican* : I, p. 436-437.
2. Sur la « dépersonnalisation », voir *J*, I, p. 759 [1923]; *JFM*, p. 86-87 et 94; dans les *Cahiers de la Petite Dame* (*CAG 4*, p. 25), Gide oppose, au sujet de *la Symphonie pastorale*, le « je » romanesque au « je » autobiographique; enfin *J*, I, p. 829-830 [1927].

le seul garant de la vérité qu'il révèle, le seul juge. Tout l'enfer et le ciel de ses personnages est en lui. Ce n'est pas lui qu'il peint, mais ce qu'il peint, il aurait pu le devenir s'il n'était pas devenu tout lui-même [1].

Mais ce « tout lui-même » se réalise à travers les textes sans se fixer en l'un d'eux : au lecteur, il semblera insaisissable. Et Gide a tout fait, dans ses rapports compliqués avec le public, pour échapper à des prises trop simples : il ne lui déplaît pas d'intriguer, de laisser lecteurs et critiques se tromper, quitte à les guider après coup... La fiction est propice à ces malentendus. *L'auteur* n'a pas de rapport d'identité avec le *narrateur* : mais le lecteur cherchera toujours à deviner le premier à travers le second. C'est une mauvaise habitude, qui trouve encouragement dans le caractère éthique des récits gidiens (le lecteur désire toujours une « position ») et dans l'emploi de la narration « à la première personne ». Critique et ironique, seulement « confidentielle » en partie, chaque fiction engendre confusion et laisse le lecteur désemparé sur la position de l'auteur; si l'erreur est possible sur un livre isolé, la succession de livres si opposés doit engendrer la perplexité : quelle est l'identité, la position morale de celui qui a été capable de les écrire tous? A la limite, cette ambiguïté maintenue au niveau de l'émission et de la publication de ces livres ne pourra regagner le statut d'une complexité plus banale qu'au niveau de la totalité de l'œuvre considérée comme le produit d'un *personnage* complexe ou compliqué : c'est là l'écueil de toute biographie de Gide, le biographe en étant réduit à parler de manière très claire *de* l'ambiguïté, alors que Gide parlait de manière ambiguë. L'énonciation gidienne, devenue objet d'énoncé, perd toute vertu d'ambiguïté : on a prise sur elle, alors qu'elle avait prise sur nous. Mais est-ce encore elle? Gide avait une conscience aiguë de ce problème; c'est en grande partie cela qui a dû longtemps le retenir de devenir lui-même *autobiographe*, c'est-à-dire auteur d'un récit à visée totalisatrice et à pacte autobiographique.

Mais l'écriture intime, où l'auteur assume son « je », peut prendre d'autres formes que celle-là : le journal et la correspondance, pratiqués régulièrement et abondamment depuis l'adolescence par Gide, et dont il savait bien que leur sort serait d'être, un jour, publiés,

---

1. *J*, I, p. 829 [8 févr. 1927]. Gide avait déjà développé ce thème très personnel dans sa conférence sur Dostoïevski (*Dostoïevski*, éd. Gallimard, coll. « Idées », 1964, p. 80-81) : l'écrivain qui « *cherche à se connaître* »... court le risque de se trouver, ou de s'enliser dans l'imitation de soi. Le véritable artiste ne se réalise qu'en se projetant librement dans son œuvre.

et qu'ils s'ajouteraient à son œuvre comme un biais supplémentaire, ou plutôt qu'ils seraient la toile de fond sur laquelle se détacheraient les « motifs », plus stylisés, de ses fictions. Ce « je » de la confidence journalière ou épistolaire ne présente pas les mêmes inconvénients que celui du récit autobiographique : un certain nombre de limitations liées à la situation l'empêchent de prendre le poids et la massivité de celui-ci, et le font aisément entrer dans le système de l'ambiguïté. Ces limitations sont dues à la *temporalité* et à la *destination*. Journal et lettres, écrits dans l'instant, n'engagent et ne fixent que lui. Malgré la tendance à l'imitation de soi-même que comporte toujours l'écriture intime, rien n'empêche de se contredire, de varier, d'évoluer, d'articuler les contraires. Forme ouverte, indéfinie, inachevée, le journal est spécialement favorable à la disponibilité. La lettre introduit une autre limitation, par le *destinataire*. On retrouve au niveau des grandes correspondances de Gide le même système qu'au niveau de ses récits : un « essai » au cours duquel on exprime et on développe un côté de son être, quitte à le dépasser ensuite. Correspondre avec Claudel, c'est un peu comme écrire *la Porte étroite* : une expression, une expérience, une purge. Les correspondances composent entre elles un *jeu* comme les récits, au point que le lecteur peut se demander *qui* est l'épistolier capable de les avoir toutes écrites.

Gide lui-même considérait l'écriture la plus intime (par exemple ses lettres à Madeleine) comme élément d'un jeu textuel global : non seulement il s'agissait de textes dont il entendait bien qu'ils fussent un jour publiés, mais il voyait déjà la place qu'ils occupaient, le rôle qu'ils jouaient dans l'ensemble du système : tout texte se définissait par sa place et sa fonction dans un ensemble textuel auquel Gide confiait la mission de produire son *image*. Cette idée de *l'image de soi*, Gide ne l'a jamais envisagée, dans un narcissisme simpliste, sous la forme de la « copie », ni même de « l'autoportrait » : il ne s'agit pas de construire un objet, mais de produire un certain effet, de monter un « jeu ». Si telle ou telle pièce du jeu venait à manquer, l'image n'était pas « incomplète », mais l'ensemble du jeu *faussé*, parce que les autres pièces, privées de cette relation ou de ce contrepoids, ne pourraient plus fonctionner de la même manière. D'où l'angoisse de Gide devant la destruction des lettres à Madeleine : « Mon œuvre désormais ne sera plus comme une symphonie où manque l'accord le plus tendre, qu'un édifice découronné [1] »,

---

1. *J*, II, p. 1150 [20 janv. 1919]. Dans le cadre de l'ambiguïté gidienne, on trouve naturellement d'autres passages, en 1917, où ces mêmes lettres sont considérées avec agacement (*Si*, II, p. 497), comme Gide s'agace aussi du style des *Cahiers d'André Walter* (*ibid.*, p. 522).

ou à l'idée d'une mort prématurée qui l'empêcherait de composer certaines des pièces les plus importantes du jeu : « Je mourrais à présent que je ne laisserais de moi qu'une figure borgne, ou sans yeux [1]. »

Le *but* de Gide est donc de produire (au double sens d'inventer et de manifester) l'image de soi, celle d'un être vivant avec toute sa complication et son histoire; mais le *moyen* de ce but n'est pas l'emploi du récit autobiographique *stricto sensu*. C'est à une architecture de textes, certains de fiction, d'autres de critique, d'autres intimes certes, que Gide remet la tâche de manifester son image. Tout se passe comme s'il n'avait pas à écrire qui il est, mais à l'être en écrivant. L'image de soi n'a rien à voir avec un contenu d'énoncé, c'est un effet d'énonciation. Pour être produite, l'ambiguïté autobiographique ne passe pas nécessairement par l'autobiographie. Au contraire.

Cet effet d'ambiguïté ne semble pas être une découverte faite en cours de chemin, mais l'élément fondamental du *projet* littéraire gidien : Gide a plusieurs fois raconté comment il avait eu, dès le début, la vision de ses Œuvres complètes, sous la forme d'un certain nombre de volumes encore en blanc, mais qui existaient déjà *à écrire*, dont le système de contradiction et d'alternance surtout existait déjà [2]. La réalisation la plus parfaite de ce fantasme a été non pas les *Œuvres complètes* publiées à partir de 1932, mais bien plutôt la tentative, souvent mal comprise, des *Morceaux choisis* composés par Gide lui-même en 1921, au moment même où il écrivait la fin de *Si le grain ne meurt*. Il faut voir, dans ces *Morceaux choisis*, non quelque choix esthétique *ne varietur* que Gide aurait fait des morceaux les plus réussis de son œuvre, anticipant sur ce point le travail réservé d'ordinaire au temps, et à la postérité : au demeurant l'œuvre de Gide n'est pas terminée, il le sait bien, et le temps n'est pas venu d'une anthologie; les *Morceaux choisis* sont œuvre de circonstance : ils manifestent l'unité d'une œuvre dont trop de lecteurs privilégiaient un élément en oubliant, ou en ignorant, le reste. Mais en même temps l'entreprise de Gide, disons-le tout de suite en anticipant sur la suite de cette analyse, est destinée à compenser l'échec de la première partie de *Si le grain ne meurt*. En composant les *Morceaux choisis*, il semble que Gide ait voulu répondre à l'objection très pertinente que lui avait faite Jacques Raverat sur la simplification que les récits et l'autobiographie elle-même opéraient sur sa « figure » : « Il faudrait, me disait-il fort justement, pour avoir de vous une peinture un peu

---

1. *J*, I, p. 420 [15 juin 1914].
2. Voir dans *le Dialogue avec André Gide*, p. 162-163, les confidences faites le 29 mars 1914 à Charles Du Bos; dans *J*, I, p. 436 [12 juill. 1914].

ressemblante, pouvoir les lire tous à la fois [1]. » « *Les lire tous à la
fois* », c'est justement ce que les *Morceaux choisis* proposent. La clef
que donne ici Gide n'est pas celle d'un message, mais d'une structure [2].
Il désigne ainsi le *jeu de textes* qu'est son œuvre, étendant à la totalité
de ce qu'il a écrit le principe d'ambiguïté. La phrase en épigraphe
« Les extrêmes me touchent », le dit assez clairement, comme l'avertissement au lecteur, auquel on annonce qu'on a donné la préférence
« aux pages les plus significatives d'un auteur auquel les critiques ont
souvent reproché de se dérober ». C'est sans doute dans ce petit
volume que se dit le plus clairement le projet littéraire de Gide :
produire une image de soi par la « mise en jeu » des textes les plus
divers autant par leur forme que par le choix qu'ils manifestent :
image d'une complication présentée de manière délibérément ouverte,
refus du « dernier mot ». Une place est faite à des textes autobiographiques, dans ce jeu de textes : place à la fois capitale (ces textes
forment la conclusion du livre) et discrète (Gide s'y peint à travers
des récits de rencontres de personnages comme Wilde et B. R. — et
dans un portrait en trois éléments, mais qui n'est pas clairement
présenté comme un autoportrait [3]). Gide réalisait là ce qui fut sans
doute le projet original, trop vite dévié vers la biographie ou la
critique, de la collection lancée par les Éditions du Seuil, des « Écrivains par eux-mêmes » : l'objet du volume étant l'écrivain, mais
n'apparaissant que comme une image virtuelle projetée par un
montage de texte, et non point construite par un discours critique
ou une narration biographique.

LA PLACE DE L'AUTOBIOGRAPHIE

Tout cela est bien connu : il était nécessaire de le rappeler pour
montrer que la production de l'image de soi, qui semble être la visée

1. *J*, I, p. 684 [5 octobre 1920].
2. L'intention profonde de Gide a été clairement analysée par la Petite Dame
et confirmée par Gide (*CAG 4*, p. 78 [19 avr. 1921]; aux remarques de la Petite
Dame, Gide répond : « *Oui, dit-il, c'est le fil d'Ariane, la clef. La composition de
ce livre m'importe beaucoup. A travers mon choix, je veux enfin dessiner ma figure :
il est temps. Je voudrais que tout soit du meilleur et s'organise.* »).
3. Les pages inédites sur lesquelles se termine ce choix (p. 430-438), correspondent à la problématique de la seconde partie de *Si le grain ne meurt*, dont elles sont
contemporaines; mais *l'histoire* manque, comme aussi l'identité de l'auteur avec
le narrateur ou avec le modèle (discours d'Édouard sur M. dans le premier
fragment; explication de T. sur lui-même dans le second; seul le troisième fragment
du portrait, débarrassé de tout énonciateur fictif, semble être pris en charge par
Gide). Aucun texte de *Si le grain ne meurt* ne figure dans ce choix (sauf une ving-
taine de lignes dans l'appendice, p. 441-442).

dernière de Gide, pouvait s'accommoder fort mal du récit autobiographique conçu sous sa forme classique. Dans ce type de récit, où l'identité de l'auteur et du narrateur est obligatoire, l'auteur est amené à se dévoiler, le récit doit embrasser sa vie tout entière et procéder, d'une manière ou d'une autre, à une forme de synthèse. Ces deux exigences de dévoilement total et de synthèse explicite sont en réalité *inacceptables* pour Gide : elles ruineraient, dans son principe même, tout le jeu par lequel il veut réaliser son image. Les lecteurs de *Si le grain ne meurt* le savent bien, cette autobiographie n'a que très peu de rapport avec les *Confessions*. Et le lecteur peut en sortir déçu, s'il pensait que Gide visait la même chose que Rousseau, c'est-à-dire une image totale de soi. En fait l'autobiographie de Gide n'a qu'un rôle latéral dans sa construction autobiographique : loin d'être un tout, ce n'est qu'un biais qui s'ajoute à d'autres biais. Biais privilégié peut-être en ce qu'il révèle l'existence de l'espace autobiographique; mais néanmoins limité — je dirai même : intentionnellement limité.

Si Gide a choisi d'écrire un récit autobiographique, alors que cela était si contraire à son projet, c'est avant tout parce que c'était la seule manière de mettre fin au mensonge et à l'hypocrisie sur un point particulier : la vie sexuelle. Ce qu'il apprécie dans le pacte autobiographique, c'est sa valeur d'engagement. L'écriture et la publication de l'autobiographie avaient à ses yeux valeur d'*acte* autant que d'œuvre. Il s'agissait de rompre l'écran des fictions, et de dire la vérité, comme un aveu ou comme un défi. Dire cette vérité supposait à la fois l'identité du narrateur et de l'auteur — c'est moi, Gide, qui suis pédéraste — et le récit d'une histoire, dans la mesure où seule l'histoire pouvait rendre compréhensible, ou admissible, ce choix sexuel. En 1914, Gide avait bien vu, en face de Claudel, que l'aveu était à lui seul inefficace, et ne faisait que substituer le malentendu à la dissimulation : « Il est difficile de répondre en quelques phrases là où un volume d'explications et le récit de ma vie ne suffiraient peut-être pas [1]. » Le volume, c'est *Corydon*, déjà commencé; le « *récit de ma vie* », ce sera *Si le grain ne meurt*.

Pour éclairer ce biais particulier, un récit rétrospectif clairement assumé était irremplaçable. Reste que le pacte autobiographique

---

1. Paul Claudel et André Gide, *Correspondance*, éd. Gallimard, 1949, p. 218 (lettre de Gide, 7 mars 1914); en 1917, Gide dira de même à Edmund Gosse que seul un récit historique pouvait expliquer sa position « *vis-à-vis de certains problèmes religieux et moraux* », écrit-il alors pudiquement (*The Correspondence of André Gide and Edmund Gosse*, ed. by L. F. Brugmans, New York University Press, 1959, p. 151, lettre du 26 octobre 1917).

est un *tout* : on ne peut assumer sa vie sans d'une certaine manière en fixer le sens; ni l'englober sans en faire la synthèse; expliquer qui on était, sans dire qui on est. Mis à part l'engagement, tous ces autres aspects de l'autobiographie répugnent à Gide, très profondément. L'idée de la « connaissance de soi » lui semble un piège : elle implique limitation et artifice [1]. Il ne saura se résoudre ni à se démasquer, ni à se peindre au présent, ni à choisir, ni à conclure, ni, simplement, à *tout* dire. Et il ne faut point voir là dérobade morale, ou échec esthétique : son projet est *autre*, simplement. *Si le grain ne meurt* est le produit paradoxal de deux exigences contradictoires, un essai pour concilier les avantages de l'aveu et le refus des structures de la personne et du discours que suppose l'autobiographie classique.

Les critiques que des catholiques comme Du Bos, Claudel ou Mauriac ont adressées à Gide ne doivent pas le moins du monde faire croire à un Gide partisan du genre autobiographique : ce qui est en question dans ce débat c'est le scandale de l'*aveu*, et non point en général la problématique du genre autobiographique. Il suffit de feuilleter l'œuvre de Gide pour voir qu'il était, dans la critique du genre, au moins aussi sévère que Claudel (sur les dangers et les limites de la rétrospection) et aussi lucide que Valéry (sur les illusions de la sincérité) : soucieux de ne rien fixer de manière simpliste, de ne rien choisir, de ne rien engager pour l'avenir [2]. On pourrait établir une petite anthologie critique du genre autobiographique traditionnel, en puisant soit dans les textes à portée générale, soit dans les réflexions écrites pendant la rédaction de *Si le grain ne meurt*, réflexions que l'on trouve dans le *Journal* ou dans le récit lui-même [3].

A lire ces derniers textes, qui concernent pour la plupart la rédaction de la première partie de *Si le grain ne meurt*, et dont l'essentiel se trouve résumé dans la « Note » terminale de cette première partie,

---

1. « *Pourquoi formerais-je, en m'imitant facticement moi-même, la factice unité de ma vie ?* » (*J*, I, p. 174 [24 août 1905]); ou ceci, en écho au début de la *Vie de Henry Brulard* : « *J'aurai cinquante et un ans dans deux jours et je ne me connais pas encore ! Je m'apparais comme le plus incompréhensible des mélanges. Je ne cherche du reste pas beaucoup à m'analyser* » (*Cahiers de la Petite Dame, CAG 4*, p. 59-60 [20 nov. 1920]); « *Je répugne à faire la somme de mes impressions* » (*ibid.*, p. 75 [16 avr. 1921]).

2. Le texte qui condamne le plus nettement la « connaissance de soi », et qui s'applique le mieux à l'autobiographie, est celui des *Nouvelles Nourritures* (III, p. 285.).

3. Dans le texte de *Si le grain ne meurt* les lamentations sur les insuffisances du récit autobiographique font partie de la comédie du narrateur (v. II, p. 429, 436, 438, 463, 492, 500-501) et ont à chaque fois une fonction bien précise à leur place dans le texte — comme aussi la note terminale de la première partie, qui sert à l'articulation des deux parties.

on croirait entendre le Flaubert de la *Correspondance* gémissant des tortures que lui procure sa *Bovary* — avec la même part de « pose » — : l'aridité du sujet (son enfance rechignée qui le dégoûte), les tortures du style, les difficultés de composition, et bien sûr, sur un autre plan, le drame religieux, affectif et sexuel qui se rejoue pour le narrateur de 1916 à 1919, au moment même où il en raconte l'origine. Les commentaires portant sur la rédaction de la deuxième partie sont moins nombreux, et plus allègres. Curieusement, dans ces jérémiades, Gide déplore les limites de « l'autobiographie » (encombrement du détail, impossibilité de dire l'essentiel, nécessité de simplifier et d'appauvrir), mais ne cherche apparemment aucune solution à ces problèmes. Lui qui, en face du « roman », essaiera à la fois une réflexion théorique et une expérimentation curieuse et inventive — le *Journal des Faux-Monnayeurs* et *les Faux-Monnayeurs* en témoignent —, semble ici résigné d'avance. On ne trouve sur l'autobiographie que des critiques assez banales et aucune amorce de recherche. Pour dire vrai, on a l'impression que ces limites de l'autobiographie en réalité *l'arrangent* : il ne lui déplaît pas de réussir sur certains points (l'aveu) et d'échouer brillamment sur tous les autres, en empêchant ce récit d'être une œuvre « totale » que de toute façon il croit impossible — et néfaste. Il semble avoir joué assez lucidement la politique du pire, en s'abritant derrière des défauts ou limites du genre qu'il souligne lui-même à dessein. Il y a une stratégie de l'échec, une sorte de ruse de la mauvaise volonté. Tout en réalisant l'aveu, et la purge de son passé, il s'agit de se prouver que le récit autobiographique est incapable, à lui tout seul, de produire le même effet d'ambiguïté que la convergence de plusieurs récits linéaires délibérément fictifs : en un mot que l'autobiographie seule ne saurait produire l'image de soi, alors qu'un « roman » y arrivera. L'échec (relatif) de *Si le grain ne meurt* est une étape vers le succès des *Faux-Monnayeurs* [1].

Cette affirmation doit être nuancée : la première partie, c'est l'échec concerté d'un récit qui devrait être complexe, et qui est en réalité confus; la seconde partie, c'est le succès d'un récit parfaitement ambigu, mais qui ne porte que sur une phase limitée de son histoire. Gide a en effet employé tous les moyens à sa disposition à la fois pour recréer à l'intérieur de l'autobiographie un effet d'ambiguïté qu'elle semblait exclure *a priori*, et pour forcer l'autobiographie

---

1. Cette hiérarchie des deux récits apparaît clairement dans le *JFM*, p. 33-34, ou dans différents propos de Gide (*Cahiers de la Petite Dame, CAG 4*, p. 92 [9 août 1921]; lettre à André Rouveyre du 22 nov. 1924, in André Gide et André Rouveyre, *Correspondance*, éd. Mercure de France, 1967, p. 90).

à ne pouvoir être elle-même comprise qu'à la lumière de tout le reste de l'œuvre. En fin de compte, il s'agit toujours de *rejeter le narrateur dans l'indécision*, qu'il s'agisse de jeux sur l'extension, les niveaux, ou le sens de l'histoire racontée.

L'extension.

Le découpage du récit masque entièrement l'histoire ultérieure de l'adulte (qu'arrivera-t-il après les fiançailles?) et l'histoire présente du narrateur : où le narrateur en est-il *actuellement* de ce drame, dont il nous dit qu'il « n'a pas achevé de se jouer [1] »? Il est absolument impossible de le deviner à lire *Si le grain ne meurt*. Cette omission s'explique naturellement par un impératif de discrétion. A partir des fiançailles, l'histoire d'André et de Madeleine est indissociable, et ne saurait être livrée sur la place publique. Aussi la fin suspensive est-elle parfaitement mystérieuse [2]. Seule une brève allusion, totalement incompréhensible, est faite aux difficultés actuelles du narrateur, au début de la seconde partie [3]. Il serait à peine exagéré de dire qu'au fond, on ne sait pas bien « de qui » *Si le grain ne meurt* raconte l'histoire... Quant au portrait du narrateur adulte, de multiples éléments en sont donnés, et il ne se cache pas pour mener sa narration : mais nulle part ces éléments ne prennent la consistance ou l'unité d'un portrait : ou, quand ils s'organisent, c'est pour la plus grande perplexité du lecteur (v. ci-dessous : *le sens*). Il manque une suite du récit [4], que vingt ans plus tard *Et nunc manet in te* ne remplacera qu'en partie. Certaines zones de la vie de Gide restent dans l'ombre, et principalement la pratique et les problèmes

---

1. *Si*, II, p. 430.
2. Le choix du dernier mot du livre, « nous nous *fiançâmes* », contient à la fois un suspens et une forme voilée d'aveu. En laissant dans l'ombre le *mariage* (pourquoi Gide n'a-t-il pas écrit : « nous nous *mariâmes* »?), en même temps qu'il soustrait le drame conjugal à la curiosité du public, il l'exprime sous une forme indirecte : le propre du « mariage blanc », c'est de faire de l'état de fiançailles un état définif. Quant aux explications qui précèdent cette fin suspensive, elles ont pu paraître mystérieuses aux familiers de Gide qui pourtant connaissaient la suite de l'histoire (cf. *CAG 4*, p. 92).
3. II, p. 549.
4. A deux reprises dans *Si le grain ne meurt*, Gide a l'air d'annoncer une suite (p. 547 et 607). Mais à lire les déclarations directes de Gide il semble bien que l'idée de prolonger le récit au-delà des fiançailles n'ait été qu'une hypothèse hautement improbable (« *Je doute si je pourrai pousser plus loin la rédaction de ces Mémoires. Et pourtant quel intérêt n'y aurait-il pas!* », J, I, p. 696 [14 juill. 1921]), ou une tentation passagère (« *Malgré moi, j'entrevois déjà la suite à faire* », Cahiers de la Petite Dame, CAG 4, p. 92 [10 août 1921]). Il n'en sera plus question par la suite.

de l'homosexualité [1]. *Si le grain ne meurt* n'en raconte que la *découverte*. Pour le reste, il faut s'en remettre aux indications clairsemées du *Journal*. Pour avoir une idée de ce que furent les relations de Marc Allégret et de Gide, il faut lire certaines pages du *Journal*, déchiffrer des « transpositions » dans *la Symphonie pastorale* ou *les Faux-Monnayeurs* : on n'en trouvera pas trace dans l'autobiographie. Et quand, dans *Et nunc manet in te*, Gide dévoile enfin le drame conjugal, c'est en masquant une autre partie de sa vie, la naissance de sa fille Catherine en 1923 [2]. Discrétion nécessaire, dira-t-on encore : Gide a été aussi avide de se compromettre *lui*, que de protéger de la curiosité ceux qu'il a aimés. S'il en était ainsi, il aurait très bien pu concevoir un ouvrage posthume, et prendre des dispositions analogues à celles de son ami Martin du Gard, n'autorisant la publication de tel écrit que cinquante ans après sa mort. Pourquoi ne l'a-t-il pas fait ? On connaît l'horreur de Gide pour la catégorie du posthume. Son autobiographie a d'abord une fonction de témoignage, aveu ou défi, — en tout cas elle doit produire un scandale. Acte de vivant fait pour des vivants, définie *hic et nunc* par son émetteur et ses destinataires, l'autobiographie doit créer un scandale, rétablir une transparence, dont Gide désire être non seulement l'auteur, mais le témoin — qu'il soit victime ou bénéficiaire de l'effet produit. « Dire que je ne saurai jamais ce qu'on pensera de ce livre! » soupire Gide quand il envisage malgré tout la possibilité du posthume [3]. Il craint surtout que, lui mort, son témoignage ne soit étouffé ou falsifié, comme c'était arrivé pour Rimbaud et Whitman, et comme cela arriva sous ses yeux pour Jacques Rivière [4]. D'où la nécessité de

1. Voir, sur ces limites de l'autobiographie, les analyses de Henri Rambaud dans François Derais et Henri Rambaud, *L'Envers du journal de Gide et les secrets de la sincérité*, éd. augmentée, Paris, Le Nouveau Portique, 1952, p. 63-66.
2. Cette autre face de la vie de Gide n'apparaît dans *Et nunc...* que sous la forme d'une allusion assez mystérieuse et désinvolte à la fois (*J*, II, p. 1130). Gide était pleinement conscient des déformations que ces restrictions de champ apportaient à sa figure. Il le note, douloureusement, à propos du *Journal* publié par lui en 1939 après censure de tous les passages concernant Madeleine : « *Les quelques allusions au drame secret de ma vie y deviennent incompréhensibles, par l'absence de ce qui les éclairerait; incompréhensible ou inadmissible, l'image de ce moi mutilé que j'y livre, qui n'offre plus, à la place ardente d'un cœur, qu'un trou* » (*J*. I, p. 1331 [26 janv. 1939]). Cette constatation pourrait s'appliquer aussi, mais dans une moindre mesure, à *Si le grain ne meurt*.
3. *CAG 4*, p. 92.
4. Gide a affirmé à plusieurs reprises que, dès avant 1900, il avait non seulement l'intention d'écrire ses Mémoires, mais de les publier *de son vivant* (v. lettre à François Porché, in *C*, p. 191-192). Il en explique très clairement les raisons dans une lettre à Edmund Gosse, (*op. cit.*, p. 189-190, lettre du 16 janv. 1927) et dans le *Projet de préface* qui figure dans les *Œuvres complètes* (tome X, 1936, p. 453-

publier de son vivant — et du vivant de Madeleine — : la chose
était impossible en 1916 quand il commença d'écrire son récit, puisque alors Madeleine n'était pas au courant. Elle ne l'est devenue
qu'à partir du moment où Madeleine a fortuitement découvert le
secret, en 1916, et après la crise de 1918[1]. Même alors, l'affection,
la prudence longtemps retiennent son désir de publication. Il a recours
à la formule de compromis qu'est l'édition confidentielle à douze
exemplaires, qui assure la survie du texte et le met à l'abri des héritiers abusifs, tout en préservant Madeleine du scandale public.
Mais le compromis est provisoire. Gide désire publier, ne serait-ce
que pour passer outre, acte de vivant qui est exactement le contraire
de l' « outre-tombe ». D'où, de 1920 à 1926, les atermoiements aussi
bien pour *Corydon* que pour *Si le grain ne meurt*, l'exaspération de
Gide devant ses amis qui cherchent à le retenir, sa propre inquiétude
malgré tout, dominée par le désir d'en finir, et les hésitations et les
calculs sur l'ordre des publications, le moment propice, etc.[2]. De
cette horreur du posthume il faut retenir surtout que *Si le grain ne
meurt* a été *écrit pour pouvoir être publié* tout de suite, avec toutes
les limitations de champ et toutes les précautions de sens indispensables par rapport à ses *destinataires* immédiats : l'abandon de la
catégorie du *posthume* correspond en fait à un renoncement aux
exigences principales de l'autobiographie, c'est-à-dire le dévoilement

---

454) : horreur du « *camouflage conventionnel* », « *la dévotion des parents, des
amis, s'entend à camoufler les morts* ». En août 1922, il déclare à la Petite Dame :
« *Je ne crois pas aux publications posthumes; je n'ai pas mes apaisements là-dessus* »
(*CAG 4*, p. 147). En 1925, l'attitude d'Isabelle Rivière le renforcera dans sa méfiance (*ibid.*, p. 229 et 249).

1. Aussi en 1916 qualifie-t-il son autobiographie d' « *œuvre posthume* » — dans
la mesure où la publication n'en sera possible que dans un avenir indéterminé
(terme employé dans une lettre à Edmund Gosse, *op. cit.*, p. 130, 3 juill. 1916).
C'est la crise de 1918 qui rend la publication envisageable, non seulement parce
que Madeleine est désormais informée, mais parce qu'en brûlant toutes les lettres
de Gide, elle a elle-même rompu le contrat tacite qui les liait sur ce plan. Pour
comprendre les limites et les précautions de l'aveu gidien, il faut bien voir que
jamais Gide n'a pris *l'initiative* d'un aveu à Madeleine : il a laissé aux circonstances,
au hasard, la tâche de découvrir à Madeleine la vérité, quitte à l'assumer alors
franchement dans un débat douloureux qu'elle a dû elle-même ouvrir. C'était
déjà exactement l'attitude de Gide en 1894 en face de sa mère : un hasard malen-
contreux; qu'il n'a ni provoqué ni cherché à éviter, révèle à Madame Gide l'éman-
cipation de son fils, qui revendique alors sa liberté et plaide son bon droit. Mais en
1894, il finit par céder, alors que la crise de 1918 le conduira à la liberté.

2. C'est dans *les Cahiers de la Petite Dame* qu'on peut suivre le plus facilement
dans ses détails, ses nuances et ses complexités la conduite de Gide entre 1920 et
1926, jusqu'au 19 octobre 1926 où il annonce à la Petite Dame : « *Je vais sans doute
lâchei Si le grain ne meurt, ouvrir la cage* » (*CAG 4*, p. 290).

total, et la perspective synthétique. Ce renoncement n'était pas du tout un sacrifice ou une erreur, mais un choix délibéré [1]. Gide n'a pas été *malheureusement* empêché par des impératifs de discrétion d'écrire une autobiographie totale : il a choisi ces limites, et il en a savamment joué pour ne faire de son autobiographie qu'un texte particulier, où l'aveu passe, sans que l'histoire s'y fixe.

Les niveaux.

Il s'agira ici de la composition de la première partie. Rarement aura-t-on vu un échec de composition aussi concerté et aussi habile. *Tout se passe ici comme s'il y avait deux récits différents, artificieusement juxtaposés.* L'un, occupant les neuf dixièmes du texte, composé de souvenirs d'enfance merveilleusement racontés, et donnant, à travers les bonheurs et les loisirs de l'écriture, l'image d'une enfance sans problèmes, d'une enfance « normale ». L'autre, composé d'une série d'épisodes très délimités et dramatisés, retrace, en termes encore assez mystérieux, les origines d'un drame à venir, d'un « drame qui n'a pas encore fini de se jouer [2] ». Ces deux niveaux ne semblent pas communiquer : l'histoire profane et le drame sacré coexistent comme l'eau et l'huile sans se mélanger, dans des sections du texte non liées ou fondues, et même souvent contradictoires : aussi faut-il au lecteur beaucoup de bonne volonté à la lecture des quatre premiers chapitres pour concilier ces récits lumineux de jeux, de maisons de campagne, de vie familiale, d'éveil aux nourritures terrestres sous toutes leurs formes, avec la thèse posée au début du chapitre I, rappelée brutalement à la fin des chapitres I, II, et IV, de l'enfance obscure, rechignée, mijotée par le Diable. Dans la suite, de la même manière, toutes les rares séquences consacrées à Madeleine seront plaquées au milieu d'un récit qui n'a l'air d'avoir aucun rapport avec elles. Gide, qui attribue volontiers au genre autobiographique ces faiblesses de composition (cf. la note de la fin de la première partie), savait fort bien que ces difficultés narratives tenaient en réalité à ses conflits intimes et à ses contradictions [3] : loin de chercher à les surmonter, il

1. Charles Du Bos a analysé très pertinemment ces conséquences de la publication immédiate (*le Dialogue avec André Gide*, p. 266, n. 3) : mais son erreur est de vouloir juger Gide comme s'il était Rousseau, et de méconnaître ici l'originalité du projet gidien.
2. *Si*, II, p. 430.
3. Cf. *J*, I, p. 572 [13 oct. 1916] : « [...] *je n'y ai même pas abordé mon sujet, et l'on ne peut même encore entrevoir l'annonce, ni pressentir l'approche, de ce qui devait occuper tout le livre, de ce pourquoi je l'écris* » ; et p. 615 [janv. 1917] : « *Peut-être m'attardai-je à l'excès à ces bagatelles du vestibule. [...] il me semble que tout encore reste à dire et que je n'ai fait jusqu'à présent que préparer.* »

a utilisé ces faiblesses, incontestables, pour en tirer un effet d'art dans la structure globale de l'œuvre, en formant contraste avec la seconde partie.

L'existence de cette structure discontinue et hétérogène du récit dans la première partie est mise en lumière par le découpage effectué par Gide lui-même en 1920, pour la publication d'extraits dans la *Nouvelle Revue française* [1] : il donne alors des extraits des six premiers chapitres, en supprimant le drame sacré (tout ce qui concerne de près ou de loin la sexualité, Madeleine, et le Diable) : il reste de charmants souvenirs d'une enfance heureuse. Quelques coups de ciseaux ont suffi, le reste garde ampleur et consistance. Le drame sacré est concentré dans une série de textes assez courts qui forment tout au long du texte de la première partie l'équivalent de ce que Rousseau appelait une « chaîne d'affections secrètes » : mais à la différence de Rousseau, jamais Gide dans cette première partie n'explique clairement et globalement la structure et l'aboutissement de cette chaîne ; il procède au contraire par allusions extrêmement voilées, et enveloppées dans un langage imagé, lyrique ou dramatique : le drame de la seconde partie, avec sa lumière ambiguë, est ainsi placé entre deux zones d'ombre : le récit prémonitoire et allusif de l'enfance et de l'adolescence, et le silence sur la vie adulte postérieure aux fiançailles.

Allusif, le drame sacré est en même temps d'une cohérence flottante : la liaison à établir entre les épisodes les plus dramatiques reste incertaine dans sa *nature*. Les principaux anneaux de la chaîne sont le thème de l'enfance obscure (jusqu'au début du chapitre v), l'hypothèse du Diable (à partir de la fin du chapitre IV), la chaîne très ambiguë des *Schaudern* (qui articule l'angoisse panique, l'amour pour Madeleine, et l'extase dyonisiaque), et enfin les jeux dialectiques de l'ombre et de la lumière. Gide est fidèle à son propos : il veut *représenter*, non expliquer, résoudre ou réduire : par le recours à un mélange de différents langages mythologiques, il restitue la tonalité

---

1. Ces extraits ont été publiés en six fois de février 1920 à janvier 1921 dans la *NRF*. C'est cette image édulcorée et châtrée du récit que le public connaîtra de 1920 à 1926, jusqu'à la publication intégrale. Cette autocensure, il est vrai provisoire, c'était justement le traitement que Gide craignait que ses héritiers n'infligent à son récit... Curieusement, une fois la publication intégrale faite, il lui arrivera de revenir à l'idée d'une autocensure (cf. lettre à Edmund Gosse, *op. cit.*, p. 190, 16 janv. 1927 : « *J'ajoute que je n'ai tiré de ce livre qu'une édition vite épuisée, et qu'il n'est pas dans mes intentions de le laisser réimprimer — d'ici longtemps du moins — sinon en faisant tomber tout ce qui peut prêter à redire.* » Précautions oratoires destinées sans doute à se concilier son correspondant, car il ajoute : « *Mais je voulais ne pas mourir sans pouvoir sentir qu'*IL EST LÀ. »).

du drame, sa complexité, et en laisse l'explication ouverte. La fin de la première partie, où la tension se relâche, et qu'envahit la chronique de vie littéraire [1], accentue cette incertitude, que la note finale vient habilement souligner en en rejetant la responsabilité sur le genre autobiographique. Cette relative confusion fera ressortir la netteté de la seconde partie; et Gide aura, à la fois et malgré tout, *dit* son enfance, et *tu* sa vie comme totalité. Le lecteur aura été ainsi préparé à l'existence d'un drame, rassuré sur l'humanité et la normalité du héros, bercé par les charmes d'une enfance bourgeoise et d'une adolescence mystique et littéraire. Ce long andante lui fera apprécier le presto de la seconde partie. Mais il ne sera pas bien au fait pour savoir *qui* écrit. Cette dissimulation et ce long suspens sournois de la première partie servent à préparer la seconde partie, dans le cadre d'une stratégie de séduction, pour des destinataires bien précis. Dans une perspective posthume et synthétique, on pourrait supposer que Gide aurait dû dépasser ces effets de mise en scène, pour pousser une recherche et élaborer une interprétation, qui l'auraient sans doute obligé à des choix qui lui ont toujours déplu.

Le sens.

Cela vaut surtout pour la seconde partie. Rarement aura-t-on vu récit plus ambigu. *Tout se passe comme s'il y avait deux narrateurs différents, parlant tour à tour, et quelquefois tous les deux ensemble.* Il ne s'agit plus ici de l'histoire racontée, qui se déroule tambour battant avec une ligne d'action assez simple : mais du *sens* de cette histoire dont deux interprétations différentes sont données, sans qu'aucune des deux puisse être négligée au cours de la lecture, ou soit éliminée à la fin. Quoique nous ayons du mal à l'admettre, nous lecteurs, il semble bien que cette ambiguïté ne soit pas seulement une ruse à l'égard des destinataires, mais corresponde à une contradiction vécue par Gide au moment des événements eux-mêmes, et toujours active en lui au moment où il en fait la narration. L'homosexualité est-elle un penchant naturel et sain, et une authenticité retrouvée par-delà le mensonge puritain et le double interdit qui pèse sur la sexualité (répression de la sexualité en général; définition de l'hétérosexualité comme norme)? Tout un côté triomphant, conqué-

---

1. On sait que les deux derniers chapitres ont été écrits bien après les autres, dans l'hiver 1920-1921, pour faire soudure avec la seconde partie. Le dernier chapitre (x) avec le mythe de la « *selve obscure* » et son interminable galerie de portraits (où manque la figure principale : celle de Paul Valéry) donne l'impression de remplissage languissant, et de flou, quant au personnage, dont on ne sait pratiquement plus rien.

rant, solaire de cette seconde partie nous en convainc. Mais l'ombre du Diable, de ses ruses et de ses tentations, de ses multiples incarnations, flotte sur tout le récit, spécialement au début et à la fin. Il s'agit moins de la figure trop ouvertement diabolique de Wilde, que de l'idée d'une sorte d' « aveuglement de bonheur » — de division interne, d'illusion et d'inconscience dont *quelqu'un* profite, et qui ne peut mener qu'à des drames : ceux justement qu'annonce l'image finale du mariage du ciel et de l'enfer — c'est-à-dire le drame qui, depuis 1916, est entré dans sa phase aiguë et s'achemine vers son dénouement. La double narration reflète le déchirement d'un narrateur — de celui-là même qui racontant à la Petite Dame le drame de 1918 pouvait, à trois phrases de distance, dire : « J'ai été odieux » et « Je ne suis pas persuadé que j'aie tort [1] ». Il faudra donc la lecture de bien d'autres textes pour saisir le sens de l'indécision du narrateur, la fonction de l'ambiguïté, l'utilité pour Gide d'une fin brusquée et suspensive de son récit (technique qu'au demeurant il utilise souvent dans ses récits). Loin d'englober la vie de Gide, le récit autobiographique prend à son tour valeur de témoignage sur un moment de cette vie : c'est une étape dont la fonction a été de l'aider à objectiver et à dépasser un conflit essentiel. Ce n'est donc pas une synthèse à la manière de Rousseau, mais plutôt une « autobiographie de transition », qui en même temps qu'*acte* de dévoilement par rapport à la société, a un peu aussi cette vertu de « purge » et de « rétro-action » que Gide attribuait à ses fictions.

Aussi pour saisir le sens de ces limitations du récit, la fonction de l'ambiguïté, est-il nécessaire de situer *Si le grain ne meurt* dans « l'espace autobiographique » par une série de cadrages :

a) Pour le fonctionnement d'ensemble du système, il était nécessaire qu'il existât au moins un texte publié qui fût clairement fondé sur le pacte autobiographique et qui ouvrît la perspective dans laquelle tous les autres textes devaient être désormais lus. C'est le rôle d'une autobiographie, où un aveu sexuel courageux signait l'engagement de l'auteur. Mais en même temps qu'il ouvrait la perspective, il fallait que ce texte fût incapable de la remplir, de l'obstruer, laissât le lecteur perplexe et l'auteur libre [2]. En 1939, en publiant lui-même son *Journal* (tronqué), Gide obéira à une préoccupation analogue.

1. *CAG 4*, p. 10.
2. D'une certaine manière il s'agissait d'éviter l'inconvénient signalé par Valéry en 1917 : « *Je vois seulement que cette œuvre sera fatalement la clef de toute ton œuvre; l'on y cherchera, l'on y trouvera toujours l'explication de tout ce que tu as et que tu auras écrit. Tu ne dois pas perdre de vue ce point. En un certain sens tu fais là ce que tu as déjà fait et tout ce que tu pourras jamais faire. C'est un livre qui* AURA *écrit tes autres livres* » (*Corr. GV*, p. 454; lettre de Valéry du 27 juill. 1917)

b) Sur le plan technique, *Si le grain ne meurt* représente une étape sans doute nécessaire dans la recherche de la *polyphonie*. Depuis 1911, Gide rêve au « roman », structure complexe et lutte de points de vue, grâce auxquelles il pourra s'exprimer en entier, sans se réduire. Ce roman qu'il avait d'abord cru écrire avec *les Caves du Vatican*, il le réalisera entre 1919 et 1925 avec *les Faux-Monnayeurs*. Mais *Si le grain de meurt* et les *Morceaux choisis* s'inscrivent dans la même perspective d'expression synthétique et simultanée de l'ambiguïté : essayer de produire en un volume unique l'effet qui résultait de l'addition de textes séparés, divers et contradictoires. C'est la fonction de la multiplication des sujets dans la première partie, ou du dédoublement du point de vue dans la seconde. Gide a vécu cette tentative comme un échec relatif (confusion de la première partie) ou comme un succès trop limité (seconde partie), et il est sorti de cette expérience convaincu que le « je » autobiographique était mal adapté à l'expression de son « moi ». La préparation des *Faux-Monnayeurs* se fonde sur l'expérience de cette déception technique [1] en même temps qu'elle se nourrit abondamment des matériaux dégagés et des problèmes soulevés par l'autobiographie. La tentative autobiographique a sans doute joué un rôle non négligeable dans le passage du régime du « récit » à celui du « roman ».

c) Sur le plan éthique, *Si le grain ne meurt*, dans son jeu d'ambiguïté, est difficilement compréhensible sans une vision plus large de la crise traversée par le narrateur de 1916 à 1921, telle qu'elle est reflétée dans le *Journal*, dans *Numquid et tu...?*, dans *la Symphonie pastorale*, et telle qu'elle est remémorée dans *Et nunc manet in te*. Non seulement sur le plan biographique il faut restituer en marge de chaque chapitre l'histoire contemporaine du narrateur, mais sur le plan des textes, il est nécessaire de suivre, pendant une dizaine d'années, ce que j'appellerai le « travail du diable ». L'ambiguïté gidienne n'est pas un état d'oscillation statique, répétitif et stérile : à la faveur de cette oscillation, une avancée, un dépassement se produisent : ce travail fera passer Gide d'un univers chrétien à un univers humaniste. *Si le grain ne meurt* n'est qu'une étape de ce lent travail, où l'issue ne saurait encore se lire. Le thème du Diable y est incompréhensible si on ne le restitue entre les pages du *Journal* de 1916, *les Faux-Monnayeurs*, et *Voyage au Congo*. Loin de dominer la vie de Gide, ce récit autobiographique témoigne, de manière obscure, d'un « travail » qui est en train d'infléchir toute cette vie.

Ainsi restitué, *Si le grain ne meurt* retrouve place dans le jeu d'écri-

---

1. *JFM*, p. 32-34.

ture gidien : place importante, mais limitée, et qui ne peut se juger à l'aune des *Confessions* de Rousseau. La seule œuvre véritablement synthétique qu'ait composée Gide, ce sont bien sûr *les Faux-Monnayeurs*, non seulement à cause du « conflit des points de vue », mais aussi parce que Gide s'y projette à tous les « étages » de la construction, arrivant à confronter dans la simultanéité les problèmes des différents âges de sa vie (Boris, Bernard, Édouard). Et, bien plus encore, parce que c'est la seule œuvre qui, par le biais du *Journal des Faux-Monnayeurs*, articule dans un même ensemble l'autobiographie et la fiction, et mette au centre la figure problématique de l'écrivain, qui fait tellement défaut dans *Si le grain ne meurt*.

Encore *les Faux-Monnayeurs* ne peuvent-ils passer pour une « synthèse » gidienne totale : fruit d'un équilibre de la maturité, ce livre ironique ne saurait, sans le contrepoids des *Nourritures terrestres*, du *Numquid et tu...?*, par exemple, donner une image approchée de qui fut Gide. Aucune autre image totale, que l'ensemble des textes.

L'ESPACE AUTOBIOGRAPHIQUE ET SON LECTEUR

La définition et l'exploitation de cet « espace autobiographique » global est sans doute l'invention la plus originale de Gide sur le plan des *formes* littéraires. Elle est peut-être moins immédiatement repérable que, par exemple, le jeu des techniques et des points de vue à l'intérieur des *Faux-Monnayeurs*, parce qu'elle s'étend sur toute l'œuvre et qu'elle est l'effet produit par un jeu de *relations* et par une combinaison ambiguë des « contrats de lecture ». Mais elle est une « invention » du même ordre : exactement comme dans *les Faux-Monnayeurs*, Gide n'utilise que des éléments ou des techniques parfaitement classiques, et reste donc enfermé dans l'idéologie et la vision du monde et du texte traditionnelles que ces éléments ou ces techniques impliquent ; toute son habileté tient dans la combinaison, dans la virtuosité d'un jeu qui utilise simultanément ce qu'on utilisait séparément — et qui l'utilise en pleine conscience. On a pu dire des *Faux-Monnayeurs* qu'ils étaient une sorte de festival du roman traditionnel, bien plus qu'une ouverture sur le roman moderne (par opposition à l'œuvre de Proust, de Joyce, de Kafka, ou de Faulkner); de même on pourrait dire que l'œuvre de Gide tout entière, en tant que construction délibérée de l'espace autobiographique, est une sorte de festival de clôture des formes traditionnelles de la littérature personnelle, une construction exemplaire qui articule diaboliquement dans un jeu unique lyrisme, fiction, essai et autobiographie. C'est à ce niveau très global que se situe l'originalité de Gide, beaucoup plus que dans une œuvre particulière et limitée comme *Si le grain ne meurt*, dont l'écriture et la construction très classiques peuvent décevoir un lecteur d'aujourd'hui, qu'intéresseront plus les recherches d'un Leiris, ou tout ce qui, dans la littérature contemporaine, met en question le statut même de la notion de personne à travers les techniques du récit et le travail de l'écriture.

Cette *conscience* organisatrice de l'espace autobiographique fait à la fois la force évidente, mais aussi la faiblesse secrète de son œuvre.

« L'espace autobiographique » était une réalité dont, depuis la fin du XVIIIᵉ siècle, beaucoup d'écrivains avaient fait l'expérience. Se projeter, se confesser, se rêver, se purger, s'exprimer à travers des fictions, voilà ce que chacun avait pu faire, plus ou moins intentionnellement, depuis Rousseau. Quitte à écrire, *aussi*, journaux, confessions, essais où le moi se dévoile plus librement. Sur ce plan, l'œuvre de Gide se présente comme celle de Constant ou de Stendhal — à cette différence près que ces derniers n'envisageaient pas que leurs Journaux seraient publiés [1]. Mais c'est aussi au niveau des habitudes de lecture que l'espace autobiographique était devenu une réalité, avec un certain retard il est vrai : à partir de Sainte-Beuve, une partie de la critique a pu avoir tendance à faire de l'*auteur* un principe d'intelligibilité de l'œuvre. Mais pour les auteurs, il s'agissait d'une conduite de fait — non théorisée; chez les critiques, d'une interprétation aprèscoup. Ce que Gide a de particulier, c'est d'avoir explicité le système, d'en avoir vu toutes les possibilités, et d'avoir transformé des conduites non-réfléchies en une stratégie. D'un *effet* produit aléatoirement il a fait un but visé *a priori* de manière très volontaire : tout se passe comme si son œuvre était en réalité *lue* d'avance.

Pour faire, comme je l'ai essayé ici, la théorie de « l'espace autobiographique » gidien, le critique peut se contenter de réunir les innombrables textes où Gide exprime cette théorie (préfaces, lettres, journaux, etc.) : il ne s'agit pas forcément de textes de la maturité — l'auteur découvrant après coup l'unité de cet espace et son fonctionnement, comme Balzac découvrant, avec le procédé du personnage reparaissant, l'unité possible de son univers. Au contraire, ici, la découverte est *avant coup* — et tous les coups de la partie seront intentionnellement joués selon cette règle du jeu, ne feront que mani-

---

1. Sur le projet autobiographique de Stendhal, cf. la présentation que j'en ai faite dans « Stendhal et les problèmes de l'autobiographie », *Actes du Colloque sur l'autobiographie organisé par le Centre Stendhalien de l'Université de Langues et Lettres de Grenoble*, Presses Universitaires de Grenoble, à paraître.

fester un projet fondamental. Sans doute le tempérament et les problèmes de Gide s'accommodaient-ils particulièrement bien d'une telle stratégie : ce jeu de fuites permet de se libérer de soi, sans cesse, et de progresser : rien n'est plus loin d'un narcissisme stagnant. Mais la lucidité théorique et la décision *a priori* ont chance certes de fasciner, mais aussi d'embarrasser le lecteur : à trop réussir ce jeu et sa mise en scène, Gide n'a-t-il pas malgré tout laissé échapper une partie de ce qui constitue « l'espace autobiographique » : ce qui, d'un sujet, ne peut être appréhendé que par autrui, ce que j'appellerai « la part du lecteur », et qui est mince, dans l'œuvre de Gide — la seule place qui lui soit *réservée* étant celle des erreurs ou de l'incompréhension en face d'un jeu dont Gide possède la vérité. Il a laissé échappé aussi, sans doute, la possibilité pour la fiction d'exprimer, de lui, une chose non encore connue, et qui, à la limite, ne lui fût pas immédiatement et clairement attribuable. En face de l'ambiguïté trop dominée de l'espace autobiographique gidien, on rêve aux épaisseurs, aux obscurités, à la *résistance* de l'espace autobiographique de Kafka, par exemple, au dialogue qu'il entretenait avec et par ses propres fictions... Mais cette limpidité était nécessaire pour exprimer le jeu classique de l'espace autobiographique : Gide jouant à la fois le rôle de l'écrivain et du critique, épuisant d'un seul coup et simultanément les possibilités de la projection et de l'analyse, de la pratique et de la théorie, et dévoilant la loi du système en même temps qu'il l'utilisait à ses fins propres. D'où, pour le lecteur, une certaine perplexité. Comment échapper à l'impression que la construction de l'espace autobiographique décide *a priori* de toute lecture, qu'elle est une lecture déjà faite, et qu'on ne pourra que recommencer ? Y a-t-il réellement place pour un lecteur dans ce système ?

Mais sans doute faut-il d'abord distinguer deux générations de lecteurs : nous ne sommes plus aujourd'hui en face de ces textes dans la même situation que les contemporains de Gide. La publication des écrits intimes et des correspondances fait que nous connaissons maintenant l'ensemble du « jeu » d'écriture. Pour les contemporains, il n'en était pas ainsi : chaque livre apparaissait comme une surprise, par rapport au précédent, et aussi comme une énigme, dans la mesure où le sens « ironique » pouvait en échapper, et où, même perçu, il ne permettait pas de fixer l'auteur dans une position définie et définitive. Et l'on percevait que ces livres étaient « confidence », mais sans que la confidence pût être explicitée. Restait la solution la plus simple, de lire ces livres sans se soucier de l'auteur, en y puisant directement la morale qu'on voulait : ce comportement, tout à fait légitime, devenait pourtant difficile à tenir dès qu'on lisait *plusieurs* récits de Gide. L'auteur, point virtuel qu'on essayait de restituer par triangulation, devait fatalement détenir le secret, l'unité de l'œuvre, unité que l'on ne pouvait dès lors voir que sous l'angle autobiographique. Notre malaise, aujourd'hui, est inverse : la publication des journaux intimes, des correspondances, des témoignages, l'effort des biographes gidiens et des chercheurs universitaires ont pour résultat d'éclairer violemment la figure de Gide, son histoire, ses contradictions, et de reculer dans une sorte de pénombre ses œuvres, dont on finit par se demander comment elles ont pu être lues pour elles-mêmes, sérieusement, par des gens qui ignoraient ce que nous savons. *L'Immoraliste, la Porte étroite, la Symphonie pastorale, les Faux-Monnayeurs* peuvent apparaître aujourd'hui comme fantasmes et projections dans l'espace autobiographique gidien, plutôt que comme fictions à lire ou textes à analyser. Il semble que l'œuvre de Gide ait plus de mal que l'œuvre de Proust à résister à l'envahissement et à la réduction biographiques, à cause de l'ambiguïté de sa tentative, de la complicité ironique de ses fictions, du fait que sa structure ne se laisse nulle part saisir entière, et que son style s'efforce à une discrétion qui, à première lecture, ne semble pas donner prise à l'analyse. Malaise des lecteurs contemporains devant l'indécision de l'auteur; des lecteurs actuels, devant l'évanescence de l'œuvre : cette espèce de contradiction ou de perplexité au niveau de la lecture est justement l'effet de « l'espace autobiographique » gidien, qui exclut à la fois la seule lecture romanesque des textes et leur pure réduction biographique. Claude Martin a montré dans son étude de *la Symphonie pastorale* que la seule lecture possible de l'œuvre est une lecture ambiguë [1] : on peut douter que beaucoup de lecteurs en soient capables, douter aussi, éventuellement, du profit à tirer d'un exercice aussi subtil. Mais en rendant inéluctable cette lecture ambiguë, Gide a réussi à piéger le lecteur attentif dans son « champ autobiographique », comme l'on parle d'un champ électrique ou magnétique — avec ses pôles, ses vibrations, ses oscillations. Il recrée ainsi, *à l'intérieur même de son œuvre*, l'impression qu'il donnait dans la vie à ses familiers, d'être « plus riche que son œuvre [2] » et par ce jeu vertigineux, il se réalise, aux yeux du lecteur, comme conscience transcendante.

---

1. *La Symphonie pastorale*, édition établie et présentée par Claude Martin, Lettres Modernes, 1970, p. xcviii. L'analyse faite par Claude Martin des *Faux-Monnayeurs* dans *André Gide par lui-même* (éd. Seuil, 1963) aboutit à la même conclusion : ce roman « *ne découvre toute sa richesse qu'étroitement rattaché à la personne de son auteur* » (p. 149).
2. *Corr. GMG*, I, p. 153.

2. L'ÉCRITURE

Le récit de *Si le grain ne meurt* pose au lecteur d'autres problèmes que celui de son insertion dans un espace autobiographique qui le dépasse : le style en est trop concerté, trop travaillé; le travail s'y voit. C'est exactement le contraire de ce que Gide a su réaliser dans *la Symphonie pastorale*, ou dans *les Faux-Monnayeurs*, où le travail en arrive à effacer ses propres traces. Gide disait du style des *Faux-Monnayeurs* qu'il ne devait présenter « aucun intérêt de surface, aucune saillie ». Et il ajoutait : « Tout doit être dit de la manière la plus plate, celle qui fera dire à certains jongleurs : que trouvez-vous à admirer là-dedans ? [1] ». En lisant *Si le grain ne meurt*, on voit au contraire tout de suite ce qu'il faut admirer. Certes, la position du narrateur n'est pas la même que dans le roman : presque toujours insaisissable dans le roman, le narrateur doit ici se mettre au premier plan et donner en spectacle sa relation à ce qu'il raconte. Mais cela ne suffit pas à expliquer qu'il passe d'un excès à l'autre, de l'invisibilité à l'espèce d'opacité d'une écriture où le mot vient trop en avant. Un critique a bien noté ce défaut, et qualifie ainsi le style de la première partie : « tout m'y semble concerté, subtil, sec, élégant, fané », « à mon goût tout cela est trop écrit, d'un style trop précieux, trop conscient », « les expressions parfois heureuses ont l'air cherchées », « cela est trop conscient, trop surveillé, trop littéraire [2] ». Critique partial, sans doute : c'est Gide lui-même dans son *Journal* — et ces autocritiques font partie d'une comédie. Mais d'autres lecteurs, comme Valéry ou Martin du Gard, ont été sensibles à cette excessive concertation [3]. Au demeurant cet excès n'a rien de désagréable, il n'est pas constant — et est-il sûr que ce soit un défaut? Peut-on d'ailleurs saisir sa fonction si l'on ne voit pas par rapport à quelle *norme* il est excès? Pour en juger, il faut d'abord éliminer un faux problème, celui de la suspicion qui pèse sur toute écriture : le « trop écrire » gidien pourra alors apparaître simplement comme un aspect parmi d'autres de

---

1. *JFM*, p. 93.
2. *J*, I, p. 572 [oct. 1916]; p. 586 [déc. 1916]; p. 643-644 [janv. 1918]; II, p. 1149 [déc. 1918].
3. V. *Corr. GV*, p. 453-454, lettre de Valéry, juill. 1917, portant sur le style de la première partie (premiers chapitres); *Corr. GMG*, I, p. 158, lettre de Martin du Gard [7 oct. 1920] portant sur la première partie.

l'énonciation; et, comme conduite excessive, il sera révélateur de la position de Gide par rapport au langage, et surtout de sa conception du « bien écrire ». Cela nous aidera, peut-être, à « bien lire ».

ÉCRIRE

Une écriture trop soignée ou trop manifeste réveille chez le lecteur d'autobiographie une méfiance dont il saurait difficilement se défaire, même s'il comprend qu'elle est sans fondement. Quand l'art se voit trop, il paraît artifice; et l'artifice, dissimulation, ou comédie. Entre l'art et la « sincérité », le lecteur finit par croire qu'il y a antinomie. Quel lecteur ne s'est senti méfiant par moments, en face des mises en scène de Chateaubriand, ou agacé par les explosions lyriques de Violette Leduc, pour prendre deux exemples très différents? De là à croire au mensonge, il n'y a qu'un pas, qu'il est bon de ne pas franchir. Car il faudrait alors, pour être logique, lier la sincérité à l'emploi d'une écriture au degré zéro, à la platitude et au désordre. Ce qui reviendrait à croire que l'autobiographie a pour fonction de dévoiler un contenu préexistant à sa forme et que toute forme, tout effort de style, ne pourraient qu'altérer ou dissimuler. Cette hypothèse de l'objet caché, qui serait *dessous*, transforme le lecteur en limier, et en réalité, l'empêche de lire. C'est en pensant à ce travers si répandu que Valéry mettait Gide en garde contre les excès de virtuosité : parce que lui les croyait incompatibles non point avec la « sincérité », mais avec le pacte autobiographique :

> Faire des mots à son confesseur est grave : il y a de quoi lui faire oublier de vous absoudre. Il suppose à son pénitent un sang-froid incompatible avec la sincérité : idée purement idiote, mais idée qui vient réellement aux gens [1].

La vérité est exactement le contraire : le discours ne la masque pas, mais la produit à sa manière : c'est-à-dire autant comme effet de l'énonciation que comme « contenu » d'énoncé. Le style est peut-être masque, mais le masque est la personne, son authentique visage, *sous* lequel il n'y a rien. L'aphorisme de Valéry, selon lequel ce que l'homme a de plus profond, c'est sa peau, s'appliquerait facilement à l'écriture. Valéry, ennemi de toute confession au niveau du contenu,

1. *Corr. GV*, p. 454.

rêvait d'aboutir à une autobiographie uniquement par la forme, et c'est ce qu'il crut faire en écrivant *la Jeune Parque*[1].

On ne saurait s'exprimer que par l'invention d'une forme, disait également Gide :

> Seules les âmes très banales atteignent aisément à l'expression sincère de leur personnalité. Car une personnalité neuve ne s'exprime sincèrement que dans une forme neuve. La phrase qui nous est personnelle doit rester aussi particulièrement difficile à bander que l'arc d'Ulysse[2].

Cette invention d'une écriture fait l'intérêt des autobiographies les plus réussies du xxe siècle, celles de Leiris et de Sartre : c'est cette écriture qui d'ailleurs entraîne les réactions des lecteurs, réactions qui peuvent être violentes et auxquelles se mesure l'efficacité du portrait : par exemple, comment ne pas sentir à quel point le style de Leiris dans *l'Age d'homme* peut sonner faux (ne serait-ce que, immédiatement perceptible, l'emploi des adverbes, et de tout ce qui porte nuance) — admirable traduction de cette impression d'être toujours « en porte-à-faux » dont il passe son temps à se plaindre; ou comme le style de Sartre dans *les Mots* peut sonner trop juste, trop serré, trop plein?

Cela implique donc que l'autobiographie *dit* tout et ne cache rien : ou que s'il y a du « caché », il n'est pas *dessous* ce qui est dit (car alors comment pourrions-nous espérer l'atteindre, sinon par des enquêtes biographiques? et quel intérêt?), mais *dans* la manière de dire. Mais pour le saisir, il faut abandonner toute idée préconçue : le grand drame des lecteurs-limiers, c'est qu'ils supposent que l'auteur ne *cache* que ce qu'eux-mêmes croient déjà savoir, et que ce quelque chose, c'est toujours la même chose. La lecture de l'autobiographie suppose au contraire que l'on abandonne cette recherche réductrice d'un contenu caché pour s'attacher à saisir tout ce qui est patent dans l'énonciation : le style, la belle écriture, le sonnant faux, les fioritures, les effets de voix — tout cela devient alors l'essentiel. Pour le saisir, il faut être attentif, saisir l'orientation du discours (c'est-à-dire ses détours et sa destination), ainsi que son contexte.

---

1. Paul Valéry, *Cahiers* (Paris, éd. du CNRS, 1958), t. IV, p. 508 : « *Que la forme de ce chant est une auto-biographie.* »
2. *J*, I, p. 278.

Aussi le « trop écrire » gidien doit-il être envisagé seulement comme un aspect de l'énonciation. Ce n'est pas un défaut rédhibitoire qui disqualifie l'autobiographie, mais une particularité qui la qualifie. Il révèle simultanément l'existence d'un malaise et d'une résistance chez le narrateur, sur le plan psychologique et moral, *et* la recherche d'une protection ou d'une solution sur un plan esthétique : d'emblée nous nous retrouvons au centre du problème gidien, celui du rapport de l'éthique et de l'esthétique.

La plupart des commentaires de Gide sur les excès de style dans la première partie de *Si le grain ne meurt* manifestent un malaise dont les problèmes de style ne sont en réalité que le prétexte. Tout se passe comme si Gide détournait sur son propre style une agressivité dont l'adresse est ailleurs. Il voit très bien que s'il se jette dans le « style », c'est parce qu'il n'ose pas aborder de front son sujet (c'est-à-dire son drame), et qu'en réalité c'est sa difficulté à parler du drame qui est la source de sa virtuosité sur tous les autres sujets [1]. Le style des merveilleuses anecdotes d'enfance fait obstruction, comme les parlementaires anglo-saxons qui occupent la tribune en lisant interminablement la sainte Bible pour empêcher un débat. Sans doute est-ce pour cela que ce *Journal* de rédaction est si pauvre en réflexions sur la structure et les modalités du récit autobiographique : c'est que chez Gide le débat s'est trouvé reporté sur ce problème du style. Et le drame s'exprime structurellement par cette disjonction des deux niveaux du récit que j'évoquais, plus haut, et qui est en même temps qu'un défaut, un signe : nul doute que Gide n'ait d'ailleurs fort bien aperçu lui-même le parti à tirer de ce défaut, et que les lamentations du *Journal* ne fassent partie de cette stratégie. Au demeurant, ces lamentations sont peut-être exagérées, et sans doute ferions-nous bien de ne les accepter qu'après examen. Il est vrai que le « trop écrire » aboutit à une sorte d'opacité : le « trop écrit », c'est du « déjà écrit » qui finit par rejoindre, par excès d'art, la platitude du non-écrit. L'horizon de *Si le grain ne meurt*, ce serait donc la *rédaction* : c'est ce que Martin du Gard suggérait à Gide en le mettant en garde contre le risque de faire un *Livre de mon ami*, « qualité extra [2] ». Mais un tel diagnostic est un peu rapide. La plupart des morceaux de virtuose ont, derrière leur concertation apparente, une pertinence secrète qui ne

---

1. *J*, I, p. 551-552 [31 mars 1916]; p. 572 [13 oct. 1916]; p. 615 [janv. 1917].
2. *Corr. GMG*, I, p. 158.

se révèle qu'à une lecture plus attentive. Par exemple, comment voir dans la description du kaléidoscope une simple « rédaction », alors que derrière le jeu, c'est l'art qui apparaît, et peut-être les méthodes et les structures de l'œuvre de Gide?

Le trop écrire et la virtuosité ne sont ni omniprésents, ni véritablement gratuits : ils existent néanmoins et fonctionnent comme signes d'une résistance ou d'un problème. Mais il est révélateur que l'appréhension devant le drame d'enfance et la résistance à l'expression se traduisent chez Gide non pas par un manque direct (une aphasie, une gêne), mais plutôt par un surplus, une surabondance protectrice de langage, où le mot vient peut-être trop en avant, mais ne fait pas défaut. La réticence se manifeste par d'excessifs bonheurs d'expression. Gide a le malaise heureux : tout se passe comme si, au niveau du langage, rien de catastrophique ne pouvait jamais, *finalement*, lui arriver.

Cette sécurité jusque dans le malaise peut surprendre le lecteur d'autobiographie. Que ce soit dans les excès de perfection un peu superflus, ou « à côté », dont nous parlons ici, ou dans les extraordinaires jeux d'ambiguïté que nous évoquerons plus loin, dans le « léché » un peu plat ou dans les subtilités merveilleuses du clair-obscur, Gide respire, et inspire au lecteur, un indéniable bonheur du langage.

Peut-être le lecteur d'autobiographie est-il aujourd'hui trop friand de textes malheureux ou problématiques, où l'être apparaisse, et d'abord dans le langage lui-même, comme un *manque*. L'écriture gidienne, par sa plénitude et sa sécurité, risque sur ce point de le frustrer, de le déranger de ses habitudes. L'ambiguïté gidienne au niveau de l'énonciation est justement le signe d'une pléthore de sens; et l'effet de « fuite » ainsi obtenu n'a rien à voir, par exemple, avec le vertige qu'organise Leiris, son côté Sisyphe ou tonneau des Danaïdes : il s'agit au contraire d'une harmonieuse circulation du sens dans un organisme vivant. Rien ne se perd, tout s'ajoute, se combine. Ce refus de l'exclusion empêche que la plénitude ne se transforme en une « fermeture ». Sur ce plan, c'est peut-être plutôt dans la lignée de *Poésie et vérité* qu'il faudrait situer *Si le grain ne meurt*, que dans celle des *Confessions*.

Ce bonheur repose tout entier sur une foi en la puissance du langage qui peut aujourd'hui surprendre, une absence d'inquiétude ou de question sur les limites du langage qui contraste singulièrement avec l'attitude de Valéry, par exemple. L'existence des « Œuvres complètes » en volumes de papier blanc, imaginée dès la jeunesse en est la marque la plus étonnante : Gide était sûr que le papier serait écrit, qu'il était déjà virtuellement écrit. De même la déclaration de

Gide affirmant qu' « en art, il n'y a pas de problèmes [c'est-à-dire de problèmes éthiques] — dont l'œuvre d'art ne soit la suffisante solution [1] » — déclaration tout à fait cohérente avec le désir qu'avait Gide de « représenter », mais qui exclut que l'art, en tant qu'art, puisse lui-même faire problème. Sur ce point, Gide est peut-être l'exemple le plus extraordinaire de la bonne conscience dans le projet d'écrire. On imagine comment le fantasme des « Œuvres complètes en papier blanc » aurait pu être raconté par le Sartre des *Mots*. Ici la vocation s'est réalisée sans se remettre en cause.

Il faut bien admettre qu'il y ait des autobiographes *heureux*.

BIEN ÉCRIRE ET BIEN LIRE

Ce bonheur et cette conscience dans l'écriture impliquent naturellement une certaine manière de *lire*; de même que l'œuvre est déjà lue et interprétée globalement au niveau de l'espace autobiographique, de même la place et les gestes de la lecture sont-ils inscrits et guidés par une écriture sûre d'elle-même : au lecteur ne reste d'autre contribution originale que l'erreur. Il est vrai qu'elle est souvent facile, mais il n'est même pas sûr qu'elle soit originale, tant Gide a pris de précautions pour décourager et laisser s'égarer les lecteurs trop pressés.

Pour saisir cette pratique du « bien écrire », on peut partir d'une remarque de Gide commentant l'écriture d'une scène de ce qui sera *la Porte étroite* : « Mais j'admire à présent tout ce que je suis arrivé à n'y pas dire, à RÉSERVER [2]. » On connaît aussi son goût pour les « idées sautées », son admiration pour le style de Stendhal, son horreur des explications dans le récit. Ce travail de stylisation par suppression fait du récit un art de la litote : il implique dans le texte tout ce qu'on en a *ôté*. Gide sait fort bien ce qu'il n'a pas dit, ce qu'il saute, ce qu'il économise, pour le restituer au niveau de l'effet. Et, méditant le récit, le lecteur attentif ne peut y retrouver que ce qui en a été ôté : rien d'autre. Au mieux, la lecture refera à l'envers le travail de l'écriture. Cela vaut aussi bien pour l'autobiographie que pour le roman. Ainsi, dans le *Journal des Faux-Monnayeurs*, Gide déclare, à propos des récits multiples faits sous des angles divers :

---

1. Préface de *l'Immoraliste* (III, p. 367).
2. *J*, I, p. 170.

Je voudrais que, dans le récit qu'ils en feront, ces événements apparaissent légèrement déformés; une sorte d'intérêt vient, pour le lecteur, de ce seul fait qu'il ait à *rétablir*. L'histoire requiert sa collaboration pour se bien dessiner [1].

Cette collaboration est une illusion puisqu'il n'y a rien à rétablir, qui n'ait été d'abord établi. Gide le sait très bien qui plus loin, machiavéliquement, et cyniquement, explique à son lecteur le piège où, de toute façon, il le prendra :

Il sied, tout au contraire de Meredith ou de James, de laisser le lecteur prendre barre sur moi — de s'y prendre de manière à lui permettre de croire qu'il est plus intelligent que l'auteur, plus moral, plus perspicace et qu'il découvre dans les personnages maintes choses, et dans le cours du récit maintes vérités, malgré l'auteur et pour ainsi dire à son insu [2].

Nous voilà avertis — et du coup découragés au cas où nous aurions cru, ici ou là, saisir, malgré Gide, quelque chose. Une telle analyse nous ôte même la possibilité de nous croire intelligents si elle nous vient à l'esprit. La seule liberté qui nous reste est de dévaloriser ce que Gide ici valorise, comme l'a fait Julien Gracq dans sa brillante charge contre *les Faux-Monnayeurs* [3]. Ne pourrait-on dire aussi que Gide assigne à l'auteur la situation d'un fabricant de mots croisés qui voudrait créer chez son lecteur l'illusion que lui, le lecteur, *invente* la grille à partir des définitions, quand tout juste il la retrouve? Il est vrai que la « grille » gidienne est si complexe et subtile, et ses définitions si économiques que le lecteur aura bien du travail, même si ce n'est pas d'invention. En effet « l'écriture classique » telle que la pratique Gide peut être envisagée à la fois comme limite et comme ressource. Limite parce que l'œuvre se trouve ainsi déjà fixée dans un certain cercle de problèmes bien définis, et semble peu susceptible de s'ouvrir à d'autres significations, c'est-à-dire à d'autres modes de lecture que celui prévu à l'origine. Ressource, parce que ce cercle est malgré tout de grand rayon, et que le travail d'écriture est d'une telle complexité que peu de lecteurs arriveront à le « défaire ».

Aux difficultés propres à tous les récits gidiens, *Si le grain ne meurt* ajoute celles qui sont fatalement liées à la lecture des autobiographies. Le lecteur peut être victime de l'illusion biographique : son attention

---

1. *JFM*, p. 34; v. aussi *J*, I, p. 991 et 1050.
2. *JFM*, p. 80-81.
3. Julien Gracq, *Lettrines* (Paris, éd. José Corti, 1967), p. 81-83.

est détournée des difficultés par l'idée qu'il s'agit d'un document. Il est regrettable que Jean Delay, dans *la Jeunesse d'André Gide*, ait encouragé ce genre d'erreur : pour écrire certains de ses chapitres narratifs, il s'est contenté de paraphraser *Si le grain ne meurt*, qu'il transcrit à la troisième personne, avec quelques citations, accréditant ainsi l'idée que l'autobiographie est un document historique. Une fois cette erreur surmontée, une seconde tentation s'offrira : celle de l'interprétation. Gide semble être gibier de choix pour le psychologue ou le psychanalyste qui sommeille aujourd'hui dans beaucoup de lecteurs. L'œdipe, l'inceste, l'homosexualité... c'est en réalité l'illusion biographique qui réapparaît sous la forme de l'étude de « cas ». On risque ainsi de construire un système hypothétique et stérile, et de méconnaître la lettre même du texte. L'interprétation ne saurait venir qu'après une difficile et attentive lecture, qui n'a guère été tentée jusqu'à présent [1] : une fois cette lecture faite, peut-être paraîtra-t-il oiseux d'interpréter.

Cette lecture suppose d'abord, nous l'avons vu, la connaissance d'un *contexte* très large : l'ensemble des autres textes de Gide. Mais aussi la restitution, déjà archéologique, de leur *destinataire*. Le lecteur d'aujourd'hui ne coïncide plus avec le narrataire de l'autobiographie. Cela est vrai de toutes les autobiographies, mais plus gênant pour le cas d'un proche passé par opposition auquel nous nous définissons, et qui se trouve dans le « purgatoire » de l'histoire; plus gênant encore quand le texte entier est bâti sur des intentions, des ruses, des précautions qui n'ont de sens que vis-à-vis de destinataires très particuliers et multiples. Dans *Si le grain ne meurt*, le flottement du narrateur est lié à la multiplicité du narrataire. Gide ne pratique pas ici cette « unité de lecteur » qu'il analyse si finement dans son *Journal* [2], il joue au contraire sur une sorte de compromission du lecteur en s'adressant à la fois à des narrataires incompatibles. Il nous faut restituer en nous la présence de Madeleine, l'écoute de Claudel, pour ne pas perdre le sens d'une conduite qui, sinon, risque de nous paraître timorée, embarrassée ou simplement nébuleuse. Au-delà de tout ce qui nous empêche de coïncider avec le narrataire, et nous force à envisager de biais cette comédie, d'autres difficultés, permanentes, nous forcent à défricher le texte avec lenteur : il faut démêler une à une les intentions, peser le choix des mots, de leur ordre — de la ligne

1. Sinon par Henri Rambaud, dans son approche de l'écriture autobiographique de Gide (*op. cit.;* par exemple, p. 50-53 l'analyse d'un fragment de *Si le grain ne meurt*), et surtout dans son essai sur « André Gide et l'art du clair-obscur » (*Entretiens sur André Gide*, Paris — La Haye, Mouton, 1967, p. 271-289).
2. I, p. 351.

de la phrase; restituer les « idées sautées », et savoir lire de savantes ambiguïtés. En juin 1921, au moment où il achève la seconde partie de *Si le grain ne meurt*, Gide note dans son *Journal* ceci, qui doit nous guider dans notre lecture :

> Combien me plaît ceci que je lis dans Sainte-Beuve (*les Cahiers*) : « Les Latins, dans leur langue, ne haïssaient pas un certain vague, une certaine indétermination de sens, un peu d'obscurité... Prenez-le comme vous voulez, semblent-ils dire en plus d'un cas, entendez-le dans ce sens-ci, ou dans cet autre sens qui est voisin. — On a une certaine latitude de choix — *Le sens principal n'est pas absolument exclusif d'un autre.* » (C'est moi qui souligne.) Joie de me sentir très latin sur ce point [1].

Cette stratégie de l'ambiguïté rend la lecture difficile : d'autant que l'ambiguïté est souvent dissimulée, les transitions insensibles; le piège est celui d'une apparente limpidité. Il faut avoir le courage de remonter à contre-courant, quitte à refaire ensuite, avec un abandon cette fois averti, le chemin qu'on avait rebroussé. Dans certains passages construits sur des jeux de sophisme, il faut lire avec lenteur, sans lâcher de l'œil un seul instant le moindre des mouvements du narrateur — sous peine de se trouver devant le tour de prestidigitation fait, sans avoir compris comment. Henri Rambaud a bien défini cet « art du clair-obscur » : mais ici encore Gide a précédé toute critique. Non seulement son œuvre semble être lue d'avance, mais cette lecture même y est clairement caractérisée : lecture et écriture semblent coïncider, et le « bien écrire » épuise à l'avance le « bien lire » :

> Le bien écrire que j'admire, c'est celui qui, sans se faire trop remarquer, arrête et retient le lecteur et contraint sa pensée à n'avancer qu'avec lenteur. Je veux que son attention enfonce à chaque pas dans un sol riche et profondément ameubli [2].

Ce qui implique que si l'on *écrit* sa lecture, on ne puisse alors le faire que « mal » : de virtuelle, la lenteur va devenir réelle : à notre lecteur à nous, en sens inverse, dès qu'il aura saisi, de nous lire vite — et de retourner à Gide [3].

1. *J*, I, p. 696.
2. *Ibid.*, p. 760.
3. J'ai tenté cette lecture des ambiguïtés dans *Exercices d'ambiguïté. Lectures de « Si le grain ne meurt »*, Paris, Lettres Modernes, éd. Minard, 1974 (coll. « Langues et styles »).

L'ordre du récit
dans *les Mots* de Sartre

1. L'ORDRE DU RÉCIT
DANS L'AUTOBIOGRAPHIE

Quel ordre suivre, pour raconter sa vie?

Cette question est presque toujours éludée, résolue d'avance, comme si elle ne se posait pas. Sur dix autobiographies, neuf commenceront fatalement au récit de naissance, et suivront ensuite ce qu'on appelle « l'ordre chronologique ». Fatalement aussi l'autobiographe éprouve, au moins pour le récit d'enfance, une certaine difficulté à respecter cet ordre : ses souvenirs sont mal datés, il craint de confondre les époques; sa mémoire lui joue des tours — l'oubli, le souvenir qui revient après coup, le document retrouvé ultérieurement et qui dément le souvenir, etc. Scrupuleusement, le narrateur informe le lecteur de ces difficultés : il en tire le double avantage de paraître sincère et soucieux d'exactitude, et de mettre en valeur la richesse et le flou poétique de sa vie profonde. Les plus chevronnés littérateurs tombent dans ces coquetteries naïves. C'est d'ailleurs ce qui donne du charme à ces clichés stéréotypés. Écrire son autobiographie, c'est un peu comme être amoureux pour la première fois : on s'extasie à découvrir qu'amour rime avec toujours, mémoire avec passoire. Mais une fois cette scène jouée, les écarts ou inexactitudes ainsi excusés, l'autobiographe ne remet pas en question sérieusement l'ordre de son récit. Ou bien il vagabonde au gré de sa mémoire, sans arriver à trouver l'ordre qui la structure : trop souvent cette « fidélité » à la mémoire, que n'accompagne aucune recherche sérieuse, est une solution de facilité qui peut d'ailleurs compromettre la relation avec le lecteur, et tourner au bavardage. Ou bien il se remet à suivre, du mieux qu'il peut, son petit bonhomme de calendrier, persuadé que cet ordre est l'ordre des choses.

Pourtant le démenti qu'apporte l'ordre de la mémoire devrait amener à mettre en question le statut « naturel » implicitement accordé à l'ordre chronologique. L'idée même d'un « récit naturel » est absurde : il y a tout au plus récit conventionnel ou vraisemblable; et l'on sait bien que, dans toute œuvre, c'est la forme qui détermine le contenu. Si vraiment les autobiographes désiraient, comme ils le prétendent souvent, transmettre ce qu'ils ont de singulier (que ce soit en tant qu'individu ou en tant que type représentatif d'un groupe ou d'un moment de l'histoire), ne devraient-ils pas s'interroger d'abord sur la structure à donner au texte? L'expérience montre que l'expression de la singularité est envisagée généralement comme un problème de *contenu* (caractère exceptionnel de l'information apportée), ou comme un problème de *style* (travail de l'expression, du jeu des tons, et de l'attitude du narrateur en face du héros et du lecteur), mais très rarement comme un problème de *structure* du texte.

Il y a à cela plusieurs raisons évidentes : la vraisemblance, l'usage, la facilité. Toute recherche originale dans la structure du récit éveille la méfiance du lecteur, qui y perçoit un artifice, alors que l'emploi du récit traditionnel lui donne l'impression du vécu. Les recherches du roman moderne sont lettre morte pour l'autobiographie : la vie continue à ressembler à Balzac. Sans doute est-ce parce qu'à un certain niveau (ce niveau auquel se situe la communication la plus facile avec autrui), nous vivons notre vie comme un feuilleton historique : c'est la chronologie qui règle tous nos rapports avec autrui, de la vie sentimentale aux accomplissements sociaux, et qui finit par prétendre régler tous nos rapports avec nous-mêmes. Nous ne sommes constitués comme sujets que par ce rapport à autrui, et il est naturel que la chronologie, base de notre histoire, tienne une place capitale dans le récit de vie [1].

Dans cette manière que nous avons d'envisager et de raconter notre vie, le modèle romanesque joue un grand rôle, mais surtout sous la forme dégradée qu'est le genre très ambigu de la *biographie*, c'est-à-dire le récit de la vie de quelqu'un qui a existé, fait par un narrateur qui se pose en historien. On soupçonne le biographe d'erreur, de partialité, de déformation : mais jamais on ne soupçonne la forme même de son récit, et son ordre, d'être déjà, par leur simple existence, une interprétation. A preuve qu'il n'existe, du moins en France, aucune étude sérieuse de ce genre littéraire en tant que tel, ni de la

---

1. Cf. Maurice Halbwachs, *Les Cadres sociaux de la mémoire* (1925), Presses Universitaires de France, 1952.

vision du monde qu'impliquent les structures narratives qu'il utilise traditionnellement [1].

Mais, dira-t-on, quel autre ordre du récit pourrait-on employer? Peut-on raconter une vie autrement que dans son déroulement?

— Comment se fait-il alors, pourrait-on répondre, que certains autobiographes se plaignent des limites que semble leur imposer la technique traditionnelle de l'ordre chronologique [2]? Et n'est-il pas parfaitement possible qu'un texte, tout en se référant en dernier ressort à l'ordre chronologique de la biographie classique, soit construit lui-même dans un autre ordre? Depuis *le Bruit et la Fureur* jusqu'à *la Modification* ou *Histoire*, il n'en manque pas d'exemples. Pourquoi de telles recherches n'intéressent-elles guère les autobiographes?

Les jeux chronologiques que se permettent les autobiographes ont toujours pour terrain le rapport du *présent* de l'écriture, et du *passé* raconté par l'écriture [3]. C'est sur ce plan-là que se situent tous les jeux de structure. Si le temps de l'écriture n'a duré que quelques mois, comme ce fut le cas de Stendhal avec la *Vie de Henry Brulard*, on obtient une sorte de journal de l'écriture du récit; s'il a duré plusieurs dizaines d'années, comme dans le cas de Chateaubriand, on obtient une composition beaucoup plus complexe : entrés eux-mêmes dans l'histoire racontée, les différents temps de l'écriture permettent

1. Les conférences de Maurois publiées sous le titre *Aspects de la biographie* (éd. Grasset, 1930), sont le témoignage d'un biographe sur ses propres conceptions, plutôt qu'une véritable étude du genre. Même dans le domaine anglais, la littérature critique sur le genre est mince, contrairement à ce qu'on pourrait croire étant donné la vogue de la biographie en Angleterre. Voir le panorama des études sur le genre proposé récemment par Paul Murray Kendall, *The Art of Biography*, Londres, 1965, p. XIV. Sartre est sans doute le premier à avoir fondé la technique de la biographie sur la conception d'une méthode originale (voir *Questions de méthode*). Cela rend d'autant plus surprenante la naïveté méthodologique de Francis Jeanson dans sa biographie de Sartre (*Sartre dans sa vie*, éd. du Seuil, 1974).

2. Cf. Simone de Beauvoir, *La Force des choses*, coll. « Livre de Poche », 1963, t. I, p. 382-384.

3. G. Genette dans « Discours du récit » (*Figures III*, éd. du Seuil, 1972), analysant le cas de la « narration ultérieure » (p. 232-234) — ce qui est le cas de toutes les autobiographies —, indique que si quelquefois la date de la narration apparaît, jamais la narration n'a de durée. Ceci est vrai de presque tous les récits de fiction, mais non pour la plupart des autobiographies. Très souvent la durée de la narration est indiquée justement par *deux* dates placées à la fin du récit (cf. la fin de *Un petit bourgeois*, de Nourissier; de *l'Age d'homme*, de Leiris, etc.); assez souvent cette durée est dramatiquement représentée dans la narration elle-même. Pour *les Mots*, écrits de 1954 à 1963, cette durée se manifeste involontairement dans le texte par des incohérences de chronologie, sur lesquelles Sartre s'est expliqué dans son interview au *Monde* du 18 avril 1964.

d'organiser un récit où l'ordre du temps est de nombreuses fois remonté et redescendu au fil de l'ordre du texte. Il y a là l'invention d'une forme originale du récit, exprimant une certaine vision du monde[1].

Mais les recherches portant, à l'exclusion du temps de l'écriture, sur l'ordre d'exposition des différents moments du passé sont excessivement rares. Je n'appelle pas recherche, en effet, les procédés employés traditionnellement dans le récit chronologique, comme l'anticipation dramatique, le flash-back explicatif, ou les séquences récapitulatives[2] : ces entorses à l'ordre chronologique, au demeurant, montrent bien que cet ordre n'a rien de naturel, puisqu'on est sans cesse obligé de le violer pour rendre compte du *sens* d'une vie. Jusque dans l'ordre chronologique, c'est finalement le *sens* qui organise le récit.

Même si l'autobiographe sent que l'ordre linéaire historique est insuffisant, il arrive qu'il se rabatte sur des solutions qui ne valent guère mieux, comme l'essai par rubrique, ou la démultiplication du récit en séries linéaires juxtaposées : c'est ainsi que procède Simone de Beauvoir dans *Tout compte fait*[3]. Solution de facilité, qui montre que l'autobiographe est peu conscient des problèmes du genre qu'il pratique. Quand on voit un autobiographe se plaindre des limites et des insuffisances du genre, qui ne lui permettent pas d'exprimer la complexité de son histoire ou la profondeur de ses sentiments, il faut lire ces passages comme un aveu de son conformisme. Qui l'oblige à utiliser le moule tout fait du récit linéaire? Que n'invente-t-il, justement, la forme qui convient à son expérience?

Le plus souvent les tentatives de ce genre ne dépassent pas le stade de l'intention ou de la velléité — par exemple de l'entorse locale à l'ordre chronologique, comme Claude Roy a essayé de le faire dans *Moi Je*. La seule tentative globale que je connaisse est celle de Mikhaïl Zochtchenko qui, dans *Avant le lever du soleil*[4], a essayé de raconter

1. Voir sur ce point André Vial, *Chateaubriand et le Temps perdu*, 1971, coll. « 10 × 18 ».
2. Pour l'analyse des différentes « ruptures » de l'ordre chronologique, voir G. Genette, « Discours du récit », *op. cit.*, p. 77-121.
3. Simone de Beauvoir, *Tout compte fait*, éd. Gallimard, 1972; le *Prologue*, p. 9-10, reprend l'analyse des inconvénients de l'ordre chronologique déjà esquissée dans *la Force des choses* (voir ci-dessus, p. 199, n. 2); à dire vrai *Tout compte fait* paraîtra aux lecteurs moins bien composé que les volumes précédents; choisissant l'ordre thématique, qui n'est en réalité pas un ordre, mais une addition, Simone de Beauvoir n'évite pas pour cela l'ordre chronologique.
4. Mikhaïl Zochtchenko, *Avant le lever du soleil*, éd. Gallimard, 1971. Cette technique de l'inversion totale de l'ordre chronologique est évoquée aussi par Claude Roy dans *Nous*, *Essai d'autobiographie*, éd. Gallimard, 1972, p. 338. Claude Roy n'y voit qu'une hypothèse farfelue, qui au demeurant ne changerait finalement rien à l'ordre de la vie tel que le récit le reflète.

sa jeunesse à rebours, en remontant progressivement de la jeunesse à l'adolescence, de celle-ci à l'enfance, à la petite enfance, jusqu'à l'impossible souvenir de la naissance. Il n'a pu naturellement suivre cet ordre qu'en abandonnant le récit lié, et en composant son livre, un peu comme Jules Vallès dans *l'Enfant*, par juxtaposition de brefs tableaux. Cette quête à rebours, à la fois humoristique et pathétique, laisse pourtant le lecteur insatisfait : le procédé est exploité de manière trop voyante, et appuyé sur une théorie psychologique pavlovienne assez primaire, et finalement peu féconde. Elle est néanmoins fascinante, malgré l'échec relatif de Zochtchenko, parce qu'elle indique de manière symbolique deux des données fondamentales du récit autobiographique : *a)* que l'ordre le plus général dans lequel le récit peut se dérouler est celui de l'*enquête*, et qu'il est pratiquement le seul vraiment « naturel » (c'est-à-dire indissolublement lié à la situation même dans laquelle le récit autobiographique est produit) : mais cet ordre est en général masqué par le fait que presque tous les narrateurs choisissent de mener leur enquête en suivant l'ordre chronologique de l'histoire; *b)* que l'objet dernier de toute quête autobiographique est l'impossible recherche de la naissance, évidence que l'emploi systématique de l'ordre de la biographie masque également. Combien d'auteurs, aveuglés par la tradition, commencent par donner comme un fait ce qui est un problème, la naissance : « Je suis né le... »

Si intéressante qu'elle soit, la tentative de Zochtchenko reste de l'ordre du procédé, elle apparaît comme une technique improvisée, mécaniquement appliquée; elle ne semble pas exprimer une vision du monde élaborée, ni résulter d'un travail d'écriture dominé. Inverser un ordre, c'est encore le suivre. Reste l'*intention*.

En effet, une forme de récit ne s'improvise pas. Au moment où l'on prend la plume pour écrire sa vie, tout est déjà joué; si on s'interroge alors pour la première fois sur la forme à donner à son récit, on retombera, après des réflexions naïves, dans des procédés traditionnels qu'on croira originaux. Les très rares autobiographes qui ont réussi à inventer un nouvel ordre de récit sont ceux qui ont abordé l'autobiographie après avoir passé une partie de leur vie, et de leur travail d'écrivain, à des recherches ou des essais qui leur avaient fait mettre en question tout ce qu'*impliquent* les procédés de la biographie traditionnelle, et élaboré une nouvelle vision de l'homme et une nouvelle pratique de l'écriture. Parce qu'ils ne s'appuient pas sur de telles recherches antérieures, presque tous les autobiographes sont amenés à retomber, après quelques scrupules, quelques plaintes ou quelques essais, dans l'ornière de la chronologie, qui correspond en réalité à leur vision du monde.

201

Seuls, parmi les modernes, Michel Leiris[1] et Jean-Paul Sartre se sont trouvés en situation d'inventer de nouvelles structures de récit, parce qu'ils étaient sans doute les seuls, non seulement à saisir que le récit biographique n'allait pas de soi, mais à avoir réfléchi suffisamment qu'un renouvellement du récit autobiographique impliquait un renouvellement général de l'anthropologie, et des modèles de description et d'explication de l'homme.

Pour Sartre, en effet, l'autobiographie n'a de sens que par rapport à une nouvelle anthropologie. Il ne s'agit pas simplement d'appliquer à sa propre vie une théorie générale, mais de modifier cette théorie par cette application même. Dans son *Plaidoyer pour les intellectuels*[2], Sartre montre clairement l'aspect dialectique de sa recherche. Il n'est pas un savant qui étudie un objet. Lui-même et les méthodes qu'il emploie sont le produit de la société qu'il étudie : sa recherche doit donc effectuer une sorte d'aller-retour permanent. Pour dissiper les effets de l'idéologie dominante, il faut « un passage de l'enquête par la singularité de l'enquêteur ». L'autobiographie est donc un moment d'une enquête dialectique, moment de vertige et de métamorphose. Par ce retour critique sur soi, c'est un nouveau départ de la recherche qui est rendu possible.

En 1964, cette fonction révolutionnaire des *Mots* n'est pas apparue nettement au grand public. On s'est amusé à lire ce récit brillant, on s'est plu à croire que Sartre faisait amende honorable, et revenait au bercail de la tradition en livrant d'amusants souvenirs d'enfance, avec des portraits incisifs et un débordement de jeux de langage qui faisait plus penser aux pirouettes et facettes d'un style bourgeois qu'au travail serré de la dialectique. Mon propos, ici, n'est pas d'explorer tous les aspects de ce malentendu[3]. Je désire seulement montrer, par une analyse précise de l'ordre du texte, l'un des procédés par lesquels Sartre a rendu ce malentendu possible, c'est-à-dire a fait prendre pour un livre classique de souvenirs d'enfance une vision originale de l'homme, qui s'exprime à travers un renouvellement important de la technique de la biographie.

1. Voir ci-dessous « Michel Leiris », p. 245-307.
2. *Situations VIII*, éd. Gallimard, 1972, p. 401-404, où l'autobiographie est présentée à la fois comme un moment nécessaire à une recherche dialectique, et comme une hygiène nécessaire pour déraciner les attitudes acquises lors de l'enfance.
3. Sur les différents aspects du projet de Sartre dans *les Mots*, et sur les problèmes de la parodie, voir l'étude de Jacques Lecarme, « *Les Mots* de Sartre : un cas limite de l'autobiographie? », *Revue d'histoire littéraire de la France*, 1975, n° 6.

Les deux parties qui suivent ont donc un objet et une démarche différents : dans *L'ordre des Mots*, j'essaierai d'établir, minutieusement, l'ordre du récit : il faut, pour en suivre l'exposé, avoir déjà présent à l'esprit le texte des *Mots*, ou le parcourir au fur et à mesure de la démonstration. Un lecteur pressé pourra lire d'un seul coup d'œil le résultat de cette démonstration dans le tableau de la page 211. Dans *Dialectique et Temporalité*, au contraire, je tracerai à grands traits, et de manière plus synthétique, les conclusions que je tire de cette analyse du texte.

2. L'ORDRE DES « MOTS »

Les Mots sont une autobiographie à la structure apparemment traditionnelle [1]. Sartre commence comme tout le monde par son arbre généalogique (côté maternel, côté paternel), sa naissance, la mort de son père, etc., puis nous entraîne dans un récit d'enfance qui le mène jusqu'à sa douzième année; après quoi, jugeant que les traits principaux de sa « névrose » sont constitués, il brosse un bref bilan de la manière dont il se situe aujourd'hui par rapport à cette enfance, et promet, pour plus tard peut-être, le récit de la crise qui lui a permis d'en sortir. De très nombreuses indications chronologiques permettent, au long du récit, de situer tous les éléments racontés. Le livre est divisé en deux sections *Lire* et *Écrire*, qui, certes, donnent une indication générale des thèmes traités, mais renvoient en fin de compte à l'ordre chronologique, puisque lire précède toujours écrire. Parfois le lecteur remarque quelques perturbations dans l'ordre chronologique, mais cela arrive fort souvent dans les souvenirs d'enfance, et se justifie par la nécessité de regrouper des choses analogues, de donner des explications. Au bout du compte, le lecteur reste persuadé qu'on lui a raconté une *histoire*.

A examiner de plus près l'ordre du texte, il verra vite que les signes disposés par Sartre lui-même pour indiquer la structure du texte, à savoir : le titre, la division en deux parties elles-mêmes sous-titrées, et la répartition du texte en séquences plus ou moins longues séparées par des blancs — tous ces signes ne correspondent pas tout à fait à l'ordre réel du texte. J'essaierai de montrer que le titre *les Mots*

1. Toutes les références des *Mots* renvoient à l'édition parue dans la collection Folio, éd. Gallimard, 1972.

ne recouvre pas toute la matière traitée, que la coupure des deux parties est en réalité secondaire et que leur titre égare plutôt le lecteur, enfin que la séparation des séquences est très souvent pertinente, mais pas toujours, et qu'il arrive qu'elle *masque* les articulations réelles.

A la recherche de l'ordre réel, on découvrira :

1. Que l'ordre du texte n'est pas à chercher du côté de la chronologie. Tout se passe comme si tous les événements et toutes les conduites évoqués dans le livre étaient quasi contemporains. L'ordre chronologique n'est utilisé qu'à des niveaux secondaires du texte.

2. Que là où l'on a cru lire une histoire, on a suivi une analyse dans laquelle les liens logiques sont maquillés par un vocabulaire chronologique. L'ordre du livre est celui d'une dialectique déguisée en suite narrative.

CHRONOLOGIE

La coupure de 1916.

Une première question fondamentale se pose quand on analyse *les Mots* : il ne s'agit pas de l'ordre des éléments racontés, mais de leur rapport avec les événements omis. Le récit, si récit il y a, nous mène de l'âge de quatre ans (premiers souvenirs) à l'âge de onze ans et quart (automne 1916). Pourquoi s'arrête-t-il là? Aucune raison n'en est donnée sur le plan de l'histoire. Toutes les raisons avancées concernent l'analyse : sa névrose est *alors* devenue son caractère, tel il était *alors*, tel il est resté depuis, etc. Le lecteur peut naturellement s'interroger sur cet arrêt brusque du récit *avant* l'époque de la puberté, dont les crises et les métamorphoses fournissent en général de riches développements aux autobiographes, et dont on sait, sur le plan psychologique, comment elle réactive tous les problèmes posés et non résolus au cours de la petite enfance. Sur le plan de la psychanalyse, n'est-ce pas réduire l'histoire du sujet à ce que Freud appelle la « période de latence » : le problème de l'Œdipe réglé avant tout conflit par la mort du père, et la crise d'adolescence passée sous silence? Ceci rappelle la très grande discrétion avec laquelle Sartre parle de sa vie sexuelle. Le lecteur sait d'autre part que, sur le plan de l'histoire, un événement capital pourrait justifier la coupure du récit : le remariage de la mère, en 1916, et le départ pour La Rochelle. Tout se passe comme si c'était cet événement qui, arrachant l'enfant au décor parisien et donnant à la vie familiale une nouvelle organisation, expliquait l'arrêt brutal du récit à l'âge de onze ans. Mais il n'en est pratiquement pas question dans *les Mots*. Nous verrons qu'en réalité les choses sont plus complexes : mais c'est seulement à travers le déchiffrement de l'ordre *dialectique* et de ses failles que la signification de cette coupure chronologique pourra s'expliquer.

Pour l'instant, nous pouvons aussi remarquer qu'il y a en réalité deux coupures chronologiques à la fin des *Mots :* l'automne 1916, et la rédaction de *la Nausée* et de *l'Être et le Néant,* autour de 1940. A travers l'histoire de l'enfant jusqu'à onze ans, c'est l'histoire de l'auteur de *la Nausée* qui est l'objet réel du récit. On le voit bien sur le plan affectif : Sartre ne s'en veut pas d'être *devenu* cet enfant mythomane et névrosé entre quatre ans et onze ans, mais de l'être *resté* de onze ans à trente-cinq ans : « Sales fadaises : je les gobai sans trop les comprendre, j'y croyais encore à vingt ans » (p. 151). La fin brutale des *Mots*, rapprochant 1916 de 1940, révèle la super-position des deux périodes : à travers l'enfance, c'est la jeunesse qui est mise en procès. Resterait à comprendre pourquoi il est resté si longtemps fixé à l'âge de onze ans : point qui demeure, pour l'instant, dans l'ombre. Mais pour l'essentiel, on saisit que ce qui est pré-senté comme l'histoire de l'enfant, étalé en une suite apparemment logique, est en réalité la projection rétrospective de l'analyse que l'adulte fit plus tard de sa névrose. La véritable coupure, dans la vie de Sartre, est celle de 1940, c'est-à-dire le début de la prise de cons-cience politique.

Sartre a dit qu'il n'écrirait pas la suite des *Mots* [1]. On devine pour-quoi : c'est que la « suite » est impliquée, déjà racontée, dans chaque ligne de ce récit : ce serait pure redite. Si *les Mots* racontaient une histoire, la coupure à l'âge de onze ans paraîtrait injustifiable, et le lecteur attendrait la suite. Imagine-t-on les *Mémoires d'une jeune fille rangée* s'arrêtant à la fin du chapitre I, au seuil de la puberté? Or, bizarrement, le lecteur des *Mots*, accepte cette rupture, sans attendre la suite comme s'il s'agissait d'un récit vraiment chrono-logique, d'une biographie ordinaire : il sent bien que si l'histoire reste en suspens, l'analyse, elle, est terminée.

1. J.-P. Sartre, interview accordée au *New Left*, reproduite dans *le Nouvel Observateur* du 26 janvier 1970, et dans *Situations IX*, éd. Gallimard, 1972 (voir p. 133-134). Dans une interview plus récente (*le Nouvel Observateur*, 23 juin 1975), Sartre reparle du problème de la « suite » des *Mots*. On y apprend qu'en 1971, il envisageait d'écrire son « testament politique » plutôt sous la forme d'une nouvelle, mais dont le système de fiction aurait été transparent. Depuis, l'affaiblissement de sa vue ne lui permettant plus d'écrire, il a entrepris avec Simone de Beauvoir un livre de dialogues, « qui est la suite des *Mots,* mais qui sera arrangé cette fois par thèmes, et qui ne sera pas fait avec le style des *Mots,* puisque je ne puis plus avoir de style ».

S'il a vraiment envie de savoir ce qui s'est passé dans ce décalage entre 1916 et 1940, il sait qu'il peut lire l'*Avant-propos* composé en 1960 pour *Aden Arabie* [1], qui contient justement une sorte de répétition de l'analyse des *Mots*, appliquée à la jeunesse et à la vie de Sartre jusqu'à *la Nausée* : la distance entre l'adulte revenu de sa folie et le héros y est figurée par l'opposition d'un Nizan que Sartre comprend rétrospectivement et qui anticipait sur sa propre prise de conscience, et d'un Sartre encore en proie aux mythes de son enfance.

La véritable suite des *Mots*, ce serait, sur le plan de l'analyse, le récit de ce qui a rendu possible l'écriture des *Mots*, c'est-à-dire de la *conversion*. *Les Mots*, en effet, s'apparentent aux autobiographies religieuses de conversion. Conversion à rebours, ici, cela va sans dire. Mais peu importe. Le nouveau converti examine ses erreurs passées à la lumière des vérités qu'il a conquises. Cet aspect de récit de conversion se voit jusque dans les jeux ambigus sur le destinataire de l'autobiographie. Qui est le narrataire des *Mots*? Bien sûr, le grand public bourgeois auquel Sartre s'adresse avec une sorte de complicité agressive : le livre est un règlement de comptes. Mais en même temps c'est un plaidoyer invoquant les « circonstances atténuantes » destiné à ceux qui avaient *compris* avant lui, et dont il a rejoint les rangs : *les Mots* apparaissent alors comme une sorte de dialogue posthume avec Nizan.

Manque donc un second récit, celui de la conversion elle-même qui s'est effectuée en deux étapes : l'entrée dans l'histoire en 1939 puis, dans les années 1950, l'incubation du marxisme. Les éléments ou les esquisses de ce second récit figurent d'ailleurs, épars, dans un certain nombre d'écrits de Sartre, depuis *Qu'est-ce que la littérature?* en passant par l'article sur Maurice Merleau-Ponty *(Situation IV)* jusqu'aux textes sur le rôle actuel des intellectuels *(Situations VIII)*. Avant *les Mots*, peu de choses permettaient d'imaginer l'enfance de Sartre [2]; pour un second volume, au contraire, on imagine assez bien la perspective d'ensemble.

Quelle technique aurait employée Sartre, s'il avait écrit ce second récit? L'ordre chronologique, que lui aurait imposé cette fois son

1. Voir *Situations IV*, éd. Gallimard, 1964, p. 130-188. Sur la suite immédiate de l'enfance, c'est-à-dire l'adolescence, Sartre s'est expliqué dans une interview accordée à Francis Jeanson en juin 1973 (voir *Sartre dans sa vie*, éd. du Seuil 1974, p. 289-295), et dans certains passages de ses entretiens avec Gavi et Victor où il souligne le rôle joué par son beau-père comme figure de l'autorité *(On a raison de se révolter*, éd. Gallimard, coll. « La France sauvage », 1974, p. 17 172).

2. Cf. *les Mots*, p. 200 : « Des amis s'étonnaient, quand j'avais trente ans : « On dirait que vous n'avez pas eu de parents. Ni d'enfance. »

entrée dans l'histoire? Ou bien, comme semblaient l'indiquer ses déclarations de 1970, aurait-il construit une sorte de genèse théorique de son projet politique? La question est vaine, puisqu'il semble désormais exclu que Sartre écrive un tel récit. C'est par d'autres moyens qu'il tente de réaliser maintenant son projet de « testament politique », par des entretiens dialogués, comme ceux qu'il vient d'avoir avec Victor et Gavi [1], ou ceux auxquels il travaille avec Simone de Beauvoir.

Absence d'ordre chronologique.

L'ordre chronologique strict n'existe dans *les Mots* que dans l'introduction et la conclusion du livre. L'introduction (p. 11-18) raconte tout ce qui précède les premiers souvenirs : histoire de la famille, mariage de ses parents, sa naissance, mort du père, retour de la mère chez les Schweitzer : c'est la préhistoire de l'enfant, lui apportant, grâce à la mort du père, le don de la liberté. La conclusion du livre (p. 193-214) montre, de onze ans jusqu'à l'époque où Sartre écrit, l'homme fixé dans ce qu'il appelle sa « névrose », et s'en libérant en partie après 1940 par sa prise de conscience politique. Il est d'ailleurs éloquent de juxtaposer le début et la fin, le passage de cette liberté vide à la névrose devenue caractère : entre les deux s'ouvre l'espace de la transformation, du passage de l'une à l'autre : le projet. C'est ce récit qui occupe les pages 19 à 192, et couvre en gros la période 1909-1916 (de quatre ans à onze ans). A ce niveau, très global, l'ordre chronologique est respecté, et il correspond à un ordre logique cohérent. Au lieu d'être divisé pour l'œil en deux parties égales intitulées *Lire/ Ecrire*, on imaginerait mieux le livre divisé en trois parties : la « situation initiale » à laquelle l'enfant est affronté (p. 11-18), l'analyse de la manière dont il fait face à cette situation, en élaborant progressivement son projet (p. 19-193); et la nouvelle « situation » intérieure qui en résulte (p. 193-214), la fixation de la névrose. Très dialectiquement, cette troisième partie ménage la possibilité d'une nouvelle réaction de Sartre à la situation qu'il s'était ainsi faite à partir de celle qui lui était faite. Cette troisième partie des *Mots* pourrait ainsi devenir à son tour première partie du second volet de l'autobiographie. Nous verrons qu'une analyse plus serrée de l'ordre dialectique amène à articuler la fin de manière légèrement différente.

Mais la partie médiane, qui comprend l'essentiel du récit, n'est pas organisée selon l'ordre chronologique. En réalité, tous les événements ou sentiments sont traités comme s'ils étaient contemporains, et leur ordre de succession dans le récit ne correspond à aucune

1. *On a raison de se révolter*, éd. Gallimard, 1974.

histoire, mais au dépliement, fatalement successif, par l'analyse, d'un état de simultanéité, dans une sorte de genèse théorique idéale.

Tous les éléments utilisés dans la première partie *Lire*, de la page 18 à la page 116, se situent entre 1909 et 1914, le gros des souvenirs datant de la rue Le Goff, où les Schweitzer se sont installés en 1911. Plusieurs fois même la date de 1914 est dépassée (p. 72) : « Jusqu'à dix ans, je restai seul entre un vieillard et deux femmes », donc 1915, l'entrée au lycée Henri IV; p. 92, le questionnaire rempli en novembre 1915. Quand on dresse la liste complète des détails du texte qui sont datés par Sartre lui-même, on voit très rapidement qu'il n'y a dans cette partie aucun ordre chronologique d'ensemble, et que l'emploi de l'ordre chronologique n'apparaît qu'à l'intérieur de sections délimitées, au demeurant assez rares (p. 37-61, les étapes de l'apprentissage de la lecture sont bien sûr présentées dans un ordre qui doit être chronologique, quoique aucune date ne soit donnée; p. 67-72, la carrière scolaire est elle aussi présentée en suivant le cours des études, jusqu'en 1915 à l'entrée au lycée); en général les éléments utilisés par le récit sont pris à n'importe quel moment de la période 1909-1914, avec le seul souci d'illustrer la phase de l'évolution dialectique par laquelle passe le projet de l'enfant. On ne s'étonnerait pas de cette technique, si Sartre lui-même ne jouait pas, dans sa narration, le jeu traditionnel du récit suivi, que toute sa chronologie, d'ailleurs affichée, dément.

Quand on analyse de la même manière la seconde partie, *Écrire* (p. 116-192), on éprouve une double surprise : la première découverte que l'on fait a l'air de contredire les conclusions tirées ci-dessus; mais la seconde les confirme de manière éclatante. On voit d'abord que la seconde partie est construite suivant un ordre chronologique impeccable, pratiquement sans entorse : donc *les Mots*, après un début thématique qui prend ses aises avec les dates, déboucheraient finalement sur un récit classique, dont le développement logique suivrait l'ordre du temps. Mais on découvre en même temps avec un certain étonnement que ce récit très cohérent de la deuxième partie ne fait pas *suite* aux événements de la première partie, mais qu'il se *superpose* à eux et occupe pratiquement la même période : de 1912 à 1915. C'est à sept ans (1912) que l'enfant est initié à l'écriture littéraire (p. 119-121); de sept à huit ans (1912-1913), qu'il écrit spontanément des romans (p. 121-131); à huit ans, que son grand-père précise et oriente sa vocation (p. 131-140); de huit à dix ans, que l'enfant s'invente son mandat (p. 140-175) : à la fin de cette séquence, d'ailleurs Sartre rétrograde, l'enfant-au-mandat n'a plus que neuf ans (p. 174) on voit bien pourquoi : il s'agit d'enchaîner, page 176, avec l'événement du 2 août 1914. La période ainsi couverte est exactement la même que celle où se situent tous les événements qui avaient l'air, dans la première partie, de *mener à* la seconde. On s'aperçoit alors que si l'on croit aisément que le début de l'apprentissage de la lecture a dû *précéder* l'initiation à la composition littéraire (c'est-à-dire que l'événement raconté page 43 « je savais lire », est antérieur à celui de la page 120, « je me fis versificateur »), il ne s'ensuit pas du tout que la seconde partie soit dans son ensemble postérieure à la première. Elles se superposent, simplement légèrement décalées, l'une vers l'arrière (apprentissage technique de la lecture, dans la première partie), l'autre vers l'avant : en effet à partir de la page 175, la seconde partie évoque des événements qui mirent fin en apparence à la rêverie sur le génie : la guerre de 1914, et la première année au petit lycée Henri IV (1915-1916) (p. 175-192). Mais on voit bien que cette séquence sert de conclusion, en quelque sorte « en facteur commun », aux développements finalement strictement contemporains de la première et de la seconde parties. Le récit des pages 116-175 a donc, dans l'ensemble du livre, exactement le même statut que les sections des pages 37-61 et 67-72 évoquées ci-dessus : il est organisé *intérieurement* dans l'ordre chronologique, mais extérieurement il n'entretient aucun rapport de type chronologique avec les autres épisodes. L'ordre général du récit n'est donc pas celui d'une histoire.

Il est celui d'une fable dialectique.

DIALECTIQUE

Une fois éliminés les leurres d'une chronologie désordonnée, l'ordre réel du texte apparaît : c'est celui d'une analyse totalement a-chronique, qui suit non pas l'ordre temporel des événements, mais l'ordre logique des fondements de la névrose. C'est une genèse théorique et abstraite, une sorte de fable analytique qui déploie, sous le couvert du récit, l'enchaînement rigoureux des analyses. Cela pourrait se résumer en une fable de type biblique : au début était la liberté, et la liberté flottait sur une situation *(Situation et liberté);* la liberté était vide, et, pour se donner une forme, elle se fit enfant-modèle sous le regard d'autrui *(Singerie);* mais un jour la liberté vit qu'elle était nue et creuse, et elle eut peur d'elle-même et voulut se couvrir *(Nausée);* et elle essaya de se cacher derrière d'autres rôles, cette fois intériorisés *(Bouderie);* mais le rôle a fini par devenir caractère, le vêtement a collé à la peau *(Folie).* Ce à quoi renvoie l'ordre du récit, ce n'est donc pas à l'histoire d'un individu, mais à l'ordre et à la démarche dialectiques mis au point dès *l'Imaginaire* et *l'Être et le Néant*.

Il devient alors facile de dégager la structure du livre, en abandonnant, en même temps que toute chronologie, le leurre de la division en deux parties. Le livre est en réalité divisé en cinq temps, que j'appellerai des « Actes », pensant que cette structure n'est pas sans analogie avec la dramaturgie sartrienne (par exemple *le Diable et le Bon Dieu*).

On trouvera ci-contre, dans un tableau détaillé, la structure du livre. Et, ci-après, la justification, acte par acte, de ce découpage.

Acte I : *Situation et liberté* (p. 11-18).

Cette section évoque la préhistoire de l'enfant, et définit la situation au milieu de laquelle il va apparaître, comme une pure *liberté* : c'est d'ailleurs sur ce mot que se termine l'acte. C'est comme une sorte de tourbillon au centre duquel se creuse un vide, une pure disponibilité, une liberté : l'enfant. Le concept et l'expérience de la liberté, qui sont au centre de la pensée de Sartre, se trouvent ainsi reportés à l'origine de son histoire. L'analyse de la disparition du père avant l'âge de l'Œdipe fonctionne à la fois comme une sorte d' « assurance » souscrite contre la psychanalyse freudienne, et comme le fondement biographique de tout le « projet » de l'enfant. Toute la « mise en scène » du début est destinée à poser la liberté comme une origine absolue, avant toute histoire (c'est-à-dire avant tout souvenir ou toute conscience). Elle n'est pas du tout liée à une prise de conscience, à une réaction, qui la manifesterait au sein d'une histoire : elle est, hors de l'histoire, le *trou* qui engendre toute histoire, qui rend nécessaire l'existence d'une histoire — trou, vide, qui d'ailleurs se *répétera* indéfiniment tout au long de l'histoire, et sera, de la sorte, son véritable moteur. Cette liberté initiale ne doit pas être confondue avec une volonté consciente d'elle-même; elle est simplement un manque, qui aspire à être comblé, un trou informe, qui aspire à une forme. Ce vide, le récit sartrien arrive à nous le faire imaginer comme antérieur, alors que l'on voit bien qu'il est dans l'expérience indissociable du mouvement par lequel il cherche à se remplir de quelque chose. C'est un peu comme si un récit de Genèse du monde voulait nous présenter comme des étapes *successives* l'apparition de la pesanteur, et l'événement de la chute.

Si cette liberté est vide, elle n'est pas pour cela indéterminée, elle existe en situation. La peinture satirique de la famille Schweitzer par laquelle commençait le livre permettait de prévoir la forme que se donnerait ce trou initial pour exister.

Acte II : *les comédies primaires* (p. 19-72).

Ce vide informe va naturellement se donner pour forme celle que lui propose son milieu. Ici commence l'application concrète de la théorie exposée dans *Questions de méthode*, de « la famille singulière comme médiation entre la classe universelle et l'individu [1] ». En parodiant la formule de Simone de Beauvoir sur la condition féminine : « On ne naît pas femme : on le devient [2] », on pourrait faire dire à Sartre : « On ne naît pas enfant : on le devient. »

L'acte II dresse donc successivement le tableau des deux formes de la comédie : la comédie familiale (p. 19-36), et la comédie littéraire (p. 37-72). J'appelle ces comédies « primaires », parce que le récit s'arrange pour nous les faire considérer comme des comédies naïves et sans faille. L'enfant entre dans la comédie des adultes, dans les rôles à succès de l'enfant-sage et du singe-savant : il reçoit des adultes, en échange, un certificat d'existence. Mais cette conduite de mauvaise foi inspirée par celle des adultes doit être, dans ce premier temps, vécue par l'enfant de manière naïve et naturelle. Sartre réserve pour l'acte III (voir ci-dessous) toutes les failles, et toutes les prises de conscience de l'enfant. Ici il s'ingénie à reconstituer ce qu'on pourrait appeler « la bonne foi de la mauvaise foi », et à présenter (ironiquement) cet état comme une espèce de paradis, auquel la prise de conscience ultérieure mettra fin.

Mais ici encore la dissociation de la comédie jouée « naïvement » et de la prise de conscience est une sorte de fiction analytique, qui a d'ailleurs du mal à prendre la forme d'un récit historique. C'est dans cet acte II que le décalage entre le narrateur et l'enfant apparaît le plus choquant au lecteur, puisque, à ce « stade »-là, la comédie de l'enfant est censée être naïvement vécue, alors que le mode de récit adopté par le narrateur finit toujours par faire croire au lecteur que le « je » dont parle le narrateur était conscient de son imposture. Il y a contradiction ici entre le mode d'analyse et la chose analysée, et Sartre a échoué à tenir le discours de la naïveté que supposerait, pour cette étape, la comédie de l'enfant. Il s'en tire habilement, en

1. *Questions de méthode* (1960), éd. Gallimard, 1967, coll. « Idées », p. 81-93. *Les Mots* sont une exemplaire illustration de la « médiation » de la famille ; or sait que Sartre voit une seconde médiation, chez l'adulte, cette fois, par l'appartenance des *groupes* : on imagine que la suite des *Mots*, si Sartre l'avait écrite aurait été fondée là-dessus.
2. Simone de Beauvoir, *Le Deuxième Sexe* (1949), Gallimard, 1970, coll. « Idées », t. I, p. 285.

devançant la critique (p. 61), et en instituant de manière roublarde un dispositif de « préparation » pour la suite de son analyse.

En effet, chacune des deux comédies primaires que je distingue est présentée par Sartre en suivant le même ordre. Dans un premier temps, on a une description de la comédie elle-même (comédie familiale, p. 19-31; comédie littéraire, p. 37-61). Dans un deuxième temps arrive un exposé de ce que j'appellerai les contradictions virtuelles, c'est-à-dire les possibilités de rupture ou d'opposition, tout ce qui pourrait empêcher ou briser la comédie. Ainsi pour la comédie familiale, les contradictions virtuelles (p. 31-36) sont l'esprit négateur de Louise, les « mauvais » Allemands, qui auraient pu empêcher ou modifier la comédie; la mention de ces failles, qui existaient, mais n'ont pas empêché la comédie, a pour fonction de nuancer et de rendre vraisemblable la perfection qui lui avait d'abord été attribuée; d'autre part, elle annonce habilement l'acte III (voir ci-dessous) : un changement d'accent suffira; le *quoique* deviendra un *parce que*, la restriction mineure insérée à l'intérieur de la peinture du bonheur deviendra la cause majeure de la rupture. Ce second temps concessif se termine par un troisième temps que j'appellerai résolution (au sens musical : retour à l'accord parfait), troisième temps beaucoup plus rapide, mais capital [1]. Mais ce retour à l'harmonie, après l'énoncé et l'élimination (provisoire) des contradictions, est fait sur le mode de la dérision. On revient à la perfection, à la clôture de la Comédie, mais c'est pour souligner son vide. La dialectique interne des deux récits de Comédie primaire est donc construite de manière dynamique, pour rendre inévitable la prise de conscience du vide qui sera racontée à l'acte III. Si Sartre échoue finalement à peindre la bonne foi d'une mauvaise foi ingénue, il fait anticiper au lecteur, par un système astucieux de porte-à-faux et de décalage, la prise de conscience de son héros, et la rend ainsi très vraisemblable quand elle arrive. En anticipant sournoisement la suite de l'analyse, il rend indispensable la suite du « récit ».

On peut vérifier cela sur la Comédie littéraire. Le récit de la Comédie est suivi des « contradictions virtuelles » suivantes (p. 61-72) : *a)* anticipation de la réaction critique du lecteur et mise en question de la notion de sincérité (p. 61-63); *b)* « je faisais pourtant de vraies lectures » — ce qui désigne donc, même aux yeux de l'enfant, toutes les autres comme fausses, mais en même temps nuance l'étouffante comédie du singe savant, et introduit une certaine vraisemblance dans le personnage (p. 63-67); *c)* récit de la vie scolaire : l'école *aurait*

---

1. Ainsi, pour la Comédie familiale, les deux paragraphes de la page 36.

pu l'arracher à cette comédie, mais les circonstances ne l'ont pas voulu (p. 67-72). Résolution : « Jusqu'à dix ans, je restai seul entre un vieillard et deux femmes » (p. 72). Exactement comme page 36, le cercle de la perfection se referme, mais sur le mode de la dérision. Que le héros en prenne conscience, et sa comédie naïve va s'ouvrir sur l'angoisse.

Acte III : *la prise de conscience du vide* (p. 72-84 et 89-95).

Le vide ne pouvait avoir conscience de lui-même au début : il faut qu'il ait essayé de se « remplir » (acte II), pour qu'il s'aperçoive qu'il sonne *creux* (acte III). La liberté informe de l'acte I s'est d'abord identifiée à un rôle pour accéder à l'*être* à l'acte II; que ce rôle lui apparaisse enfin simple rôle, et elle prendra conscience, dans l'angoisse, de son existence. A l'acte III vont donc être regroupés tous les événements qui ont rapport à ce qu'on est tenté d'appeler la « Nausée ». L'enfant est arraché à l'immédiateté. Notons que ce « moment » de rupture est purement mythique, et qu'il est illustré par une gamme d'événements qui vont de l'âge de cinq ans (p. 82) à l'âge de dix ans (p. 92).

Le récit de cette intolérable prise de conscience de l'existence occupe les pages 72 à 84, et 89 à 95 : on voit que j'ai dû ici me permettre une légère infidélité à l'ordre du texte dont je prétends justement rendre compte, rattachant la séquence des pages 84 à 89 au début de l'acte IV. Cette infidélité est seulement apparente et j'ai choisi de la faire pour mettre en lumière la rigueur profonde du raisonnement. Pour être fidèle à la lettre du texte je devrais insérer cette séquence, qui porte sur l'échec de la solution religieuse, à l'intérieur de l'acte III : elle y jouerait alors le même rôle que les « contradictions virtuelles » à l'intérieur de l'acte II, à la fois nuançant et rendant plausible l'étendue de l'angoisse; mais, en manifestant aussi la nécessité d'une fuite, ici présentée comme un échec, elle préparerait l'acte IV, qui raconte les fuites qui ont réussi. Il y a donc là une structure d'emboîtement et d'anticipation qui facilite la transition de l'acte III à l'acte IV.

La « Nausée » commence pour l'enfant par la découverte de sa propre imposture (p. 72-74) et de celle des adultes (p. 74-76) : on retrouve ici, prises en charge par l'enfant lui-même, les analyses cruelles que faisait le narrateur à l'acte II. Puis apparaît la contingence au niveau de la destinée (« abandonné » par son père sans vocation et sans argent), et au niveau de l'existence du corps (p. 76-78) : on retrouve ici, mais présentés maintenant sur le registre de l'angoisse, des éléments déjà utilisés plus haut dans une atmosphère euphorique [1]. Vient ensuite l'admirable récit de la contingence découverte face à la nécessité granitique de M. Simonnot (p. 78-81), le tout aboutissant aux différents symptômes de la nausée : l'ennui, l'invasion du fade et du mou (p. 81-82), et surtout l'angoisse de la mort (p. 82-84); je laisse donc de côté l'échec de la solution religieuse (p. 84-89); le récit continue au-delà de cet échec en mimant la montée dramatique vers un comble : « Pourtant mes affaires allaient de mal en pis » (p. 89); trois anecdotes jalonnent la chute progressive de sa carrière de comédien; non seulement la comédie est creuse, mais elle devient mauvaise : la coupe des cheveux le transforme en crapaud (p. 89-90), et il essuie deux échecs, en 1914 et 1915 (p. 90-94) : on aboutit alors au comble de la nausée, concentrée dans l'horrible station devant le miroir (p. 94-95).

Cet acte III est le cœur de tout le livre, c'est là que tout se rassemble avant que le livre ne s'ouvre sur de nouvelles fuites. C'est à l'occasion de ce troisième acte que Sartre emploie le plus de procédés de dramatisation du récit. On se souvient en le lisant d'un grand nombre de passages de *la Nausée*. *Les Mots*, d'ailleurs, n'expliquent-ils pas comment on est devenu l'auteur de *la Nausée;* et en même temps comment on refuse de rester l'auteur de *la Nausée?* Entre les titres des deux livres on imagine facilement un chassé-croisé dialectique : le roman *la Nausée* récupérait la nausée réelle en en faisant un *mot;* l'autobiographie des *Mots* raconte la nausée qu'inspirent les mots eux-mêmes à l'homme qui a su se réveiller de sa longue folie.

On voit aussi comment se justifiait le premier titre choisi par Sartre, *Jean sans terre*. Il correspondait exactement à cet acte III — et plus précisément à la page 76, qui est sans doute le centre de gravité de tout le récit (« Jean sans père », pourrait-on dire).

— Mais nous avons laissé notre héros au comble de la nausée. Comment va-t-il s'en sortir?

Acte IV : *les comédies secondaires* (p. 95-175).

Cette nécessité qui lui échappe, il va essayer de la ressaisir d'une autre manière. Les comédies primaires étaient, si l'on peut dire, à usage externe : Jean-Paul jouait, *pour les adultes*, les rôles d'enfant nécessaires à *leur* comédie. La prise de conscience de l'acte III ruine ce système : les adultes jouent mal leur rôle de spectateur, l'enfant qui

1. Cf. « libéré » de son père, p. 19-20; et le corps bouchonné, p. 30.

joue le rôle de l'enfant voit que c'est un rôle, et finit par le jouer mal. Pour sortir de là, il n'imagine qu'une solution : il faut *intérioriser* la comédie, et découvrir l'imaginaire. Les comédies secondaires seront donc principalement à usage interne, elles se jouent à bureaux fermés, l'auteur-acteur joue en même temps le rôle du spectateur. Il va jouer pour lui non plus les rôles d'enfant réclamés par les adultes, mais les rôles d'adultes (héros) réclamés par l'enfant qu'il est. Les comédies primaires étaient plutôt de l'ordre de la singerie, les comédies secondaires seront plutôt de l'ordre de la bouderie.

L'acte IV est construit autour des trois rôles possibles : *le Saint, le Héros, l'Écrivain*. Les deux premiers rôles aboutiront en apparence à des échecs. La possibilité de la sainteté, anticipée dans l'acte III (p. 84-89), ne s'offre pas à l'enfant, à cause de l'indifférence religieuse du milieu familial : mais on verra que la vocation religieuse ainsi manquée s'est réalisée sous le masque de la vocation littéraire (p. 150 s.; et p. 208-211). Le rôle du Héros fait l'objet de la première scène de l'acte IV (p. 95-115) : ce sont les « exercices imaginaires » pratiqués de manière continuelle entre six et neuf ans, dans les rôles du risque-tout, du vengeur, etc. (p. 97-101); la découverte du cinéma (p. 102-108) alimente et inspire ces fantasmes héroïques qui vont de Grisé-lidis à Zévaco en passant par Michel Strogoff (p. 101-114). Mais Sartre met en évidence l'échec de cette bouderie héroïque, qui se révèle à l'usage aussi fragile que la singerie, et qui ne décharge pas l'enfant de sa contingence et de sa solitude (p. 114-115) : c'est rendre nécessaire, devant cette résurgence de la nausée, une comédie qui puisse tenir le coup.

On voit que la coupure entre les deux parties *Lire* et *Écrire* correspond, dans notre schéma, à une articulation certes importante (puisqu'elle sépare les comédies ratées, de la seule comédie qui réussira), mais tout de même secondaire, puisqu'elle n'est qu'une division intérieure de l'acte IV.

Reste donc le troisième rôle possible, *l'Écrivain* (p. 119-175), qui, lui, sera un succès. A partir de la page 119 et jusqu'à la fin du livre le récit devient, en apparence, chronologique. Le « rôle » est vécu successivement de deux manières : comme pratique, comme fantasme. Chaque fois un *événement*, dont le grand-père est responsable, ouvre le récit d'une *période*. Voici le schéma :

Événement n° 1   initiation à l'écriture littéraire à l'âge de sept ans (p. 119-121).

Période n° 1   pratique naïve de l'écriture, de sept à huit ans (p. 121-131).

Événement n° 2   le grand-père parle à l'enfant de sa vocation à l'âge de huit ans (p. 131-140).

Période n° 2   rêverie sur le fantasme de l'écrivain, de huit à dix ans (p. 140-175).

Ceci n'est naturellement qu'un schéma, qui résume une dialectique plus complexe. L'événement n° 1 est en lui-même un acte de singerie : mais le refus qu'oppose ensuite le grand-père aux productions de Jean-Paul le fait continuer la comédie pour lui-même; la période n° 1 va donc raconter une comédie secondaire qui cette fois réussit : par-delà l'analyse humoristique des techniques de plagiat, et la réapparition de l'angoisse — mais cette fois au niveau d'un contenu imaginaire —, il faut bien voir que, pour la première fois depuis le début du livre, le héros aboutit, par cette pratique concrète de l'écriture, à une forme de plénitude (cf. le paragraphe p. 130-131, qui est exactement l'inverse du paragraphe qui termine l'acte III p. 94-95, mais aussi l'annonce du mot sur lequel se terminera, dans l'acte V, la description de la folie, p. 211).

L'enfant est heureux, il a trouvé une forme de nécessité; la dialectique existentielle qui a engendré le récit va-t-elle s'arrêter là? Non, car naturellement cette « nécessité » est précaire. D'où l'événement n° 2 (le grand-père le sacre fonctionnaire de la littérature), qui fait redescendre l'enfant de tout son haut dans une molle et insipide contingence, et l'incite par réaction à expliciter, dans une rêverie, le statut qu'il avait implicitement expérimenté lors de la pratique concrète de l'écriture précédemment racontée. D'où, dans la période n° 2 (de huit ans à dix ans), la rêverie permanente sur le mythe de l'Écrivain.

Cette partie du texte (p. 140-175) est probablement la plus dense. Tout se passe comme si, en trente pages, se trouvait résumée toute l'analyse de *Qu'est-ce que la littérature?* sur la situation de l'écrivain bourgeois au XIXe siècle [1]. Ce n'est pas artifice. C'est sans doute là

---

1. *Qu'est-ce que la littérature?* (1947), éd. Gallimard, 1970, coll. « Idées ». Il est intéressant de comparer les deux textes : mais pour le faire, il faut tenir compte à la fois de la différence de date, et surtout de la différence de perspective, d'une analyse globale historique, et d'un récit autobiographique. Ainsi les développements sur la *lecture* sont faits de points de vue assez différents dans *les Mots* (p. 37-61) et dans *Qu'est-ce que la littérature?* (p. 55 sq.). En revanche l'analyse du mythe de l'écrivain dans *les Mots* renvoie assez fidèlement à celle de *Qu'est-ce que la littérature?* (p. 136-179) : on voit d'ailleurs que la figure de l'Écrivain-Héros correspond chez l'enfant à la mythologie de la génération romantique de 1830. Toute la mythologie du vengeur, du souffre-douleur, etc., telle qu'elle est délayée et dégradée jusqu'en 1914, d'Alexandre Dumas à Zévaco, date de 1830 (voir là-dessus l'excellente mise au point de Jean Tortel dans l'*Encyclopédie de la Pléiade*,

que se manifeste la fécondité de la « méthode » de Sartre, montrant comment c'est dans l'enfance, et par l'intermédiaire de la famille, que l'individu assimile l'idéologie de sa classe. Le mythe du Poète ou de la Gloire, élaboré au XIXe siècle pour répondre à l'angoisse et aux contradictions des écrivains bourgeois, répond *aussi* à l'angoisse de l'enfant orphelin (Sartre) à la recherche de sa nécessité : il endosse le mythe et devient, sans le savoir, écrivain bourgeois. L'angoisse individuelle de l'enfant (sa place dans la famille) se rencontre avec l'angoisse collective des écrivains bourgeois (leur place dans la société).

Sous couleur de récit, Sartre construit une analyse en trois temps qui répète, cette fois à l'intérieur du dernier élément de la Triade *(l'Écrivain)*, les trois éléments de la Triade le Saint - le Héros - l'Écrivain (p. 163, Sartre lui-même désignera ces trois éléments ainsi : l'épopée, le martyre, la mort). Pour échapper à l'image déprimante de l'écrivain gratte-papier, l'enfant « refile » d'abord à l'écrivain les pouvoirs du héros, d'où *l'Écrivain-Héros* (p. 142-148) : naturellement, pour que la dialectique avance, cette solution doit échouer : d'où un temps de transition négatif (p. 148-150 : l'enfant ne voit aucun ennemi à combattre, « j'étais revenu à mon point de départ »); comme toujours, le grand-père est là pour fournir *malgré lui* des solutions à l'enfant : d'où la seconde figure de l'*Écrivain-Saint* — et martyr (p. 150-159); la troisième figure de l'*Écrivain-Écrivain*, si je puis dire, est produite non par contradiction et rebondissement, mais par une modulation insensible autour de l'idée de « mort », commune au *martyre* dans la perspective religieuse et à *l'outre-tombe* dans la perspective littéraire (p. 159-162); le mythe de l'écrivain est alors analysé dans ce qu'il a de spécifique : la manière dont le désir de gloire exprime le vertige de la mort (p. 162-174), et la conception du temps et de la causalité que ce fantasme implique. Ces dernières pages sont admirables, en ce qu'on peut les lire aussi bien comme l'analyse des fantasmes d'un enfant, que comme un commentaire foudroyant des *Mémoires d'outre-tombe* [1] ou comme l'oraison funèbre de la bourgeoisie.

La comédie secondaire de l' « Écrivain » a-t-elle donc réussi ?

Histoire des littératures, t. III, 1958, p. 1579-1603). L'Écrivain-Martyr, tel que le décrit Sartre, date de la demi-génération suivante, celle de Baudelaire et Flaubert : l'analyse des *Mots*, p. 150-174, est à rapprocher de celle de l'écrivain sans public inventant la mystique de la littérature et l'idée de gloire, dans *Qu'est-ce que la littérature?*, p. 154 s., et au tableau que Sartre fait plus loin, p. 206-210, p. 247-249 et p. 254-255, du climat littéraire dans lequel sa génération a fait ses débuts.

1. P. 140, Sartre avait placé ironiquement son récit sous le patronage de Chateaubriand.

Pas encore. L'acte IV se termine par deux pages (p. 174-175) capitales pour saisir la structure de la fin du livre, et l'enchaînement de l'acte IV et de l'acte V. Un ami (sans doute psychanalyste, comme celui de la p. 19, ou celui de la p. 193) intervient au bon moment, comme un compère placé dans la salle : « Vous étiez encore plus atteint que je n'imaginais. » Et Sartre, ici, de protester : son délire reste conscient et précaire, c'est une comédie que l'on doit soutenir à chaque instant sous peine de retomber dans l'angoisse. Cette fragilité propre à la comédie, dont on n'est jamais complètement dupe, et que l'on doit donc faire effort pour continuer — c'est là finalement le trait commun à toutes les conduites analysées aux actes II, III et IV : Sartre souligne souvent ce caractère instable et ambigu des conduites de mauvaise foi [1]. Sur le plan de la construction du récit, on voit bien qu'il y a là un moyen facile d'habiller en ressort dramatique une articulation dialectique — j'essaierai de l'analyser plus loin. Pour l'instant, l'essentiel est que l'enfant reste en suspens, dans une comédie très satisfaisante, mais encore précaire et à moitié consciente.

Comme dans une pièce bien construite, l'acte V doit apporter un coup de théâtre. Les pages 174-175, en rappelant que *jusqu'ici* nous sommes *encore* dans le domaine d'une comédie de mauvaise foi en partie consciente, nous préparent à l'idée que ce coup de théâtre sera *topique*.

Acte V : La folie (p. 175-214).

Le coup de théâtre, c'est le changement du *lieu* de la comédie, c'est-à-dire son passage du conscient à l'inconscient, qui s'accompagne aussi d'un passage du précaire au définitif, et du choisi au subi. C'est l'endroit le plus mystérieux (pour ne pas dire nébuleux) du récit. Le lecteur, qui suivait jusqu'alors une logique claire et explicite, a l'impression d'assister soudain à un tour de prestidigitation. La dialectique fait place à la magie. La chose est menée rondement, on sent qu'on n'a rien à répliquer, mais on reste avec le sentiment que cette comédie, en passant à l'inconscient, y a entraîné ce qui l'y a fait passer. Le coup de théâtre est annoncé dramatiquement (p.175-176), puis réalisé, si l'on peut dire (p. 193). L'acte se déroule en trois temps :

Premier temps : la guérison apparente (p. 176-192). Deux événements, dit-il, lui ont soufflé le peu de raison qui lui restait : le lecteur est surpris puisque ces deux événements, quand ils sont racontés, appa-

---

1. Cf. *les Mots*, p. 61-62, 115, 122 et 174-175.

raissent au contraire comme bénéfiques. Pour ces deux événements (guerre de 1914, entrée au lycée), la suite narrative est analogue. *Dans une première étape*, l'enfant est traumatisé par le contact avec le réel, qui fait s'écrouler sa supériorité et sa comédie : ses élucubrations ne tiennent pas devant une guerre réelle, il redécouvre une fois de plus (cf. p. 73) qu'il est un imposteur, et il se réfugie dans une nouvelle forme de bouderie (le lecteur est familiarisé avec cet enchaînement) (p. 175-181); ou bien, au lycée, au contact des autres enfants réels, il fait l'apprentissage, d'abord pénible, de la démocratie (p. 185-186); mais à chaque fois ce contact avec le réel finit par être bénéfique. Dans une seconde étape, l'enfant découvre des conduites positives, qui comblent réellement le vide, et ne sont pas un leurre : très curieusement la guerre de 1914 débouche sur *l'amour de la mère* (p. 182-185), et plus classiquement le lycée amène la camaraderie (p. 186-193) : en somme, à ce stade, l'enfant réussit enfin à établir des relations réelles avec *autrui :* et c'est à ce moment-là qu'on nous le dit fou.

Aucun lecteur attentif et exigeant ne saurait accepter ce saut brutal et injustifié. J'ai souligné plus haut l'incohérence très visible de la chronologie : mais l'ordre logique du récit présente aussi, au moins ici, des failles, dont on doit essayer de rendre compte. Il ne s'agit pas de porter un jugement quelconque sur l'histoire de l'individu Jean-Paul Sartre, au nom de théories différentes de la sienne. Au contraire, il s'agit, au nom de la logique intérieure du récit, de restituer la chaîne dans son ensemble. En effet, les textes d' « aveu » sont à interpréter non pas comme des discours *sur* la chose avouée, mais comme la répétition, au niveau du discours, de la conduite soi-disant avouée : l'analyse précise de la construction des textes, et de leurs failles, permet de le prouver.

On a donc peine à comprendre comment le fait d'avoir de bonnes relations avec sa mère et de découvrir les joies de la camaraderie peut transformer un enfant « comédien » en un fou, et fixer une comédie en un caractère. Naturellement, on peut échafauder des hypothèses : ces deux issues, heureuses en apparence, privent en réalité le névrosé de ses alibis, mais sans le débarrasser de sa névrose privée d'aliments dans la vie quotidienne, la névrose se réfugie alors dans les couches profondes (cf. les symptômes de dédoublement p. 182-183), et se fixe en un caractère. S'il en était ainsi, pourquoi Sartre ne l'aurait-il pas exposé clairement? Pourquoi ce saut brutal? Le lecteur reste avec l'impression qu'il manque quelque chose dans le récit.

On peut essayer de restituer cette pièce manquante. Ce qui souffle à l'enfant « le peu de raison qui (lui) restait » (p. 176), cela ne peut pas être la guerre de 1914 ni le lycée, qui au contraire, en ruinant sa comédie, lui redonnent le sens du réel; cela ne peut pas être l'amour de la mère ni la camaraderie, qui au contraire apparaissent, à ce stade de l'évolution, comme une solution inespérée, qui *sont* justement le peu de raison qui lui reste! — Ce qui le jette dans la « folie », ce ne peut donc être que ce qui rend cette solution impossible : une étape ultérieure, où l'amour de la mère serait compromis, la camaraderie gâchée; un événement qui ne figure pas dans le texte, mais qui expliquerait cette absurde et brutale *fixation* de la comédie, et sous le choc, le changement de *lieu* de la comédie, quittant la surface pour atteindre les profondeurs (« mon délire a quitté ma tête pour se couler dans mes os », p. 193).

Ces événements, le texte même des *Mots* nous permet de les restituer [1]. Ils y sont très clairement nommés : simplement, comme c'est presque toujours le cas dans les textes d'aveux, ils ne sont pas *à leur place*. Ils ont été mis de côté, ailleurs. Ce qui rompt brutalement l'amour de la mère, ça ne peut être que son remariage [2]. Celui-ci n'est mentionné que deux fois, page 20 : « Quand ma mère s'est remariée, le portrait [du père] a disparu », et page 76 : « Nous ne fûmes jamais chez nous : ni rue Le Goff ni plus tard, quand ma mère se fut remariée », ce dernier passage étant capital puisque c'est lui qui justifie le titre initial du livre : *Jean sans terre*. Ce qui rompt brutalement la camaraderie, ça ne peut être que la découverte de la laideur. Celle-ci n'est mentionnée que deux fois, page 91 : « Anne-Marie eut la bonté de me cacher la cause de son chagrin. Je ne l'ai appris qu'à douze ans, brutalement », et page 211 où le caractère fondateur de ce traumatisme est dramatiquement souligné, mais où Sartre a l'air de dire qu'il est postérieur à l'évolution racontée dans *les Mots*, si bien qu'il en réserve l'exposé pour la suite de son autobiographie : « Quand et comment j'ai fait l'apprentissage de la violence, découvert ma laideur — qui fut longtemps mon principe négatif, la chaux vive où l'enfant merveilleux s'est dissous. »

Le lecteur de Sartre a d'autant plus de raison de supposer que ces deux événements (déplacés) sont la pièce manquante de tout le système dialectique des *Mots*, que ces deux événements font écho

1. On en trouve aussi confirmation dans l'interview accordée à Francis Jeanson en 1973 (*Sartre dans sa vie*, éd. Seuil, 1974, p. 289-295).
2. Si le remariage de la mère est mentionné, jamais la figure du beau-père n'est positivement évoquée dans *les Mots*. Il faut se reporter à d'autres textes pour trouver son portrait, ou plutôt son exécution : dans la biographie de Nizan (*Situations IV*, p. 160-161) et dans *On a raison de se révolter* (éd. Gallimard, 1974, p. 171-172).

aux traumatismes sur lesquels Sartre a fondé l'analyse du *projet* de Baudelaire et de celui de Genet, dans les deux biographies écrites avant *les Mots*. Pour Baudelaire, le choc du remariage de sa mère [1] pour Genet, le choc du « tu es un voleur » (auquel doit faire écho un « tu louches et tu es laid »); dans le cas de Genet, le texte même des *Mots* invite au rapprochement : la phrase de la page 211, « la chaux vive où l'enfant merveilleux s'est dissous », rappelle la phrase de Genet que Sartre a donnée pour titre au premier chapitre de sa bio-graphie, « l'enfant mélodieux mort en moi... ».

Si on remet donc ces deux éléments *à leur place* dans la chaîne dialectique, tout devient très clair. Mais ces éléments manquent-ils vraiment? Dans ce type de structure névrotique, l'élément refoulé a deux manières d'effectuer son retour : le *déplacement* dans l'ordre du texte, qui lui permet d'apparaître tout de même sous sa vraie figure, mais à une fausse place; ou le *déguisement*, qui lui permet d'apparaître tout de même à sa vraie place, mais sous une fausse figure. A lire plus attentivement ces deux textes sur l'amour de la mère et sur la camaraderie, on s'aperçoit que le récit de la rupture est inclus à l'intérieur du récit de l'harmonie, mais avec un déplacement de personne.

a) Dans le récit de l'amour de la mère, c'est la rencontre de l'homme à l'aspect « comestible », qui convoite la mère et gourmande le fils (p. 184) : comme le récit est ici euphorique, cette intrusion resserre les liens de la mère et de l'enfant. Dans la réalité, sans doute, l'inverse se produira. Comment expliquer autrement le ton d'émotion pudique mais douloureuse sur lequel se termine ce passage? Dans *les Mots* Sartre n'habitue guère son lecteur à ce ton-là. Si la catastrophe n'est pas racontée comme événement, elle est présente comme structure affective du récit en cette fin de la page 185 : jusqu'au refoulement plus ou moins conscient, comme quand on ravale ses larmes : « Je me rappelle que je suis un homme et je détourne la tête. » Le récit lui aussi « détourne la tête », dans une amnésie provisoire du traumatisme.

b) Dans le récit de la camaraderie, le traumatisme est figuré par la métamorphose « surnaturelle » de Bénard en Nizan. En effet, si on ne conclut pas à l'identification [2], tout ce passage tombe dans le registre de l'anecdote, ce qui serait très surprenant dans un développement aussi serré. En revanche, dès qu'on voit que Bénard est l'image de « l'enfant merveilleux », et Nizan l'image de l'enfant qui louche, l'anecdote devient la figure anticipée du drame de 1917 et le représente

1. C'est aussi la situation d'un personnage du *Sursis* (1945), Philippe, dont la mère s'est remariée à un général.
2. Sur la ressemblance de Nizan et de Sartre aux yeux des autres, et sur leur strabisme, voir *Situations IV*, p. 141-142.

sous une forme cryptée, mais à sa place logique dans l'ordre dialectique : « Un détail pourtant me fit pressentir que je n'avais pas affaire à Bénard mais à son simulacre satanique : Nizan louchait. Il était trop tard pour en tenir compte : j'avais aimé dans ce visage l'incarnation du bien; je finis par l'aimer pour lui-même. J'étais pris au piège, mon penchant pour la vertu m'avait conduit à chérir le Diable » (p. 192). Nouvelle station devant le miroir, comme à la fin de l'acte III (p. 94-95) : cette fois la comédie ne suffit plus pour en sortir. Ce sera la folie. Cette folie a été répétée par Sartre, sans aucun doute très consciemment (mais cela n'empêche rien), au niveau de la structure du récit : le saut délibéré d'une étape, qui brouille les pistes, et met le lecteur devant un fait accompli — reflet au niveau narratif du coup d'état intérieur.

Second temps : la folie réelle (p. 193-211). Une nouvelle intervention d'un compère analyste (« Névrose caractérielle ») est cette fois approuvée par Sartre. Le changement est uniquement topique : le délire est le même, mais il agit maintenant comme s'il était devenu une nature. Les comédies de l'acte IV étaient précaires et ambiguës : l'angoisse revenait toujours. La folie, elle, est pleine et heureuse. Il faut en être sorti pour l'appréhender comme folie — alors que la comédie se détruisait de l'intérieur. La folie est un bloc, elle a ce caractère granitique et nécessaire jadis envié à M. Simonnot, elle est *heureuse*. C'est sur le mot heureux que se termine ce temps, tel que je l'ai découpé : il rappelle le « je connus la joie » de la page 131. Mais à ce moment-là, Sartre ajoutait, pour relancer sa dialectique : « C'était trop beau pour durer. » Maintenant, c'est assez beau pour durer : de 1916 à 1940, nous dit-il. De l'intérieur, cette folie ressemble au bonheur : ce qui est maintenant analysé par Sartre, c'est l'optimisme, l'arrachement au passé, l'exaltation du progrès, la projection dynamique dans l'avenir, et, finalement, l'inversion de l'ordre du temps. Les quatre premiers actes peignaient un temps miné de l'intérieur par un vide initial qui se répétait à travers tous les efforts qu'on faisait pour le combler : il est orienté maintenant par une plénitude ultérieure qui refoule au fur et à mesure le passé et aspire l'individu dans la construction de l'avenir. Le temps a été retourné comme une peau de lapin. Ceux des lecteurs de Sartre qui se trouvent avoir, eux aussi, un « caractère » optimiste ont sans doute été surpris de voir qualifier de folie ce dynamisme individuellement tonifiant et socialement très productif, puisque, après tout, il a produit l'écrivain Sartre, et ont pu se demander si ce n'est pas maintenant que Sartre est « fou », sa folie consistant à croire qu'avant il était fou. Peu importe : la folie est une notion relative, on le sait depuis Foucault et les antipsychiatres. Pour Sartre elle se définit comme le refus de vivre le réel, c'est-à-dire l'évidence de la mort, et l'aliénation sociale. Pour que l'évolution reprenne, il faudra un nouveau choc avec le réel.

Troisième temps : la guérison relative (p. 211-214). C'est le récit qu'annonce un épilogue vertigineusement raccourci : « J'ai changé. » D'une part, il annonce le « réveil », que l'on imagine postérieur à *La Nausée* : folie dont on ne peut guérir naturellement, semble-t-il, que si elle a réussi. Il a fallu que Sartre devienne réellement *aux yeux des autres*, un écrivain, pour qu'il puisse se détacher du mythe, et redevenir n'importe qui. D'autre part, il constate malgré tout la « permanence » de sa folie. Aussi, si Sartre avait écrit un second récit, imagine-t-on qu'il n'aurait pu être construit que sur une structure symétriquement inverse des *Mots*, structure dialectique dans laquelle l'élément négatif-moteur (que l'on cherche à fuir et qui revient toujours) aurait été, non plus l'angoisse de la contingence, mais l'illusion de la nécessité. Si Sartre n'a pas écrit un second récit, c'est sans doute parce qu'il a renoncé à la littérature ; c'est peut-être aussi parce que l'évolution qu'il devait analyser n'est pas terminée, et qu'une telle dialectique est impossible à construire tant qu'on n'est pas arrivé à son terme. Le flou vertigineux de l'épilogue le fait sentir [1]. Neuf ans se sont écoulés entre le moment où Sartre a commencé *les Mots* et celui où il a repris le récit pour le publier. Depuis 1964, certes, le processus de prise de conscience a continué : la crise de 1968 a confirmé Sartre dans sa critique de la notion d'intellectuel, mais il continue malgré tout à en vivre les contradictions [2]. Sans doute celles-ci ne pourraient-elles être dépassées qu'à la faveur d'un événement qui n'a pas encore eu lieu : la révolution, seul coup de théâtre possible pour un cinquième acte. C'est de ce lieu que tout s'éclairera. Mais y aura-t-il encore des intellectuels pour écrire des autobiographies, fussent-elles politiques ? — En attendant, Sartre termine son épilogue en *inversant* les termes du prologue des *Confessions* de Rousseau, comme pour ramener ironiquement le genre à ses origines, et signer la fin de l'individualisme bourgeois : « Si je range l'impossible Salut au magasin des accessoires, que reste-t-il ? Tout un homme, fait de tous les hommes et qui les vaut tous et que vaut n'importe qui. »

1. L'histoire même de l'écriture des *Mots* reste encore obscure, malgré les témoignages directs de Sartre (interview au *Monde*, du 18 avril 1964), les allusions que l'on peut trouver dans *les Mandarins* (1954 ; coll. « Livre de Poche », 1968, t. I, p. 60-63, et p. 323 ; l'autobiographie de Robert Dubreuilh, inachevée et gardée inédite, pour ne pas donner d'armes à ses ennemis), et le récit de Simone de Beauvoir dans *Tout compte fait* (éd. Gallimard, 1972, p. 54-55 et p. 107).

2. Cf. l'interview accordée à *l'Idiot International* de septembre 1970, reprise dans *Situations VIII*, éd. Gallimard, 1972, p. 456-476.

3. DIALECTIQUE ET TEMPORALITÉ

Le schéma que je viens de construire n'est bien évidemment qu'une approximation très simplifiée : il ne rend pas compte, dans son détail et sa complexité, du cheminement dialectique, mais indique simplement la ligne générale de la logique du récit. Alors que le lecteur reste complètement indifférent à l'incohérence de la chronologie, la moindre faille dans la logique éveille son attention : c'est dire que l'ordre logique est l'ordre véritable du texte.

Pourtant en relisant le récit que j'ai tiré des *Mots*, on s'apercevra que j'ai à mon tour été obligé, par la force des choses, de raconter une histoire, de supposer à chaque instant une suite linéaire le long de laquelle le héros progressait d'une étape à l'autre, certes conformément à un schéma dialectique, mais en le réalisant dans une histoire concrète orientée très banalement d'un avant vers un après : rebondissement dramatique, alternance d'événements et de périodes — rien n'y manque. Que cette histoire-là soit brouillée avec la « chronologie », c'est fort possible : mais comme texte, elle est indubitablement narrée selon les techniques les mieux éprouvées, qui tiennent en haleine le lecteur jusqu'au bout.

La première idée qui vient donc, c'est que *les Mots* serait un récit de genèse théorique, analogue aux mythes analytiques des origines, tels que les écrivaient au XVIIIe siècle des gens comme Condillac ou Rousseau. Dans ces fictions, la succession des étapes d'une analyse par laquelle on effectue un montage progressif et génétique de la chose étudiée, est présentée comme la succession historique de la genèse de la chose elle-même. C'est ainsi que l'on explique l'entendement en prenant une statue inanimée, en lui donnant d'abord l'odorat, en montrant progressivement les autres sens, etc. Ou l'ordre social actuel, en partant d'un bon sauvage, et en lui faisant inventer progressivement l'emploi des instruments, la construction des maisons, la famille, puis, avec l'agriculture et la métallurgie, la propriété, etc. Ou bien un Sartre fou, en prenant une liberté vide, en lui donnant un contenu, qui sonne creux, d'où le mime d'une plénitude interne, qui un jour se fixe en folie. Les étapes de l'analyse d'un état synchronique finissent par apparaître comme l'analyse des étapes d'une histoire diachronique.

225

La transposition se fait tout naturellement. C'est une démarche habituelle au philosophe, que les lois du langage justifient. Le langage lui-même se dispose dans l'ordre du temps. Dès qu'un énoncé explore plusieurs aspects d'une chose simultanée, il est obligé de le faire de manière successive, et étale donc l'instantanéité dans le temps de l'énonciation. Tout énoncé d'une contiguïté spatiale se résout en une suite temporelle. La description romanesque connaît bien ces problèmes : mais la description phénoménologique aussi. Donnons-en deux exemples, empruntés à Sartre lui-même. Dans *l'Imaginaire*, par exemple, Sartre montre qu'il faut distinguer dans l'attitude imageante deux couches, quoique, dans l'expérience, tout soit donné « dans l'unité d'une même conscience » : il pose alors le principe d'une « antériorité logique et existentielle des éléments constituants » :

> Mais il faut aussi se rappeler que nous pouvons réagir au second degré, aimer, haïr, admirer, etc., l'objet irréel que nous venons de constituer et, quoique naturellement ces sentiments soient donnés avec l'analogon proprement dit dans l'unité d'une même conscience, ils n'en représentent pas moins des articulations différentes, l'antériorité logique et existentielle devant être accordée aux éléments constituants [1].

L'analyse va donc déplier dans la succession ce qui est vécu dans l'unité, et introduire, à l'intérieur de l'instant, une sorte de temporalité logique, exprimant dans le vocabulaire du temps des rapports instantanés de structure, traduisant la profondeur ou la fonction déterminante en l'idée d'une « antériorité logique et existentielle ». Ou bien, dans le *Baudelaire*, il constate plus banalement en conclusion :

> Tel serait dans ses grandes lignes le portrait de Baudelaire. Mais la description que nous avons tentée présente cette infériorité sur le portrait qu'elle est successive au lieu qu'il est simultané [2].

Tant que la chose ainsi analysée est dans l'instant ou la simultanéité, le problème reste relativement simple. Mais dès que l'état actuel est perçu comme étant le produit d'une histoire, le passage s'effectuera vite, par l'intermédiaire de la temporalité de l'énonciation, de l'ordre de l'analyse de la chose dans le discours, à l'ordre de sa

---

1. *L'Imaginaire*, éd. Gallimard, 1970, coll. « Idées », p. 263.
2. *Baudelaire*, éd. Gallimard, 1947, coll. « Les Essais », p. 214-215.

production dans la réalité. « L'antériorité logique et existentielle » aura tendance à être représentée comme une antériorité historique, d'autant plus facilement qu'on lui donnera l'antériorité narrative. La chose se passera encore plus facilement si le schéma explicatif logique utilisé pour déplier la chose étudiée se trouve être un système dialectique, car à l'étalement diachronique s'ajouteront les charmes de la métamorphose des articulations en rebondissement, et la progression se transformera en suspens : la dialectique est naturellement dramatique. Si la pauvre chronologie a la vertu d'être « fidèle » (mais à quoi ?), elle n'a pas ce charme-là.

On peut, à l'aide de cette idée, tenter une première hypothèse sur le rapport de la chronologie et de la dialectique dans *les Mots*. L'ordre dialectique aura la priorité absolue pour la construction du récit : et toutes les *articulations dialectiques* devront être représentées comme des schémas de *succession historique*. Si l'ordre chronologique se trouve par chance coïncider avec l'ordre dialectique, il sera respecté. S'il s'arrange mal avec lui, on l'arrangera. Et s'il ne s'arrange pas du tout, on le violera froidement sans même prendre la peine de s'en cacher. L'ordre dialectique se sert du droit du plus fort, et il a le cynisme du loup en face de l'agneau : l'agneau a toujours tort. Il peut par exemple troubler l'eau en amont du point où il boit, exactement comme un événement survenu à l'âge de dix ans peut causer une réaction à l'âge de sept ans. Si ce n'est lui, c'est donc son frère. Ça n'a pas d'importance. Il y a dictature de la dialectique, et la chronologie n'a qu'à obéir et filer doux. En fait, tous les événements survenus entre 1909 et 1916 sont traités comme appartenant à une vaste synchronie, et l'ordre de leur entrée dans le récit dépend uniquement de leur *fonction* dans la mécanique dialectique : le paradoxe est que le récit se présente *en même temps* comme entièrement diachronique, et qu'il insiste de manière scrupuleuse et cynique sur les datations.

Les séquences chronologiques naturelles reprises dans le récit sont très peu nombreuses : ordre de l'apprentissage de la lecture (ne pas savoir lire, le désirer, apprendre à lire, lire), de l'écriture littéraire, de quelques portions de carrière scolaire — cela ne va guère plus loin. Et l'ordre chronologique est intérieur à ces séquences, et ne concerne guère le rapport des séquences entre elles. Pour le reste, le récit présente effrontément comme chronologiques des articulations purement logiques entourées d'un chaos de dates. L'exemple le plus frappant est naturellement celui du passage de la première à la seconde partie :

N'importe : ça ne tournait pas rond.
Je fus sauvé par mon grand-père : il me jeta sans le vouloir dans une
imposture nouvelle qui changea ma vie (p. 116).

Ce moment dramatique a l'air de séparer un avant d'un après.
Or, avant, il y a un nombre considérable d'événements et d'états
qui se situent de 1909 à 1915; après, un événement de 1912. Mais le
lecteur ne s'étonne pas que l'événement qui change tout se situe
avant ce qu'il doit changer. Il est, tout au long du livre, stimulé par
des formules dramatiques qui persuadent parce qu'elles font plaisir :
« Il n'y eut rien. Pourtant mes affaires allaient de mal en pis » (p. 89),
ou bien : « Il était temps : j'allais découvrir l'inanité de mes songes »
(p. 120), ou : « C'était trop beau pour durer » (p. 131), etc. Cette
dictature ingénument cynique de la dialectique, sur laquelle s'appuie
le narrateur, le lecteur croit en découvrir le modèle chez le héros,
comme si, d'une certaine manière, l'adulte répétait au niveau des
techniques de narration les ruses de l'enfant, de la même manière qu'il
répète ses singeries dans les effets de son style :

> Par bouderie, je maintenais, martyr inexorable, un malentendu dont
> le Saint-Esprit lui-même semblait s'être lassé. Pourquoi ne pas dire
> mon nom à cette ravissante admiratrice? Ah! me disais-je, ils
> vient trop tard. — Mais puisqu'elle m'accepte de toute façon? —
> Eh bien c'est que je suis trop pauvre. — Trop pauvre! Et les droits
> d'auteur? Cette objection ne m'arrêtait pas : j'avais écrit à Fayard
> de distribuer aux pauvres l'argent qui me revenait. Il fallait pourtant
> conclure : eh bien! je m'éteignais dans ma chambre, abandonné de
> tous mais serein : mission remplie (p. 161).

Tel est le récit « fignolé » par l'enfant. C'est d'ailleurs la loi de tout
récit : le sens détermine les événements, et non le contraire. Tous les
récits sont construits à partir de la fin[1]. Rien ne sert de chicaner le

---

1. Voir G. Genette, *Figures II*, éd. du Seuil, 1969, p. 97. Les analyses de
G. Genette sur fonction et motivation font écho aux remarques de Valéry et de
Sartre sur l'imposture de tous les récits, construits implicitement à partir de leur
fin (voir Valéry, *Œuvres*, Bibliothèque de la Pléiade, t. II, 1960, p. 776-777; Sartre,
La Nausée, coll. « Livre de Poche », 1961, p. 60-63) : dans *les Mots* même, le narrateur stigmatise l'illusion rétrospective telle que la pratiquent les biographes dans
les « vies » d'hommes devenus célèbres, et l'application perverse que l'enfant fait
de ces récits à son propre cas (p. 168-173). Mais cette illusion n'est-elle pas à
l'œuvre aussi dans *les Mots*? Sartre répond à cela en écrivant « Reconnue, cette
erreur d'optique ne gêne pas : on a les moyens de la corriger » (p. 169) : ne serait-
ce qu'en montrant le décalage entre l'avenir imaginé, et l'avenir tel qu'il s'est
réalisé.

détail : c'est le sens qui finira par avoir raison. Pour l'enfant, il faut qu'il meure inconnu. Pour l'adulte qui écrit *les Mots*, il faut que l'enfant finisse fou. Si un événement est gênant, on l'écarte. Toutes les solutions que l'enfant pourrait trouver, l'adulte les écarte. Si la comédie qu'il joue marche mal, il lui faudra en trouver une autre. Mais si elle marche bien, c'est pareil. Tantôt ce n'est pas assez beau pour durer, tantôt c'est trop beau. De toute façon, l'enfant doit finir fou, mais heureux : névrose accomplie. Dans certaines articulations (par exemple p. 131-140), ce n'est même plus la chronologie qui est violée, mais le sens de l'événement. Si l'enfant trouve une solution heureuse, on décrète que c'est trop beau pour durer. Il faut donc trouver un événement pour rompre ce bonheur et pour mener à l'étape suivante, la rêverie sur le mythe de l'écrivain. Ce sera l'intervention du grand-père, acceptant la vocation d'écrivain. Ce succès apparent va donc être travaillé dialectiquement en catastrophe. Écrivain, oui, mais gratte-papier! Le lecteur, embarrassé de la subtilité de ces analyses, finit par comprendre qu'il s'agit de faire jouer à un événement qui se trouvait pour une fois à la bonne date, un rôle pour lequel il était mal préparé.

C'est le sens qui dicte, et jamais la chronologie : si on n'a pas, pour le moment dont on parle, des matériaux susceptibles d'illustrer le sens que l'on veut produire, on les prendra deux ans avant ou trois ans après, en le signalant d'ailleurs au lecteur : « Deux souvenirs me sont restés, un peu postérieurs mais frappants » (p. 91 ; ce qui importe, c'est qu'ils soient frappants). Et pour passer de l'exposé sur l'Écrivain-Héros à celui qui porte sur l'Écrivain-Martyr, on construit un événement à retardement, à dire vrai assez proche de l'après coup freudien (à cette différence, cependant, que la réactivation du souvenir est consciente) : « Deux ans plus tôt, pour m'éveiller à l'humanisme, il m'avait exposé des idées dont il ne soufflait plus mot, de crainte d'encourager ma folie mais qui s'étaient gravées dans mon esprit. Elles reprirent, sans bruit, leur virulence (...) » (p. 150).

Cette dictature du sens s'étale donc sans scrupule. On songe à la désinvolture provocante avec laquelle Sartre annonce, au début de sa biographie de Flaubert, s'interrogeant justement sur l'*ordre* à suivre : « On entre dans un mort comme dans un moulin. » Dans l'enfant qu'on fut aussi. Mais le moulin, ce n'est pas le désordre des ouvertures, permettant n'importe quel trajet : c'est l'ordre d'un engrenage. C'est le grand moulin de la dialectique.

Jusqu'ici, j'ai fait semblant de défendre l'ordre chronologique, en mettant en évidence les différents « trucages » dont se sert Sartre. Il était nécessaire de procéder ainsi pour montrer la toute-puissance de l'ordre dialectique. Reste qu'on ne saurait accuser Sartre de trucage que s'il s'en cachait — or, il donne au contraire toutes les indications chronologiques qui permettent d'y voir clair —, et que si l'ordre chronologique était une sorte d'étalon-or de la vérité : or l'ordre chronologique n'a pas plus de vérité en soi que le mètre-étalon déposé au pavillon des Poids et Mesures, pas plus de vérité que les axes des coordonnées par rapport aux fonctions auxquelles ils servent de référence. Mais avant même de faire le procès de la chronologie, et de montrer le bien-fondé et l'intérêt de la technique de Sartre, je voudrais souligner son efficacité.

La dictature de la dialectique, j'ai essayé de le montrer plus haut, donne au récit une structure dramatique qui tient en haleine le lecteur du début à la fin : avouons que rares sont les autobiographies qui produisent cet effet. Elles pèchent toutes par l'excès inverse, même quand le narrateur intervient dans son récit pour le dramatiser : car alors, il intervient de l'extérieur, comme un *deus ex machina*. Tandis qu'ici, l'ordre même d'enchaînement des éléments du récit suffit à créer cet effet. Il le fait d'autant mieux que le rythme du récit est très vif et nerveux : pas de temps mort, pas de monotonie non plus : les accélérations fulgurantes, des retournements de situation viennent sans cesse renouveler l'espèce de suspense sur lequel est fondé le livre. Le rythme ordinaire des autobiographies ressemblerait plutôt à celui d'un feuilleton romanesque : l'attente vague de l'avenir et les prémonitions sont amorties par les loisirs de l'écriture, qui donnent dans le texte même l'image d'une durée molle et fluctuante, et de lointains embrumés. Dans *les Mots*, au contraire, le rythme est celui d'une pièce de théâtre, il obéit aux impératifs de la représentation scénique : déployer dans un temps limité, avec le maximum de netteté, toutes les étapes d'un projet. D'où la netteté mais aussi la dureté des contours : ni lointains, ni flous.

En même temps qu'elles entraînent le lecteur, cette densité et cette tension le fascinent, c'est-à-dire, lui interdisent toute autre attitude que l'adhésion ou le refus : la plénitude du sens fait qu'aucune marge n'est laissée, par exemple, à l'interprétation du texte. 1) Tous les éléments du récit sont explicitement signifiants : alors que souvent dans les récits autobiographiques, la pertinence tend à se relâcher et que le récit flotte autour des sens explicités, laissant une marge à l'interprétation du lecteur, ici le récit est ajusté, sens et récit sont coextensifs et absolument indissociables. 2) Toutes ces significations renvoient à un système unique au sein duquel elles s'articulent : il est impossible de les arracher à leur fonction dans ce système, impossible d'imaginer un autre système qui rende compte de l'ensemble des éléments signifiants : cela est extrêmement remarquable. Très souvent, dans la mesure où les autobiographes ne sont pas capables de dominer leur vie, ils sont aussi incapables de *fermer* la structure de leur texte. Au mieux, ils organisent l'incertitude du sens dans un système d'ambiguïté, et donnent le spectacle du *jeu* de l'interprétation : c'est le cas de Rousseau affronté à des contradictions intérieures; de Gide construisant avec une ruse diabolique *Si le grain ne meurt* sur l'emploi simultané d'une double problématique (celle du péché et celle de la nature); de Leiris louvoyant avec la psychanalyse. Ici, rien de tel, le texte se présente comme un bloc, comme une totalité inentamable. Si nous avons cru y apercevoir une faille, c'était une faille intérieure à la logique (à la folie) du système, et qui assure son fonctionnement. La seule retraite qui reste à un lecteur sceptique, mais naturellement incapable de proposer une autre interprétation, c'est de voir, dans cette perfection et cette omniprésence de la dialectique, une conduite de protection. Hypothèse que Claude Burgelin a avancée pour rendre compte de la prolifération totalisante de *l'Idiot de la famille* [1], et qu'on pourrait aussi avancer pour expliquer la densité des *Mots*. Toutes les issues du texte qui pourraient mener à une réflexion psychanalytique sont impeccablement bouchées, soit par les interventions de compères psychanalystes, soit par de petits développements préventifs (note de la p. 48) [2]. Mais porter un tel diagnostic de « conduite de protection » sur la fermeture du texte, n'est-ce pas soi-même chercher à se protéger d'un texte qu'on ne déclare peut-être fermé que parce qu'il est ouvert sur une vérité dernière difficilement supportable : à savoir que la névrose est *politique?*

Au demeurant, cette dictature du sens dans le récit n'a rien d'étouffant. A lire nos analyses sans avoir lu *les Mots*, on imaginerait au mieux une œuvre abstraite et sèche, au pire un récit à thèse. Quiconque a lu *les Mots* sait qu'il n'en est rien. Le très grand succès du livre le prouve : c'est même un livre qu'on peut lire sans être du tout

1. Claude Burgelin, « Lire *l'Idiot de la famille?* », *Littérature*, n° 6, mai 1972, p. 115.
2. Pour une mise au point sur l'attitude de Sartre face à la psychanalyse, voir James Arnold et Jean-Pierre Piriou, *Genèse et critique d'une autobiographie : ' Les Mots ' de Jean-Paul Sartre*, Archives des Lettres Modernes, éd. Minard, 1973.

familiarisé avec la pensée de Sartre : tout au plus sera-t-on gêné par quelques formules, ou traînera-t-on un peu vers le milieu de la seconde partie. Pour le reste, on aura cette impression de « vécu » et de « pris sur le vif » que l'autobiographe vise souvent sans arriver à la donner. C'est que, s'il n'y a aucune partie du récit qui ne soit explicitement signifiante, réciproquement, il n'y a pratiquement aucune signification qui ne s'explicite à travers un récit (récit qui peut d'ailleurs être condensé dans un mot, une phrase, ou s'étendre aux dimensions de la scène ou de l'anecdote) ou à travers une description, un mime « phénoménologique » : le sens jaillit de la technique même de description du vécu concret, où chaque geste, chaque conduite est décrite en dégageant les lignes de force, le sens du *projet* qu'elle manifeste. Cette technique très efficace avait déjà été employée par Sartre dans un de ses premiers récits, *l'Enfance d'un chef*, qui n'est pas sans ressemblance avec *les Mots :* parodie du récit d'enfance, essai d'analyse de l'origine d'une névrose, démystification ironique d'une conduite de mauvaise foi [1]. En effet la description « phénoménologique » rend sensible (et donc comique) le décalage entre l'apparence de la conduite et sa fonction réelle. Plus la description est ramassée, plus le décalage éclate : très souvent, elle est concentrée dans un mot d'esprit, où l'on aurait tort de voir simple jeu d'un style à facettes. C'est l'imposture ou la mauvaise foi qui sont visées et atteintes en leur centre [2].

Il y a donc fusion du récit et de la dialectique, aussi bien au niveau de la phrase ou du paragraphe, grâce au style « phénoménologique » qui dégage l'intentionnalité, qu'au niveau global du livre, grâce à l'articulation dialectique de toutes les intentions ainsi dégagées.

1. On est tenté de superposer ces deux récits, non seulement à cause des nombreux éléments que Sartre a empruntés à sa propre enfance pour les utiliser dans la fiction de *l'Enfance d'un chef*, mais pour montrer les analogies dans le système descriptif et explicatif de l'origine et des manifestations de la névrose. Mais, du point de vue qui m'intéresse ici, il faut aussi voir la différence : dans une fiction, l'écrivain n'est plus gêné par la chronologie, rien ne l'empêche de construire l'histoire à partir de l'analyse, très classiquement. D'où le développement strictement linéaire et très simple du récit. Le récit suit l'ordre d'une histoire construite à partir de l'ordre de l'analyse. Une vie réelle ne se laisse pas faire si facilement.

2. La densité est produite par un travail très serré d'*écriture :* allusions culturelles, pastiches, jeux sur le style indirect libre, mélanges subtilement violents de style hyperlittéraire et de brusquerie orale. Voir sur ces problèmes l'étude de Jacques Lecarme déjà citée.

Ce style ironique s'estompe fatalement lorsque Sartre raconte oralement sa vie au lieu de l'écrire, par exemple dans ses interviews (cf. le récit de son adolescence fait à la demande de Francis Jeanson, dans *Sartre dans sa vie*, éd. du Seuil 1974). Lui-même s'est longuement expliqué sur ce décalage et cette inégalité stylistique entre l'*écrit* et l'*oral* dans son interview au *Nouvel Observateur* du 23 juin 1975.

Sartre a donc évité l'écueil du récit à thèse : mais en même temps, il a su donner une solution élégante à l'une des difficultés classiques de tous les récits d'enfance. Dans la mesure où, mis à part quelques événements traumatisants, et quelques repères historiques, la mémoire de notre enfance ne se présente pas naturellement sous la forme d'une histoire, l'autobiographe devra la plupart du temps, pour mettre un ordre, regrouper ses souvenirs par *thèmes :* la vie scolaire, la vie familiale; le jeu; le problème de la mort; le problème de l'origine; la découverte de la nature; le goût des spectacles, etc. Il est assez facile de regrouper ces souvenirs : mais beaucoup plus difficile d'articuler les groupes ainsi obtenus et d'éviter la disparate de la juxtaposition. On s'en tire en général en échelonnant l'entrée de ces développements thématiques au long d'un développement chronologique; ou par des transitions purement rhétoriques qui ne trompent personne. Trop souvent, l'ordre thématique n'est que la couverture pudique des difficultés qu'il y a à trouver un ordre à sa vie. Sartre a réussi à utiliser ces développements thématiques, en eux-mêmes presque trop faciles, en les plaçant à l'intérieur d'un ordre dialectique rigoureux. Les lecteurs d'autobiographies traditionnelles n'ont pas été déroutés en lisant *les Mots,* car ils y ont trouvé tous les grands airs classiques des souvenirs d'enfance : mes premiers livres, mes souvenirs d'école primaire, mes contacts avec la mort, ma découverte du cinéma, etc., jusqu'aux classiques souvenirs d'entrée au lycée, des portraits de bons camarades... Mais ils n'ont pas assez pris garde que ces couplets étaient « agents doubles », et n'avaient pas l'innocence et la relative insignifiance qu'ils ont dans les autobiographies courantes. C'est d'ailleurs la grande réussite des *Mots,* d'avoir su concilier les techniques les plus traditionnelles du genre des souvenirs d'enfance, avec une construction dialectique rigoureuse. Si j'ai pu parler de trucage, c'est pour les endroits où la « soudure » reste visible. Mais, pour l'essentiel, le livre est construit comme un piège, à cause des deux lectures qu'il rend simultanément possibles : apparence chronologique et thématique, réalité dialectique. Reste à savoir qui est pris au piège : Sartre récupéré par les lecteurs bourgeois, ou ceux-ci happés malgré eux dans une machine dialectique? Le malentendu demeure entier. *Les Mots* ne pourront sans doute avoir la puissance corrosive que Sartre a voulu leur donner, que lorsqu'un second volume sera venu éclairer la dernière partie du récit, où la densité excessive et la rapidité apparaissent au lecteur moyen comme un tourbillon encore obscur, et lui permettent d'éviter d'avoir lui-même à conclure.

Privilégiant le sens, aux dépens de la chronologie, Sartre serait-il indifférent à la temporalité? Pas le moins du monde. Il faut maintenant dépasser l'opposition courante et naïve sur laquelle je me suis appuyé depuis le début de cette analyse. Trop d'autobiographes voient dans la chronologie le fondement de la temporalité, alors qu'elle n'en est qu'un aspect. Prendre cet aspect pour l'essentiel, privilégier les « cadres sociaux de la mémoire », c'est choisir en réalité une certaine conception de l'homme. Les techniques habituelles du récit chronologique ne sont pas « neutres », simplement conformes à quelque chose qui serait la « nature » des choses. Elles reposent sur deux postulats que Sartre a justement remis en question dans sa phénoménologie de la temporalité : l'existence d'un passé en soi, et l'identité du rapport de succession et du rapport de causalité.

Dans l'analyse qui suit, naturellement, j'étudie les positions de Sartre sur le temps tel qu'il apparaît dans l'autobiographie, pour un sujet qui envisage son passé. C'est un problème tout à fait différent de celui du temps dans le roman. Les théories de Sartre sur le roman centré sur le présent, sur une liberté en train de se faire, et qui ne saurait connaître l'avenir — ces réflexions, qui correspondent aux recherches techniques de *la Nausée* ou des *Chemins de la liberté*, perdent toute pertinence dès que le point de vue sur le temps change. C'est sans doute pour ne l'avoir pas compris, que Simone de Beauvoir a rencontré tant de difficultés dans son entreprise autobiographique.

Tout se passe en gros comme si le récit sartrien avait connu deux « régimes » : celui de la *fiction*, centrée sur le présent [1] (de *la Nausée* jusqu'à l'interruption des *Chemins de la liberté*), et celui de la *biographie*, centrée sur le passé (depuis le portrait de Baudelaire jusqu'à la somme sur Flaubert, qui d'ailleurs restera sans doute elle-même inachevée); dans la mesure où la technique renvoie à la métaphysique, on peut se demander si l'abandon des romans et la prolifération de la biographie depuis 1947 n'est pas la conséquence à retardement de la prise de conscience politique, et ne reflète pas le passage de la phénoménologie existentielle de *l'Être et le Néant*, à la visée anthropologique beaucoup plus ambitieuse de la *Critique de la raison dialectique*. Ce n'est là qu'une hypothèse. Toujours est-il que, dès *l'Être et le Néant*, Sartre expose une conception de la temporalité qui met en question le récit chronologique habituel :

1. A l'exception, il est vrai, de *l'Enfance d'un chef*.

1. L'existence du passé en soi, supposée par tant de théories de la mémoire et du temps, est condamnée comme une absurdité [1]. Supposer un passé en soi, c'est le couper du présent, et s'exposer à ne pouvoir jamais expliquer comment il se fait que nous percevions ce passé. Il n'y a de passé que par *mon* présent actuel. Les analyses de Sartre, faites à un moment où sans doute il ne pensait guère à l'auto-biographie [2], décrivent la situation naturelle de tout autobiographe, comme de tout vivant. C'est, d'une certaine manière, condamner l'emploi du récit biographique traditionnel, et repousser la vision historicisante de la vie : non qu'il faille les repousser absolument, car, après tout, les cadres sociaux de la mémoire font *aussi* partie de ma relation au passé : mais ils sont loin d'être le dernier terme auquel il faille tout rapporter. Cette idée heurte profondément l'illusion commune, illusion qui est sans doute nécessaire d'ailleurs à la quête autobiographique, analogue dans le temps aux nécessaires illusions de la perception dans l'espace. On le voit bien dans l'autobiographie : chacun s'imagine que c'est l'être en soi du passé qui est l'objet de son récit (d'où le souci d'exactitude, la recherche des recoupements, la construction d'une histoire chronologique), et perçoit sa relation actuelle à ce passé comme un empêchement (trous de mémoire, confusion, déformation, etc.), comme un facteur négatif et limitatif. Cette illusion (puisqu'il n'y a de passé que dans cette relation) se retrouve partout : je renvoie à l'exemple très candide d'André Maurois dans *Aspects de la biographie*. Mais on sera plus étonné de voir que, malgré sa culture existentialiste et la connaissance qu'elle avait, dès 1954, de l'autobiographie de Sartre, Simone de Beauvoir a construit toute son autobiographie sur cette conception naïve du passé-en-soi. Cela se voit aussi bien dans les techniques qu'elle emploie, que dans les réflexions qu'elle fait sur la problématique du genre, même quand elle les formule dans un vocabulaire à l'apparence existentialiste. Si elle critique le récit chronologique, par exemple, tout en continuant à l'employer, ce n'est pas parce qu'il trahit l'être-pour-moi du passé, mais son être en soi : elle imagine visiblement le passé comme une succession de présents ayant chacun son être en

1. *L'Être et le Néant*, éd. Gallimard, 1943, p. 150 s. Pour la perspective autobio-graphique, voir toute la séquence sur « Mon passé » (p. 577-585), dans laquelle Sartre montre comment nous passons notre temps à redéfinir le sens et l'ordre de notre passé à la lumière de notre projet présent : « Cette décision touchant la valeur, l'ordre et la nature de notre passé est d'ailleurs tout simplement le *choix historique* en général » (p. 581).
2. Mais il pensait déjà au problème de la biographie. Voir sur ce sujet l'étude de Victor Brombert, « Sartre et la biographie impossible », *CAIEF*, n° 19, 1967, p. 155-166.

soi (c'est-à-dire un passé et un futur à l'intérieur de chaque présent) : d'un point de vue existentialiste, elle a raison de penser que chaque présent *est* ainsi *quand il est présent* (c'est pourquoi elle devrait plutôt pratiquer franchement le journal intime, au lieu d'essayer de le déguiser en autobiographie), mais tort de penser que le passé est constitué d'une addition de présents en soi, qu'il faudrait reconstituer un à un et aligner dans l'ordre chronologique. C'est pourtant ce qu'elle *désire* faire, et qu'elle se plaint de ne pouvoir faire :

> En la contenant dans des phrases, mon récit fait de mon histoire une réalité finie, qu'elle n'est pas. Mais aussi il l'éparpille, la dissociant en un chapelet d'instants figés, alors qu'en chacun passé, présent et avenir étaient indissolublement liés. Je peux écrire : je me préparai à partir pour l'Amérique. Mais l'avenir de ce vieux projet a sombré derrière moi comme le projet même qu'aucun élan n'anime plus. D'autre part, chaque époque était hantée par d'autres, plus anciennes; mon âge adulte, par ma jeunesse et mon adolescence; la guerre, par l'avant-guerre. En suivant la ligne du temps, je m'interdisais de rendre ces emboîtements. J'ai donc échoué à donner aux heures révolues leur triple dimension : elles défilent, inertes, réduites à la planitude d'un perpétuel présent, séparé de ce qui le précède et de ce qui le suit[1].

A lire ce constat d'échec très lucide sur les raisons apparentes de l'échec, mais aveugle sur la cause profonde (le désir du passé-en-soi), on voit combien est justifiée, *a contrario*, la recherche synthétique et dialectique de Sartre. L'échec de Simone de Beauvoir était, sur ce plan, prévisible dès le début des *Mémoires d'une jeune fille rangée*. Une étude comparative de la technique du récit dans le premier chapitre de ces *Mémoires*, et dans *les Mots*, montre en effet deux choses : *en apparence*, Simone de Beauvoir a l'air d'utiliser une dialectique analogue à celle de Sartre, au point de donner à son texte, publié avant *les Mots*, mais écrit après que Sartre en a rédigé la première version, une allure de copie; mais *en réalité*, dès qu'on analyse l'ordre du récit, on voit qu'il n'en est rien. Dans *les Mots*, la dialectique se déguise en chronologie; dans les *Mémoires*, c'est la chronologie qui essaie de se faire prendre pour une dialectique. Sartre suit sans vergogne l'ordre du sens : il maquille en succession chronologique les enchaînements logiques; Simone de Beauvoir, elle, maquille en dialectique la suite très sagement chronologique du récit, et essaie de nous faire prendre pour des articulations de sens les jointures d'une juxtaposition thématique.

1. Simone de Beauvoir, *Tout compte fait*, éd. Gallimard, 1972, p. 9-10.

Mais, dira-t-on, dénier toute existence au passé en soi, n'est-ce pas contester la possibilité même d'écrire une autobiographie? Cela ne sert donc à rien d'être le plus exact, le plus fidèle possible, dans la reconstruction du passé tel qu'il fut? Sous prétexte que le passé n'est qu'une dimension de *mon* présent actuel, puis-je raconter n'importe quoi? — Bien évidemment, *non*. Mais il ne faut pas confondre l'exigence d'exactitude, qui est en réalité un principe nécessaire, mais *négatif* (*ne pas* oublier, *ne pas* déformer, etc.) et *relatif* (puisqu'il renvoie à l'image du passé en soi telle qu'elle existe à l'intérieur de l'être-pour-moi du passé), avec l'exigence de signification, qui est le principe positif et premier de la quête autobiographique, positif parce que c'est lui qui engendre la structure du texte et premier puisqu'il a pour fonction de restituer l'être-pour-moi du passé. Pour qu'il y ait autobiographie, il faut que ces deux exigences soient respectées : mais il faut aussi qu'elles soient hiérarchisées. C'est ce qui se passe dans *les Mots;* tous les épisodes mentionnés sont, dans la mesure du possible, datés et localisés, et Sartre a obéi avec scrupule à l'historicité; il a aussi cherché à imaginer le plus nettement possible ce qu'il était *alors*. Mais il ne croit pas le moins du monde que ces efforts aident à dire la vérité sur le « passé-en-soi » : tout au plus à ne pas faire d'erreur.

2. Tout récit qui respecte l'ordre chronologique implique une certaine conception de la causalité, étriquée et mécaniste, et repose sur l'illusion du *post hoc, ergo propter hoc :* formule qui vaudrait peut-être pour un système mécanique linéaire isolé, mais qui ne vaut plus dès que le système devient complexe, dépendant, et n'est plus mécanique. La temporalité humaine ne fonctionne pas ainsi : à preuve d'ailleurs toutes les entorses que font les autobiographes à la chronologie. Même si on voulait, comme Simone de Beauvoir, trouver l'être en soi du passé, ce n'est pas en additionnant la temporalité intérieure à chaque instant dans un ordre linéaire qu'on y arriverait. A supposer qu'à l'intérieur de ma relation au passé, je veuille ainsi viser le passé-en-soi, je n'y arriverai jamais en accumulant : seule une vision globale, synthétique, peut appréhender la temporalité. Il ne s'agit pas de représenter la multiplicité des instants, divisant l'espace de la vie comme Zénon d'Élée, mais de prouver le mouvement en marchant, en dégageant la loi selon laquelle s'engendre le mouvement. L'autobiographie, pour Sartre, ce ne sera pas « l'histoire de mon passé », mais « l'histoire de mon avenir », c'est-à-dire la reconstruction du *projet*.

La notion sartrienne de projet saisit la temporalité dans son unité profonde, dans sa loi. Élaborée sur le plan théorique dans *l'Être et le Néant* et reprise dans *Questions de méthode*, la notion de projet a été utilisée par Sartre constamment, aussi bien dans ses relations directes avec autrui[1] que dans ses biographies. L'homme n'est pas un système causal, il est une liberté; placé dans une certaine situation, il ne la subit pas, il lui invente une issue, à l'intérieur du champ du possible. Cette invention de l'avenir ne se situe pas *dans* le cadre du temps : c'est elle qui constitue le temps.

Toutes les conduites qu'invente ainsi la liberté manifestent un projet fondamental et *unique*, élaboré au cours de l'enfance, et qui est devenu un élément permanent et intemporel de l'histoire de l'individu. « Une vie, c'est une enfance mise à toutes les sauces[2]. » Écrire une biographie, c'est donc essayer d'abord d'identifier ce projet, et de le retrouver dans son origine. De la justesse de cette première démarche, dépend toute la vraisemblance et l'intérêt du récit autobiographique ou biographique. Déduit de quelques conduites jugées fondamentales, le projet sert ensuite d'hypothèse pour rendre compte de la totalité des conduites. Cette méthode inductive et synthétique peut paraître hasardeuse ou chimérique : hasardeuse en ce sens qu'une erreur au départ se multiplie et finit par fausser l'ensemble (par exemple, si Flaubert avait appris à lire normalement?); chimérique, en ce qu'on peut y voir le type même de l'illusion rétrospective : le résultat, unique, fait imaginer que la cause l'était aussi; et troublante aussi, puisque la liberté y apparaît n'être qu'un autre visage de la nécessité[3]. Mais il n'y a « illusion rétrospective » qu'aux yeux de quelqu'un qui vit l'illusion chronologique : c'est illusion contre illusion; et ce n'est choquant fatalisme que si l'on n'a pas saisi que, pour Sartre, la liberté n'est pas le bon plaisir arbitraire, mais la

---

1. « Sartre au contraire essayait de me situer dans mon propre système, il me comprenait à la lumière de mes valeurs, de mes projets », Simone de Beauvoir, *Mémoires d'une jeune fille rangée* (1958), coll. « Livre de Poche », 1966, p. 483.
2. *L'Idiot de la famille*, éd. Gallimard, 1971, t. I, p. 56.
3. Le récit rétrospectif fige fatalement en nécessité le trajet qu'a choisi la liberté : nulle part n'apparaissent d'autres possibles, que le choix aurait éliminés : c'est que la liberté n'est pas choix, mais invention. Seule l'issue imaginée, nous est imaginable. Aussi la rêverie sur le possible porte-t-elle non sur d'autres réactions possibles à la situation, mais sur d'autres situations possibles; rêverie non sur la liberté, mais sur le hasard. Ainsi dans *les Mots*, p. 76, la rêverie sur un père à héritage « m'eût-il laissé du bien, mon enfance eût été changée; je n'écrirais pas puisque je serais un autre », ou p. 134 sur un grand-père encourageant le génie : « Si Charles se fût écrié de loin, en ouvrant les bras : « Voici le nouvel Hugo, voici Shakespeare en herbe! » je serais aujourd'hui dessinateur industriel ou professeur de lettres. » Toute rêverie sur le hasard fait apparaître, *a contrario*, le caractère nécessaire du choix fait par la liberté. Cf. par exemple le procédé employé par Simone de Beauvoir dans *Tout compte fait*, p. 11 à 40.

manière qu'a l'homme de collaborer à la dialectique de l'histoire, de la réaliser.

Perçu comme la direction unique des conduites les plus caractéristiques de l'individu, le projet est donc pris comme hypothèse de lecture de l'ensemble de son histoire. Les faits, événements, sentiments et conduites, sont alors perçus non comme des éléments à organiser chronologiquement pour reconstituer une histoire, mais comme des *signes* à déchiffrer, pour reconstituer un projet, qui n'appartient en propre à aucun moment et qui les englobe tous.

Que le projet n'appartienne en propre à aucun moment, ne signifie pas qu'il n'ait pas d'histoire — ne serait-ce que parce qu'il se développe dans une situation, qui, elle, en a une. Mais sa temporalité ne saurait être appréhendée de manière chronologique : il ne resterait alors qu'une poussière de faits indéchiffrables. La structure du récit dans *les Mots* nous donne l'impression de n'être pas *successive* (malgré les leurres de la présentation), mais *cumulative* : non seulement parce qu'il faut tenir compte d'une sorte de mémoire du texte, ce qui est vrai de n'importe quel récit (un récit, c'est quelque chose qui vous constitue une mémoire; dès la dixième page, le lecteur est devenu quelqu'un qui croit se souvenir); mais parce que l'ordre dialectique adopté fait que rien de ce qui est arrivé au niveau fondamental, n'est jamais aboli, mais que les forces motrices (la liberté et l'angoisse, c'est-à-dire la peur que la liberté a d'elle-même) et les mécanismes mis en mouvement (la fuite dans le mime d'une nécessité) continuent indéfiniment à se reproduire à tous les étages de la construction [1]. L'angoisse est toujours là, et sera toujours la même : toute l'histoire, en chacun de ses instants, ne fait que répéter, que moduler, le projet fondamental, en lui offrant certes de nouvelles issues et de nouvelles métamorphoses, en ouvrant différemment le champ des possibles, mais sans rien changer au point de départ du problème que la liberté s'est proposé. D'où une relative indifférence à l'ordre anecdotique de succession des différents événements qui *manifestent* les problèmes et les solutions provisoires au sein d'une même synchronie, c'est-à-dire d'une large période où l'on peut considérer *grosso modo* que le projet fondamental apparaît sous une figure constante. Il n'y a alors d'irréversible, ou plutôt d'irréductible, que la liberté et l'angoisse : elles resurgissent indéfiniment partout, ce qui donne d'ailleurs au texte l'aspect d'une tragédie régie par la fatalité; pour le reste, tout

---

1. « Une vie se déroule en spirales; elle repasse toujours par les mêmes points mais à des niveaux différents d'intégration et de complexité » (*Questions de méthode*, 1960; coll. « Idées », 1967, p. 149).

étant réversible et précaire, on circule librement en avant et en arrière, même si, pour les commodités de l'exposition, on emploie le vocabulaire de la succession irréversible et causale.

Le problème principal, dans le récit d'un projet, c'est donc la détermination des larges zones qui peuvent être traitées comme des synchronies, et leur articulation avec les coupures fondamentales, qui d'une part limitent ces zones, et d'autre part engendrent *toutes* les conduites qui s'y manifestent. Pour être *fondamental*, le projet n'est pas forcément « chronologiquement » *premier* : au contraire, il aura le plus souvent pour caractéristique d'être *central*, d'être représenté comme un mouvement de renversement où le passé engendre l'avenir, occupant dans l'histoire une position qui est toujours seconde, la place initiale et « antérieure » ne pouvant être accordée qu'à la situation en face de laquelle se pose cette liberté. Le problème est naturellement de savoir si ce qui apparaît dans l'analyse dialectique comme une coupure, un moment de renversement et de réaction, se présente dans l'*histoire* comme un événement dramatique et senti comme irréversible (événement dont le modèle est la conversion, le coup de foudre, le traumatisme), ou s'il n'est pas lui-même monnayé, dissous, élaboré progressivement au cours d'une période plus ou moins large, que l'on pourrait alors de nouveau traiter synchroniquement. On voit que se répète au niveau de l'apparition historique du projet le même problème qu'au niveau de son développement. Sartre a très clairement exposé au début de *Saint Genet* que cette question n'a en réalité aucune importance au niveau de l'histoire, puisque cela ne change rien à la nature ni à l'existence du projet; au niveau du récit, il est bien sûr plus pratique (c'est-à-dire à la fois pour l'effet, plus propice à la dramaturgie, et pour le sens, plus fidèle à la dialectique) de le *représenter* par un événement unique et central[1].

On voit dès lors le double traitement que le récit dialectique applique aux données chronologiques : *étaler* dans une sorte de succession logique (où les articulations dialectiques sont exprimées en termes d'enchaînements dramatiques) des éléments pris dans n'importe quel ordre au sein d'une large période chronologique traitée en synchronie, ceci pour peindre des *conduites; concentrer* en un événement unique tous les événements qui manifestent les endroits d'articulation (prise de conscience, choix). C'est donc une *redistribution* générale, qui tient compte de la chronologie de deux manières : sur le plan du leurre, en empruntant son langage; sur le plan de la réalité, à un niveau très global, en rendant compte du sens fondamental

1. *Saint Genet comédien et martyr*, éd. Gallimard, 1952, p. 9.

et de l'ordre de développement de la vie, et en s'appuyant fortement sur les coupures qui se trouvent être simultanément des événements chronologiques importants et des articulations dialectiques au niveau de l'analyse : coïncidence rare d'ailleurs.

Tout le récit biographique part donc en général d'une cellule initiale assez simple, d'un trait schématique dans lequel se résume le projet. G. Genette propose d'envisager que des récits comme *l'Odyssée* ou *A la recherche du temps perdu* sont l'expansion monstrueuse d'une phrase initiale qui serait : « Ulysse rentre à Ithaque » ou « Marcel devient écrivain [1] ». Sans doute est-ce vrai de tout récit : les exemples de G. Genette sont piquants à cause, justement, de la monstruosité de l'expansion qui cache le germe. La biographie sartrienne est fascinante, en sens inverse, en ce que, jusqu'en ses expansions les plus monstrueuses (*l'Idiot de la famille*), le germe reste visible. Pour *les Mots*, le germe est, dans sa forme la plus simple, une variante du germe autobiographique classique. Toute autobiographie est l'expansion de la phrase : « Je suis devenu moi »; on aurait ici : « Je me suis *fait* moi », qu'il faudrait pourtant préciser, étoffer; ce serait alors le petit schéma pseudo-biblique que j'ai proposé ci-dessus, ou les esquisses ou croquis que Sartre lui-même a tracés soit dans *les Mots*, soit dans des interviews résumant le livre [2].

De même que l'œuvre de Proust est tout entière la croissance d'un même texte, de même l'œuvre narrative de Sartre apparaîtra peut-être comme le développement d'une même structure de la biographie. En effet, au terme de cette investigation sur l'ordre du récit dans *les Mots*, il se confirme que le changement apporté par Sartre à la structure traditionnelle de l'autobiographie n'est qu'une conséquence et un aspect de la révolution qu'il a apportée dans le récit biographique en général, et que celle-ci manifeste, en l'appliquant phénoménologiquement à des individus, une nouvelle anthropologie. Poursuivre cette enquête, ce serait donc étendre à tous les récits biographiques écrits par Sartre la recherche ici faite à propos des *Mots*. Il semble que, dans le classement de ces récits, ce n'est peut-être pas l'opposition autobiographie/biographie qui serait pertinente, malgré les problèmes que pose l'emploi de la première personne. Les biographies sartriennes se répartiraient plutôt en deux groupes, selon la nature de la relation du narrateur au héros et l'information réelle qu'il a sur l'histoire. Dans un premier groupe se situeraient par exemple les esquisses biographiques de Nizan et de Merleau-

1. Gérard Genette, *Figures III*, éd. du Seuil, 1972, p. 75.
2. Cf. *les Mots*, p. 208-209; *Situations IX*, éd. Gallimard, 1972, p. 32-33.

Ponty, et *les Mots*, textes qui se ressemblent par leur densité, leur caractère incisif et concret : récits phénoménologiques du projet fondamental de trois personnes que l'auteur a longuement fréquentées et qu'il appréhende d'abord directement. Dans un deuxième groupe en suivant l'ordre chronologique, en même temps que l'ordre croissant de l'ampleur de l'analyse, *Baudelaire*, *Saint Genet* et *l'Idiot de la famille*. Dans ces trois cas, l'homme a été d'abord (pour Genet) ou uniquement (pour Baudelaire et Flaubert) connu à travers ses œuvres et le vécu réel (en particulier pour la petite enfance) échappe en grande partie au biographe. Plus l'information manque, plus l'analyse se développe, prolifère en expansions monstrueuses : moins on en sait, plus on est obligé de supputer, de déduire, et de remplacer le singulier par l'universel, et plus on prend de plaisir à le faire. D'où l'allure très différente de ces biographies, dans lesquelles le sens n'est plus « ajusté » au récit, mais flotte autour de lui. Entre ces deux groupes, la comparaison privilégiée doit s'établir entre *Saint Genet* et *les Mots*, parce que l'ordre dialectique qui les structure est analogue et parce que tous les deux ont, historiquement, le plus de vraisemblance (*Saint Genet* est beaucoup plus crédible que le *Baudelaire* ou que le *Flaubert*, peut-être simplement parce que Sartre a connu Genet et qu'il est son contemporain). L'ordre dialectique d'exposition du projet est en quelque sorte immanent au récit dans *les Mots;* dans le *Saint Genet*, ce sont des bribes, des éléments de récit que l'on trouve sertis, utilisés, intégrés dans un texte ouvertement philosophique. Genet, ou Gustave dans *l'Idiot de la famille*, jouent souvent le rôle de l'ami Pierre qui venait complaisamment prêter son concours fictif aux analyses de Sartre dans *l'Imaginaire* ou *l'Être et le Néant* : l'universel singulier redevient alors très vite un universel-singulier-universel. Tandis que la situation autobiographique, ou amico-biographique, laisse à l'universel singulier cette singularité qui nous le fait sentir authentique. Entre les deux séries de biographies, il y a la même différence qu'entre d'énormes travaux de laboratoire exécutés *in vitro* dans des conditions fictives (énormes machineries construites à loisir sans cette contrainte et ces limitations que comporte toute situation réelle), et un travail analogue, exécuté *in vivo* en terrain réel : l'acte biographique engage alors celui qui écrit (si Nizan et Merleau-Ponty sont morts, leur relation à Sartre est encore vivante et pour Sartre, sa vie est encore *devant* lui), la totalisation ne peut plus se donner la facilité de déduire une partie des éléments à totaliser : faits, actes, conduites, projets, tout est là, et ne peut se totaliser que dans un récit.

L'invention du récit dialectique dans *les Mots* est donc un événement doublement important. Dans la perspective de l'évolution du *genre* autobiographique, c'est un des rares renouvellements de technique et de vision que l'on ait vus depuis longtemps. Pour l'œuvre de Sartre, *les Mots* sont l'œuvre la plus « totalisante » qu'il ait jamais écrite. Naturellement, pour émettre un tel jugement, il faut se placer dans une perspective d'outre-tombe et de postérité désormais étrangère à son projet. Mais qu'il n'écrive pas pour la postérité ne saurait empêcher celle-ci de le lire et de faire subir à la *lecture* de son œuvre une distorsion qu'il prévoit certainement. Si l'on peut dire que *les Mots* sont l'œuvre la plus *totalisante*, c'est que s'y fondent *en une seule forme*, dans une synthèse parfaite, les deux modes du discours philosophique et de la narration, fusion maintes fois ébauchée de différentes manières, soit dans les fictions de *la Nausée* ou de *l'Age de raison*, dans les descriptions phénoménologiques, dans les structures dramatiques, ou dans les entreprises biographiques mais dans toutes ces tentatives, admirables dans leur genre, l'équilibre n'était pas atteint, ou bien la soudure restait visible. Il arrivera sans doute à Sartre la même chose qu'à Rousseau. Rousseau a été pour ses contemporains l'auteur des *Discours*, de *la Nouvelle Héloïse*, de *l'Émile*, textes aujourd'hui sinon illisibles (car depuis quelque temps ils redeviennent lisibles), en tout cas très peu lus; il est avant tout pour nous l'auteur et le modèle des *Confessions*. Sartre a été, pour ses contemporains, l'auteur de *la Nausée*, de *l'Être et le Néant*, de *Saint Genet*, d'une œuvre dramatique fascinante; pour la postérité il risque de devenir avant tout l'auteur des *Mots*. Les Mots, en 1964, étaient peut-être une œuvre de combat, pamphlet autant qu'autobiographie; leur ouverture sur un récit ultérieur, comme l'évolution politique actuelle de Sartre, leur laisse encore aujourd'hui toute leur virulence. Mais c'est sans doute leur destinée d'être un livre virtuellement posthume, parce que le seul à avoir réussi, par sa *forme* même, à totaliser une vie.

Michel Leiris
Autobiographie et poésie

Comment poésie et autobiographie peuvent-elles se rencontrer ? Confronter deux mots aux contours aussi incertains, c'est s'exposer à soulever des problèmes vagues et immenses, et peut-être de faux problèmes. Mon propos est seulement de situer la tentative de Michel Leiris, en posant deux questions différentes, mais bien précises.

Poésie et autobiographie : le poète a à sa disposition toutes les ressources du langage ; il peut utiliser, dans le cadre de la confidence ou de l'élégie, tout ce qui caractérise l'autobiographie : discours à la première personne, récit rétrospectif et pacte avec le lecteur. Leiris a d'ailleurs souligné la continuité qui existe entre sa pratique de la poésie lyrique et sa passion de l'autobiographie : « C'est du « Je » de la poésie lyrique que j'ai fait celui de l'autobiographie[1]. » Aussi y a-t-il peut-être quelque arbitraire à repousser, comme je l'ai fait, hors des limites du genre autobiographique des œuvres comme *les Contemplations* ou *le Roman inachevé :* tout dépend en fait des habitudes de lecture d'une époque. Le degré de « poésie » que le lecteur juge compatible avec le pacte autobiographique peut varier, et, s'il est élevé, engendrer des clauses annexes au contrat, le lecteur faisant la part des choses, acceptant volontiers comme licence poétique à l'intérieur du contrat les stylisations et les manières de parler propres au genre. Cela, s'il lit le texte comme autobiographie : mais dans la plupart des cas le « je » des poèmes est un « je » sans référence, dans lequel chacun peut se glisser ; c'est le « prêt-à-porter » de l'émotion. La subjectivité universelle du lyrisme est assez différente du discours autobiographique, qui, lui, suppose une attitude de communication entre deux personnes distinctes et séparées. Ces réflexions rapides montrent la nécessité de continuer l'étude des attitudes de lecture et des « pactes » entre auteur et lecteur, en tenant compte, comme je l'ai suggéré, de l'évolution historique du système des pactes, mais aussi

1. « Entretien avec Michel Leiris », par Raymond Bellour, *Les Lettres françaises*, 29 septembre-5 octobre 1966.

des zones de recouvrement et d'ambiguïté qui peuvent exister entre deux pactes différents. T. Todorov a exploré, pour la littérature fantastique, les effets produits par ces jeux de pacte [1]. Entre autobiographie et poésie, comme entre autobiographie et fiction, de tels effets peuvent être produits.

Autobiographie et poésie : le problème est différent. Dans le cas des écrivains, l'autobiographie, au sens strict où je l'ai définie, est une écriture *seconde* [2], dans laquelle l'écrivain reconvertit, en la retournant sur lui-même, l'écriture qu'il avait d'abord élaborée pour « dire le monde » : comment un poète pourra-t-il tirer parti de son expérience du langage pour écrire sa vie dans le cadre d'un pacte autobiographique classique? La question a deux aspects : si le poète exerçait son activité, comme c'est souvent le cas, dans une perspective mystique (trouver le secret, l'oracle, le point suprême), comment pourra-t-il se reconvertir à la tâche apparemment inverse de dire la contingence et l'apparence d'un individu? Surtout : s'il est facile d'imaginer qu'un « anthropologue » ou un romancier reconvertisse à usage personnel ses théories (qui sont souvent la même chose que ses mythes) et ses techniques narratives, comme je l'ai montré pour Rousseau, Gide et Sartre, on imagine moins bien l'usage qu'un poète pourra faire, dans le cadre d'un récit autobiographique, de son expérience de la métaphore et des jeux sur le signifiant. La poésie a chance de n'être plus alors qu'un *sujet* parmi d'autres, et non la règle de production du texte. D'où la double déception de l'amateur d'autobiographie : ou bien les poètes écrivent leur autobiographie, et ils se trouvent aussi démunis que le sont musiciens ou peintres en pareilles circonstances; ou bien ils n'écrivent pas d'autobiographie du tout. Non que nous ne possédions, d'un Baudelaire ou d'un Nerval, des poèmes qui sont le chiffre de leur drame, des lettres, des journaux intimes, des récits de voyage, ou même des explorations intimes et mythologiques comme *Aurélia*. Mais ni l'un ni l'autre n'ont écrit d'autobiographie, au sens de récit synthétique de la genèse de leur personnalité. J'ai choisi Baudelaire et Nerval comme exemples parce qu'ils font partie des « modèles » de Leiris. La chose serait encore plus vraie pour Mallarmé, la « disparition élocutoire du poète » étant tout à fait contraire aux postulats de l'autobiographie. Le « livre » que rêvait d'écrire Mallarmé n'était point une « somme de vie », mais une sorte d'architecture dans laquelle se concentreraient toutes les

1. T. Todorov, *Introduction à la littérature fantastique*, éd. du Seuil, coll. « Poétique », 1970.
2. Cf. *L'Autobiographie en France*, p. 52-53.

puissances de l'écriture, pour produire « l'explication orphique de la terre ».

Pourtant, c'est *le Livre* de Mallarmé que Leiris a sur sa table de chevet, à l'hôpital, en 1956 [1]. Tout se passe comme si Leiris avait voulu tenter cette quadrature du cercle de produire un texte qui soit à la fois un texte poétique, construit sur une série de procédés dérivés des combinaisons de langage qu'utilise la poésie et visant, comme elle, à atteindre une forme de secret ou de vérité oraculaire, et un texte autobiographique discursif et narratif, se développant conformément au pacte autobiographique et représentant l'effort d'un sujet pour construire son identité. Ce projet complexe et ambigu est perceptible dès les premiers textes poétiques de Leiris, en particulier *Glossaire : j'y serre mes gloses* (1925); c'est en composant *Biffures* de 1940 à 1948 qu'il est arrivé à l'expliciter et à le réaliser. Aussi *la Règle du jeu* est-elle un texte inclassable et fascinant, autobiographie, mais aussi poème, immense machinerie langagière tissant et tressant un discours qui s'efforce de remplir ce vide d'où sort le langage, et sans autre fin que la mort.

Le recours à des procédés de construction issus de l'expérience poétique n'est pas, chez Leiris, contradictoire avec le projet d'écrire un récit autobiographique : il implique simplement la référence à d'autres modèles de description de la personne que ceux qu'utilise le récit classique. Au modèle de l'histoire diachronique (où la succession chronologique a valeur explicative et sert de guide à la narration), Leiris substituera (ou plutôt ajoutera) des jeux plus « structuraux » qui entreront en résonance avec les modèles psychanalytiques et ethnologiques. Non que sa tentative soit réellement d'« auto-analyse » ou d' « auto-ethnologie », pas plus que les autobiographies classiques ne sont des œuvres d'histoire au sens scientifique du terme. Mais elle correspond, comme celle de Sartre, au projet d'envisager l'histoire de la personne dans le cadre d'une anthropologie nouvelle.

J'ai tenté, dans *Lire Leiris* [2], d'analyser les règles et le fonctionnement de ce nouveau jeu de la vérité, en suivant page après page le comportement de Leiris dans son écriture au début de *l'Age d'homme*, et en présentant de manière synthétique les règles de l'écriture pratiquée dans *Biffures*. Les deux essais suivants complètent ce travail : dans le premier, « De *Glossaire* à *Biffures* : la construction du texte » j'effectuerai une reconstruction théorique de l'évolution de l'écriture de Leiris depuis ses productions poétiques de l'époque surréaliste

---

1. *Fibrilles*, éd. Gallimard, 1966, p. 165, 168 et 176.
2. *Lire Leiris, Autobiographie et langage*, Klincksieck, 1975.

jusqu'à la composition de *la Règle du jeu*, en montrant l'intégration progressive de la poésie et de l'autobiographie. Dans le second, « Prélude et fugue sur le nom d'Ésaü », j'analyserai en détail trois pages de *Biffures* pour montrer comment se construit et fonctionne cette nouvelle écriture autobiographique.

De *Glossaire* à *Biffures* : la construction du texte

« Comment Leiris a écrit certains de ses livres », tel pourrait être le titre de cet essai. La tâche est d'autant plus difficile pour le critique que Leiris n'a pas réservé pour une publication posthume, comme le fit Raymond Roussel, la révélation de ses procédés. Il a constamment expliqué ce qu'il faisait, et comment il le faisait. Le risque est grand de répéter ce qu'il a déjà dit, et de réduire à des recettes ce qu'il présente plutôt comme des procédés d'inspiration. Pour cette reconstruction, je partirai donc des indications fournies par Leiris lui-même dans la section médiane de « Tambour-Trompette », à la fin de *Biffures*, pour montrer comment poésie et autobiographie se sont progressivement rapprochées et confondues. Leiris est à la recherche d'un langage *total* : il désire intégrer les aspects contraires du langage, non seulement poésie et discours, mais la fermeture du texte sur lui-même et sa prolongation indéfinie, la discontinuité et l'enchaînement, l'hermétisme lié aux connotations personnelles et les exigences de la communication. Je montrerai comment s'opposent d'abord, puis s'articulent et se complètent les procédés de fabrication employés dans les textes antérieurs à *Biffures*. Pour la clarté de l'exposé, je serai amené à regrouper ces textes, et je parlerai délibérément le langage de l'illusion rétrospective, comme si ces recherches techniques n'avaient pu aboutir qu'à la composition de *Biffures*. Qu'on prenne cela pour manière de parler : cela n'enlève rien au foisonnement ni à la liberté d'invention que manifeste de manière éclatante l'œuvre de Leiris.

MOTS ET RÊVES

Pendant sa période surréaliste (1924-1929), Leiris prend toujours un point de départ pour effectuer son travail : soit des mots fascinants, soit des récits de rêves. Ces mots et ces rêves sont choisis parmi beaucoup d'autres en vertu de leur charge affective et poétique. Quoiqu'il s'agisse d'éléments assez différents (tant par leur origine que par leur complexité), on peut les considérer également comme des *unités de départ*, les uns dans le registre poétique, les autres dans le registre narratif, puisqu'ils fonctionnent tous comme amorces, stimuli, appels à la réalisation d'un *texte*, dont on s'imagine qu'il dévoilera ce qu'ils ne font qu'indiquer allusivement. Ce quelque chose que le texte manifesterait, et que mots et rêves ont sur le bout de la langue, se nomme « oracle », « révélation », « portée métaphysique » : secret, sens dernier, chose pleine et fulgurante qu'on imagine au bout du langage, et qui amène le langage à se développer pour l'atteindre. Ce mirage du sens dernier, qui en réalité permet au langage de se produire, mirage auquel il faut bien continuer à croire si l'on veut continuer à parler ou à écrire, on le retrouve identique dans sa *fonction* tout au long de l'œuvre de Leiris, même si son contenu change. Dans le registre autobiographique, la chose s'appellera « corne de taureau », « authenticité », « règle du jeu ». Elle pourra prendre une coloration plus psychologique ou éthique, mais ce sera la même chose. Poésie et autobiographie sont les réalisations successives d'un même comportement dans le langage : à partir d'amorces de langages réunies en un corpus, essayer de manifester, par un travail de construction, un secret, une règle, aboutir à une expérience totale dont on n'est pas long à comprendre qu'elle serait, en même temps que la pleine réalisation du langage, sa disparition ou son éclatement, c'est-à-dire la mort. Très rapidement apparaîtra en effet l'aspect ambigu de ce terme ultime que l'on a à la fois intérêt à désirer et à différer : de là naîtra ce que je présenterai plus loin comme la stratégie du *délai*.

A partir de mots et de rêves, donc, Leiris va entreprendre un travail de fabrication dont les phases peuvent être aisément distinguées, même si le résultat en est un texte condensé.

En 1925, Leiris produit à partir de mots deux textes poétiques, *Simulacre*[1], et *Glossaire : j'y serre mes gloses*. Ces deux textes sont issus de procédés de fabrication à la fois opposés et complémentaires.

Dans *Biffures*, Leiris a exposé le procédé de composition de *Simulacre* :

> J'avais déjà tenté quelque chose d'analogue en prenant pour matière première, non des faits, mais des mots : substantifs, adjectifs ou verbes qui étaient ceux que j'aimais le mieux, les plus riches pour moi de saveur ou de résonance et qu'il me suffisait de réunir en phrases — après les avoir inscrits pêle-mêle sur une feuille de papier et ne les modifiant guère plus qu'il n'était nécessaire pour obtenir des propositions grammaticalement correctes — qu'il me suffisait,

---

1. *Simulacre*, lithographies d'André Masson, éd. Galerie Simon, 1925. Réédité dans *Mots sans mémoire*, éd. Gallimard, 1969, p. 7-23.

y ajoutant seulement les éléments indispensables de liaison, de mettre au bout les uns des autres en me fiant aux seuls courants qui semblaient se former d'eux-mêmes et faire communiquer entre eux les différents îlots jetés sur le blanc du papier — qu'il me suffisait, dirai-je, de laisser se rejoindre et se nouer au gré de leurs affinités pour que chaque feuille hasardeusement semée de ces grains de langage donnât naissance à un poème [1].

Le problème est ici de passer d'un stock de mots fascinants à un texte structuré (poème) qui en manifeste l'unité. La méthode choisie n'a rien du jeu de hasard ou du jeu de dés, comme Leiris le laisse entendre par certaines expressions (« secouer les dés de la parole comme dans un cornet », p. 253) : c'est une méthode intuitive et, d'une certaine manière, paresseuse ou magique. Leiris groupe puis relie les mots du corpus de manière que, *par leur seule mise en présence*, ils établissent entre eux des rapports. C'est ce qu'on pourrait appeler, par analogie avec la peinture, une technique de *collage*. L'intervention du poète s'arrête au moment où il a groupé ses mots : il ne fera lui-même aucun effort pour expliciter les rapports ni pour les rendre mieux perceptibles aux autres. Il se contentera de faire les *raccords*, colmatage ou soudure syntaxique qui renvoient non point à l'unité secrète des mots, mais au code linguistique social : raboutage artificiel de transitions destiné à donner à l'énoncé une ombre de cohérence. Tous les réseaux (du signifiant et du signifié) par lesquels le rapprochement de ces mots peut produire un effet ou un sens, restent dans l'implicite. Confiance est faite au court-circuit.

Si je rapproche la méthode de *Simulacre* de celle de *Biffures* telle que je l'ai analysée dans *Lire Leiris*, je vois une série de ressemblances et de différences :

Ressemblances 1) point de départ multiple (ici groupe de mots ; dans *Biffures*, groupe de fiches),

2) d'éléments choisis pour leur analogie pressentie,

3) qu'il s'agit de mettre en relation pour faire un texte (« faire communiquer entre eux », les « laisser se joindre et se nouer au gré de leurs affinités »).

Différences 1) il manque ici un élément essentiel, le travail de mise en relation, l'exploration des réseaux par lesquels communiquent les mots, la découverte des moyens termes ;

1. *Biffures*, éd. Gallimard, 1948, p. 252-253. En 1955, Leiris reprendra la description de la règle de ce jeu en se servant du style de la « recette », et en soulignant de nouveau l'analogie avec la méthode des fiches de *la Règle du jeu*. (Voir Maurice Nadeau, *Michel Leiris et la quadrature du cercle*, Dossiers des Lettres Nouvelles, éd. Julliard, 1963, p. 123-124.)

2) l'enquête est limitée à un stock réduit de mots qualifiés de « poétiques »; le champ envisagé est étroit et vite épuisé;

3) le souci de la fonction de communication du langage est à son minimum (arbitraire apparent de rapprochements brutaux et des connotations personnelles).

De plus tout est ici de l'ordre du raccourci et de l'éclair, ce qui s'oppose exactement au délai systématiquement exploité dans *Biffures*.

Au même moment, Leiris cherche à produire avec les mots des effets quelque peu différents. Il contribue à *la Révolution surréaliste* par des séries de jeux de mots intitulés *Glossaire : j'y serre mes gloses* [1]. Curieusement, Leiris, qui établit une filiation de *Simulacre* à *Biffures*, ne mentionne pas le *Glossaire* : sans doute parce que *Simulacre* correspond à une étape initiale, lointaine et dépassée de sa recherche, alors que les jeux du *Glossaire*, commencés en 1925, ont été poursuivis tout au long de sa vie et sont toujours pour lui du présent.

La visée du *Glossaire* est définie de manière très claire dans la première préface (1925) :

> En disséquant les mots que nous aimons, sans nous soucier de suivre ni l'étymologie, ni la signification admise, nous découvrons leurs vertus les plus cachées et les ramifications secrètes qui se propagent à travers tout le langage, canalisées par les associations de sons, de formes et d'idées. Alors le langage se transforme en oracle et nous avons là (si ténu qu'il soit) un fil pour nous guider, dans la Babel de notre esprit [2].

1. C'est à Robert Desnos que Leiris doit l'idée de ce qu'il appelle le « jeu de mots lyrique », par opposition au jeu de mots humoristique tel que le pratiquaient Max Jacob ou Marcel Duchamp : « Desnos a été l'inventeur du jeu de mots lyrique. C'étaient des jeux de mots dont certains arrivaient à être des sortes d'adages philosophiques. Celui qui m'a le plus frappé était : ' Les lois de nos désirs sont des dés sans loisir ' » (Interview de Michel Leiris, *le Monde*, 10 janvier 1975).

Glossaire : j'y serre mes gloses a paru en trois livraisons dans *la Révolution surréaliste* (n° 3, 15 avril 1925, avec une préface; n° 4, 15 juillet 1925; n° 6, 15 mars 1926). En 1939, une version nouvelle paraît en un volume sous le titre de *Glossaire j'y serre mes gloses*, éd. de la Galerie Simon; c'est la version de 1939 qui est reproduite dans *Mots sans mémoire*, p. 71-116. Une « Suite inédite » au *Glossaire* a été publiée en 1974 par Michel Chappuis dans *Michel Leiris*, éd. Seghers, coll. « Poètes d'aujourd'hui », p. 182-183. En 1956, Leiris a produit suivant une méthode analogue « Bagatelles végétales » (*Mots sans mémoire*, p. 117-132).

Sur le *Glossaire*, voir : Xavier Durand, « Michel Leiris et la substance verbale », *Cahiers Dada Surréalisme* 4, 1970; et Gérard Genette, séminaire à l'EPHE, 1973-1974.

2. Préface de 1925, reproduite dans *Brisées*, éd. Mercure de France, 1966, p. 11.

Derrière son apparence ludique de jeu de société, le *Glossaire* a donc une fonction exactement inverse de quête intime et mystique. Il s'agit, si la chose est possible, de se réapproprier le langage. L'enfant de « ... Reuseument ! » découvrait avec stupeur que le signifiant et le signifié étaient distincts (perte du cratylisme « primaire [1] »), et qu'il était un étranger dans le langage. Mais il s'ouvrait en même temps au cratylisme « secondaire », à ce qui « rémunère le défaut des langues » comme dit Mallarmé, à ce qui permet de se recréer un langage à soi à l'intérieur de la langue commune et de le faire accepter par les autres [2]. La visée du *Glossaire* est analogue à celle de *Simulacre* : retrouver le sens personnel et intime des mots, avec l'idée d'arriver à une forme de révélation ou de secret. Mais la méthode est très différente, et mérite quelques gloses.

Si la langue est un réseau, le mot est un *nœud*. Le mot n'existe que comme entrecroisement d'un nombre souvent élevé de séries au niveau du signifiant et du signifié. L'usage courant et les exigences de la communication amènent à n'utiliser (à ne percevoir comme pertinentes) qu'un nombre très faible de ces relations. Les autres n'en existent pas moins et restent disponibles pour l'usage intime, usage dont nous ne nous privons guère, que nous le sachions ou pas. Les dictionnaires se font naturellement l'écho des usages admis et se livrent à un travail fort déprimant pour qui aime les mots. La manie des dictionnaires est de *défaire* les nœuds. Premier geste : bien *séparer* le signifié du signifiant. La plupart des types de dictionnaires laissent entièrement perdre le signifiant, ou ne pensent qu'à en indiquer la prononciation, l'origine « étymologique », ou à mettre en garde *contre* les homonymes. Second geste : une fois le signifiant éliminé, bien *distinguer* les séries du signifié, démêler et mettre à plat les fils. Le premier geste met en évidence ce qu'on appelle « l'arbitraire » du signe ; le second fait éclater le signe au profit des différentes séries paradigmatiques auxquelles il pouvait participer *à la fois*. Lors même qu'elle met en évidence la multiplicité des aspects du mot, la notice de dictionnaire le fait de manière qu'on ait à choisir. Certes, il existe des dictionnaires qui ont le pouvoir d'éclairer quelque peu les réseaux du langage, mais c'est toujours de manière fragmentaire. Les dictionnaires analogiques se lancent sur la piste du signifié à travers des

1. Sur le cratylisme, voir Gérard Genette, « Avatars du cratylisme », *Poétique*, n° 11, 13 et 15. J'utiliserai ici une terminologie différente de celle de G. Genette : j'appellerai « cratylisme primaire » le fait d'imaginer une ressemblance entre le signifiant et le signifié, et « cratylisme secondaire » le fait de déduire de la ressemblance de deux signifiants une analogie de leurs signifiés.
2. Cette fonction d'échange a été évoquée par Leiris dans *Biffures*, p. 19.

signifiants différents. Les dictionnaires de rimes, sur la piste du signifiant à travers des signifiés différents. Chacun d'entre eux laisse tomber
la moitié du langage, et ne fait son travail que de manière assez mesquine
en choisissant de suivre *un* sens du mot, ou bien seulement sa dernière
syllabe (la rime). L'idéal serait de rassembler tous les dictionnaires en
un seul : mais cela n'éviterait ni la manie du distinguo, ni le fait que
les dictionnaires n'explorent que la langue de tout le monde, c'est-à-
dire la plus pauvre.

Le *Glossaire* de Leiris vient remédier à ce manque, et calmer la
frustration et l'angoisse que crée, chez l'amateur de mots, l'ouverture
du dictionnaire. Le dictionnaire défait les nœuds et ouvre le langage :
certes cela peut être dans un premier temps un acte de dépliement
positif qui met en évidence la complexité du nœud et suggère de
nouvelles pistes. Mais en même temps le mot est éclaté ; la sécurité
du nœud, perdue ; le langage, béant. D'où l'idée d'inventer un nouveau
type de dictionnaire qui tiendrait compte de l'ensemble du mot (signifiant et signifié), qui en explorerait le sens personnel, mais surtout qui
ne se contenterait pas d'ouvrir le mot, de défaire le nœud et de laisser
tout pendre dans le vide, mais continuerait le travail jusqu'à recomposer le mot lui-même sous une autre forme à partir des éléments de
sa décomposition, c'est-à-dire qui finirait par *refaire le nœud*, rebouchant (ici, instantanément) le trou que l'acte de définir a pour fonction d'ouvrir.

Cette analyse permet d'éclairer à la fois le *Glossaire* et l'économie
de l'écriture de Leiris dans toute son œuvre.

Le *Glossaire* n'est pas un simple recueil de jeux de mots. A le
prendre pour tel, on pourrait le juger assez inégal, ou inférieur à tel
ou tel autre recueil. Mais les effets qu'il produit sur le lecteur ne se
limitent pas à ce qu'on peut attendre d'un jeu humoristique (dont la
fonction est de libérer, à la faveur du jeu, agressivité ou désirs habituellement contrôlés ou réprimés), ou d'un jeu poétique ordinaire.
L'effet essentiel est indépendant de la réussite du jeu de mots : il tient
à un jeu de structure par rapport à un autre texte, la notice de dictionnaire (avec sa bipartition : mot-entrée/définition), dont il mime le
processus pour l'annuler, avec une sorte d'élasticité narquoise. Loin
de se défaire (comme on le *craint*), le mot se reconstitue magiquement
de l'autre côté du signe de ponctuation (tiret, ou virgule) qui devait
donner le signal de sa décomposition. Mais ce n'est pas simple répétition tautologique, comme tant de dictionnaires en donnent le triste
exemple. Le travail normal du dictionnaire (exploration de toutes les
séries) a été *aussi* effectué : mais il reste dans l'implicite, condensé et
occulté dans l'espace vide qui sépare le mot-entrée de la définition.

tandis que l'acte de définition se trouve confondu avec ce à quoi d'ordinaire il s'oppose, la reconstitution du mot. La chose est délicate à analyser parce que tout se passe ici en un éclair (il y a, comme dans *Simulacre*, une technique du court-circuit). Mais Leiris lui-même en a bien distingué les deux phases successives :

> Décomposant les mots du vocabulaire et les reconstituant en des calembours poétiques qui me semblaient expliciter leur signification la plus profonde [1].

Et ce double geste est évident dès que l'on analyse une des « gloses », ou dès que l'on se met soi-même à l'épreuve avec un papier et un crayon : ouverture mentale ou écrite de toutes les séries du signifiant et du signifié jusqu'à la rencontre d'un nouveau point d'accrochage où les éléments phoniques et sémantiques différemment distribués viennent recomposer autrement le point de départ en en procurant une « définition ».

La jeu peut faire penser au jeu enfantin de « Fort/Da! » analysé par Freud [2] : tout le plaisir vient de l'angoisse provoquée puis évitée, avec le retour du même. Est-ce un hasard si le premier épisode de *la Règle du jeu*, « ... Reusement! » entre en résonance avec le jeu de « Fort/Da! »? L'objet (ici, un soldat) avait été cru perdu, cassé; on le retrouve intact : Reusement! Mais si l'objet est intact, le *mot* Reusement, lui, sort cassé de l'aventure, et tout le langage avec lui, et le sujet lui-même (l'enfant). Le langage est irrémédiablement fêlé, et il se met à « fuir ». Cela ne pourra être réparé que par un jeu. L'adulte du *Glossaire* joue à faire semblant de casser les mots, pour se réjouir de les retrouver intacts dans la glose : Reusement!...

L'enfant veut que ce soit le même qui revienne. Mais l'adulte, lui, s'arrange naturellement pour que l'acte de répétition soit en même temps un acte de changement. A la faveur du jeu, un sens a été produit, et qui se trouve comme « prouvé » par le jeu. On gagne sur tous les plans à la fois : vrai parce qu'agréable, agréable parce que vrai. Le jeu de *Glossaire* permet de combiner en un même acte l'ouverture et la fermeture, l'invention et la sécurité, le mouvement et l'immobilité. Le nœud a été « défait-refait » et dans l'intervalle on a tout de même avancé.

La stratégie sur laquelle repose le *Glossaire* est celle même que l'on retrouve sous des formes différentes dans le reste de l'œuvre de Leiris

---

1. *L'Age d'homme*, éd. Gallimard, coll. « Folio », 1973, p. 193.
2. S. Freud, *Essais de psychanalyse*, Petite Bibliothèque Payot, 1970, p. 15-17.

et en particulier dans l'écriture et la composition de *la Règle du jeu*. Naturellement, dans le *Glossaire*, tout est en court-circuit; dans *la Règle du jeu*, en long-circuit et en école buissonnière, surprise en moins, délai en plus. Mais la logique est la même, d'un geste qui défait en refaisant, qui délie les séries pour les relier, qui n'ouvre la béance du langage qu'à l'abri d'une refermeture escomptée. A la pirouette du mot isolé que l'on jette en l'air éparpillé et qui retombe en se recomposant miraculeusement, succéderont des exercices de reptations minutieuses, jouant sur un nombre beaucoup plus élevé de séries, occasions d'explorations de vastes zones de réseaux mentaux entreprises sous la protection d'une activité permanente de retressage. Ce geste mental ambigu, qui arrive à combiner dans un même acte décomposition et recomposition, nous le retrouverons aussi dans l'attitude de Leiris en face de la psychanalyse et de l'ethnologie, dans ce que j'appellerai sa conduite de « subversion » méthodologique. Porte-à-faux, reptation, qui consiste à avancer en gardant le maximum de points d'appui.

Je reviens au *Glossaire*. Grâce à cette méthode qui permet de conjurer l'angoisse de l'ouverture et de faire l'économie de la perte habituelle dans les définitions (puisque l'augmentation de sens n'est ici payée d'aucune différence de sons), Leiris va pouvoir à la fois explorer le labyrinthe de ses réseaux mentaux, et y entraîner à sa suite le lecteur grâce au bénéfice de plaisir qu'il lui procure. Le jeu est très varié, dans les effets produits comme dans les mécanismes employés. Pour le sens, cela peut aller des plaisanteries les plus communes et les plus faciles, jusqu'au chiffre mystérieux des connotations personnelles [1]. Quant aux moyens, ils sont nombreux et complexes, et Leiris évite ainsi la monotonie qu'ont les recueils de jeux de mots fondés sur un unique procédé. Tous les types de jeux sur le signifiant sont employés (assonances partielles, inversions, variations vocaliques, anagrammes, épelages, etc.), et les gloses enrichissent et développent le point de départ par des procédés de « tiroirs » intérieurs à la définition.

Si, comme je l'ai fait pour *Simulacre*, je compare le *Glossaire* à *Biffures*, je vois aussi une série de ressemblances et de différences :

Ressemblances 1) Leiris utilise un *procédé de mise en relation* fondé sur un travail de langage (défaire-refaire le nœud des mots);
2) l'enquête est menée sur un nombre de mots indéfiniment augmentable, empruntés à tous les registres de la langue et à tous les domaines d'expérience;
3) le souci de communication est très net.

1. J'ai analysé dans *Lire Leiris*, chapitre IV, l'une de ces gloses mystérieuses celle du mot « Père ».

Différences
1) le point de départ est, à chaque fois, unique, l'exercice se fait à partir d'un mot isolé, même si la glose établit ensuite des relations avec d'autres mots qu'elle suscite;
2) les différents mots points de départ n'ont aucune relation entre eux et ne forment pas système (autrement que par la dérision de l'ordre alphabétique);
3) il ne s'agit pas de construire un texte, mais de constituer une collection analogue au dictionnaire, ou à un trésor (où l'on serrerait ses « perles » faites de nœuds desserrés-resserrés); pour avoir un texte il faudrait que les éléments ainsi obtenus soient eux-mêmes articulés entre eux dans des « phrases » ou séquences.

Tout se passe donc comme si les deux techniques de *Simulacre* et du *Glossaire* étaient des solutions partielles, à la fois opposées et complémentaires, destinées à résoudre le même problème : la question est alors de savoir par quels chemins, et dans quel contexte, la technique du *collage* et celle de la *glose* pourront se rejoindre et se combiner. Dans le contexte de la poésie à visée mystique des années 1925, où Leiris ne travaille qu'au niveau du *mot* et non du *discours*, et vise à produire des textes concentrés à valeur d'oracle, la rencontre ne s'est pas faite. Il faudra l'emploi du pacte et du discours autobiographiques, et l'initiation à des sciences humaines (psychanalyse et ethnologie) où les méthodes analogiques sont courantes, pour que ces deux techniques fondamentales puissent converger, et être pratiquées ensemble.

Cela implique aussi que Leiris change de points de départ et, sans renoncer à partir de mots, les englobe dans le corpus plus vaste des « faits mentaux ». Cet élargissement de la base du jeu de construction était à vrai dire prévu dès le programme affiché en tête de *Glossaire*, où, à travers les images mélangées du Labyrinthe et de la tour de Babel, s'exprimait le vœu d'explorer tous les réseaux de notre esprit. En même temps qu'il s'élance à partir de mots, Leiris collectionne et essaie de « traiter » ses rêves. La meilleure formule de cet élargissement envisagé est donnée par Leiris dans un article (humoristique) qu'il écrit en 1929 pour la revue *Documents*. Dans cet article intitulé « Métaphore », il établit deux principes :

a) Le langage est entièrement métaphorique. La démonstration est faite de manière ludique et terminologiquement peu rigoureuse, Leiris désignant par « métaphore » n'importe quelle figure. Quand on la reconstitue, on voit que Leiris tourne autour du problème cratylien : il n'existe aucun rapport de « ressemblance » ni aucune correspondance de terme à terme entre les éléments du langage et les éléments du monde qu'ils désignent. Les éléments du langage ne font en réalité que renvoyer les uns aux autres par un système de transformations, établissant ainsi un réseau sans fin et sans orientation privilégiée, réseau pluriel, indéfini, réversible. La constatation n'est pas faite ici sur un ton tragique : Leiris semble plutôt se réjouir de la liberté de mouvement, de fuites et de pirouettes qu'offre ce réseau flottant parallèle au monde, que se lamenter de son manque d'ancrage dans le réel et de son manque de contact avec les choses en soi.

b) *L'esprit est entièrement « langagier »*, et les structures de la connaissance (à défaut des structures du monde) sont donc métaphoriques :

> Non seulement le langage, mais toute la vie intellectuelle repose sur un jeu de transpositions, de symboles, qu'on peut qualifier de métaphorique. D'autre part, la connaissance procède toujours par comparaison, de sorte que tous les objets connus sont liés les uns aux autres par des rapports d'interdépendance [1].

Cela est fort important pour la future autobiographie : si la structure de l'esprit et de la connaissance, et celle du langage, sont identiques, la « connaissance de la connaissance » pourra légitimement passer par les jeux du langage : il n'y aura pas de contradictions entre structure poétique et autobiographie. A dire vrai, cette confusion entre méthode d'enquête et objet d'enquête est scientifiquement assez suspecte, comme c'est aussi l'identité du chercheur et du « cherché » dans la situation d' « auto-analyse » ou d' « auto-ethnographie » : la réversibilité fonctionnera trop aisément entre l'analyse de l'objet et sa reproduction. Toujours est-il que ces méditations linguistiques préparent Leiris à s'intéresser à celles des sciences de l'homme qui montrent que son inconscient ou son « sacré » sont structurés comme un langage.

Depuis 1923, Leiris a pris l'habitude de noter ses rêves. Comme les mots fascinants, les rêves lui semblent, à juste titre, être les éléments d'une sorte de chiffre personnel. Le rêve est donc appel à la production d'un texte.

Production, d'abord, de son propre texte, puisque le rêve n'existe vraiment que sous la forme du « récit de rêve ». L'écriture n'est d'ailleurs pas une simple moyen pour fixer un rêve qui serait déjà constitué, elle est elle-même la dernière phase du travail de rêve. Et sans doute cela est-il aussi vrai sur le plan plus général de l'écriture

1. *Brisées*, p. 25.

autobiographique, qui achève plutôt qu'elle ne copie ce rêve éveillé qu'est notre vie diurne [1].

Mais il ne suffit pas à Leiris de collectionner ses rêves dans une sorte de « nocturnal » intime [2] : il veut les forcer à livrer leur secret, et pour ce faire il va les soumettre à un travail d'écriture analogue à celui auquel il soumet les mots. La voie qu'il suit est donc diamétralement opposée à celle que la psychanalyse pourrait suggérer et que Breton a pratiquée dans *les Vases communicants*. Loin de dissocier les rêves en « associant » à partir de leurs éléments, Leiris tente d'associer les rêves eux-mêmes dans une construction fantasmatique plus vaste et plus cohérente, se fabriquant ainsi une mythologie personnelle. C'est du moins ce qu'il explique dans *l'Age d'homme* :

> rêvant toutes les nuits, notant mes rêves, tenant certains d'entre eux pour des révélations dont il me fallait découvrir la portée métaphysique, les mettant bout à bout afin de mieux en déchiffrer le sens et en tirant ainsi des sortes de petits romans [3].

La méthode ici définie est exactement celle de *Simulacre* : on met « bout à bout » les éléments du corpus en espérant que le sens jaillira de leur simple juxtaposition. Ce serait donc du collage. Comme pour les mots, l'intervention du narrateur se bornerait à assurer une soudure minimum, syntaxique dans le cas des mots, narrative pour les rêves. A dire vrai, il semble que ce soit là une description trop modeste du rôle du narrateur. Quels sont ces « petits romans »? « Le pays de mes rêves », *le Point cardinal*, *Grande Fuite de neige*, et *Aurora* [4]. La recette est sans doute celle qui fut appliquée pour produire « Le pays de mes rêves », texte assez bref. Pour les autres, il semble assez évident

1. Sur le rêve et l'autobiographie, voir *Lire Leiris*, chapitre III.
2. Leiris a publié des récits de rêves dans *la Révolution surréaliste* (n° 3, 15 juillet 1925; n° 5, 15 octobre 1925; n° 7, 15 juin 1926) et dans *Trajectoire du rêve*, documents recueillis par André Breton, GLM, 1938; l'ensemble de ce « nocturnal » intime a paru en volume chez Fontaine en 1945 sous le titre *Nuits sans nuit*; nouvelle édition augmentée chez Gallimard en 1961.
Sur ces récits de rêve, voir la belle étude de Maurice Blanchot, « Rêver, écrire », recueillie dans *l'Amitié*, éd. Gallimard, 1971, p. 162-170. Sarane Alexandrian, dans son ouvrage d'ensemble *le Surréalisme et le rêve* (éd. Gallimard, 1974), consacre un chapitre à Leiris (p. 346-366).
3. *L'Age d'homme*, p. 193.
4. « Le pays de mes rêves » a été publié dans *la Révolution surréaliste*, (n° 3, 15 janvier 1925) et repris dans *Haut Mal* (éd. Gallimard, coll. « Poésie », 1969, p. 21-26). *Le Point cardinal*, écrit en 1925, a été publié en 1927 au Sagittaire (et repris dans *Mots sans mémoire*, p. 25-69). *Grande fuite de neige*, écrit en septembre 1926, publié dans les *Cahiers du Sud* en 1934, puis en volume au Mercure de France en 1964. *Aurora*, écrit en 1927-1928, publié chez Gallimard en 1946.

que le travail de l'écriture a dépassé la simple « mise bout à bout » : ordonnance savante des rêves en un itinéraire initiatique tournant autour du problème de la naissance et du secret, développement et enchaînement des fantasmes au moyen de jeux de mots et de jeux de style; tout se passe comme si les rêves n'étaient plus des matériaux à assembler bruts, mais les points de départ d'une nouvelle rêverie, elle fort consciente et toujours dirigée, qui continue le travail de rêve en développant systématiquement fantasmes et symboles et en gommant sans doute tout l'anecdotique [1]. Ce travail de mythologisation onirique peut d'ailleurs prendre aussi pour points de départ des épisodes diurnes, comme c'est le cas pour *Grande Fuite de neige*. Tous les textes ainsi produits sont des textes narratifs, organisés le plus souvent sous la forme d'un récit « à la première personne ». D'autre part, si l'on prend les trois textes écrits à partir de rêves, on y discerne une tendance très nette à une sorte de croissance exponentielle : « Le pays de mes rêves » a six pages, *le Point cardinal*, quarante-trois, *Aurora* presque deux cents. Une fois le procédé de construction expérimenté et mis au point, Leiris a cherché à s'en servir pour élaborer des textes de plus en plus longs et de plus en plus complexes, avec, à l'horizon, l'idée d'un texte totalisateur et indéfini, c'est-à-dire à la fois fermé et ouvert. Ces observations purement techniques mettent en évidence, en plus de la méthode de montage et de soudure, des traits qui n'apparaissaient pas dans les textes issus de mots, et qui représentent d'autres éléments nécessaires à l'autobiographie :

a) Emploi de la première personne, il est vrai sous une forme « irresponsable » et sans pacte autobiographique. Dans ses « romans » de l'époque surréaliste, Leiris n'a suivi ni la voie indiquée par André Breton dès *Nadja*, qui exigeait, pour mettre en évidence l'irrationalité des événements, « la stricte authenticité du document humain qui les enregistre [2] », ni l'exemple du bilan autobiographique direct d'un Crevel dans *Mon corps et moi* (1925). Ses textes sont plutôt fondés sur une sorte de « pacte fantasmatique », dans une perspective de géographie intime qu'indique très clairement le premier texte, « Le pays de mes rêves », qui pourrait servir à désigner toute la série. De là

---

1. Aussi Ross Chambers a-t-il pu partir du texte de ces romans, en particulier du *Point cardinal*, pour analyser la quête orphique de Leiris telle qu'elle se développe jusqu'à *la Règle du jeu* (« Michel Leiris et le théâtre orphique », in *Saggi e ricerche di letteratura francese*, vol. VIII, Pisa, Libreria Goliardica editrice, 1967, p. 243-308).

2. Formule employée par Breton dans *l'Amour fou* (éd. Gallimard, 1970, p. 47) pour résumer la « règle » appliquée depuis *Nadja* et *Les Vases communicants*. C'est seulement avec *l'Age d'homme* que Leiris a rejoint cette lignée du récit surréaliste basée sur l'authenticité.

au « pays de mes fantasmes », et au « pays de ma vie », il n'y a qu'un pas. *Aurora*, écrit sur le mode personnel, renferme en son sein l'autobiographie fantasmatique d'un dénommé Damoclès Siriel [1]. Il suffira de renverser, avec le nom, le pacte, et d'élargir la base de départ (solution déjà esquissée dans *Grande Fuite de neige* où apparaissent le vécu contemporain et un premier souvenir d'enfance) : à l'histoire du héros initiatique parcourant des séries de spectacles et d'expériences symboliques se substituera le circuit de l'écriture autobiographique passant à travers des séries de fiches et de thèmes, mais elle aussi à la recherche du secret.

b) Construction d'un texte long, c'est-à-dire lutte de l'écriture avec le temps. A l'esthétique de l'instantané et de l'éclair qui régit *Simulacre* et *Glossaire* se substitue ici une esthétique de la durée : trouver une forme d'écriture qui puisse intégrer le maximum d'éléments et se prolonger indéfiniment. Tout se passe comme si, dans sa lutte avec le temps, Leiris avait envisagé simultanément deux solutions : par la concentration et l'éclair, *l'éternité dans l'instant;* par la dilution proliférante, la recherche d'une forme de *mouvement perpétuel*. La formule du montage progressif de structures de plus en plus longues et complexes sera justement celle de *la Règle du jeu*.

Mots et rêves semblent donc être, pendant cette période surréaliste, le point de départ d'une activité de fabrication à visée ambiguë. Le travail d'écriture se présente toujours comme une activité technique faite à partir d'un matériel textuel préexistant, qu'il s'agit de traiter, de transformer, pour lui faire livrer, par des opérations de bricolage ou d'alchimie, le secret, l'oracle, la valeur-or qui se trouve au bout du langage. Ce secret a à la fois l'aspect objectif et général d'une révélation métaphysique, et l'aspect strictement subjectif d'un chiffre personnel. Poésie et autobiographie ne font qu'un, exactement comme, dans l'étape suivante, Leiris voudra qu'autobiographie et science se confondent en une seule démarche [2]. Entre poésie et science, l'autobiographie sera sans doute l'expérience essentielle, à la fois porte-à-faux et moyen terme. Au terme de cette première étape, il reste à Leiris à faire l'expérience de l'appréhension scientifique du réel (mental), et à chercher comment pourront s'associer pour la production d'un texte unique tous les procédés de construction que l'on discerne, épelés et disjoints, entre *Simulacre*, *Glossaire*, et les « romans ».

1. *Aurora*, p. 80-99.
2. *L'Afrique fantôme*, éd. Gallimard, 1934, p. 213-215.

La seconde période (1929-1935) pourrait être appelée « réaliste » : elle se définit par une réaction vigoureuse contre la névrose, pour ne point sombrer dans la folie. Leiris l'a racontée dans le dernier chapitre de *l'Age d'homme*, « Le Radeau de la Méduse ». Il s'agit d'essayer de reprendre pied sur le réel. La réaction contre la névrose entraîne une réaction contre les activités littéraires qui lui étaient liées. Dans *l'Age d'homme*, Leiris parle de sa vocation poétique et de ses jeux sur les mots et sur les rêves avec une précision et une distance toutes cliniques, comme il le fait de ses problèmes sexuels et érotiques. Mais il s'agit moins d'une rupture que d'un détour, d'une transformation qui va l'amener à renouveler sa tentative, la *même* tentative, sur « une base plus terrestre ». Ce retour au réel prendra deux formes : initiation pratique aux sciences humaines, entrée dans le discours autobiographique.

C'est par un travail pratique, dans lequel il était intimement impliqué, que Leiris a découvert celles des sciences humaines qui ont justement pour objet ces réseaux mentaux qu'il « travaillait » pour en faire sortir oracle ou secret : la psychanalyse et l'ethnographie.

Leiris a entrepris en 1929-1930 une cure pour s'arracher aux extravagances où l'avait conduit sa névrose. De cette cure entreprise à contre-cœur, abandonnée pour le voyage en Afrique de 1931-1933, épisodiquement reprise en 1934, Leiris ne raconte pratiquement rien, et le peu qu'il en dit manifeste une résistance profonde et inentamée [1]. Après 1935, la psychanalyse semble disparaître de son horizon mental, ou du moins il n'en parlera plus guère. Néanmoins, de son aveu même, le bénéfice qu'il en a retiré a été appréciable : non seulement sur le plan thérapeutique, mais sur le plan de l'écriture. C'est la psychanalyse qui lui a donné l'idée et les moyens d'écrire sa première œuvre autobiographique, *l'Age d'homme*. Le discours de l'analysant n'est certes pas la même chose que le discours (écrit) de l'autobiographe, mais il lui ouvre le chemin. Il arrache le poète à l'irresponsabilité du « je » poétique, l'amène à parler en nom propre et à se demander, éventuellement, *à qui* il parle ; il le fait remonter à son enfance, domaine jusque-là fermé, et lui confirme l'importance de la sexualité, « pierre angulaire dans l'édifice de la personnalité [2] » ;

1. Sur l'attitude de Leiris en face de la psychanalyse, voir *Lire Leiris*, chapitre IV.
2. *L'Age d'homme*, p. 19.

mais surtout il l'initie à une description du fonctionnement mental dont il va faire son profit, un profit pervers. La psychanalyse va en effet donner une sorte de caution scientifique et « réaliste » aux jeux sémantiques et mythologiques qu'il pratiquait « sauvagement » sur les mots et les rêves. Sous couleur de connaissance de soi, de lucidité et d'authenticité, il va pouvoir continuer dans un autre registre le même travail, qui n'est autre qu'un travail de construction. La psychanalyse sera déviée et récupérée au profit d'un travail de psychosynthèse. Leiris n'en disconvient pas quand il écrit en 1945, en faisant le bilan des « lignes de force » qui ont permis la composition de *l'Age d'homme* :

> large créance accordée à la psychologie freudienne (qui met en jeu un matériel séduisant d'images et, par ailleurs, offre à chacun un moyen commode de se hausser jusqu'au plan tragique en se prenant pour un nouvel Œdipe) [1].

La parenthèse ne définit pas la psychanalyse, mais ce à quoi Leiris la réduit pour la faire entrer dans le cadre de son projet : « mettre en jeu un matériel séduisant », c'est de nouveau rassembler un corpus d'éléments fascinants pour un *jeu de construction*; « se prendre pour un nouvel Œdipe », c'est utiliser à rebours l'analyse d'un complexe pour le consolider, lui donner cohérence et beauté, et non le mettre en question et tenter de le résoudre. Curieusement, d'ailleurs, le péché de facilité et de comédie semble ici retomber sur la psychanalyse, et non sur le projet qui la pervertit : mauvaise foi nécessaire pour ne pas se sentir redevable de quoi que ce soit. La méthode d'associations va donc permettre de constituer un vaste corpus réunissant non seulement récits de rêves et fantasmes, mais tous les souvenirs d'enfance et tout le vécu contemporain, investis également de la même fonction de *signes* et réunis dans un même espace autobiographique. Elle va aussi permettre d'utiliser les liaisons analogiques pour retresser les matériaux inventoriés. L'association est utilisée pour ouvrir puis refermer le réseau mental : le geste ambigu du *Glossaire* trouve là un champ d'application beaucoup plus vaste et, du moins en ce qui concerne l'ouverture, un alibi d'authenticité. J'ai tenté, dans *Lire Leiris*, de montrer par une analyse précise du texte de *l'Age d'homme* la logique de ce comportement. Je donnerai plus loin un exemple tiré de *Biffures*, « Ésaü », pour mettre en lumière la manière dont

---

1. *L'Age d'homme*, p. 16.

Leiris arrive à pratiquer à la fois le travail d'analyse et le travail de rêve.

Accès à l'enfance et au discours autobiographique, élargissement du corpus traité, perfectionnement et justification du traitement analogique des données, tel est le gain immédiat. Après 1935, Leiris s'éloignera de la psychanalyse, à laquelle il reprochera de privilégier la sexualité et de méconnaître le caractère fondamentalement métaphysique des problèmes de la vie et de la mort. De Freud, il n'acceptera plus d'avoir subi qu'une seule influence : celle de la lecture de *la Psychopathologie de la vie quotidienne* : « L'importance accordée par Freud à des faits très menus m'a énormément frappé [1]. » Or la plupart de ces faits sont des faits de langage. Et tout se passe comme si l'œuvre de Leiris, du *Glossaire* à *la Règle du jeu*, s'écrivait, plutôt que dans les marges d'un Freud sexologue, dans celles d'un Freud langagier, c'est-à-dire dans les marges de Lacan.

Pour s'arracher à ses problèmes, Leiris participe de 1931 à 1933 à la mission Griaule de Dakar à Djibouti. Il apprend sur le terrain le métier d'ethnographe. Cette expérience l'a marqué plus durablement que la psychanalyse, puisqu'elle lui a fourni un métier, et un nouveau terme de comparaison (sinon une nouvelle méthode) pour penser ses problèmes. On trouve le compte rendu au jour le jour de cette expérience dans *l'Afrique fantôme*. Ce journal intime n'a rapport à l'ethnographie que par son contenu, et non par sa technique : celle-ci est très classique, très « stendhalienne » : ne rien noter que l'on n'ait vu ou senti soi-même. Il révèle une attitude très ambiguë en face de la méthode ethnographique et de sa déontologie. Obsédé par ses problèmes personnels, Leiris voyait dans ce voyage l'occasion de briser les limites de sa personnalité européenne et de retrouver une mentalité primitive dont il a la nostalgie. Son attitude, surtout à la fin du voyage, sera de rechercher le contact avec un sacré authentique : attitude d'identification, désir lyrique d'être initié, comme si les civilisations africaines étaient l'image du moi profond qu'il tente de récupérer. Cette recherche du sacré est si peu scientifique que l'ethnographe finit par tomber amoureux d'une Éthiopienne « qui correspondait physiquement et moralement à (son) double idéal de Lucrèce et Judith [2] ». Aussi est-il périodiquement agacé par les règles déontologiques (de distance) et méthodologiques (de description tatillonne)

1. Interview recueillie par Madeleine Chapsal, *La Quinzaine littéraire*, n° 14, 15 octobre 1966. Remarque analogue dans *Fibrilles*, p. 233.
2. *L'Age d'homme*, p. 200.

qu'implique la recherche ethnographique. Le journal contient quelques explosions contre la « scientificité », et un grand nombre de réflexions tournant autour des rapports de la subjectivité et de l'objectivité, Leiris voyant dans une subjectivité assumée la meilleure méthode d'authenticité, et dans le poète le seul être capable d'arriver à la connaissance de la vie [1]. Plus tard, en 1950, à l'occasion d'une réédition de *l'Afrique fantôme*, Leiris prendra ses distances vis-à-vis de ce qu'il considérera comme une attitude romantique, individualiste et peu adéquate puisqu'elle l'aura fait passer à côté des problèmes politiques de l'Afrique. En effet, après le retour en Europe et la publication de son livre, une redistribution de ses attitudes l'amènera à séparer ce qu'il avait confondu, à rendre à l'Afrique ce qui est à l'Afrique, et au fantôme ce qui est à lui, c'est-à-dire à mener séparément travail scientifique et quête autobiographique. Renonçant à se projeter dans une mythique mentalité primitive, Leiris en arrivera à accepter l'existence de l'autre dans sa spécificité et sa différence, ce qui le conduira au développement d'une œuvre scientifique originale [2], et à un engagement politique en faveur du respect des civilisations différentes, contre l'exploitation et l'aliénation coloniale [3]. Une fois autrui rétabli dans ses droits, il restera à Leiris à retourner sa curiosité « ethnographique » sur lui-même. Dans quelle mesure une « auto-ethnographie » est-elle possible? Dans quelle mesure Leiris l'a-t-il tentée et réalisée? Au-delà de *l'Age d'homme*, c'est vers un texte de 1938, « Le sacré dans la vie quotidienne [4] », qu'il faut regarder. Il s'agit d'une conférence prononcée pour l'ouverture du Collège de sociologie fondé par R. Caillois et G. Bataille. Le programme que R. Caillois a rédigé pour les activités de ce collège est exactement celui d'une auto-ethnographie avec tout ce qu'une telle démarche comporte de transgressions par rapport à la scientificité, en particulier la

1. Voir par exemple dans *l'Afrique fantôme*, p. 213-215, les projets d'avant-propos, et p. 250.
2. Voir la présentation de cette œuvre scientifique par Édouard Glissant, « Michel Leiris ethnographe », *les Lettres Nouvelles*, novembre 1956, p. 609-621.
3. Cf. Michel Leiris, *Cinq Études d'ethnologie*, éd. Denoël-Gonthier, coll. « Médiations », 1969.
4. « Le Sacré dans la vie quotidienne », *Nouvelle Revue française*, juillet 1938 (repris dans *Change*, n° 7, 1970). Ce texte s'inscrit à la fois dans la ligne « ethnographique » et dans la ligne « psychanalytique ». Le titre est une variation sur le titre de Freud, *Psychopathologie de la vie quotidienne*, variation qui tout en soulignant la parenté de méthode (attention accordée aux menus faits) établit une opposition complète de perspective (quête mystique opposée à l'analyse médicale). D'autre part, le champ délimité par Leiris pour sa recherche est justement le domaine des souvenirs d'enfance : mais c'est parce que le sacré y est plus authentique, et non parce qu'on y trouve l'origine de la névrose.

confusion de la démarche scientifique et de la quête mystique [1]. S
l'idée de mettre les sociétés modernes à l'épreuve d'une description
analogue à celle qu'on pratique pour les sociétés « primitives » est
bien fondée, il l'est peut-être moins de le faire avec l'unique idée de
retrouver et de restaurer un « sacré » perdu et de prendre pour seule
méthode d'investigation l'introspection personnelle. Le porte-à-faux
méthodologique est symétrique de celui qui concerne la psychanalyse.
Si l'ethnographie est fondée sur l'étude des groupes, l'extériorité de
l'observateur et l'attitude descriptive, la situation de Leiris est exactement inverse, puisqu'il examine le « sacré » d'un individu, qui n'est
autre que lui-même, sacré qui est à constituer autant qu'à analyser.
La quête mystique passe par les voies de la recherche scientifique
dont elle ne retient que ce qui lui permet de construire son objet,
c'est-à-dire en fin de compte ici, ce qui permet de construire un *texte*.
J'évoquerai plus loin, à propos du « Sacré dans la vie quotidienne »
les instruments que Leiris a pu ainsi s'approprier.

La réaction contre la névrose, et l'expérience de la cure, conduisent
Leiris à abandonner la littérature à visée mystique sous sa forme oraculaire, et à rechercher, par la voie de la confidence lyrique et de
l'autobiographie, le contact avec autrui et une valeur (vérité ou règle)
qui lui permette de vivre. Les différents textes poétiques recueillis
dans *Haut Mal*, suivi de *Autres lancers* [2], sont pour la plupart des
confidences ou échos du vécu contemporain égrenés tout au long d'une
vie sans plus de souci de construction que dans un journal intime
expression sur le vif de l'instant, qui est mise en réserve pour un
« traitement » éventuel; viviers d'amorces et d'appâts pour un texte
autobiographique futur.

L'entrée dans l'autobiographie déclarée se fait avec *l'Afrique*
fantôme, journal placé sous le patronage de J.-J. Rousseau et introduit
par un pacte en bonne et due forme. Ce texte est passionnant à tous
les points de vue (introspection, problématique de l'aveu, récits de
rêves, rapports entre l'expérience ethnographique et l'expérience
intime), sauf au point de vue de la structure. La pratique du journal
intime représente une sorte de degré zéro dans les recherches formelles
de construction du texte. Le narrateur s'en remet au temps, son ennemi, pour structurer le texte. Les bornes du texte sont fixées par le

1. Ce programme est reproduit dans le recueil de textes récemment publié
par Roger Caillois, *Approches de l'imaginaire*, éd. Gallimard, 1974. Présentant
ces textes, R. Caillois fait l'historique du Collège de sociologie, aux activités duquel
Michel Leiris aurait pris « assez peu de part ».
2. Coll. « Poésie », éd. Gallimard, 1969.

départ en voyage et le retour. Entre ces bornes, tout s'accumule au jour le jour, la signification se créant par des convergences, rapprochements et changements qui devront apparaître à la lecture, mais que l'écriture n'a pas besoin d'agencer. Dans la mesure où l'authenticité passerait par un abandon total de la recherche formelle, ce journal serait le plus authentique document. C'est d'ailleurs un peu comme une cure de désintoxication et de réalisme subjectif que Leiris a conçu l'écriture de ce journal.

Si *l'Afrique fantôme* n'annonce aucune des techniques dont Leiris se servira pour composer *la Règle du jeu*, il donne le modèle de deux des éléments qui entreront dans le jeu de construction.

Il se présente d'abord comme le modèle d'une sorte de « réservoir de faits » où le narrateur pourra puiser pour trouver de nouveaux points de départ à son travail, quand il aura épuisé le corpus des souvenirs d'enfance. De manière irrégulière, et sous des formes diverses, Leiris semble avoir tenu son journal intime depuis son adolescence [1]. Il se constitue ainsi une réserve, réserve, il est vrai « de seconde zone », dont le traitement sera plus laborieux que celui des souvenirs d'enfance. Ces « faits » empruntés à la vie adulte interviendront soit de manière ponctuelle dans des chaînes de souvenirs d'enfance, soit comme noyaux principaux de séquences à structure franchement narrative à partir de la seconde moitié de *Fourbis* [2].

Il manifeste ensuite l'intrusion du temps vécu dans le texte écrit. Cette intrusion est naturelle dans un journal intime, mais elle produira un effet très différent quand elle viendra plus tard se combiner avec la lignée principale d'un texte autobiographique construit selon des procédés de langage destinés justement à neutraliser le temps. A partir du chapitre « Perséphone » de *Biffures*, Leiris exploitera d'abord discrètement, puis de plus en plus dramatiquement (dans *Fibrilles*), ce porte-à-faux.

Parallèlement à *l'Afrique fantôme*, Leiris écrivait, ou plutôt composait *l'Age d'homme*, son premier texte autobiographique construit. Le texte ne semble pas avoir été écrit dans l'ordre où nous le lisons, ou, du moins, sa composition a dû s'effectuer en deux phases différentes : une phase préparatoire (1930-1934) pendant laquelle Leiris

---

1. Dans *Biffures*, p. 167-170, Leiris donne une description de son journal et une analyse de sa fonction : album où il colle documents ou images qui lui paraissent significatives, recueil de notations (pessimistes) écrites en général pendant les périodes de stérilité littéraire, pour ne pas perdre contact avec l'écriture.
2. Épisodes « guerriers » de 1939-1945 à la fin des « Tablettes sportives », histoire de Khadidja pour « Vois! déjà l'ange », dans *Fourbis;* et, dans *Fibrilles*, le voyage en Chine et le suicide manqué, entre autres.

a dû accumuler et rédiger ses souvenirs d'enfance, constituant ainsi un corpus de documents dont l'ordre était encore à trouver, ou n'était qu'esquissé; puis une phase de composition et de rédaction (1935) pendant laquelle il a intégré dans un discours suivi ce qu'il appelle lui-même son « photo-montage [1] ». Dans la perspective d'authenticité autobiographique qui est maintenant la sienne, Leiris s'impose de ne mettre dans son corpus de départ que des « faits vécus », et de s'abstenir de tout travail d'imagination : c'est, en apparence, rompre avec la technique de ses « romans » de l'époque surréaliste. C'est aussi repousser le modèle narratif « chronologique » des autobiographies classiques, pour faire subir aux éléments du corpus un traitement analogue à celui pratiqué sur les mots dans *Simulacre*. Les faits rassemblés, qui sont reliés entre eux par des analogies apparentes ou secrètes, vont être intégrés dans un collage ou montage où ils devront produire un sens par simple juxtaposition, sans que le narrateur ait besoin de procéder à de longues analyses ou d'expliciter complètement leurs liaisons. Le rôle du narrateur sera discret : il fera les transitions, il laissera « parler » les faits. D'où une esthétique de la discontinuité et de la fragmentation, de la sécheresse et de l'implicite, diamétralement opposée à ce que sera l'esthétique de *la Règle du jeu*.

Un souvenir ou un récit sont choses plus complexes que des mots isolés : aussi le collage ne pourra-t-il se faire aussi abruptement que dans *Simulacre*. Déjà, quand il avait entrepris de mettre ses rêves « bout à bout », Leiris avait été obligé d'étudier l'ordre d'enchaînement de manière à construire un itinéraire. A plus forte raison ici aussi y a-t-il illusion à croire que l'authenticité du matériau garantit celle de la construction. Tout ordre est une interprétation : l'avantage du collage est de dissimuler cette interprétation dans l'implicite. Le collage de *l'Age d'homme* est naturellement très structuré, de deux manières :

— Structuration en groupes : les six premiers chapitres sont construits sous la forme de regroupements analogiques d'épisodes enfantins, à chaque fois sous l'égide d'un thème ou d'une figure qui sert de titre et d'un texte bref placé en exergue. Ce thématisme est en partie un leurre. Il n'est pas sûr que le lien principal affiché entre les différents éléments soit vraiment le lien pertinent : la majorité des nombreuses liaisons que ces épisodes entretiennent entre eux restent dans l'implicite, exactement comme les connotations et les réseaux qui relient souterrainement les mots d'un poème. Ces liaisons

1. *L'Age d'homme*, p. 16.

que le narrateur peut fort bien n'avoir pas aperçues, le guident dans le choix de l'ordre et produisent leur effet à la lecture sans que nous nous en rendions compte. Dans *Lire Leiris*, j'ai tenté de montrer, par l'analyse précise des trois premiers chapitres, comment cette stratégie du collage permettait à Leiris de frôler la vérité tout en se la masquant.

— Structuration en histoire : ces groupes eux-mêmes doivent être enchaînés dans le discours du narrateur, sous la forme d'un récit. *L'Age d'homme* comporte deux niveaux de récit :

a) Récit d'une enquête : le narrateur se présente lui-même en train de chercher la vérité, c'est-à-dire de la construire. Il effectue un montage progressif entièrement orienté par le couple des deux figures fatidiques de Lucrèce et Judith. Ici, comme il le fera constamment dans *la Règle du jeu* (cf. ci-dessous « Esaü »), Leiris transforme son point de départ en point d'arrivée, méthode qui lui permet d'explorer par « collage » les associations liées aux deux figures, mais en se protégeant de toute découverte irréversible, puisqu'il s'arrange pour faire peu à peu remonter les associations à leur source (le fantasme), au lieu de les laisser s'ouvrir sur autre chose. Allusivement annoncées au début du récit, Lucrèce et Judith ne seront que très progressivement introduites dans le texte, l'une après l'autre, jusqu'au moment où elles seront enfin réunies. Mais plus le texte avance, plus l'analyse progresse, plus le narrateur, inexplicablement, se décourage. Et à peine a-t-il réalisé la conjonction Lucrèce-Judith qu'il abandonne sa recherche mythologique et déclare donner sa langue au chat (p. 153). Le lecteur a plutôt l'impression qu'il l'abandonne au contraire parce qu'il « brûle ». Cette mise en scène du trajet de l'enquête, et cette technique d'une recherche qui ne progresse qu'à condition de revenir en même temps à son point de départ, nous les retrouverons constamment dans *la Règle du jeu*.

b) Récit d'une histoire : en même temps qu'il abandonne l'ordre thématique Leiris s'est préparé une solution de rechange en revenant progressivement à l'ordre chronologique; à partir de la fin du chapitre VI, il raconte très classiquement la fin de son histoire depuis l'adolescence jusqu'au moment de l'écriture. Cette retombée dans l'ordre chronologique et ce relatif échec dans la construction du texte, on les retrouve également, sous une autre forme, dans *la Règle du jeu*[1] : mais cette pente est fatale à *l'Age d'homme*, qui se boucle de

1. Cette pente commune à *l'Age d'homme* et à *la Règle du jeu* pourrait se figurer grossièrement ainsi :

a) un noyau initial et essentiel renvoyant à des « faits premiers », traité par collage ou écriture tressée : dans *l'Age d'homme*, « Métaphysique de mon enfance »,

manière peu convaincante par deux récits de rêve, alors qu'elle n
sera pas fatale à *la Règle du jeu*, d'une part parce que la technique d
l'écriture tressée (qui n'existe pas dans *l'Age d'homme*) permet d'essaye
de redonner un statut mythologique à n'importe quoi, d'autre pa
parce que la précaution prise d'intégrer le temps de l'écriture au réci
transforme cet obstacle en donnée dramatique.

Comme je l'avais fait pour *Simulacre* et pour *Glossaire*, je va
établir ressemblances et différences par rapport à *Biffures* :

Ressemblances 1) les éléments de base sont désormais des souvenirs ou de
faits (l'équivalent des futures fiches);
2) ils sont choisis en fonction de leur analogie et groupés e
constellations;
3) il s'agit de faire un texte construit (selon le schém
ouvert/fermé);

Différences 1) le travail de *mise en relation* des éléments est encore trè
raide et proche du collage, la part de l'implicite, trè
grande. Leiris n'a pas encore tiré la leçon du *Glossair*
ni découvert l'écriture tressée;
2) l'enquête est limitée à un stock malgré tout réduit d
faits reliés à l'érotisme; le champ envisagé est étroi
et sera vite épuisé;
3) la technique du collage laisse le narrateur et son trava
relativement en marge du livre; elle n'est donc pa
susceptible d'intégrer vraiment dans le texte le présen
de l'écriture et de faire du présent le centre de l'histoire

Ces différences sont capitales. Je montrerai plus loin commen
après *l'Age d'homme*, Leiris a découvert l'écriture tressée, et élarg
les bases de l'enquête. J'insisterai d'abord sur la troisième différenc
qui est sans doute la plus importante.

_____

p. 30-40; dans *la Règle du jeu*, les quatre premiers chapitres de *Biffures*, p. 9-7
que l'on pourrait appeler, parallèlement, « Linguistique de mon enfance »;
b) un vaste développement construit suivant le même procédé, étendu cett
fois à l'ensemble du stock des souvenirs d'enfance : *l'Age d'homme*, p. 43-135
dans *la Règle du jeu*, la suite de *Biffures* et la première moitié de *Fourbis* jusqu'à l
page 139;
c) une retombée dans la narration principalement chronologique d'épisode
de la vie adulte : fin de *l'Age d'homme; seconde moitié de *Fourbis*, et *Fibrilles*.
Dans les deux cas, le procédé de construction principal est finalement abandonné
et l'œuvre a tendance à se *défaire* en même temps qu'elle se termine. Reste à savoi
si *la Règle du jeu* suivra jusqu'au bout, la même trajectoire que *l'Age d'homme*
c'est-à-dire si *Frêle Bruit* sera, sur le plan des techniques de composition, un retou
en arrière, ou si Leiris poussera jusqu'au bout, avec un matériau de plus en plu
« frêle », la technique de l'écriture tressée.

La technique du « photo-montage » donne à l'énoncé une place prépondérante et masque l'énonciation. On « laisse parler les faits », au lieu de mettre au premier plan sa propre parole. C'est naturellement un avantage pour un narrateur dont le premier souci semble être de se *protéger* de son lecteur au moment même où il prétend s'exposer comme un torero. Mais c'est une limite à la fois sur le plan de la recherche, et pour la construction du texte. Dans *Biffures* Leiris découvrira non seulement une nouvelle manière de relier les faits entre eux, mais, en faisant passer cette liaison de l'implicite à l'explicite, il pourra *faire venir l'écriture sur le devant.* Ce renversement complet de la relation entre l'énoncé et l'énonciation aura trois conséquences capitales :

— Le jeu analogique pourra s'établir non seulement entre les éléments points de départ de l'énoncé, mais entre l'énoncé et l'énonciation. Leiris pourra alors exploiter systématiquement un phénomène que j'ai rencontré dans toutes mes analyses de textes autobiographiques : la répétition au niveau de l'écriture des conduites évoquées par l'écriture. Le narrateur est en général totalement inconscient de cette répétition : à partir de *Biffures*, Leiris pratique la répétition de manière, sinon délibérée, du moins très consciente, et l'analyse de son propre comportement dans l'écriture sera étroitement tressée avec celles des conduites vécues hors de l'écriture. C'est ce qui rend ce livre vertigineux pour le lecteur, puisque toute réflexion critique sur le texte se trouve « lucidement » anticipée et neutralisée. Le bénéfice est double : ce système de protection est beaucoup plus efficace que le système inverse de camouflage du narrateur. Il permet de mettre en place un système de construction qui intègre tous les niveaux du texte : discours, narration, poésie, leur production et leur future lecture. Ainsi se trouvera réalisée, sur le plan textuel, l'exigence de *totalité* qui est au cœur de la vocation poétique de Leiris.

— Ce renversement donne la certitude d'être, dès que l'on écrit, au centre de son histoire, dans une situation analogue à celle de l'analysant, puisque c'est dans la parole (dans l'écriture) que l'histoire se répète. La situation est très différente de celle du journal intime, dont l'écriture morcelée dépend au contraire du temps, tandis qu'ici c'est le temps tout entier qui est pris dans le travail de l'écriture. Il est vrai que si l'écriture vous arrache au temps, ce n'est que tant qu'on écrit. Rien n'est triste comme un lendemain d'écriture. Il faut toujours *continuer* à écrire, ce qui prouve, s'il en était besoin, que l'écriture n'aboutit jamais à aucun « oracle » ni à aucune « règle » qui la rendrait superflue ou changerait ses conditions de production. Il faut donc *pouvoir* continuer à écrire.

— Ce renversement donne justement la possibilité d'une sorte de *mouvement* perpétuel. Dans la technique du collage, le narrateur se trouve très dépendant de son matériau : il faut qu'il ait quelque chose à coller. L'écriture tressée de *la Règle du jeu* va au contraire monter un mécanisme capable de traiter n'importe quoi, et même, à la limite, *rien*. Cette machine de langage est capable de susciter son matériau, de moudre ou tresser faits, souvenirs, fantasmes, mais aussi bien raisonnements ou analyses abstraites, toujours selon la même logique de rêve : de la densité pulpeuse des faits de langage et des sensations, au début de *Biffures*, jusqu'à la logomachie diluée et baroque de la fin de *Fibrilles*, c'est le même geste qui se répète indéfiniment. Plus *la Règle du jeu* avance, plus elle se rapproche du discours vertigineux d'un Beckett ou d'un Laporte, où l'énonciation finit par devenir le seul sujet de l'énoncé.

Mais j'anticipe. Justement, Leiris a eu du mal à terminer *l'Age d'homme* et, l'ayant terminé, à imaginer comment continuer à écrire son autobiographie puisqu'aussi bien celle-ci doit être permanente si l'on veut échapper au temps. *L'Age d'homme* est à la fois un texte mal fermé, et qui n'arrive à s'ouvrir sur aucune suite. Leiris a évoqué le désarroi où l'ont laissé cet inachèvement et ce blocage [1].

DE « L'AGE D'HOMME » A « BIFFURES »

De la fin de la rédaction de *l'Age d'homme* (1935) au début de celle de *Biffures* (1940), un certain nombre de rencontres et d'expériences vont permettre à Leiris de débloquer la situation, et le mettre sur la voie de l'écriture synthétique et perpétuelle. Sans vouloir les articuler en une histoire, je les présenterai ici comme une série de signes qui jalonnent cette transformation : la découverte des procédés de Roussel en 1935, la composition de « Sacré dans la vie quotidienne » en 1938, et, en 1939, la publication de *l'Age d'homme*.

Michel Leiris avait bien connu Raymond Roussel et apprécié son œuvre. Mais la rencontre décisive pour Leiris, celle qui l'a amené à modifier sa méthode d'écriture, a eu lieu en 1935, lors de la publication posthume du texte autobiographique où Roussel révèle la règle de son jeu : « Comment j'ai écrit certains de mes livres [2]. » Roussel

1. *Biffures*, p. 250.
2. Ce texte fut d'abord publié dans la *NRF* du 1er avril 1935, précédé de « Documents sur Raymond Roussel » par Michel Leiris.

dévoile principalement les procédés verbaux dont il s'est servi comme point de départ, comme technique d'inspiration, pour la réalisation de ses œuvres narratives. Leiris a écrit pour la *Nouvelle Revue française* une présentation de ce texte, qui est, en même temps qu'une remarquable analyse de la stratégie de Roussel, une sorte de mise au point de sa propre conception de l'écriture [1]. Il souligne, dans la pratique de Roussel, tout ce qui correspond à la sienne : la fonction de la méthode de travail, qui est procédé d'inspiration plutôt que recette de fabrication; la division du travail en plusieurs phases bien distinctes (constitution d'un corpus de départ/travail de liaison/écriture); le rôle capital des faits de langage et des jeux de mots.

Mais ces éléments analogues sont distribués et articulés de manière différente chez Roussel et chez Leiris. Chez Roussel, le point de départ est volontairement *absurde;* il utilise différentes formes de calembour (c'est-à-dire de jeux de mots dans lesquels aucun rapport des signifiés ne correspond au rapport des signifiants) pour obtenir une évacuation complète du sens. Ces formations absurdes correspondent à une sorte de contenu apparent de rêve. Le travail d'association et de rationalisation que Roussel effectue pour relier les morceaux correspond à l'invention d'un rêve latent, dont les mots points de départ auraient été le chiffre ou le rébus. Ce point de départ disparaît du texte achevé, qui est la mystérieuse solution d'un problème irrepérable (on ne connaît que les points de départ dont Roussel a lui-même livré par ailleurs le secret).

Chez Leiris au contraire, dans *Biffures*, le point de départ est toujours *analogique*, mots ou faits groupés parce que, malgré leurs différences apparentes, ils contiennent au moins un élément commun, et qu'on a l'intuition que cette analogie partielle pourrait se généraliser. Le travail de Leiris consiste donc non pas à créer un rapport là où il n'y en a pas, mais à expliciter et à généraliser une analogie d'abord implicite et locale. Alors que Roussel, une fois le travail fait, élimine le point de départ, Leiris tend au contraire à l'exhiber et à le consolider. Il y a donc un décalage entre les deux techniques, une différence de degré, celle-là même qu'il y a du calembour au mot d'esprit. Chez Leiris, le jeu de l'absurde est secondaire, greffé sur une démarche analogique qui part de relations existantes; il ne se rapproche de Roussel que dans la mesure où il veut relier par *tous* leurs aspects à la fois deux faits ayant un seul point commun : pour les points par lesquels ils diffèrent, il sera obligé de se livrer comme

1. « Comment j'ai écrit certains de mes livres », *NRF* du 1er janvier 1936; repris dans *Brisées*, p. 58-61.

Roussel à un travail d'association à tiroirs, et d'invention. Reste qu'il a l'appui du point commun initial et qu'il espère toujours, par cette exploration ludique et fantasmatique, retomber sur d'autres liaisons pertinentes. Sa technique est plus proche de la métaphore filée à tiroirs telle que l'ont pratiquée les surréalistes [1] que de l'espèce de test de Rorschach auquel se livre Roussel à partir de mots préalablement écrasés sur une feuille.

Quelle est donc la leçon que Leiris a tirée des révélations posthumes de Roussel? C'est essentiellement celle du travail de liaison. Leiris avait depuis longtemps l'idée des « constellations » ou des « équations » de faits : mais les techniques dérivées du collage lui faisaient plutôt prendre l'établissement de tels groupes pour point d'arrivée, en opérant entre les différents termes le minimum de liaison. La lecture de Roussel l'aurait amené à les prendre désormais pour points de départ d'un nouveau travail, consistant à réaliser enfin de manière explicite leurs liaisons, en développant les multiples trames d'associations qui pourraient les relier sur plusieurs plans à la fois. En somme, il s'agirait de partir de groupes d'éléments, comme dans *Simulacre*, et de les relier par un travail analogue à celui dont j'ai analysé la technique à propos de *Glossaire*. La lecture de Roussel aurait servi de catalyseur pour effectuer dans l'esprit de Leiris la jonction entre la technique du collage et celle de la glose. C'est ce que lui-même a suggéré dans une interview où on lui demandait quelle influence Roussel avait eue sur lui :

> Ce qui m'a directement influencé pour *Biffures* et *Fourbis*, c'est le procédé Roussel, celui qu'il expose dans *Comment j'ai écrit certains de mes livres*. Ce n'est pas tellement les jeux de mots que j'ai retenus. Les jeux de mots, comme vous savez, m'ont toujours intéressé prodigieusement. Ce que j'ai retenu c'est ce que Roussel dit à propos de ses jeux de mots ou transformations de phrases, qu'il aboutissait ainsi à des « équations de faits », les faits ou matériaux que lui avaient fournis les jeux de langage en question. Sa tâche consistait alors à inventer une histoire qui mettrait en relation tous ces faits. C'est un peu ce qui m'a donné l'idée de procéder par fiches, les fiches étant pour moi comme pour Roussel les termes d' « équations de faits », autrement dit les matériaux que je devais relier entre eux [2].

1. Cf. M. Riffaterre, « La métaphore filée dans la poésie surréaliste », *Langue française*, n° 3, septembre 1969.
2. Propos recueillis par M. Gobeil, *Gulliver*, n° 4, 1973.

L'essentiel serait donc l'idée de procéder par « fiches [1] ». Inscrits sur la fiche, les éléments autobiographiques deviennent de simples amorces pour l'invention d'un réseau d'écriture : l'important est désormais de les « relier entre eux ». Dans *Biffures*, Leiris parle du besoin diffus qu'il a toujours ressenti de « confronter, grouper, unir entre eux des éléments distincts, comme par un obscur appétit de juxtaposition ou de combinaison [2] ». Il passe justement ici de la juxtaposition (collage) à la combinaison (glose). S'il écarte le problème du jeu de mots, c'est bien sûr parce que Roussel ne lui a rien appris dans ce domaine; mais c'est aussi parce que le jeu de mots n'a pas la même fonction chez lui. Roussel s'en servait (sous la forme du calembour) pour constituer le corpus de départ; le travail de liaison se faisait ensuite par des inventions narratives et une écriture réaliste. Pour Leiris au contraire, c'est au niveau du travail de liaison que la logique du jeu de mots sera utilisée.

Faut-il voir dans « Le sacré dans la vie quotidienne » (1938) [3] une première ébauche de *Biffures*, et une première application de ce programme de liaison? Quoiqu'il se présente comme un inventaire assez sec écrit dans le même style que *l'Age d'homme*, ce collage « auto-ethnographique » annonce déjà *Biffures* par certains traits :

— Le champ de l'enquête est élargi au-delà des limites de l'érotisme; en même temps qu'il reprend certains des épisodes de *l'Age d'homme*, Leiris explore de nouveaux domaines, en particulier celui des *faits de langage*. Il suffit de comparer ces amorces avec le texte de « ... Reusement! » et d' « Alphabet » pour apprécier le travail de Leiris dans *Biffures* : ici nous avons simplement l'équivalent d'une série de fiches de départ, recopiées les unes à la suite des autres au terme d'un rapide travail de classement qui n'est pas réellement un « travail de liaison ».

— Ce travail de classement, néanmoins, fait appel à un système de définition par opposition, avec des séries de fourches binaires qui correspondent à la fois à un effort fait pour reconstituer les structures

---

1. Sur les fiches, voir *Biffures*, p. 255. Quatre fiches de Leiris, celles qui servent de points de départ au chapitre « Tambour-Trompette », sont reproduites dans le *Michel Leiris* de Pierre Chappuis, éd. Seghers, 1974.

2. *Biffures*, p., 255.

3. Voir ci-dessus note p. 265. On ne sait pas exactement quand a été rédigé ce texte, sans doute en 1937. En récapitulant dans « Tambour-Trompette » les tentatives qui ont précédé *Biffures*, Leiris n'y fait qu'une allusion rapide, comme s'il accordait peu d'importance à cette ébauche : « compte non tenu de quelques pages plus anciennes où s'ébauche la description de plusieurs de ces faits » (*Biffures*, p. 256).

mentales de l'enfant (comme un ethnographe essaie de reconstituer dans leur propre logique les systèmes de pensée du groupe étudié), et à un procédé de développement du texte par alternatives continuelles, procédé qui sera souvent utilisé dans *la Règle du jeu*. Cette logique de l'alternative systématiquement ouverte pour déceler les oppositions pertinentes dans le champ exploré est sans doute en rapport avec la pratique de l'ethnographie [1]; mais, comme pour l' « association » analytique, elle sera autant utilisée pour synthétiser que pour analyser.

— Le système de *tressage* se trouve déjà esquissé de différentes manières, pour construire un texte qui se referme entièrement sur lui-même. Le texte revient en effet à son point de départ de manière assez tautologique (le sacré, c'est le sacré), mais après avoir effectué un trajet d'exploration aller-retour en utilisant pour chacun des deux trajets un système différent de distribution des mêmes éléments. L'ouverture du champ se fait à l'aller par des séries de dissociations et d'oppositions : objets (paternels/maternels)/endroits (dedans/dehors) etc.; la refermeture, plus rapide, procède par regroupement selon des notions, elles, complémentaires (prestigieux/insolite/dangereux, etc.), et tout se résorbe finalement dans la notion de sacré. Enfin un timide essai de tressage purement verbal réunit l'énoncé et l'énonciation : explorer son sacré serait pour chacun une tâche sacrée... Ces tressages sont assez simples et peu convaincants : mais ils indiquent la voie dans laquelle Leiris va s'engager.

Un texte n'est pas achevé tant qu'il n'est pas publié et *lu*, à la fois par la masse du public, et par ses destinataires plus proches que sont les gens avec lesquels on vit. Pourquoi *l'Age d'homme*, achevé en 1935, n'a-t-il été publié qu'en 1939 (alors que le journal de *l'Afrique fantôme* avait été publié tout de suite après le voyage)? Hésitation du torero avant de s'exposer à la « corne »? Insatisfaction devant un texte aussi inachevé et béant que la vie de son auteur? Retard dû à l'éditeur? Toujours est-il que c'est seulement quand le texte est publié qu'il peut être dépassé, ne serait-ce que parce qu'on s'aperçoit du caractère illusoire du danger couru, et donc du caractère tout relatif de l'authenticité dont ce danger devait être le garant. Le pacte autobiographique, tel que le pratique Leiris, comporte en effet autant de dispositifs de protection et de précaution que d'engagements entraînant des risques : je ne parle pas seulement de la mise en forme esthé-

---

1. Mitsou Ronat a tenté de décrire ce comportement « ethnographique » dans « Une ethnographie particulière : Leiris », *Change*, n° 7, 1970, p. 73-83.

tique des aveux qui fait selon l'expression de Leiris « passer la muscade [1] »; mais la limite qu'il s'impose, de *ne jamais parler des autres*, transforme l'autobiographie en une démonstration purement masochiste et narcissique qui le met en réalité, dès le départ, à l'abri du principal danger : celui qui viendrait des autres s'il révélait (s'il s'avouait) l'agressivité ou les autres sentiments qu'il peut nourrir à leur égard. La règle fondamentale de Leiris, qu'il présente comme une sorte de déontologie de l'autobiographie, lui fait en réalité répéter et consolider, dans l'écriture, les conduites de protection compliquées qu'il a dans la vie :

> D'autre part, je me suis imposé une règle : parler de moi (ce qui est mon plein droit) mais le moins possible des autres. Ma femme même, dont je parle beaucoup, je ne parle jamais d'elle en elle-même. Et ainsi de chacun de mes proches. Etre obligé de mettre les autres en cause est un aspect de l'entreprise qui m'a toujours gêné [2].

D'où, dans toute cette autobiographie, la surprenante absence d'autrui, le brouillard où se perd le monde extérieur. Les *autres* sont repoussés au-delà des limites d'un discours où ne pourra figurer que l'évocation des sentiments qu'on éprouve soi-même, pellicule subjective qui ne mettrait point en cause les autres « en eux-mêmes ». Il y a là non seulement un grand « trou » dans l'énoncé, mais un grand silence au cœur même de la parole. En même temps que par la « discrétion », le lecteur est gêné par l'absence du *destinataire :* le discours essaie sans cesse de se refermer sur lui-même après avoir englobé et désarmé le regard d'autrui, sans qu'on sache en fin de compte à qui il s'adresse. Aucune œuvre autobiographique ne donne si fortement l'impression du secret et de la fermeture. Pour le sentir, il suffit de comparer le comportement de Leiris avec celui, diamétralement opposé, de Jouhandeau. Cette conduite d'autoprotection aboutit à glacer le texte, et à décourager beaucoup de lecteurs peu habitués à lire les silences, qui sont pourtant les éléments les plus révélateurs de la partition autobiographique. C'est par là que s'exprime une demande dirigée vers autrui, demande effrayée d'elle-même et qui a peur du bruit que ferait sa voix. Dans l'interview citée plus haut, Leiris se réfère aussi à la lettre que Kafka écrivit à son père pour clarifier leurs rapports : « mettre cartes sur table, carrément, quoique sans provo-

---

1. « Entretien avec Michel Leiris », par Raymond Bellour, *Les Lettres françaises*, 29 septembre-5 octobre 1966.
2. *Ibid.*

cation », dit-il. Cette formule très leirissienne, où le « carré » es
immédiatement arrondi, passe sous silence l'essentiel, à savoir qu
les cartes ont été posées par Kafka sur une table parfaitement imagi
naire puisqu'il s'est arrangé pour que la lettre ne parvienne pas
son destinataire. Leiris a dû surtout remarquer dans la « Lettre a
père » de Kafka la manière pathétique dont elle met en évidenc
l'impossibilité de parler. Et peut-être qu'en ce sens toute autobio
graphie est un peu une « lettre au père ».

Étape par étape, j'ai suivi Leiris dans ses recherches sur la cons
truction du texte : l'aspect technique de ces analyses ne doit pas fair
oublier l'enjeu de ce travail de construction : arriver à explorer, tou
en s'en protégeant, le vide, le trou qui se manifeste au cœur du lan
gage et qu'en réalité aucun texte, si construit soit-il, ne parvient
combler. Béance du rapport à autrui, béance de la mort.

L'Age d'homme une fois publié, Leiris s'aperçoit (ce qui est à la foi
rassurant et décevant) que l'acte autobiographique tel qu'il l'a prati
qué n'est en fait qu'un simulacre. De même que l'acte amoureu
est un simulacre de la mort, puisqu'on en réémerge vivant après avoi
vécu l'abolition des limites, l'écriture est un simple simulacre de l
parole. Encore a-t-on reproduit dans ce faux acte de communicatio
tout ce qui, dans la vie, limite justement la communication. Leiri
a dit qu'à la lecture de ses écrits intimes, ses proches avaient été vrai
ment parfaits : « Je tiens à rendre hommage à mes proches, qu
après m'avoir lu, ont fait preuve à mon égard d'une compréhensio
que je dirai exemplaire [1]. » Tout le monde s'est bien tenu (retenu
et l'acte de publication se transforme en une sorte de rite d'initiatio
sans danger réel, à la suite du pacte réciproque de non-agressio
qu'il met en évidence. Mais en même temps qu'une épreuve rassu
rante, c'est un coup d'épée dans l'eau. Le taureau n'était pas a
rendez-vous; tout reste à faire, et à faire *autrement*, puisqu'on n
saurait vivre qu'une seule fois de cette manière la dramaturgie d
l'aveu.

LA RÈGLE DU JEU

En 1940, Leiris reprend sa quête autobiographique à partir d
nouveaux matériaux (les faits de langage enfantins), et selon un
nouvelle méthode (collage et glose réunis grâce à la rencontre d
Roussel). Entre ces matériaux et cette méthode, une sorte d'osmos

1. « Entretien avec Michel Leiris », *op. cit.*

s'établit : autant qu'un discours sur le langage enfantin, le texte sera une réappropriation de ce qu'il y a de productif dans ce langage. L'ambiguïté entre l'analyse et la re-production, que j'ai signalée déjà à propos des expériences analytiques et ethnographiques, se retrouve en face de l'expérience linguistique de l'enfant et du poète. Pour évoquer cette expérience, le narrateur va la répéter dans son langage d'adulte, et se lancer dans le labyrinthe des réseaux d'associations, faisant du *trajet* dans ce labyrinthe le principe d'une nouvelle méthode qu'il pourra ensuite appliquer, au-delà des faits enfantins de langage, à tout le reste de son vécu. L'acte poétique vient sur le devant, sous la forme d'un discours totalisateur qui manifeste de manière explicite, et dans toute sa complexité, le geste fondamental du langage : le *tressage* des séries destiné à relier sur plusieurs plans à la fois les éléments d'un corpus constitué par analogie (les groupes de fiches). Ce tressage procède par une suite indéfinie d'ouvertures/ fermetures analogues à celles que j'ai analysées à propos du *Glossaire*, mais qui englobent dans un travail compliqué non seulement le jeu poétique sur le signifiant et le signifié et sur les différents réseaux du signifié, mais aussi la combinaison de ce jeu lui-même avec la narration et le discours, et enfin à un niveau supérieur l'écriture du texte et sa lecture. Mais ce geste totalisateur qui essaie d'intégrer *tous* les niveaux du texte met aussi en évidence le trou, la faille, la « lacune » qu'il essaie vainement de combler, et qui lui permet de se produire. Langage en porte-à-faux, et par cela même, aux yeux de Leiris, le seul authentique, louvoyant entre les vertiges du silence et le leurre d'une parole pleine. Balancier entre l'innommable (la mort) et l'indicible (l'oracle et le secret), entre le vide fascinant et le trésor caché, qui ne sont peut-être, projetés aux deux pôles de notre univers mental, que l'envers et l'endroit d'une même chose que nous ne vivons que de croire différentes, avançant écartelés, divisés, hésitants, et ne pouvant relier les deux faces de l'absolu qu'en les faisant vibrer tout au long de la progression indéfinie d'un discours foisonnant et fêlé.

J'analyserai plus loin, sur l'exemple d' « Esaü », le geste du tressage. Le tressage implique lui-même une stratégie du *délai*[1] : il lui faut du temps, et un espace protégé, pour se déployer. *La Règle du jeu* renverse en effet la stratégie du narrateur en face du temps. A l'élimination ou à la concentration maximum du discours succèdent son exhibition et son développement explicite et systématique, comme si,

1. Voir *Lire Leiris*, chapitre v, « Bref sur *Biffures* », publié aussi dans *Poétique*, 1974, n° 20.

jouant à qui perd gagne, Leiris avait décidé de se mettre à « perdre son temps » pour gagner cette course contre la mort qu'est la construction du texte. Mais il ne perd pas son temps n'importe comment : l'expansion monstrueuse du discours ne se fait pas sous la forme d'un libre élan dans l'espace ouvert, mais à l'abri d'une fermeture imaginaire, déjà décidée dès le départ, et que l'on s'arrange simplement pour repousser le plus longtemps possible. On se fixe un objet qui vous sépare du vide béant de l'avenir, puis on le repousse indéfiniment pour prendre ses aises à l'intérieur de l'espace ainsi entrouvert : conduite analogue à celle que Leiris décrit en termes très sartriens à la fin de « Dimanche [1] ». Temporiser, comme Fabius Cunctator : à moins que ce ne soit exactement l'inverse, puisqu'il ne s'agit pas de temporiser pour arriver au but, mais de se fixer un but pour pouvoir temporiser avec l'inéluctable au-delà du but, la mort. Retard, à la faveur duquel aspirer et construire le sens; digue, pour assécher et quadriller le néant.

Le lecteur butte dès la première page de *Biffures* sur cette stratégie de la digression. Les quatre pages de « ... Reusement! » sont une sorte d'étude, au sens musical, de la technique du délai. Dans « Le sacré dans la vie quotidienne », l'anecdote correspondante tenait en cinq lignes : c'était l'équivalent d'une fiche de départ. Leiris fait ici subir à cette anecdote un traitement d'amplification et de grossissement sous la loupe, pour lui faire rendre gorge de tout l'implicite qu'elle recèle, et de tout ce à quoi elle est liée. Il va en fait expliciter deux choses : d'abord en quoi il s'agit réellement d'une « stupéfiante découverte », et ici le développement paraît pertinent; mais il explicite aussi tout le contexte du souvenir, de manière apparemment gratuite, en repoussant indéfiniment le récit du souvenir proprement dit, qui est annoncé par le titre du chapitre, puis retardé par un récit qui ouvre pour chaque mot une alternative, des réseaux d'associations et des hypothèses quelquefois erronées, qui provoquent de longues rectifications. La phrase initiale, par ces exercices de transformation, se trouve enflée aux dimensions d'un petit chapitre; à la faveur du retard, tout un pan de l'univers mental de l'enfant est reconstruit : ensemble d'oppositions et d'associations dont la pertinence immédiate avec « ... Reusement! » n'est pas évidente, mais qui ouvre l'espace dans lequel s'écriront les chapitres suivants (structure de l'espace, jeux, rapport aux objets, opposition du quotidien et du sacré, etc.). Les différents éléments dégagés sont d'ailleurs retressés à tout hasard, en attendant mieux. Cette brève analyse de « ... Reusement! » met en évidence

---

1. *Biffures*, p. 226-229.

l'homologie de structure qui existe entre la phrase et le chapitre, et, sans doute aussi, entre le chapitre et l'ensemble de l'œuvre.

La phrase de *la Règle du jeu* se développe à l'abri de son point final : elle se présente comme un geste fait pour englober le maximum de choses possible à la faveur de la béance qu'ouvre le simple fait de parler ou d'écrire. On pense d'abord à la phrase de Proust : même cascade de délais, d'incises, de parenthèses, d'embranchements de relatives ou d'appositions; même esthétique baroque d'un discours qui donne en spectacle la construction du sens au lieu de le livrer tout constitué; même mouvement totalisateur visant à clore la phrase par un nœud où tout se ressemble, ou, à défaut, par une clausule. Mais la différence est que Proust semble bifurquer parce qu'il a rencontré quelque chose, alors que Leiris bifurque systématiquement *pour* rencontrer et, même s'il rencontre peu de choses, n'efface jamais les traces de son errance, donnant ainsi à lire non la plénitude du sens, mais l'ouverture aussi angoissante que prometteuse de ses réseaux. Cette mise en scène du vide qui permet au discours d'avancer et qui lui interdit de jamais se clore vraiment, fait plutôt penser à la prolifération de la phrase éclatée de Claude Simon dans *Histoire*, ou à certains textes de Beckett. Le même décalage par rapport à Proust se retrouvera au niveau de l'ensemble du texte, où *la Règle du jeu* semble doubler et démystifier les découvertes du *Temps retrouvé*.

Leiris a présenté lui-même, au début de « Perséphone », une analyse des mécanismes et de la fonction de sa phrase, dans une phrase emblématique puisqu'elle *est* ce dont elle parle, et qu'elle utilise, de manière très pédagogiquement caricaturale, le processus qu'elle décrit : « lucidité » vertigineuse dont Leiris joue à dessein avec une certaine coquetterie. Mais comme toute lucidité, celle-ci n'est qu'une fausse connaissance, bloquée sur le symptôme qu'elle répète en le décrivant, dans un mouvement qui ne donne que l'illusion d'échapper à la paralysie. La lucidité n'empêche rien. Cette phrase se trouve constituer la seconde moitié d'un paragraphe-digression construit de manière circulaire en « aller-retour » d'une même idée, à savoir que la difficulté qu'il a à appréhender le réel dans la sensation, on en découvre le reflet dans sa manière d'écrire. Entre lui et la nature, il y a une « multiplicité d'écrans ». Écran : encré. Écrire : étirer des écrans d'encre.

Correctifs à une assertion qui me paraît hasardeuse à l'instant même que je l'ai formulée ou vulgaires tampons sonores dont je rembourre ma phrase — telle une bête malade à qui un maquignon insuffle, au moment de la vendre, les apparences de la santé, — ces mots, dont je tiens à ce qu'ils se justifient à la fois quant à la logique du discours et quant à son balancement (ne pouvant pas plus souffrir la présence d'un additif qui troublerait la période que celle d'éléments dont la nature de chevilles serait par trop manifeste), il est loisible à qui prendra la peine (voire même à qui ne prendra pas la peine) d'examiner d'un peu près la structure de mes phrases, de les reconnaître, au vrai, pour ce qu'ils sont : des formations parasitaires qui prolifèrent dans tout ce que j'écris, masquant la pensée authentique plutôt qu'ils ne l'aident à se traduire avec plus de précision et se révélant tout compte fait comme une série d'écrans, qui s'interposent entre mes idées et moi, les estompent, les étouffent sous le poids d'une trop grande masse verbale, finissent par me les rendre étrangères ou les dissoudre complètement, de même que trop de sensations accumulées, si elles demeurent dans les limites où je puis les savourer, loin de s'étayer mutuellement et de représenter autant de débouchés sur le réel sont des halos qui l'embuent ou des membranes qui m'en séparent [1].

Commenter lucidement cette phrase serait une sorte d'opération « au cube », qui risquerait de décourager mon lecteur. L'analyse grammaticale montrerait l'accumulation de tous les procédés de *délai* : appositions antéposées, ouverture d'alternatives dont chaque branche sera elle-même développée par une relative, elle-même développée par une comparaison entre tirets dont la fin sera scandée, rituellement, par une incise entre virgules : ce sont là les procédés des quatre premières lignes, aboutissant à « ces mots », expression qui est elle-même non le sujet de la phrase, mais son objet antéposé (dans une construction orale de phrase segmentée); ce faux sujet à peine introduit, le discours se trouve de nouveau interrompu par une relative qui introduit une alternative elle-même développée par une parenthèse, etc. Au-delà de la césure que constituent les deux points médians (dernier signe du délai avant sa résolution), la phrase va se compléter en utilisant les mêmes procédés dans une autre perspective, en se saturant et se rebouclant sur le point de départ du paragraphe. La phrase est donc le modèle élémentaire de ce « labyrinthe » dont on ne sait, tant qu'on n'en a pas atteint le bout, s'il vous égare ou s'il vous conduit au but. Cette conduite labyrinthique, contrairement à ce que Leiris laisse ici entendre (comme s'il voulait nous faire croire (pourquoi?) qu'il ne sait pas s'exprimer, tout en désarmant par anticipation les critiques que peut susciter la complication de son style), cette conduite, dis-je, n'a pas que des inconvénients.

1. *Biffures*, p. 78-79.

La structure suspensive est en effet productive : elle permet de *susciter* un nombre considérable d'éléments, ce qu'un discours ouvert et linéaire n'aurait peut-être pas su faire, la terreur faisant fuir l'idée. D'autre part, le retard permet d'intégrer autour du fil syntaxique sans cesse suspendu une quantité d'énoncés différents, ou les transformations successives d'une même idée, qui vont ainsi pouvoir coexister dans la structure qui les a fait naître. D'où l'effet onirique que produit souvent le discours de Leiris : quand on arrive à la fin de la phrase, il arrive qu'on ne se souvienne plus bien de son début, tant elle intègre un trajet mental compliqué, fondé sur des digressions, des tourniquets logiques, ou des chaînes multiples d'analogies. Le sens de la phrase réside finalement dans sa forme, dans l'acte mental que manifeste le jeu syntaxique. Je pense ici de nouveau à Mallarmé, à la phrase du *Coup de dés*, elle aussi fondée sur le délai, et sur l'étalement et l'étagement de tout ce que la structure principale tient « en suspens » autour d'elle.

En même temps qu'elle est productive d'une relative plénitude de sens, cette stratégie suspensive met en évidence le vide sur lequel repose (ou danse) tout langage. Le discours du scrupule que Leiris décrit dans cette phrase sur la phrase peut paraître un symptôme maniaque, avec les gestes perpétuels de la répartition distributive ou de la rectification, qui conduisent à dédoubler ou à contrebalancer tout énoncé. C'est la stratégie du balancier : tout mouvement d'un côté doit être compensé d'un mouvement en sens inverse, pour que le centre de gravité reste à l'aplomb du fil sur lequel avance l'équilibriste. Comportement inadapté pour quelqu'un qui marche sur le sol et peut librement déplacer son centre de gravité (encore que la marche soit elle-même une chute sans cesse esquissée et interrompue) : mais comportement nécessaire pour celui qui se déplace au-dessus d'un vide vertigineux en suivant le fil tendu de l'écriture. Le mouvement de balancier donne à lire ce vide. Tout se passe comme si le seul fait de proférer un énoncé, si incontestable soit-il, révélait un vide qu'il fallait aussitôt combler en annulant le choix fait : l'élément complémentaire ou inverse est énoncé à son tour pour reboucher aussitôt le trou. Je retrouve là encore le problème fondamental de l'ouverture/fermeture analysé à propos du *Glossaire*. Reste que dans l'entre-deux, un sens a été produit, et que, si les mouvements du balancier s'annulent, l'équilibriste, lui, en a profité pour avancer d'un pas sans tomber dans le vide.

Ce jeu d'équilibre et de progression par ouverture/fermeture se retrouve au niveau du chapitre. Le chapitre est une unité initialement fermée et qui ne peut s'ouvrir et se développer que de l'intérieur. Au moment où Leiris « entame » la rédaction du chapitre, sa structure est déjà en gros déterminée par le jalonnement d'un itinéraire balisé des fiches qui constituent le corpus initial à relier. Certes, le corpus peut en cours de route être augmenté ou partiellement redistribué : reste que Leiris n'écrit (et ne divague) qu'à l'abri d'un itinéraire fixé à l'avance, avec passage par des points obligés et aboutissement à un terme imaginé dès le départ. On le verra sur l'exemple d' « Esaü ». Quels que soient les aléas de la recherche, les gouffres qu'ouvrent parenthèses et digressions, Leiris est décidé à ne pas remettre en cause les grandes lignes de son itinéraire : il essaiera donc d'intégrer au schéma initial tout ce qui le contredit ou le détruit, dans une stratégie de totalisation et de fermeture qui pourra paraître au lecteur comme relevant autant de la mauvaise foi que de la lucidité. A la première lecture, en effet, on peut avoir l'illusion de se trouver en face d'un texte de recherche authentiquement libre, où la glose est employée pour ouvrir les réseaux à partir d'un corpus initial; mais on remarque vite que la glose est en réalité asservie, greffée à ce corpus auquel elle a mission de toujours revenir. La fermeture, virtuellement présente dès le début, se réalise à la fin, c'est-à-dire quand l'itinéraire prévu a été épuisé, par un tressage vigoureux destiné à boucler l'énoncé, comme un nœud qui empêche le tricot de « filer ».

Cette structure-abri à l'intérieur de laquelle on se donne le temps de bifurquer, d'errer, de dissocier, il semble que Leiris en ait fait une sorte d'apprentissage *progressif*. Il a monté le mécanisme pièce à pièce, comme dans les « études » musicales où l'on travaille séparément les difficultés en les introduisant dans une structure qui devient de plus en plus complexe. Cette complication progressive se manifeste d'abord comme dans les « romans » de l'époque surréaliste, par une longueur croissante : *Biffures* comprend huit chapitres dont la longueur va en ordre croissant jusqu'au cinquième, une sorte de rythme de croisière se trouvant alors atteint; *Fourbis* ne comprend plus que trois chapitres, de taille inégale; *Fibrilles* enfin n'en a plus qu'un seul, intitulé « La fière, la fière... », divisé il est vrai en sections numérotées analogues aux anciens chapitres, mais qui sont intégrées dans un discours qui va d'un bout à l'autre du livre. Les cinq premiers chapitres de *Biffures* procèdent au montage progressif des techniques, chaque mécanisme essayé dans un chapitre étant conservé dans les suivants :

— « ...Reusement! » : technique du retard (bloquer l'arrivée de l'élément pertinent pour explorer le champ contigu), pratiquée à partir d'un élément unique;

— « Chansons » et « Habillé-en-cour » : mise en jeu à chaque fois de *deux* éléments analogues; à la technique du retard s'ajoute celle de la tresse au niveau des éléments du contenu (fin de « Habillé-en-cour », où Leiris essaie de fusionner les deux histoires) ou entre le contenu et le contenant (fin vertigineuse de « Chansons », tresse de l'énoncé et de l'énonciation);

— « Alphabet » : ce sont cette fois deux *séries* d'éléments (Alphabet, Histoire sainte) qui sont tressées ensemble dans un jeu analogue à la métaphore filée;

— « Perséphone » introduit une difficulté supplémentaire dans le jeu. Jusque-là, l'analogie des éléments de départ était forte et patente (dans « Chansons » et « Habillé-en-cour », on a affaire à deux variantes de la même expérience; dans « Alphabet », tout se rattache à l'idée d'apprentissage du langage). Ici, les éléments initiaux sont choisis en grand nombre dans des domaines très différents, et forment une constellation dont l'unité profonde est problématique, malgré le thème affiché (l'appréhension du réel dans la sensation). D'où l'intensité et la virtuosité du travail de liaison effectué pour intégrer et enchaîner tous les éléments qui préexistaient au travail d'écriture. A cela s'ajoute, au début de la séquence, la mise en jeu du vécu contemporain et du temps de l'écriture.

Avec « Perséphone », Leiris est arrivé à la formule complète dont les autres chapitres ne seront plus que la répétition sous diverses formes. Les « constellations » de départ seront constituées autour d'une idée centrale unique, mais qui a toujours des aspects multiples, exactement comme un *mot* (c'est d'ailleurs le *mot* Perséphone qui en dernier ressort fait l'unité du chapitre). Ce choix d'un foyer qui est fatalement « pluriel » préserve Leiris de toute retombée dans le « thématisme ».

Le dernier chapitre de *Biffures* devra, en même temps qu'il se referme sur lui-même (il utilise pour cela une sorte de « forme sonate » a/b/a), refermer l'ensemble du livre : il le fera en consacrant la phase médiane « b » à écrire l'histoire du livre lui-même, et à essayer d'inclure à l'intérieur du livre le silence qui suivra fatalement le point final. Ce silence qui sépare *Biffures* de *Fourbis* se trouve ainsi l'objet d'une double glose, *avant* (« en arriver à se taire »), et *après* (« comment recommencer à parler»), au début de *Fourbis*. Silence cerné de langage, représentant ainsi *à l'envers* dans l'œuvre elle-même, sa propre situation de langage cerné de silence. Ce qui pose, au-delà du chapitre, et du livre, le problème de la construction de l'ensemble de l'œuvre.

Entreprise d'abord sur un pied relativement modeste (exploration des « faits de langage »), la nouvelle autobiographie a pris ensuite dans l'esprit de Leiris la dimension d'une œuvre « totale », ou du moins d'un projet de très longue haleine dont il ne viendrait pas à bout en un seul volume. La méthode mise au point dans les premiers chapitres de *Biffures* permet de brasser une matière immense, mais exige une tension de longue durée : complication du tressage, lenteur et minutie de la composition et du travail d'écriture, nécessité de garder présents à l'esprit les réseaux explorés, tout cela implique une nouvelle manière de vivre son écriture, c'est-à-dire de la transformer en une manière de vivre, en un « projet » qui puisse se confondre avec la vie elle-même, avec le rythme de son temps. Il y a maintenant trente-cinq ans que *la Règle du jeu* est en chantier, au rythme moyen d'un volume tous les neuf ans : et Leiris est probablement le seul à faire semblant de croire qu'elle puisse être vraiment « finie », qu'elle puisse avoir d'autre point final que la mort. Mais il n'y a pas lieu de s'en étonner. Tout en sachant fort bien que la fermeture totale est impensable, Leiris a dû continuer à la croire possible, ne serait-ce que sous la forme d'un leurre, d'un lucide et vertigineux constat d'échec. Faute de l'idée qu'il pourrait finir son œuvre, il aurait été incapable de la continuer. Dans les deux premiers volumes, *Biffures* et *Fourbis*, où il est d'ailleurs fort peu question de « la règle du jeu », il pouvait prendre son temps, se donner des délais. Mais plus le temps passe, plus la matière à brasser se raréfie, plus l'écriture se fait laborieuse, — et plus le problème de la clôture devient tragique. Le troisième volume se termine par une sorte de « suicide », le sabordage du mythe de la règle du jeu [1], suicide qui n'est en fait, comme le suicide raconté dans le livre, qu'une simulation : depuis longtemps Leiris savait que le petit dossier où il mettait de côté règles d'écriture et préceptes moraux n'était qu'un bricolage peu convaincant. Au lieu de se terminer triomphalement par une révélation de type proustien, le troisième volume se clôt sur la démystification de ce qui devait le clore, et s'entrouvre sur une suite, à laquelle Leiris travaille depuis huit ans. Il envisageait d'abord le titre de *Fibulles*, pour « agrafer », refermer le tout. Il l'annonce maintenant sous le titre, plus suspensif, de *Frêle Bruit*, l'orée du silence. Il est évident que l'œuvre ne saurait se terminer par la découverte d'un *sens* quelconque, message, oracle ou révélation, qu'il soit positif ou négatif, mais qu'elle est tout entière tournée vers la construction d'une *forme*, qui soit suffisamment compliquée et ambiguë pour achever sans interrompre, pour clore

1. *Fibrilles*, p. 223 et s.

en ouvrant, pour prendre la mort au piège... Sans doute est-ce impossible à faire, mais il est encore plus impossible d'y renoncer. Le lecteur attend donc de savoir comment Leiris saura moduler cette forme langagière du point d'orgue. Il ne l'attend pas comme un message, mais comme une musique.

Aussi tous les discours de Leiris sur la « règle du jeu » doivent-ils être lus dans la perspective de cette stratégie ambiguë, de cette course contre la mort qu'est une écriture qui essaie d'utiliser à son profit les contradictions mêmes qui la vouent à l'échec. Leiris se comporte à la fois comme si, au bout du langage, il y avait quelque chose, qu'on peut atteindre par un travail de langage, et comme si, au bout du langage il n'y avait rien, si bien que rien ne presse d'y arriver. Il écrit à l'abri de ce leurre du terme.

Au bout du langage, il y a quelque chose. L'autobiographie est orientée non pas vers le passé de l'histoire, au niveau du contenu, mais vers son propre avenir, grâce à l'idée fantastique d'un événement qui naîtrait de l'écriture, et ferait aboutir, au sein même de l'écriture, au *réel*. On reconnaît l'idée d'oracle, qui aimantait le discours poétique, ou d'aveu, celui de *l'Age d'homme*. Ce point suprême est imaginé non comme un point d'arrivée, terme auquel aboutirait un vecteur linéaire, mais plutôt comme un *centre*, qui permettrait un nouveau départ et fonderait rétrospectivement le discours qui aurait conduit à sa découverte. Dans *la Règle du jeu*, ce point suprême est affublé de couleurs éthiques : règles du discours de l'écrivain, rejoignant les règles de conduites dans la vie pratique, en vue de l'authenticité. Ce pourrait être les Tables de la Loi, révélées sur quelque Sinaï : cela finit par un catéchisme laborieux dont le narrateur s'emploie à démontrer l'incohérence et l'inutilité. Cette règle dérisoire, prudemment gardée en réserve, n'était d'ailleurs apparue précédemment dans *la Règle du jeu* que sous la forme optative, ou dans des discours négatifs.

En effet : au bout du langage, il n'y a rien. Ou plutôt, ce qu'il y a au bout du langage, nous ne l'appréhendons que sous la forme d'un manque. Mais on ne saurait réaliser son existence comme manque, comme trou, directement : il faut vivre ce manque dans le discours d'une quête qui avorte. Aussi serait-il absurde de lire la fin de *Fibrilles* comme une imitation ratée des révélations proustiennes, ou comme un constat d'échec personnel. L'échec, pour Leiris, aurait été de trouver une règle du jeu, sa réussite est de mener à lire son absence dans le langage. La recherche de la règle perdue ne saurait aboutir à « *la Règle retrouvée* » : elle entre au contraire en résonance avec les expériences les plus profondes du manque : la lacune fondamentale de la mémoire [1], et le rêve de l'*objet perdu* [2]. Plutôt qu'à Proust, on penserait à Kafka. Il ne s'agit pas de « percer » le mystère (même si on ne peut faire autrement que d'y tendre), mais de le représenter, de le rendre lisible comme mystère.

C'est jouer au jeu de « qui perd gagne », formule chère à Leiris. Et après tout, la « règle du jeu » ne serait-elle pas comme le « trésor » prétendu enfoui par le laboureur de la fable? C'est ce que Leiris suggère en présentant *Fibrilles*. Il n'a pas trouvé la règle du jeu, mais il a écrit *la Règle du jeu* : le texte se construit à la *place* de la règle perdue. Aussi ai-je choisi d'accorder toute mon attention aux règles réelles de construction du texte, plutôt qu'au leurre éthique de la règle du jeu, pensant que la stratégie de Leiris dans le langage était le seul signe authentique de ses rapports avec la vérité.

Mais si *écrire la Règle du jeu* peut être une forme de flirt avec la mort, de jeu de « qui perd gagne », *l'avoir écrite* n'a pas les mêmes vertus, à moins qu'on ne croie à la catégorie du posthume. Ce qu'on a écrit n'empêche rien. Leiris a d'ailleurs avoué qu'il ne relisait pas les volumes précédents, et que quand il avait essayé de relire *Biffures* et *Fourbis* pour écrire *Fibrilles* il y avait renoncé, parce que cela lui donnait la nausée [3]. L'écriture est tournée vers l'avenir, et le jeu de « qui perd gagne » est toujours à recommencer, pour masquer qu'il n'y a que la mort qui puisse être, et avoir, le dernier mot.

1. *Fourbis*, p. 22.
2. *Biffures*, p. 241-242.
3. « Entretien avec Michel Leiris », par Raymond Bellour, *Les Lettres françaises*, 29 septembre-5 octobre 1966.

Prélude et fugue sur le nom d'Esaü

Ce délai que se ménage perpétuellement Leiris, il l'emploie à réaliser une sorte de *tressage*, qui combine dans un même mouvement le travail d'analyse et le travail de rêve tels que Freud les a définis [1]. Je vais le montrer sur un exemple précis, en analysant le développement que Leiris consacre au nom d'Esaü, dans le chapitre « Alphabet » de *Biffures* [2]. Cette analyse rencontrera deux difficultés sur lesquelles je dois m'expliquer d'abord, pour solliciter la patience de mon lecteur, et lever d'éventuelles objections :

1. Je vais être obligé d'aller lentement, et ma méthode sera de tout prendre au sérieux : or j'ai affaire à un texte évidemment ludique et humoristique. Leiris s'amuse, signale d'un clin d'œil au lecteur l'absurdité des rationalisations qu'il propose. Je résisterai à cette conduite de séduction et de diversion. A la faveur du plaisir qu'ils procurent gratuitement au lecteur, humour et jeux de mots ont justement pour fonction d'éviter l'examen critique. Afficher l'absurdité de certaines liaisons d'idées, montrer comment on tire les ficelles, c'est détourner l'attention (et d'abord sa propre attention) des nœuds profonds qui se sont noués tout seuls.

2. Défaisant le travail de l'écriture, je vais en effet être amené à supposer un nœud profond, analogue à ce que Freud appelle le « nœud » du rêve, son centre. Et pour ce faire, d'interpréter. Je le ferai le plus rigoureusement possible; mais comment savoir si je touche juste? si je ne projette pas mes fantasmes? A dire vrai, le tréma d'Esaü évoque plutôt pour moi les désagréables petits cailloux qu'on trouvait jadis dans les lentilles, et qui obligeaient à les trier si on ne voulait pas qu'ils vous crissent sous la dent. J'essaierai de l'oublier, pour m'attacher à trouver la cohérence des fantasmes de Leiris. Les interprétations que je donnerai seront fatalement des hypothèses : mais ce ne sont pas elles que je propose à la curiosité de mon lecteur. De toute façon le « cas » de Leiris n'est pas plus intéressant qu'un autre : chacun possède, dans son grenier intérieur,

---

1. Cf. *Lire Leiris, Autobiographie et langage*, Klincksieck, 1975, chap. v.
2. On se reportera pour suivre cette analyse au texte de *Biffures*, trop long pour être reproduit ici (*Biffures*, éd. Gallimard, 1948, p. 58-60).

bahuts, armoires à glace, bric-à-brac hérité de l'enfance. Mon interprétation n'est qu'un échafaudage nécessaire pour mettre en lumière le jeu de l'écriture.

PRÉLUDE

Ce jeu, au point où en est le texte, a pris l'allure d'une sorte de métaphore filée. Explorant la forme des lettres et des signes, telle qu'elle apparaît à l'enfant (et à l'adulte), Leiris a fini par décider de faire un sort au tréma, ou plutôt aux mots qui en contiennent un, ou, plus précisément, au sous-ensemble privilégié des noms propres bibliques qui contiennent un tréma. Ainsi se trouve délimitée l'intersection de deux ensembles : l'apprentissage de la lecture et des signes graphiques, et l'apprentissage de l'histoire sainte dans un livre de lecture. Le jeu consiste, à partir de la chaîne qui constitue cette intersection (Caïn, Moïse, Esaü, Noël, Saül, etc.), d'une part à essayer d'établir le plus possible d'autres intersections entre les deux ensembles d'origine, d'autre part à établir quel est le signifié commun à ces mots qu'unissent sur le plan du signifiant, le tréma, et qui appartiennent tous au domaine biblique. C'est là le jeu de la pensée sauvage : si deux séries ont deux points communs, on cherchera à leur en trouver d'autres; toute intersection est interprétée comme une amorce de correspondance terme à terme; et, au niveau de ce que j'appelle le cratylisme « secondaire [1] », toute identité d'une partie du signifiant implique l'identité d'une partie du signifié. Ainsi fonctionne la pensée de l'enfant dont l'adulte s'applique à retrouver la logique : mais Leiris ne cherche pas seulement, comme le font la plupart des autobiographes, à se *souvenir* de telle ou telle interprétation ainsi produite par l'enfant. Par cette méthode, il n'arriverait qu'à collectionner perles ou mots d'enfants, en nombre fatalement limité, et présentés dans une perspective d'émerveillement condescendant. Leiris, lui, cherche à se réapproprier cette logique et à en exploiter systématiquement les possibilités à son propre compte, intégrant les productions spontanées de l'enfant dans la trame de son propre discours. Rares sont les pensées de l'enfant qui se sont explicitées et fixées dans un « mot » d'enfant, innombrables les pensées implicites, latentes, qu'on ne saurait retrouver, ressusciter, qu'en se mettant soi-même à jouer le jeu. Naturellement, on ne pourra pas savoir exactement ce que l'adulte rajoute, dans quelle mesure il « brode », sauf quand il signale lui-même humo-

---

1. Voir ci-dessus, p. 253, n. 1.

ristiquement qu'il mime les mécanismes enfantins sans trop y croire. A dire vrai, cela n'a guère d'importance : notre passé, c'est ce qui survit dans le présent. L'après-coup n'est pas un phénomène parasite, mais un phénomène constitutif de ce que nous sommes. Le discours de Leiris est à prendre pour un discours d'adulte, ici, maintenant.

Or cet adulte joue double jeu. En face des résidus de son enfance, fantasmes et problèmes coagulés dans des mots ou jeux de mots (qui sont souvent des *mots-écrans*), il se permet un libre vagabondage par associations et jeux de mots, analogue à ce que pourrait être la « libre association » dans la phase initiale de l'analyse d'une formation de l'inconscient. Mais ce travail n'est jamais poussé jusqu'au bout : sans cesse un autre travail à contre-courant vient l'entraver, un travail de recomposition à partir du matériel dégagé par les associations, travail qui, du fait qu'il utilise les processus de la pensée enfantine (qui sont en même temps ceux de la poésie et du rêve), se trouve revêtu d'une apparence de légitimité, d'authenticité. Après une phase exploratoire qui permet à Leiris de dégager souvent le matériel d'une véritable analyse, le travail d'analyse se retransforme en travail de rêve, dans une sorte de trajet de retour vers le point de départ. Loin d'avoir réalisé une analyse, l'écriture aura abouti à une *consolidation* de la formation-écran qui avait servi de point de départ. Les fantasmes et les gloses de l'enfant avaient un caractère aléatoire, contingent, disjoint : le travail d'écriture d'un adulte plein de ressources les transforme en un système qui, grâce à la double économie de la poésie et de l'humour, échappe désormais à la réflexion critique.

Cette analyse pourra paraître injuste : je sais bien que Leiris n'a pas conclu avec son lecteur un pacte analogue à la « règle fondamentale » de l'analyse. Aussi ne s'agit-il pas de lui reprocher de tricher, mais seulement de situer par contraste la règle de son jeu à lui. Ce jeu est fondamentalement ambigu, et c'est peut-être le simplifier que d'insister sur la consolidation à laquelle il aboutit. Car c'est justement cette consolidation (à laquelle Leiris sait que, de toute façon, il aboutira) qui lui donne une protection suffisante pour qu'il puisse se lancer dans un travail d'exploration dont je montrerai qu'il n'a rien de dérisoire. Leiris n'explore le trou vertigineux de la vérité qu'*assuré*. L'artiste travaille avec filet. A la fin de *Biffures* (p. 255), Leiris dit qu'il rêvait de s'élancer de ce « puzzle de faits » qu'il avait rassemblés, comme d'un *tremplin*. Le tremplin est en général utilisé pour un saut dans le vide ou dans l'espace, saut qui n'aboutit pas à revenir sur le tremplin lui-même. Or souvent, en lisant Leiris, j'ai eu l'impression d'assister, après un début classique, à la projection d'un film à l'envers : l'artiste, après une périlleuse trajectoire dans l'espace, vient miraculeusement se poser sur le bout du tremplin qui progressivement s'immobilise.

Avant de vérifier ce mécanisme sur le texte d'Esaü, je gloserai un instant sur le noyau central de cette séquence, l'association tréma-nom biblique. Ce sera simple hypothèse, à partir d'indications données par Leiris lui-même, mais savamment noyées au milieu d'autres indications. Pourquoi privilégier, parmi tous les signes graphiques, le tréma? Fabriqué par redoublement du point que l'on met sur les i, le tréma est un signe qui énonce un *interdit*. Contrairement à ce qu'on ferait sans cela instinctivement, il est interdit de prononcer *ensemble*, en une seule émission de voix, le groupe de voyelles contiguës dont la seconde est ainsi marquée. Ces deux voyelles doivent rester séparées, il leur est défendu de se lier et se toucher phoniquement. Le hiatus ainsi imposé est une séparation d'autant plus violente que, graphiquement, les deux voyelles sont en contact, dans une position telle qu'en toute autre circonstance elles se fondraient. Mais il faut résister à la tentation. Le tréma apparaît comme une sorte d'équivalent du tabou de l'inceste. Il y a d'ailleurs quelque chose d'érotique dans cette situation où deux voyelles dénudées de leur habituel écran de consonnes, sans même la vitre d'un h, sont maintenues séparées par une invisible barrière, parce que la seconde est tatouée d'un tréma. Quel rapport avec l'Histoire sainte? Histoire doublement ancienne : racontant les origines du monde, et comment la loi nous fut donnée, cette histoire marque aussi les origines de l'enfant, puisque c'est un des premiers livres qu'il lut. Comme pour « ...Reusement! », il s'agit d'un apprentissage du langage, mais doublé d'un apprentissage de la loi. On dit Moïse, et non Moisse. Tes père et mère ne désireras. Les structures de la langue et celles de la parenté se répondent. Il y a des règles du jeu. En même temps que de trémas, l'histoire sainte est pleine d'étranges histoires de famille. Et c'est peut-être la même chose.

En glosant ainsi, je pratique sur le texte de Leiris une réduction tout à fait contraire à sa stratégie. Parmi les indications qu'il donne, j'ai pris sur moi de choisir, de souligner l'une des branches de la bifurcation, de gommer les autres. De revenir au système du Un, alors que Leiris n'a qu'une idée, c'est de préserver à tout prix le multiple. Dans son système de développement, rien n'est jamais éliminé : il ne pratique pas l'analyse pour établir un ordre, pour dissiper des illusions en les expliquant; l'analyse est pour lui un processus d'inventaire avant consolidation. Rien n'est biffé : tout s'ajoute et doit se recombiner. Le « ou » n'est jamais le chemin d'un choix, mais l'ouverture d'un réseau. Dans tous les domaines où un choix nous semble requis (qu'il s'agisse d'expliquer un phénomène, ou d'émettre un jugement de valeur), cette attitude d'indécision permanente, cette manière de vou-

ir continuer à tenir compte de tout, cette aptitude à prendre la
angente sous couleur de scrupule, cet art d'organiser ce que Sartre
ppellerait des « tourniquets » logiques, tout cela peut irriter le lecteur,
t lui apparaître comme une conduite de mauvaise foi, une stratégie
ondée sur le système de « l'évidence non-persuasive ». Mais cette
onduite n'est pas seulement lâcheté ou dérobade : en même temps
lle manifeste une exigence, le désir de ne rien sacrifier du réel, désir
'arriver, comme la poésie, à saisir la *totalité* (*Fibrilles*, p. 253). Le
ystème du Un est celui d'un rationalisme simplificateur : c'est pour
ela que Leiris a repoussé la version du freudisme dont il avait pu
aire l'expérience dans les années 1930. Le choix délibéré du multiple
t de l'indécision est une conduite de porte-à-faux, pour employer
ne expression qui lui est chère : repoussant tous les systèmes d'expli-
ation, mais incapable de trouver une issue réellement dialectique au
onflit dans lequel il est irrémédiablement bloqué, Leiris n'avait pour
olution que d'inventer un discours apparemment totalisateur des
pparences. La stratégie du multiple est manière d'éviter toute réduc-
on, et de remplacer la solution qui échappe. Ersatz de poésie, de
aveu même de Leiris (*Fibrilles*, p. 256-257), le texte autobiographique
st peut-être en même temps ersatz de dialectique. La chose sera
ensible à qui lira le chapitre « Dimanche » de *Biffures* : écrit en1944-
945, ce texte consacré à l'analyse d'une « vocation » pour la littérature
st sans doute en avance sur les préoccupations de Sartre à la même
poque; mais à le comparer aux *Mots*, on verra tout ce qui lui manque :
i lucide soit-il, Leiris reste enfermé dans son idéalisme. Politiquement
ngagé à l'extrême gauche, Leiris semble, pour l'usage intime, encore
lus fermé au marxisme qu'il ne l'est à la psychanalyse. Mon intention
'est certes pas de le lui reprocher. Chacun s'invente les solutions qu'il
eut. Comme l'ambiguïté gidienne, le porte-à-faux leirissien est sans
oute une manière de concilier l'inconciliable, d'avancer en préservant
es structures d'un univers mental auquel il est impossible de s'arra-
her.

Donc, choisir là où Leiris ne choisit pas, c'est être infidèle à sa
néthode, mais c'est aussi manière de la mettre en évidence. C'est à la
umière des *Mots*, que les limites et les louvoiements de « Dimanche »
pparaîtront. A la lumière d'une interprétation analytique de tel pas-
age d' « Alphabet », qu'apparaîtra la stratégie d'un narrateur qui
n fournissant les éléments de plusieurs interprétations (dont certaines
umoristiquement fantaisistes), finit par s'abstenir de toute interpré-
ation et par reconstituer son « symptôme », dans un plaisant voyage
ller-retour au cours duquel il a pu frôler la vérité sans courir le risque
e s'y arrêter.

Il est temps d'en revenir à Esaü : si j'ai l'air de tarder en préludant
c'est que certaines explications préliminaires me semblaient néces
saires. C'est peut-être aussi que, tel Leiris, je n'étais capable de le
donner qu'à l'abri d'un développement futur que je prenais plaisi
à différer, pratiquant la stratégie du « délai » qui lui sert à ménage
ses réserves, en même temps qu'à n'écrire que dans un espace déjà
imaginairement clos. Le texte sur Esaü est d'ailleurs construit de cett
manière : le bahut n'apparaîtra sur la scène qu'au dernier moment
Et, comme il y a dans *la Règle du jeu* homologie de structure entre le
unités les plus petites (depuis la phrase ou la séquence), les unité
intermédiaires que sont les chapitres, et l'ensemble de l'œuvre, o
retrouve partout cette même stratégie de délai à l'abri d'une fermetur
escomptée dès le début, et le même jeu de la *tresse*, ce qu'on a p
appeler aussi son « écriture *fuguée*[1] ». Peut-être l'art de Leiris pourrait
il être justement qualifié d' « art de la fugue », en prenant l'expressio
en porte-à-faux sur deux sens différents : art du délai et de l'esquive
art de la *fuite;* et art du tissage d'un réseau, art de la *tresse*.

En analysant en détail les trois pages d'Esaü, je n'entends donc pa
résoudre en policier une énigme mineure et locale, mais démonte
les mécanismes de l'écriture de Leiris tels qu'ils fonctionnent à tous le
niveaux de *la Règle du jeu.*

FUGUE

Comment se présente le problème dont ce texte est la « solution »
Qu'évoque pour Leiris le mot « Ésaü »? Je distinguerai, comme l
texte lui-même le suggère, deux problèmes différents :
— Au niveau de l'enfant dont il s'agit de restituer l'imaginaire
on trouve un message très simple et passablement obscur : « Ésaü
bahut qui est dans la chambre de ma sœur ». Ce texte énigmatiqu
que livre la mémoire a bien l'air d'un de ces jeux de mots à l'aid
desquels se construisent les rêves manifestes, en même temps qu'o
peut le soupçonner d'être un souvenir-écran. La ressemblance aü/ah
doit être là comme le signe, ou plutôt comme le *chiffre*, d'un rappor
que les éléments entretiendraient sur un autre plan; et ce chiffre es
sans doute l'expression *déplacée* d'autre chose. Ce message chiffr

---

1. Jean Laude a qualifié le style de Leiris de « méthode fuguée » (voir Édouar
Glissant, « Leiris ethnographe », *les Lettres nouvelles*, novembre 1956, p. 613

je l'imagine aussi fiché, inscrit sur l'une de ces fiches qui servent à Leiris de point de départ. A nous, lecteurs, le texte de ce message ne sera révélé que dans la seconde moitié du parcours; il fera plutôt figure de point d'arrivée. Je reviendrai là-dessus. Pour l'instant, je me demande s'il s'agit d'un souvenir resurgi directement de l'enfance (si tant est qu'une telle chose soit possible) ou à travers une reconstruction après-coup. Cette notion d'après-coup nous évitera de stériles discussions sur le problème classique de l'arbitraire des interprétations données ultérieurement par un narrateur adulte.

— Au niveau de l'adulte narrateur, un problème différent se pose : il s'agit de relier cette fiche avec d'autres fiches analogues (Caïn, Moïse, Saül, etc.) de manière à construire une chaîne. Son acharnement à tresser cette chaîne est certes humoristique : évidemment l'imaginaire enfantin n'a jamais eu cette forme ni ce degré de cohérence. Mais ne soyons pas dupe de l'humour : ce jeu a fonction protectrice. Grâce à lui la ligne générale du texte est décidée d'avance : c'est une structure-refuge toute trouvée, à partir de laquelle des explorations latérales pourront être tentées sans danger, puisque la position de repli est préparée. Même connue dès le départ comme fausse ou comme trafiquée, cette ligne directrice est conservée, elle-même protégée par des tirs de barrage d'humour ou de lucidité. Ici donc le travail du narrateur va être d'intégrer Ésaü dans sa chaîne biblique. L'épisode biblique, tel qu'il *aurait pu* être lu par l'enfant, sera « traité » de manière à le faire se relier par des cascades d'associations plus ou moins laborieuses à d'autres éléments de la chaîne.

Le narrateur se trouve donc en face de deux tâches sinon contradictoires, du moins assez différentes : le déchiffrement d'un souvenir d'enfance énigmatique, et la construction du texte dans une direction prédéterminée. A première vue, le rapport du bahut avec Ésaü semble obscur; son rapport avec le reste de la chaîne biblique, encore plus. Le bahut n'est pas intégrable directement. Il faut bâtir un système de transition, effectuer en douceur une longue modulation. La stratégie va être celle d'un double système de délai :

— le souvenir d'enfance (§ 3, 4 et 5) va être différé au profit d'une première exploration apparemment destinée à intégrer Ésaü dans la chaîne du texte (§ 1 et 2);

— chacune de ces deux parties sera elle-même construite selon ce système de temporisation : l'essentiel est à chaque fois gardé en réserve et métamorphosé de point de départ en point d'arrivée. Ainsi le tréma qui, tel le lapin caché au fond du chapeau, était là depuis le début, sera triomphalement tiré par ses deux oreilles du fond du premier paragraphe. Et le souvenir d'enfance ne surgira qu'après des digressions dont je montrerai la portée. Le texte semble délibérément écrit à l'envers.

Noël.

Leiris part de ce qui est apparemment le plus pertinent pour son texte, même si c'est le moins pertinent pour le souvenir. Dans la perspective moralisatrice de l'*Histoire sainte*, chaque épisode illustre un défaut et son châtiment; consciencieusement, mais sans grande conviction, Leiris part de là. C'est simple manière d'accrocher à ce qui précède, et, réservant soigneusement pour plus tard le signifiant (le tréma), de déballer le signifié apparent, c'est-à-dire l'histoire. Il obtient ainsi un matériau à partir duquel il va pouvoir se livrer à son travail favori, travail qu'il va faire sous nos yeux, comme un bricoleur qui tâte et explore tous les aspects de l'objet qui lui est tombé sous la main, procède par essais et erreurs, jusqu'à ce qu'il ait trouvé à quoi il pouvait être bon.

Les règles de ce travail sont les suivantes : on se laisse d'abord aller à associer par analogie à partir des éléments du matériau initial ; on s'en va plus ou moins à la dérive, on décroche; mais c'est avec l'idée d'arracher, de réaccrocher. Gare de triage, bifurs : mais c'est pour revenir à la station centrale. Démêlage de fils qu'on suit un à un : mais c'est pour retresser. On laisse tout pendre jusqu'à ce que « cela morde ». L'imagination est donc en liberté provisoire : dès qu'on touche quelque chose, à tout hasard le narrateur s'empresse de refaire un nœud. Ici, dès la première phrase, tout catéchisme abandonné, un premier nœud est fait : la rivalité du cadet et de l'aîné correspond aux problèmes familiaux du petit Michel[1]. C'est si clair (en même temps que si peu pertinent ici, puisque le problème de la rivalité disparaîtra pratiquement de la suite du texte), qu'à l'abri de ce truisme le narrateur peut lâcher le signifié pour se mettre à bricoler avec le signifiant. Le mot « bête » est choisi pour une première dérive dans le

---

1. Sur les rapports avec le « frère ennemi » et le « frère ami », voir *l'Age d'homme*, coll. « Folio », 1973, p. 114-123, et principalement p. 117 : « Ce frère aîné je l'ai toujours obscurément haï, à cause de sa force d'abord et, aujourd'hui, à cause de sa vulgarité. Il est pour moi le type achevé du *philistin* [...]. » Les deux frères reflètent sans doute les deux aspects de la relation au père, le rival écrasant et bestial que l'on hait, et l'aîné protecteur et initiateur que l'on admire. Dans « Alphabet », le problème de la rivalité avec l'aîné est apparu dans l'évocation de « Caïn » (p. 54-55); et les philistins, dans le cadre du tressage biblique, seront évoqués p. 63.

cadre de ce parallélisme familial Isaac/Leiris : l'adulte narrateur fait un jeu de mots tiré par les cheveux (ou par les poils) sur « grosse bête » : au déguisement historique et réel de Jacob en bête correspond ce déguisement linguistique qu'est une métaphore passée à l'état de cliché, « grosse bête ». L'analogie Michel-Jacob se trouve donc comme « prouvée » par ce nouveau nœud fait grâce au signifiant. Tout nœud autorise une nouvelle dérive : on abandonne alors l'analogie des deux familles pour suivre « bête » dans une autre direction, l'analogie de deux épisodes bibliques. La mise en marche de la machine avait été lente : la voici maintenant en vitesse de croisière, tricotant ferme, réalisant des cascades d'associations « à tiroirs », avec essais, erreurs, nœuds bouclés sur différents plans à la fois. « Bête », c'est *Beth*léem, bien sûr; d'où un petit inventaire de l'histoire pour trouver de quoi tresser, justifier. L'hôtellerie qui refuse la Vierge : à tout hasard on renvoie à celle du jeu de l'Oye, évoqué précédemment à propos de la tour de Babel (p. 57). Pour m'amuser, je reconstitue le trajet :

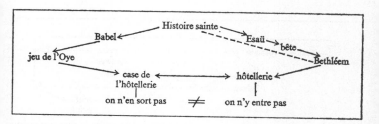

Ce tressage à tout hasard n'aboutit à rien; c'est un cul-de-sac, une voie de garage. A dire vrai, d'autres accrochages, aussi arbitraires en apparence, se montreront productifs : où est la différence? Est-ce dû au nombre des séries mises en jeu, à la cascade des tiroirs qui empêche toute pertinence? Au fait que l'on n'aboutit pas ici à une forme de retour au point de départ? A une autre raison? N'insistons pas pour l'instant, à l'exemple de Leiris qui laisse tomber, et repart dans une direction plus fructueuse et plus évidente dont, pour cette raison même, il avait différé l'exploration. Refusée par l'hôtellerie (comme Leiris), la Vierge va à la crèche, entre les bêtes, et c'est Noël : une mine, un bon filon. On peut prendre son temps. Une glose (en cratylisme secondaire) sur Bethléem (bête-haleine), qui conduit, par crèche, à Noël; une glose (en cratylisme primaire) sur le tréma de Noël supposé

« ressembler » à ce qu'évoque le mot (givre, étoile). Puis, ceci exploré à loisir, on va chercher dans tous ces matériaux les moyens de revenir *par un autre trajet* à Ésaü; on va tâtonner en réservant le meilleur pour la fin. Bêtes = bœuf + âne. Bœuf? Cela se mange, comme les lentilles. Ce bœuf aux lentilles, absurde, est pudiquement (coquette-ment) écarté. Ce calice passe loin de nous. L'âne est meilleur : il a bon dos, les enfants aussi, auxquels on va attribuer la responsabilité d'un jeu de mots au demeurant moins mauvais que les autres : âne, ânesse, *aînesse*, comme dans Ésaü. C.Q.F.D. Et on fait la preuve par neuf : Ésaü a *justement* un tréma comme Noël. L'opération tombe juste. Le narrateur est si content de retomber, en souriant, sur ses pieds (c'est-à-dire sur ce qui était en réalité le point de départ implicite), qu'il embrouille tout : il traite le pauvre Ésaü d' « usurpateur ». On croyait que c'était Jacob (Jacob signifie d'ailleurs le supplanteur). Lapsus, revanche? Peu importe. Pour le cadet, c'est l'aîné qui est l'ésaürpateur. La boucle est bouclée, mieux qu'au jeu de l'Oye :

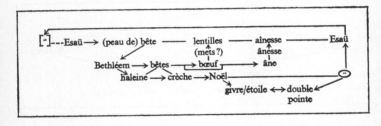

Que signifie cette acrobatie? L'exercice est inégalement convain-cant, parfois laborieux, parfois plaisant. C'est l'aléa de ces jeux où un adulte mime l'enfant, entreprend de fabriquer des « mots », joue non pas au singe savant, mais au singe naïf. Qui veut faire l'ange fait la bête; heureusement qu'à Bethléem on aime les bêtes. Cela fait penser à un exercice à la Roussel, ou à un jeu de « l'un dans l'autre » : relier deux mots dont le rapport n'est pas évident par une trame « à tiroirs », faire rentrer deux histoires l'une dans l'autre. De justifica-tion à ce jeu, aucune. Seule la première phrase énonçait le rapport que l'histoire d'Ésaü pouvait avoir avec celle de l'enfant. Depuis, le narrateur a fait exprès, en s'abandonnant à ces jeux, d'en souligner la gratuité. Quel est le *gain?* Certes, ce jeu amène à retrouver, et à allonger d'un maillon, la chaîne des mots bibliques à tréma. Mais pour ce qui est tout de même l'essentiel, l'investigation du souvenir d'enfance inscrit sur la fiche point de départ, quelle est la pertinence?

Nul ne saurait associer gratuitement, ni jouer avec les mots « pour de rire ». Contrairement aux apparences, et à ce que pensait sans doute Leiris, derrière l'absurdité affichée, il doit y avoir une pertinence secrète. Ce travail d'associations, qui tourne au travail de rêve, Leiris le fait malgré tout *pour* rejoindre le souvenir d'enfance « Ésaü = bahut ». Ce qui « guide » le jeu absurde, c'est le souvenir noté sur la fiche (ou ce à quoi il renvoie, s'il s'agit d'un souvenir-écran). Avec la méthode que Leiris emploie, la dérive à partir d' « Ésaü » aurait pu conduire à n'importe quoi : pourquoi cela a-t-il conduit à « Noël », ce qui, tréma biblique mis à part, n'est pas évident? A force de sourire, on oublie de se poser la question.

C'est sans doute que « Noël » doit avoir avec « Ésaü » (et surtout avec le bahut toujours absent du texte) un autre rapport que celui qui est affiché. J'entre ici dans le domaine des hypothèses. Je m'y aventurerai en m'appuyant sur ma lecture du reste de l'autobiographie, et ne retenant que les éléments susceptibles de rendre compte de *l'ensemble* du texte que j'analyse. A défaut d'une impossible preuve, ce sera une forte présomption. Pour la faire partager à mon lecteur, et le désensorceler, je vais être obligé d'anticiper sur la suite du texte, rompant la magie du suspense et du délai. Je me suis d'abord posé deux questions : qu'est-ce que Noël? quel rapport y a-t-il entre Ésaü et bahut? Puis une troisième : quel rôle joue Noël dans ce rapport?

Noël, c'est le mystère de l'origine. Leiris a analysé dans *l'Age d'homme* cette espèce de foyer ou de complexe d'énigmes qu'est Noël pour l'enfant : énigme des jouets, de la naissance, et de la sexualité. Premier mystère : comment les jouets peuvent-ils passer par une cheminée si étroite? L'énigme sera résolue quand l'enfant apprendra que ses parents le trompaient : il sera alors « initié », comme les grands. Leiris rapproche cette énigme de celle de la naissance, sur laquelle également les parents vous mentent ou se taisent jusqu'à ce que vous découvriez la vérité. Les deux choses sont d'autant plus liées que le problème du passage par un étroit canal se retrouvera pour l'explication de la naissance, et que Noël est, bien sûr, la fête de la nativité [1].

---

1. Voir *l'Age d'homme*, p. 35-36, p. 67, p. 84, p. 134. Pour l'interprétation du foyer d'associations autour de « Noël », voir *Lire Leiris*, chapitre I.

Quel trait commun y a-t-il entre l'histoire d'Ésaü et l'anecdote du bahut, mis à part le tréma? Dans les deux cas il y a une *erreur sur l'identité*. A qui lit attentivement l'enchaînement des paragraphes 3 et 4, il apparaît que l'erreur sur le bahut fait écho à l'erreur sur le degré réel de parenté de la sœur. Le trait commun est alors, plus précisément : *erreur provoquée volontairement sur l'identité de l'aîné(e) dans une famille*. La structure familiale est faussée : dans l'histoire biblique, le cadet trompe le père en se faisant passer pour l'aîné; chez les Leiris, les parents trompent le cadet (et les deux autres garçons) en faisant passer une simple cousine pour sœur aînée. Je reviendrai sur ce « roman familial ». Ni l'histoire d'Ésaü ni l'anecdote du bahut ne se réduisent à ce seul trait : mais c'est par lui qu'elles communiquent sur le plan du signifié, de même qu'elles se font écho sur le plan du signifiant par le hiatus a-u.

Quel rôle joue Noël dans ce rapport Ésaü/bahut? Mis à part le tréma biblique, tout se passe comme si Noël était rencontré dans cette exploration ludique pour deux types de raisons :

— L'histoire de Noël, non telle qu'elle apparaît ici dans la trame des jeux de mots, mais telle qu'elle est dans l'imagination de l'enfant (et telle qu'elle reste dans la mémoire de l'adulte autobiographe), est susceptible d'effectuer une modulation (une transformation) qui permette de passer d' « Ésaü » à ce que contient le bahut. D'une part, Noël est à la fois histoire biblique (comme Ésaü) et expérience personnelle de l'enfant (comme le bahut). D'autre part Noël sert à effectuer une des transformations essentielles pour passer d'un roman familial à l'autre : l'inversion du rôle du cadet et de ses parents (du cadet trompeur au cadet trompé). D'autres éléments du texte, eux explicites, ont des fonctions analogues : ainsi le jeu âne-*ânesse*-aînesse, où le passage du masculin au féminin, souligné, annonce le passage de l'aîné à l'aîn*e*, c'est-à-dire sans doute le passage d'une relation de rivalité à une relation de désir.

— Renvoyant aux mystères de l'origine et de la sexualité, Noël se trouve beaucoup plus proche qu'Ésaü des problèmes liés au bahut et à l'armoire, c'est-à-dire à la sœur, problèmes que j'évoquerai plus loin.

Cette pertinence secrète de Noël est masquée par les jeux humoristiques sur le signifiant, et par l'ignorance où se trouve le lecteur de ce par rapport à quoi Noël est pertinent (le bahut). Peut-être apparaîtra-t-elle mieux si je substitue au schéma circulaire représentant les jeux du signifiant un schéma plus complet suivant jusqu'au bahut les transformations du signifié (souligné) :

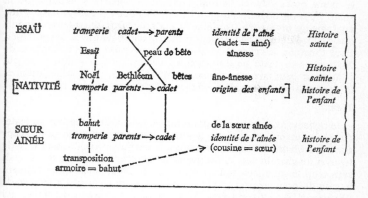

Mais ce schéma ne fait pas apparaître les liens qui unissent Noël (énigme des jouets, de la naissance, et de la sexualité) avec le problème de l'identité de la sœur. Je donnerai comme preuve de ces liens un autre passage de *la Règle du jeu*, où ce réseau d'associations émerge de manière plus explicite. Leiris raconte comment son frère l'a devancé dans l'exploration des « grands mystères » :

> Bien longtemps avant moi il avait su, par exemple, que le bonhomme Noël n'est qu'une fiction, mais il s'était montré suffisamment avisé pour ne faire part de sa découverte à quiconque [...]; par une voie que j'ignore, il avait pénétré également un petit secret de famille et découvert, sans en rien dire non plus, que la personne qu'on nous faisait traiter de « sœur » — afin qu'il soit bien entendu qu'elle avait les mêmes droits que nous à l'affection de nos parents — n'était en réalité qu'une cousine germaine élevée avec nous; enfin, il fut plus tôt que moi éclairé sur une part de l'énigme sexuelle et en possession de ce premier degré de science qui consiste à savoir que le nouveau-né s'est formé dans le ventre de la mère et que c'est à cause de cela que nous avons un nombril (*Fourbis*, p. 101-102).

Trois mystères : les jouets de Noël, la sœur-cousine, la sexualité. Ce passage sert d'introduction au récit des premières découvertes sexuelles de l'adolescent : la première vision d'un sexe féminin, et la découverte du plaisir. « Avoir *vu* ceci, avoir *fait* cela, voilà certainement l'important » (*Fourbis*, p. 104). Notre texte fait apparaître dans

le même ordre : Noël, la sœur-cousine, — puis le « bahut » de l
sœur. Peut-on déduire du parallélisme des deux premiers termes un
analogie au niveau du troisième? Cela serait fort hasardeux, à moir
que d'autres indices ne viennent rendre la chose plausible. Hypothèse
Pour l'instant, je retire de tout ceci la conviction que l'apparition d
Noël dans ce texte ne doit rien au hasard ni à la gratuité du je
L'humour peut être une forme, parmi d'autres, de la dénégation, e
la dérive la plus absurde a chance d'être aussi la plus pertinente.

Tréma.

Je reviens, avec ce second paragraphe, au niveau apparent du text
Au moment où, en surface, il jouait à tresser son texte pour relie
Ésaü à la chaîne biblique des trémas, le narrateur avait aussi l'idée d
trouver un chemin vers son souvenir d'enfance. Ce chemin, il le fraya
sans trop le savoir en tournant autour de Noël; mais apparemmer
le gain du premier paragraphe se réduit à avoir déplacé l'attention d
l'histoire d'Ésaü à son tréma. Pour aborder le souvenir d'enfance qu
justement semble d'Ésaü n'utiliser que le tréma et non l'histoire,
suffira donc, par une transition désinvolte, de passer d'une évocatio
du tréma de Noël à celui d'Ésaü. Sur le plan logique, ce paragraphe d
transition est doublement désinvolte :

— La glose cratylique primaire sur le tréma de Noël est représenté
humoristiquement comme achoppant sur le problème de la dualité
dans les représentations liées à Noël (glace, étoile), aucun élémer
double ne justifie la « ressemblance » du tréma. Leiris propose alor
des rationalisations burlesques dans des parenthèses pince-sans-rir
qui miment la logique enfantine. Mais, s'il n'y a aucune justificatior
pourquoi insister tant sur l'image de cette « pointe double », glacée e
« dardée »? Cette « pointe double » n'aurait-elle pas d'*autres* rapport
avec le souvenir, rapports dont le jeu humoristique permettrait d
manifester l'existence tout en dissuadant de les approfondir?

— Le passage du tréma de Noël à celui d'Ésaü est présenté d
manière feutrée (« Si celui de Noël..., c'est comme... ») : c'est un
différence plutôt qu'une opposition. Le lecteur non ensorcelé pa
l'humour remarquera simplement qu'il n'y a pas de rapport entre le
deux trémas, sinon l'idée de finesse ou de délicatesse, et le fait qu
tous deux renvoient à des représentations.

Les jeux de tressage sont donc ici aussi ténus et arbitraires que dan
d'autres passages, par exemple celui de « l'hôtellerie ». Si le tressag
fonctionne ici allégrement, alors que dans d'autres cas il s'arrêt
découragé devant l'évidence de l'arbitraire, c'est qu'il est ici la cou
verture d'une logique souterraine qui, elle, a sa cohérence.

Nous voici donc arrivés, sans trop comprendre pourquoi, au tréma d'Ésaü, débarrassé de sa charge biblique, et présenté comme « la pièce la plus délicate d'une mécanique de précision » (?), formule pour l'instant mystérieuse. En manière d'explication, Leiris en arrive enfin au début du troisième paragraphe à aborder son souvenir d'enfance. Le nom hébraïque (tréma) d'Ésaü fut inextricablement mêlé « à deux des meubles que possédait ma sœur ». Cette amorce laisse rêveur. Est-ce à cause du raccourci de l'expression (on s'attendrait plutôt à ce que ce nom soit mêlé *aux noms* des meubles)? Ou parce que le principal meuble que l'on possède, c'est son corps? Le corps qui est d'ailleurs aussi une admirable « mécanique de précision [1] ». Que le rapport meuble/sœur ne soit pas un simple rapport juridique de propriété, mais un rapport symbolique d'identité, il suffira pour me le suggérer de voir le récit à peine commencé immédiatement interrompu par une étrange digression sur la « propriétaire » des meubles.

Ceci, du reste, est dénué d'importance.

Une digression, donc, sans importance. Alors pourquoi la faire? On reconnaît ici, sous leurs formes les plus classiques, les dénégations dont s'entourent, dans le discours de l'analysant, les révélations capitales; la chose ne peut se dire que si sa pertinence et son importance sont niées. La résistance et le désir de protection s'expriment à travers un déluge de « cela n'a aucun intérêt, pas de rapport, etc. ». Ici :

> Cette sœur, *à dire vrai*, [...]. Ceci, *du reste*, est *dénué d'importance* quant à ce que je me propose de raconter; de même si j'ajoute, *pour mémoire*, [...].
> *Toujours est-il que* [...]

Ces protestations de non-pertinence surprennent d'autant plus le lecteur qu'elles émanent d'un narrateur qui passe son temps à sauter du coq (ou du bœuf) à l'âne, et qui ne semblait guère chatouilleux sur ce point. Mais comme le texte est écrit à l'envers et que le lecteur ne connaît pas, lui, l'anecdote du bahut, il ne saurait voir à première lecture où est la pertinence qu'il soupçonne.

On apprend ici un secret familial dont on peut s'étonner que Leiris ne l'ait pas révélé à ses lecteurs dès *l'Age d'homme*, où cependant la

---

1. Dans le chapitre « Perséphone », le diaphragme du gramophone est aussi « la pièce la plus délicate » du mécanisme. (*Biffures*, p. 92). Les deux gramophones, celui du père et celui du fils, la curiosité pour leur fonctionnement, leur comparaison, tout cela entre sans doute aussi en écho avec le problème du corps.

« sœur aînée » jouait un rôle important [1]. Tout se passe comme si Leiris avait *répété* la conduite de ses parents, gardant lui-même le secret un certain temps avant de le révéler. Nous apprenons donc en dix lignes que la « sœur » est en réalité en porte-à-faux sur toutes les distinctions qui structurent la famille, et que sa position a été vécue comme un mystère. Cousine déguisée en sœur par les parents, elle n'a gagné le droit à l'affection fraternelle qu'en perdant droit à être objet de désir ; l'adolescent qui découvre le secret a dû voir avec une certaine stupeur rétrospective se déplacer la ligne des interdits. Car cette « sœur plus âgée » de treize ans avait pendant toute son enfance fait figure de « mère plus jeune », comme le montrent les analyses de *l'Age d'homme*. C'est là un « type spécial de parenté », certes. Un tréma n'est pas de trop pour signaler un porte-à-faux qui n'a pu qu'exacerber les rapports de l'interdit et du désir.

Tout en donnant ces informations « sans importance », le narrateur tricote à tout hasard quelques nœuds pour les relier au premier paragraphe : une ou deux références biscornues à un autre épisode de la vie du Christ, la Cène (allusion à « ceci est ma *chair*, ceci est mon *sang* » ; glose tirée par les cheveux à partir du chiffre treize), et rappel du mot « aînesse ». Ce travail de tressage effectué ici de manière ludique et patente est analogue au travail de chiffrage qui s'effectue en sous-main dans le rêve, avec cette différence pourtant qu'ici le jeu consiste à choisir tous les éléments du chiffre dans un même corpus (histoire sainte), acrobaties assez rare dans les rêves. Je reconstitue par un schéma (voir p. 305) la grille de ces « mots croisés » autobiographiques.

Pour garder au schéma une certaine lisibilité, j'ai omis ce qui concerne tréma, bahut, et tromperie. On articulera donc mentalement ce schéma avec le précédent (ci-dessus, p. 301). Il met en évidence le caractère central de la pièce manquante (problème de l'origine et de la sexualité), et l'existence du conflit œdipien déplacé des parents aux aînés. Mon propos n'est pas de souligner une découverte si banale mais de mettre en lumière le jeu de l'écriture, le haut du schéma correspondant au contenu apparent des rêves, et le bas au contenu latent à ce qui guide en sous-main la dérive apparemment ludique de l'écriture. A la différence du rêve, le « latent » n'est ici qu'en partie latent (éléments entre crochets), et en partie patent, mais dénié, déplacé, et paralysé par ce jeu de va-et-vient entre timide déchiffrement et rechif

1. La sœur apparaît dès le début de *l'Age d'homme*, p. 28, à propos de l'accouchement de sa fille, et sa grossesse sera évoquée de nouveau p. 79 ; elle initie l'enfant aux mystères du théâtre (p. 45), se livre sur lui à des farces dont la composante sexuelle est évidente (p. 80-81 ; cf. *Fourbis*, p. 103) ; cf. aussi p. 118 et 150.

frement ludique instantané. Ainsi, le problème de la « sœur » vient d'être énoncé en clair, mais placé dans une sorte d'évidence dérisoire dans une digression dénégative, et brouillé par des jeux de rechiffrement en apparence peu sérieux.

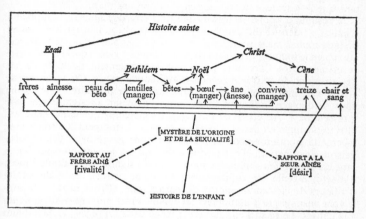

A la faveur de digressions et de délais, sous couleur de jeux verbaux ou de précisions strictement anecdotiques, Leiris a accumulé tout ce qui serait, dans une perspective analytique, le matériel d'associations à partir duquel l'interprétation du souvenir d'enfance serait possible. Mais ce matériel n'a pu être libéré qu'à condition de n'être pas utilisé vraiment pour une interprétation, à la faveur d'un mouvement de retour vers le souvenir d'enfance jusque-là tenu en réserve, et dont l'énoncé est destiné à clore le texte. La vérité est ainsi à la fois explorée et paralysée.

Bahut.

Le récit du souvenir d'enfance arrive enfin; il est fait de manière méticuleuse. Le narrateur change complètement de comportement. Il renonce à associer librement et à jouer sur les mots; redevenu sérieux, il se concentre sur le souvenir. Cette fois, il s'agit de restituer, sans trucages ni fioritures, le point de vue de l'enfant. Le narrateur va essayer de suivre et de reconstituer tous les mécanismes qui ont fait commettre à l'enfant une « erreur » cratylienne en réalité analogue aux jeux de l'adulte, humour en moins, poésie en plus. Mais pour com-

305

prendre le jeu cratylien de l'enfant, il va être amené à explorer en détail le contexte qu'il qualifie de « perceptions directement sensorielles », c'est-à-dire tout ce qui se trouve associé à l'objet litigieux. S'il s'agit d'un souvenir-écran, ce contexte a chance d'être plus important que le « texte » de l'erreur mis au premier plan.

Je résume d'abord le mécanisme de l'erreur : « Ésaü » rappelle « bahut » (identité du signifiant phonique « a-u », hiatus); « bahut » désigne globalement pour l'enfant les gros meubles de la sœur aînée, aussi bien le bahut (porte pleine) que l'armoire à glace (porte à miroir); et même plutôt l'armoire, parce que le grincement de la porte et l'éclair blanc du miroir *ressemblent* au hiatus « a-u ». On aurait donc affaire à un mot d'enfant fondé sur le cratylisme primaire : si le signifiant se déplace indûment, c'est pour s'associer au signifié qui lui « ressemble ». Au cours de l'analyse, les éléments qui semblaient les plus importants au début, Ésaü et le tréma, s'estompent. Le tréma est raccroché laborieusement au hiatus dans une parenthèse. Quant à la liaison Ésaü-bahut, elle ne fonctionne qu'au niveau du signifiant, sans qu'aucun lien soit établi sur le plan du signifié (sans doute l'idée d'aîné(e) a-t-elle été suffisamment exploitée avant). Ésaü disparaît d'ailleurs de la seconde moitié du paragraphe, et tout se termine sur le vœu nostalgique d'un univers réconcilié où les mots ressembleraient aux choses. Le récit d'enfance a été mené dans les règles, le narrateur reprend la parole à la fin de l'histoire pour tirer la morale. Tout est clair, tout est clos.

Dans une perspective analytique, au contraire, tout est ouvert, et confus. Si le narrateur avait intérêt à boucler son texte par le récit de son souvenir présenté avec une interprétation apparemment logique (accent mis sur le désir cratylique), le lecteur, lui, sent que, s'il veut comprendre, il doit d'une part prendre le texte dans l'ordre inverse, en partant du quatrième paragraphe pour remonter en amont vers le texte des associations (travail que j'ai amorcé dans les analyses précédentes), d'autre part déplacer son attention, dans le texte du souvenir d'enfance lui-même, du problème de l'erreur à ses alentours. Les transferts et glissements linguistiques et imaginaires de l'enfant (et du narrateur) ne sont peut-être pas seulement ceux dont il est parlé dans le texte. Cette analyse apparemment minutieuse des rapports du bahut et de l'armoire sonne comme une sorte de message chiffré. Je ne tenterai pas le déchiffrement, parce que je ne saurais émettre que des hypothèses, et qu'au demeurant ce n'est sans doute pas à un élément unique qu'on arriverait, mais à l'ouverture de nouveaux réseaux. Secret, c'est creux, et cela fuit de partout. Je me contenterai donc de divaguer un instant, à mes risques et périls.

L'erreur d'identité sur les meubles semble renvoyer à l'erreur d'identité sur la sœur, qui à son tour met en question le problème de l'interdit et du désir : sœur-mère, ou cousine? Les meubles de la sœur semblent renvoyer à son corps. *Mundus muliebris.* Meubles pleins de vêtements, meubles de cabinet de toilette. L'un a sa porte pleine. L'autre, creusée d'un miroir. Un éclair blanc quand il pivote. Qu'a *vu* l'enfant? Si le texte est un souvenir-écran, il doit suffire de déplacer peu de choses, pour que l'autre souvenir resurgisse. Souvent ce qu'ont en commun les deux souvenirs n'est pas caché, mais en position mineure. Sans doute l'erreur sur les noms de meubles, posée comme essentielle, n'est-elle qu'un élément adventice où s'est réfugié, chiffré, l'autre souvenir. Seul Leiris pourrait faire glisser l'écran. Ne donne-t-il pas une indication quand, à la fin, il hasarde dans une incise cette étrange proposition : « les sœurs, *s'il en était* ». La nostalgie d'un univers cratylique où les choses ressembleraient à leur nom est peut-être le chiffre d'une autre nostalgie d'un univers où l'on pourrait aimer qui l'on veut. L'allusion à l'Éden perdu (qui entre naturellement dans le cadre du tressage biblique) aide le lecteur à retrouver la piste, à condition qu'il effectue le glissement d'accent nécessaire. L'arbitraire du signe et l'interdit de l'inceste se rejoignent : toujours une séparation, une faille, qui coupent le désir de son objet. Tréma, éclair jailli d'une glace le disent à leur manière.

Buffet d'orgue.

Après avoir décrit et rationalisé l'expérience que l'enfant lui-même avait de la liaison Ésaü-bahut, le narrateur va prendre une dernière précaution pour brouiller les pistes : c'est d'en ajouter une. Le cinquième paragraphe présente en effet une nouvelle rationalisation qui n'a plus guère de rapport avec l'imaginaire de l'enfant. L'adulte se remet à faire de la poésie à son propre compte : l'humour cède maintenant la place à une sorte de fantasme baroque. Ésaü, mobilier puisque bahut, ecclésiastique puisque biblique, va devenir mobilier ecclésiastique, c'est-à-dire, pourquoi pas, *buffet d'orgue.* Dernier rechiffrage de rêve. Plus poétique qu'un « bœuf aux lentilles », le buffet d'orgue pourrait dans un rêve jouer le rôle du détail absurde ou incongru sans rapport apparent avec le souvenir qu'il exprime, et qu'on ne saurait déchiffrer que par la voie d'associations, celles mêmes que je viens de suivre pas à pas pendant quatre paragraphes. Mais ce buffet d'orgue a sur le détail de rêve l'avantage d'être cohérent, gracieux. Il va servir à Leiris de transition pour continuer sa chaîne biblique vers l'Épiphanie et le reste; et à moi, au terme de ces quiproquos et glissements de meubles et de souvenirs, de point d'orgue.

3. Histoire

Autobiographie et histoire littéraire

Prendre comme objet d'étude un genre vivant et contemporain, c'est se placer dans une situation ambiguë, qui est à la fois une ressource et une limite. Le choix de l'objet n'est pas innocent : dans la mesure où les genres sont des institutions sociales, isoler un genre pour le constituer en objet de savoir, cela peut être une manière de collaborer à l'institution autant que de faire œuvre scientifique.

Les genres littéraires ne sont pas des êtres en soi : ils constituent, à chaque époque, une sorte de code implicite à travers lequel, et grâce auquel, les œuvres du passé et les œuvres nouvelles peuvent être reçues et classées par les lecteurs. C'est par rapport à des modèles, à des « horizons d'attente », à toute une géographie variable, que les textes littéraires sont *produits* puis *reçus*, qu'ils satisfassent cette attente ou qu'ils la transgressent et la forcent à se renouveler[1]. Comme les autres institutions sociales, le système des genres est gouverné par une force d'inertie (qui tend à assurer une continuité facilitant la communication), et par une force de changement (une littérature n'étant vivante que dans la mesure où elle transforme l'attente des lecteurs). Le système des genres est lié à d'autres institutions : le système scolaire, qui contribue à maintenir une permanence en faisant fonctionner des problématiques qui ne sont plus vivantes, la critique d'accueil des journaux et des revues, où s'expriment spontanément les attentes actuelles, et l'industrie de l'édition, qui exploite et éventuellement infléchit ces attentes par le jeu des « collections ».

L'étude universitaire des genres, si scientifique qu'elle se veuille, participe elle aussi, à sa manière, à l'institution : elle contribue souvent à construire ou à consolider ce qu'elle prétend analyser ou décrire. Elle rationalise et systématise, pour fonder en droit et en dignité le genre étudié. On le voit actuellement dans le cas de la litté-

1. Sur ces problèmes, voir les études de Hans Robert Jauss, dans la perspective desquelles se développe le présent examen critique : « Littérature médiévale et théorie des genres », *Poétique*, 1970, nº 1, et « Literary History as a Challenge to Literary Theory », *New Literary History*, automne 1971, vol. II, nº 1.

rature critique sur des genres comme la bande dessinée[1], la science-fiction ou le roman policier, où le phénomène est plus visible, parce que, au lieu de mettre en question les limites intérieures à la littérature, il met en évidence les fluctuations mêmes des frontières de la littérature. Mémoires et autobiographie ont eu également un statut extérieur à la littérature, avant de s'y intégrer plus ou moins. Les études critiques sur le genre contribuent à son changement de statut et à sa « promotion ».

Liée au genre comme institution, la littérature critique sur l'autobiographie est soumise en même temps, dans la mesure où le genre est historique, aux conditions de toute « opération historique », pour prendre le langage de Michel de Certeau[2]. L'histoire ne s'écrit pas d'un lieu intemporel, mais dans un présent, et c'est quand on l'oublie que le présent se manifeste le plus. Avec quelque recul, le texte historique ainsi produit devient lui-même un document daté, qui reflète l'effort d'une époque pour structurer son univers. La chose m'a frappé en lisant une étude du XIXᵉ siècle sur le genre des Mémoires, *les Mémoires et l'Histoire en France* (1863), de Ch. Caboche[3]. A un siècle de distance, les erreurs de méthode et leurs présupposés deviennent assez évidents : mais ma surprise a été de voir que ces présupposés étaient analogues à ceux sur lesquels repose la majeure partie de la critique sur l'autobiographie. Il est donc possible que nous commettions le même genre d'erreurs, et que nous soyions, sur ce point, des disciples de Caboche. J'essaierai de le montrer par quelques exemples.

Tout se passe en effet comme si la fonction institutionnelle de la littérature critique sur les genres lui rendait difficile de penser l'histoire. Le découpage de l'objet, la recherche des invariants, le désir normatif et théorique, sans compter la fixation affective sur l'objet étudié, l'amènent à rejeter au second plan, et à envisager dans une perspective mal centrée, tout ce qui relève de l'histoire : la relativité et la variabilité. En cela, d'ailleurs, elle rencontre les problèmes

---

1. Pour une étude de la manière dont la critique universitaire contribue, en même temps que d'autres facteurs, à la canonisation d'un genre, voir Luc Boltanski, « La constitution du champ de la bande dessinée », *Actes de la recherche en sciences sociales*, janvier 1975, nº 1.
2. Michel de Certeau, « L'opération historique », in *Faire de l'histoire*, sous la direction de J. Le Goff et P. Nora, éd. Gallimard, 1974, t. I, p. 3-41.
3. Charles Caboche, *Les Mémoires et l'Histoire en France*, Paris, éd. Charpentier, 1863, 2 vol. Le premier volume comprend une « Introduction » (pages 1-101) qui élabore une théorie du genre.

généraux de l'histoire littéraire d'aujourd'hui, qui continue, sous différentes formes (la croyance en l'existence des « faits » du côté pratique, ou des « types » du côté théorique), à faire comme s'il existait un lieu intemporel d'où la connaissance absolue serait possible, et comme si l'histoire était un phénomène de surface se déroulant sur un fond permanent. Ce sera donc pour moi occasion de réfléchir à ce que devrait être l'histoire littéraire, entendue au sens strict, c'est-à-dire l'étude de l'évolution de la littérature en tant que système [1].

Le but de cette étude est donc double : montrer comment fonctionne le genre comme institution, en analysant les présupposés de la littérature critique; et réfléchir aux voies qui s'ouvrent à une nouvelle histoire littéraire.

LES ILLUSIONS DE PERSPECTIVE

Le désir de permanence qui est au cœur de l'idée du « genre » peut entraîner deux illusions d'optique, apparemment contradictoires, mais qui sont en fait les variantes d'une même erreur.

La première est *l'illusion de l'éternité*. L'autobiographie a toujours existé, même si c'est à des degrés et sous des formes diverses. On va donc pouvoir écrire son histoire depuis l'Antiquité jusqu'à nos jours, tracer son évolution, ses progrès, ses détours, jusqu'à ses accomplissements modernes. A ceux qui déclarent que l'autobiographie est un genre essentiellement moderne, on trouvera mille exemples à opposer. Certes, il y a là un problème de vocabulaire, mais quand on l'examine de près, on s'aperçoit qu'il cache un problème de fond [2].

Cette illusion est très naturelle : elle correspond à l'opération historique la plus spontanée, qui nous fait redistribuer sans cesse

1. Sur cette définition stricte de l'histoire littéraire, voir G. Genette, « Poétique et histoire », *Figures III*, 1973, p. 13-20, et T. Todorov, article « Histoire de la littérature», dans le *Dictionnaire encyclopédique des sciences du langage* d'O. Ducrot et T. Todorov, éd. du Seuil, 1972, p. 188-192.
2. T. Todorov a raison de souligner qu'il ne faut pas confondre les genres avec les noms des genres (*Dictionnaire...*, p. 193), et qu'une étude sur la vie des noms des genres relève de la sémantique historique (*ibid.*, p. 189). Mais, même si elle ne peut se substituer à l'« histoire littéraire », une telle étude doit fatalement s'y intégrer, dans la mesure où il n'est nullement indifférent de connaître l'évolution d'un des éléments du code de communication entre auteurs et lecteurs. De plus, les problèmes méthodologiques d'une éventuelle « sémantique historique », qui n'existe guère actuellement, sont parallèles à ceux de la nouvelle histoire littéraire dont Tynianov a posé les principes.

les éléments du passé en fonction de nos catégories actuelles. L'anachronisme consiste ici à prendre un trait aujourd'hui pertinent dans notre système de définition des genres (discours à la première personne associé à une forme quelconque d'engagement personnel), et à croire que ce trait a toujours eu le même type de pertinence, c'est-à-dire que le système d'opposition est inhérent au trait, alors qu'il est purement historique et daté. Ce qui reviendrait, dans la terminologie de J. Tynianov, à confondre forme et fonction[1].

L'attitude anachronique est acceptable quand on se situe dans le registre de l'interprétation; notre dialogue avec le passé ne serait guère possible sans le fourmillement de distorsions qu'occasionne l'écart entre le code d'émission et le code de réception. Aussi arrive-t-il bien souvent que les œuvres changent de « genre » en traversant, au cours de l'histoire, des systèmes d'attente différents : un trait secondaire se voit attribuer la fonction dominante. Dans le cas de l'autobiographie, l'erreur est d'autant plus tentante que, dans notre système, l'emploi du discours à la première personne assorti du pacte autobiographique a pour fonction de créer l'illusion d'une communication de personne à personne. Du seul fait qu'il s'adresse directement aux lecteurs, et que *nous* sommes maintenant ses lecteurs, l'autobiographe d'il y a deux siècles peut nous donner l'impression d'abolir le temps. Dans la mesure où il émettait dans un code qui n'était pas trop différent du nôtre, l'erreur n'est pas grave. Cette transformation de la lecture doit elle-même faire l'*objet* d'une étude historique : mais elle ne saurait lui servir de *fondement*.

La chose est particulièrement évidente quand on envisage des civilisations très éloignées de la nôtre, comme celles de l'Antiquité ou du Moyen Age. C'est la principale objection qu'on peut faire à la monumentale tentative de Georg Misch, quel que soit l'intérêt de son enquête[2]. Décider que l'autobiographie (très vaguement définie comme le fait de raconter sa vie) est une vocation essentielle et profonde de l'humanité, une de ses plus nobles tâches, et suivre l'éveil progressif de la conscience humaine depuis les biographies des pharaons

---

1. J. Tynianov, « De l'évolution littéraire », in *Théorie de la littérature*, éd. du Seuil, 1965, p. 120-137.
2. G. Misch, *A History of Autobiography in Antiquity*, Londres, 1950, 2 vol. (traduction du début de *Geschichte der Autobiographie*, Frankfurt, 1949-1969, 8 vol.). G. Misch déclare qu'en écrivant cette histoire, il a voulu réaliser le projet conçu vers 1790 par Herder et Goethe : rassembler un corpus de tous les textes autobiographiques écrits dans tous les temps et tous les pays, pour montrer la progressive libération de la personne humaine. La critique universitaire et l'histoire littéraire se présentent clairement ici comme participant (à retardement) au travail que fait la littérature pour s'inventer un passé et une tradition.

jusqu'à J.-J. Rousseau, c'est là une tentative idéologique et mythologique sans grande pertinence historique, même si elle est amenée fatalement à croiser nombre de problèmes historiques réels. Est-il légitime d'étudier « l'autobiographie » au Moyen Age, et de regrouper de la sorte des textes sans rapports entre eux à l'époque, comme la *Vie* de Guibert de Nogent, qui s'inscrit dans la tradition augustinienne des confessions, et l'*Histoire de mes malheurs* d'Abélard, qui est un cas extraordinaire, mais atypique ? Dans ses analyses sur la poétique médiévale, Paul Zumthor a montré qu'aucune des conditions de l'autobiographie moderne n'existait alors (absence de la notion d'auteur ; absence d'emploi littéraire autoréférentiel de la première personne). Les exceptions apparentes sont dues à l'illusion rétrospective de lecteurs modernes se méprenant sur les codes de l'époque [1].

Le problème est un peu le même qu'en histoire de l'art : imagine-t-on qu'on puisse écrire un traité « de la nature morte » en supposant qu'elle est une vocation éternelle de la peinture, et en mettant sur le même plan des motifs stylisés à fonction décorative et symbolique sur une poterie ancienne, avec la production systématique des Hollandais au XVIIe siècle ? Ou, pour prendre une comparaison qui nous rapproche de notre sujet, l'illusion n'est-elle pas analogue à celle qui a poussé certains critiques d'art modernes à accorder une attention systématique à *l'autoportrait* [2], construisant de vastes corpus où se trouvent juxtaposés tous les autoportraits connus depuis le Moyen Age, de manière certes instructive, mais aussi discutable dans la mesure où ce rassemblement des autoportraits n'est pas relié à l'histoire de la fonction sociale du portrait, ni situé différentiellement par rapport aux portraits et aux autres œuvres des peintres en question ? Ou, pour revenir cette fois au domaine littéraire, une histoire de la « lettre » comme genre littéraire pourrait-elle mettre en évidence autre chose que la variabilité permanente du système des genres et des frontières de ce que nous appelons actuellement la littérature ? Il n'y a pas une essence éternelle de la lettre, mais l'existence fluctuante et contingente d'un certain mode de communication par écrit, qui, combiné avec

---

1. Paul Zumthor, *Essai de poétique médiévale*, éd. du Seuil, 1972, p. 68-69 et p. 172-174; et « Autobiographie au Moyen Age ? », *Langue, Texte, Énigme*, Seuil, collection Poétique, 1974. Voir aussi sur ce point l'étude d'Evelyn B. Vitz, « Type, et individu dans l' « autobiographie » médiévale », *Poétique*, n° 24, 1975.
2. Voir par exemple M. Masciotta, *Portraits d'artistes par eux-mêmes, XIV-XXe siècle*, Electra Editrice, Milan, 1955; Ernst Benkart, *Das Selbstbildnis vom 15. bis zum 18. Jahrhundert*, Berlin, 1927, et Ludwig Golscheider, *Fünfhundert Selbstporträts*, Wien, 1936. En français, le terme « auto-portrait » a été créé au début du XXe siècle.

d'autres traits, a pu remplir des fonctions différentes dans des systèmes différents.

Les recherches de type généalogique qui isolent un élément actuellement pertinent pour suivre sa trace en remontant l'histoire ont donc un caractère illusoire, exactement comme les recherches d'étymologie et de sémantique historiques qui portent sur un mot isolé. C'est l'évolution du système de la langue dans son ensemble qui peut être objet d'histoire. Si une recherche, partant d'un trait particulier, n'arrive pas à le dépasser et à l'intégrer à l'histoire générale du système, mais tend à le solidifier et à l'éterniser, elle a une fonction mythologique. Dans notre cas particulier, elle doit contribuer au sentiment de permanence nécessaire au « genre » et lui donner ses lettres de noblesse. D'ailleurs, l'idée même de devenir spécialiste d'un genre littéraire implique souvent une sorte de fixation affective, un peu comme chez des historiens régionalistes ou locaux. Charles Caboche, écrivant l'histoire des Mémoires, parle des auteurs qu'il étudie en les nommant humoristiquement « mes clients [1] » : il conçoit donc son rôle comme celui d'un avocat. Cette tendance à la partialité et à l'aveuglement sur tout ce qui n'est pas le corpus étudié est l'écueil de toutes les histoires particulières; et comme la définition de l'objet repose sur le présupposé de sa permanence, l'étude a beaucoup de difficulté à devenir réellement historique.

Mais la redistribution du passé en fonction de critères modernes et la croyance en la permanence, non des genres, mais des éléments qui les constituent, peuvent être des attitudes fécondes à partir du moment où elles sont bien contrôlées.

En effet, les genres littéraires sont eux-mêmes le produit d'une redistribution de traits formels en partie déjà existants dans le système antérieur, même s'ils y avaient des fonctions différentes. A condition de saisir cette évolution des systèmes, la recherche des origines et de la continuité permet de mettre en évidence les éléments du jeu à partir desquels les nouveaux genres se sont construits, et la manière dont les horizons d'attente se sont progressivement transformés. Ainsi, dans le domaine français, il est difficile de comprendre l'autobiographie à la Rousseau sans la situer par rapport à la tradition des confessions religieuses, ou sans voir comment, depuis le milieu du XVIIe siècle, un jeu d'échanges entre les mémoires et le roman avait peu à peu transformé le récit à la première personne. Ce genre d'études doit être mené de manière précise, sans qu'on cherche à montrer que tel ou tel aspect est « déjà » de l'autobiographie, ou, en sens inverse,

1. Ch. Caboche, *op. cit.*, t. I, p. xv.

ans vouloir prouver que l'autobiographie « n'est que » la laïcisation
u genre séculaire des confessions religieuses. Marc Fumaroli, dans
on étude sur « Les Mémoires du XVIIe siècle au carrefour des genres
n prose [1] » a analysé de manière fort pertinente la circulation de
ifférents modèles : la greffe du modèle augustinien dans les années
660, l'emprunt par le roman des procédés des mémoires, utilisés
ans un système différent. Sur ce dernier point, on possède une étude
récise de Philip Stewart, qui a répertorié les procédés employés au
ébut du XVIIIe siècle par le roman en forme de mémoires, mais sans
es situer dans une étude d'ensemble des échanges entre les deux
omaines [2]. Souvent, en effet, la division des études d'histoire litté-
aire entre spécialistes de genre aboutit à faire perdre de vue le système
'ensemble; et les études faites dans des perspectives « régionalistes »
ifférentes ont de la peine à se rejoindre.

Il existe une seconde illusion de perspective : celle de la *naissance*
u genre, après laquelle le nouveau genre, né d'un seul coup, se
aintiendrait conformément à son essence. C'est là une forme d'illu-
ion très tentante, en particulier dans le domaine français, où Rous-
eau a établi une sorte de modèle qui a longtemps obsédé les auto-
iographes. Il est réconfortant pour le critique de trouver une « ori-
ine » qui permette de séparer nettement un « avant » (qu'il appellera
rotohistoire comme l'a fait W. Shumaker [3], ou préhistoire comme je
ai fait), d'un « après », dans une perspective messianique : « Enfin
Rousseau vint... » Dans la mesure où l'origine est en même temps un
odèle, elle disqualifie le passé et ferme l'avenir. On est donc amené
sous-estimer les facteurs de continuité avec le passé, et à surestimer
a cohérence du développement moderne du genre; on traite les deux
iècles qui nous séparent de Rousseau comme une vaste synchronie.
à la limite, on sera tenté de penser que les premiers autobiographes
nt réalisé l'archétype du genre [4], ou que celui-ci, depuis, n'a fait que
e dégrader [5]. Cette attitude amène elle aussi à esquiver la réflexion
'ordre historique. Mais elle n'est pas dépourvue de pertinence, et
e pour deux raisons.

1. Article publié dans le no 94-95 de *XVIIe siècle*, 1972, en tête d'un numéro
onsacré à « Mémoires et création littéraire ».
2. Philip Stewart, *Imitation and Illusion in the French Memoirs-Novels, 1700-
750, the Art of Make-Believe*, New Haven and London, Yale University Press,
969.
3. Wayne Shumaker, *English Autobiography, its Emergence, Materials and
orm*, Berkeley, University of California Press, 1954.
4. Philippe Lejeune, *L'Autobiographie en France*, éd. A. Colin, 1971, p. 65-66.
5. Roy Pascal, *Design and Truth in Autobiography*, Cambridge, Harvard Uni-
ersity Press, 1960, p. 160-161.

D'abord, elle reflète parfaitement les présupposés qui rendent possible le fonctionnement des genres. Pour les lecteurs d'une époque, il n'y a de « genre » que là où il existe, d'une part, des textes canoniques qui font fonction d'archétypes, qui réalisent de manière presque idéale ce qu'on croit être l'essence du genre, et, d'autre part, la présomption d'une continuité d'écriture, la production d'un certain nombre de textes qui, sans être conformes au modèle, s'inscrivent dans la même problématique, comme autant de variations et d'écarts.

Ensuite, il est exact que les textes qui constituent le corpus d'un genre tel qu'il fonctionne à une époque donnée se sont engendrés les uns les autres et peuvent, d'un certain point de vue, être envisagés comme la transformation d'un même texte. Dans le cas de l'autobiographie, la chose est particulièrement évidente : aux procédés qui semblent être dictés par la situation de l'autobiographe s'ajoutent ceux qui sont en fait imposés par la convention et par la lecture antérieure d'autres autobiographies.

Cette attitude est donc moins illusoire que celle qui consiste à croire à l'éternité du genre et à lui chercher des origines lointaines. Ici, en effet, on cherche *l'invariant* dans un domaine où il a historiquement existé et où il a fonctionné comme élément pertinent; et les définitions que l'on donne sont présentées lucidement comme n'ayant d'emploi qu'à une époque déterminée. Mais l'histoire n'est pas faite que d'invariants, et les invariants eux-mêmes ne sont que des approximations commodes (comme les « périodes » dans le domaine du découpage chronologique). L'illusion consiste à ne voir que l'invariant et à transformer la réelle autonomie relative du corpus en une mythique indépendance absolue. La critique du genre cède souvent à cette tentation, et remplit ainsi sa fonction institutionnelle.

J'en donnerai deux exemples, choisis avec un recul dans le temps ou l'espace qui permette la lucidité.

Quand Charles Caboche envisage l'histoire des Mémoires, il les voit strictement comme un corpus fixe et clos. Fixe : des Croisades jusqu'à Guizot, le genre n'a connu aucune autre évolution que celle de l'histoire qu'il reflète : l'infinie variété des tons et des histoires renvoie à la permanence d'une spontanéité, elle constante et fixe, et qui forme l'essence du genre[1]. Clos : Caboche est aveugle à ce qui n'est pas

---

1. « De cette condition des esprits particulière à notre pays, est né un genre de littérature qui en a été de tous temps l'expression. On comprend facilement qu'un tel genre soit original, il compte aujourd'hui plus de six siècles d'existence. Comme il est le plus souvent ce que le font les hasards des accidents qui sont à raconter, et le hasard tout aussi capricieux de l'homme qui lui confie ses sentiments ou ses souvenirs, il change de ton, d'accent, je dirai presque de langage de livre à livre »

Mémoires. Il est d'un « régionalisme » total. S'il oppose traditionnellement les Mémoires et l'histoire comme on le fait depuis le
XVIIᵉ siècle, il ne semble avoir aucune idée, en 1863, des échanges
qui ont pu se produire entre Mémoires et roman, ni des bouleverse-
ments qui ont pu intervenir depuis deux siècles dans la géographie
littéraire. Le développement de la chronique de vie privée et l'apparition de l'autobiographie lui échappent : au début de son livre, il
élimine purement et simplement tous les récits qui n'ont pas pour objet
la vie de la nation; il perçoit les récits des Messieurs de Port-Royal,
les *Mémoires* de Marmontel et les *Confidences* de Lamartine strictement sur le même plan, comme un phénomène parasite mineur, qui
aurait toujours lui aussi existé de la même manière en marge de la
noble branche des Mémoires [1]. Cet aveuglement devant la mutation
contemporaine doit nous servir d'avertissement : qui sait si les théoriciens actuels de l'autobiographie, absorbés à consolider le passé, ne
commettent pas quelque erreur analogue?

Deux études très remarquables ont paru récemment aux États-
Unis : de Francis R. Hart, « Notes for an Anatomy of Modern Autobiography » et de William L. Howarth, « Some principles of Autobiography [2] ». Ces deux auteurs s'attaquent, je le montrerai ci-dessous,
à la fonction normative de la critique de genre. Il est d'autant plus
étonnant que, ce faisant, ils restent eux-mêmes fidèles à la perspective « régionaliste » et « intemporelle », et, qu'écrivant dans une revue
qui s'emploie à fonder une nouvelle histoire littéraire, leur souci
historique soit si ténu [3]. Hart et Howarth spéculent sur un corpus

---

(*op. cit.*, t. I, p. XIII). Dans la mesure où Caboche prétend que les mémoires ne
sont pas un genre littéraire traditionnel, la fixité ne réside pas dans l'obéissance
aux « règles d'une théorie connue, pour satisfaire le goût d'un public formé par
des modèles » (I, p. 7-8), mais dans une *constante* mobilité...

1. Ch. Caboche, *op. cit.*, t. I, p. I à VII.
2. Francis R. Hart, « Notes for an Anatomy of Modern Autobiography »,
New Literary History, I, printemps 1970, p. 485-510; William L. Howarth, « Some
principles of Autobiography », *New Literary History*, V, nᵒ 2, hiver 1974, p. 363-
381.
3. William L. Howarth note seulement que dans le dernier des trois types
d'autobiographies qu'il distingue (l'autobiographie poétique ou problématique),
tous les auteurs sont modernes; et il note aussi que beaucoup sont américains.
Ce serait le lieu de signaler un autre type de comportement de la critique de genre,
liée à sa participation à l'institution : le chauvinisme. Il est bien connu que l'autobiographie est un genre britannique *(passim)*; que les Français sont très doués
pour l'autobiographie (*l'Autobiographie en France*, éd. A. Colin, 1971, p. 5);
et que l'autobiographie est un genre spécialement américain (Sayre, *The Examined
Self*, Princeton University Press, 1964, p. 38-42; James M. Cox, « Autobiography
and America », in *Aspects of Narrative*, éd. J. Miller, Columbia University Press,

fixe d'autobiographies : Hart, de Rousseau à nos jours, Howarth, depuis saint Augustin. Ils y circulent sans difficultés comme dans un milieu homogène, sans se poser de problème de définition. Le corpus implicitement constitué est également clos : si les autobiographies sont comparées entre elles, elles ne sont guère envisagées dans le cadre des ensembles historiques où elles ont réellement fonctionné (autres « genres », autres textes produits par les mêmes auteurs).

LA FONCTION NORMATIVE

Le genre repose sur des présupposés de permanence et d'autonomie. Il implique donc la croyance en une espèce d'identité, qui ne peut être produite que par des séries de distinctions et de préceptes, destinés à la fois à isoler le genre des autres productions, et à hiérarchiser et centrer le domaine ainsi enclos. Tout public a tendance à classer ce qu'il reçoit, et à le recevoir à travers le classement de tout ce qu'il a reçu avant. Ce travail de classement, de normalisation se fait d'abord de manière empirique : Hans Robert Jauss a proposé pour le désigner l'expression d' « horizon d'attente », horizon sur le fond duquel toute nouvelle production apparaît, soit pour répondre fidèlement à l'attente, soit pour la décevoir ou lui imposer de se transformer [1]. L'expression d' « horizon » est excellente : son brumeux lointain représente la manière dont toutes les expériences antérieures de lecture tendent à se fondre en une sorte de paysage-type; et le propre de l'horizon, on le sait, est d'être un phénomène relatif de perspective qui change lorsque l'observateur se déplace (ici, dans le temps). Loin de mener à une typologie idéaliste, le concept d'horizon d'attente donne un bon instrument pour penser l'évolution historique, je le montrerai tout à l'heure. Cet horizon d'attente peut rester implicite, et il est mouvant. Mais la tendance de la grande masse du public (et de la critique) à toutes les époques a été de désirer, si je puis dire, *fixer* l'horizon, de le stabiliser. Les nouveautés et les redistributions qu'on accueille sont toujours les dernières, après lesquelles on ferme. Les théories des genres font partie de ce système d'inertie nécessaire à la continuité de la littérature (et, par là-même, à son ultérieur changement).

1971, p. 143-172; etc.); c'est sûrement aussi un genre très allemand et typiquement russe. Il y a sans aucun doute des spécificités nationales, que les critiques interprètent trop vite en termes de prééminence ou d'exclusivité, à la fois par fierté nationale, et par relative ignorance des autres littératures.

1. Voir ci-dessus page 311, note 1.

Nous vivons avec l'idée que la critique des genres aurait été normative dans les temps anciens (du temps des arts poétiques), mais que depuis l'époque moderne, elle serait devenue descriptive, et chercherait plus ou moins habilement sa voie vers la scientificité, depuis le biologisme de Brunetière jusqu'aux théories poétiques actuelles. C'est sans doute une illusion : d'une part les textes normatifs anciens nous apparaissent fatalement à travers l'usage caricatural qu'en a fait l'appareil scolaire; d'autre part seules les normes qui ne sont plus les nôtres peuvent nous sembler être des normes; nous prenons fatalement les nôtres pour des lois de la nature (lois de la nature qui sont aujourd'hui linguistiques et psychologiques...). Le travail normatif est nécessaire et permanent, même s'il s'exerce selon des modalités changeantes où nous ne le reconnaissons pas tout de suite. La critique journalistique comme la critique universitaire participent à la normalisation. Toute nouveauté qui brise une attente ancienne apporte en même temps elle-même son horizon dont elle amorce la codification. Et le discours critique, dès qu'il a réussi à identifier cet horizon, se hâte de le solidifier et de le bâtir en dur, en lois, types et essences.

Seule la critique qui s'occupe de genres appartenant à des littératures passées ou étrangères, ou celle qui traite des genres fixés par l'usage et auxquels leur emploi de produits de grande consommation impose un « cahier des charges » peu évolutif, peuvent vraiment prendre une attitude descriptive, parce qu'alors la fonction normative n'a plus besoin d'être exercée, ou bien se trouve exercée par un autre processus. Mais pour les genres actuels et vivants, la fonction normative doit être exercée. Il est très instructif de feuilleter une anthologie de textes critiques sur le roman dans les cent dernières années [1] : les critiques consolident *a posteriori* les discours des auteurs, tous à la recherche de définitions et d'essences dont la fonction est de projeter dans l'absolu et de fonder en droit ce qu'avec quelque recul nous identifions facilement comme des esthétiques particulières et datées. T. Todorov a montré comment cette tentation normative était présente dans les œuvres de théoriciens comme Lubbock et Bakhtine [2]. Un phénomène analogue s'est produit sous nos yeux depuis dix ans avec le « nouveau roman », qui a apporté avec lui son décor théorique et normatif. Et il va de soi, dans cette perspective, que les théories

1. Voir par exemple l'anthologie dressée par Michel Raimond dans *le Roman depuis la révolution*, éd. A. Colin, 1967, ou le chapitre qu'il consacre à « La définition du roman », dans *la Crise du roman, des lendemains du naturalisme aux années vingt*, éd. J. Corti, 1967, p. 138-158.
2. T. Todorov, *Poétique*, Seuil, coll. « Points », 1973, p. 99-101.

actuelles sur le côté périmé de la division des genres, en particulier l'abolition des limites entre roman et poésie et la promotion des concepts d'écriture et de texte, tout cela fait partie d'une redistribution des horizons d'attente, et, quels qu'en soient les fondements « théoriques », exerce une fonction normative indispensable à toute littérature vivante.

Pour les différents genres de la littérature personnelle, les choses se passent de la même manière. Le discours de Charles Caboche sur les mémoires lui a été soufflé par les mémorialistes : il met en ordre, rassemble et dilue ce qu'ont dit les mémorialistes qu'il juge typiques : il avoue devoir beaucoup à Mme de Motteville[1]. Une partie de la littérature critique sur l'autobiographie a fait le même genre de travail sur Rousseau et ses successeurs. En passant des auteurs aux critiques, le discours prend un aspect plus normatif.

Le comportement normatif du critique sera le plus souvent dissimulé sous les apparences d'un comportement « descriptif » et objectif : il va s'efforcer de donner une *définition* du genre, comme si un phénomène historique devait être « défini », et non pas d'abord simplement décrit. Pour définir, le critique va être amené non seulement à dire ce qu'est le genre, mais ce qu'il *doit* être pour être ce qu'il est. Devoir être et être se confondent, et la description devient normative. Le critique se met à déterminer quelle est l'essence, ou le modèle du genre :

> De tous les mémoires et écrivains de mémoires étudiés avec soin, il s'est détaché une sorte de modèle, composé des qualités originales de tous les autres; et au-dessous de ce modèle, qu'il serait chimérique de prétendre rencontrer quelque part, sont restés tous les exemples particuliers qu'a pu offrir et offrira encore à l'avenir la variété inépuisable du génie français, toutes les fois qu'il voudra conter les épisodes de notre histoire[2].

La démarche inductive, dégageant les facteurs communs à un « corpus », se confond avec la démarche déductive, puisque le corpus a été lui-même constitué à partir de la définition. L'opération est circulaire : elle correspond à une rationalisation de l'horizon d'attente, à un changement de langage (de l'empirisme au langage théorique) plutôt qu'à un changement de méthode. L'ambiguïté du mot « modèle », comme celle du mot « règles », facilite et masque la circularité. Ainsi

1. Ch. Caboche, *op. cit.*, t. I, p. xviii.
2. *Ibid.*, p. xix. A ce discours fait écho le mien, par exemple dans *l'Autobiographie en France*, p. 13.

Caboche va élaborer son modèle des mémoires qui est simultanément descriptif (il fait fonctionner les différents niveaux d'opposition avec le genre de l'histoire), et normatif (toutes les caractéristiques sont spécifiées en « qualités » et par restrictions successives, c'est une esthétique particulière du genre qui est imposée, autour de trois adjectifs : les mémoires doivent être « personnels », « particuliers » et « simples [1] »). Cette attitude ne doit pas être méprisée comme illusoire, car elle est instructive sur les « horizons d'attente » du genre, et elle peut comporter souvent un effort de description qui, dans un autre contexte méthodologique, pourra être continué de manière féconde. Elle doit seulement être maîtrisée et dépassée.

C'est de cette manière que j'ai procédé dans l'*Autobiographie en France* : je désirais donner une définition de l'autobiographie, et constituer un « corpus » cohérent. En face d'un domaine aussi flou et multiforme, il était tentant de décider qu'un certain type de récit était conforme à l'essence du genre. J'ai suivi sur ce point la voie indiquée par Roy Pascal dans son ouvrage fondamental *Design and Truth in Autobiography* [2], identifiant l'autobiographie avec un type particulier d'autobiographie, celle où l'individu met l'accent sur la genèse de sa personnalité. Une fois décidé le choix du modèle, on constitue le « corpus » par un système d'exclusions : on jugera soit comme des échecs ou des cas aberrants, soit comme des éléments extérieurs au corpus, tout ce qui n'est pas conforme au modèle. Le genre devient une sorte de « club » dont le critique s'institue gardien, sélectionnant à coups d'exclusions une « race » relativement pure. Si les critères sont trop précis, on risque de schématiser les « horizons d'attente », d'être aveugle aux phénomènes voisins et à l'évolution historique.

Le répertoire que j'avais constitué d'après ces critères souffre aussi d'une distorsion d'un genre différent. Parmi les critères de sélection, il en est un qui joue à l'insu même du collectionneur : c'est ce qu'Escarpit appelle « la première loi de Lehman [3] », loi dont l'énoncé est le suivant : « Dans la vision historique qu'un groupe humain a de la littérature, le résidu de la production contemporaine tend à être égal en importance au résidu du passé. » Il est certes probable que ce défaut est ici atténué par l'existence d'une réelle augmentation, au long des deux siècles, du nombre d' « autobiographies » publiées chaque année. Mais une telle étude quantitative ne pourrait se faire

---

1. Ch. Caboche, *op. cit.*, p. 10 à 24.
2. Roy Pascal, *Design and Truth in Autobiography*, Cambridge, Harvard University Press, 1960, chap. I, « What is an Autobiography ».
3. Robert Escarpit, *Le Littéraire et le Social*, éd. Flammarion, 1970, p. 151.

qu'à partir de relevés systématiques, et non à partir d'un parcours où les œuvres sont sélectionnées en fonction des « normes du genre » et du tri de valeur auquel toute production passée se trouve soumise.

La fonction' normative peut s'exercer sournoisement à travers l'illusion d'une définition objective : elle peut aussi s'avouer franchement dans des tentatives faites pour établir un « art de l'autobiographie », que ce soit sur un plan pragmatique ou sur un plan théorique.

Richard G. Lillard a dressé une liste amusante des « qualités à cultiver » et des « défauts à éviter », dans la perspective très pédagogique de conseils adressés aux candidats à l'autobiographie[1]. Ceux-ci n'ont bien souvent aucune expérience de la composition littéraire, et croient naïvement que leur « compétence » sur le sujet suffira. « *Do it yourself* » : Lillard leur donne des conseils qu'il appuie sur l'analyse des copies remises par les promotions précédentes, comme dans les rapports publiés par les jurys de concours. Ces conseils sont donnés en fonction d'un modèle moyen du récit autobiographique, et soulignent les exigences minimum de pertinence et de cohérence nécessaires pour assurer la communication avec le lecteur. C'est dans cette même perspective pragmatique et pédagogique qu'il faut situer le récent manuel de deux professeurs américains, R. J. Porter et H. R. Wolf[2], qui essaient de former leurs étudiants à la lecture, mais aussi à l'*écriture* de l'autobiographie : ils leur proposent de véritables « travaux pratiques » d'autobiographie, qui doivent leur faire prendre conscience des exigences minimum du genre tel qu'on le conçoit aujourd'hui.

Sur le plan de la théorie esthétique, B. J. Mandel a plus ambitieusement essayé de définir dans l'absolu un « art de l'autobiographie[3] ». Le principe retenu est apparemment souple et libéral : c'est l'adapta-

---

1. Richard G. Lillard, *American Life in Autobiography, a descriptive guide*, Stanford University Press, 1956, pages 6-13. Pour l'auteur, les dix péchés capitaux de l'autobiographie seraient : écriture stéréotypée; abus des anecdotes; reconstruction détaillée (et invraisemblable) de scènes et de dialogues; insertion de tranches de journal intime non digérées; catalogue d'ancêtres et de parents au début du livre; récits de voyages trop détaillés; souvenirs de jeunesse sans pertinence; énumération de noms propres; récits trop rapides; camouflage de la vérité. Et les six vertus cardinales seraient : tristesse, reconnaissance de ses erreurs et de ses échecs; communication affective avec le lecteur dès le début; détails originaux et caractéristiques de l'époque ou de la personnalité; point de vue cohérent, au service d'un regard neuf; cadre de référence personnel dans l'histoire; impression de progression ou de changement. Chaque article est illustré d'exemples.

2. Roger J. Porter et H. R. Wolf, *The Voice Within, Reading and Writing Autobiography*, New York, Knopf, 1973, XIII-304 p.

3. Barrett John Mandel, « The Autobiographer's Art », *The Journal of Aesthetics and Art Criticism*, XXVI, 1968-1969, p. 215-226.

tion des moyens aux fins visées par l'autobiographe. Mais, comme les fins peuvent être multiples et sont difficiles à établir, comme la gamme des moyens est également fort vaste, comme l'exigence de l'unité et de pertinence est en réalité arbitraire, le résultat obtenu par B. J. Mandel est très incertain et traduit en termes absolus des choix esthétiques particuliers. Par exemple, en fonction de ces critères, l'autobiographie de Stendhal est jugée comme un échec à cause de son *désordre*. C'est un jugement de valeur possible. D'autres sont également possibles. Tous sont intéressants comme documents à verser au dossier de l'histoire, mais aucun ne saurait servir de fondement pour écrire l'histoire.

Dans un article récent de *New Literary History*, Francis Hart a procédé à une analyse systématique de cette conduite normative et des excessives simplifications qu'elle entraîne [1]. J'en résumerai les grands traits : Hart commence par mettre en évidence la rigidité et l'arbitraire des choix que les critiques (G. Gusdorf et R. Pascal, d'un côté, W. Shumaker et B. J. Mandel, de l'autre) font sur les trois problèmes de la « vérité », de la technique, et des intentions autobiographiques. Puis il procède un peu comme le fit Maupassant lorsque, dans sa préface de *Pierre et Jean*, il réunit une liste impressionnante de « romans » européens pour montrer qu'il est arbitraire de donner une esthétique particulière comme la loi du genre. F. Hart a choisi une quarantaine de textes autobiographiques modernes depuis Rousseau pour montrer sur chacun des points la grande variété des solutions et des attitudes adoptées par les autobiographes. Son étude, qui se présente comme une « anatomie », est fondée sur une méthode dissociative qui est excellente (distinguer des problèmes trop souvent confondus, dissocier les facteurs et les catégories), dont on peut seulement regretter qu'elle ne soit appliquée qu'à des autobiographies (illusion régionaliste du corpus clos). Elle met en évidence qu'il n'existe sûrement pas un modèle unique d'autobiographie : à la limite, elle tendrait plutôt à suggérer que chaque autobiographie a son propre type, fondé sur une combinaison originale de solutions aux problèmes communs à toutes. En effet, cette multiplicité interne est gagée sur une unité globale du champ qui est acceptée par Hart comme une donnée et n'est jamais mise en question. Le problème des limites, des frontières, des rapports et des oppositions avec le reste du système des genres n'apparaît guère. Tout se passe comme si Hart n'était pas allé jusqu'au bout de sa méthode dissociative, et

1. Francis R. Hart, « Notes for an Anatomy of Modern Autobiography », *New Literary History*, 1, 1970, p. 485-511.

comme si l'on ne pouvait démystifier l'illusion liée à la critique d
genre sur un point, qu'en y cédant sur un autre, à partir du momen
où l'on a accepté de se situer soi-même dans le cadre du genre.

Les difficultés qu'il y a à s'arracher à une typologie simplificatric
sont bien illustrées par un article de William L. Howarth, paru e
1974 dans la même revue[1]. Continuant les recherches de Har
Howarth a cherché à voir comment les éléments ainsi dissociés pou
raient être réassociés, en supposant que les traits distinctifs devaien
malgré tout se regrouper de manière régulière en types secondaires
Ces regroupements l'amènent à identifier trois types d'autobiogra
phies : oratoire (sous le patronage de saint Augustin), dramatiqu
(sous celui de Cellini), poétique ou problématique (sous celui de Rous
seau). Ces termes renvoient aux analyses de Frye, dont Howart
s'inspire largement. La démonstration est brillante, mais parfoi
arbitraire à force de cohérence : elle réintroduit, il est vrai en la démul
tipliant, et, donc, en la relativisant, l'attitude normative et archétypale
La souplesse dissociative se trouve compensée par une volonté d
classement à tout prix. Toutes les œuvres entrent-elles dans ces caté
gories? Une œuvre ne peut-elle pas appartenir à plusieurs catégorie
à la fois? Ne pourrait-il pas exister une quatrième catégorie? Et le
catégories ne pourraient-elles pas être réparties selon des critères diffé
rents, et historiquement variables? Aucune de ces questions n'es
posée.

Les analyses de Hart et de Howarth se trouvent donc, par rappor
à la critique du genre, dans une position ambiguë : d'un côté, elle
participent à la mythologie du genre, puisqu'elles ne sortent jamais d
corpus implicitement défini et négligent l'historicité; de l'autre, elle
contestent cette mythologie en refusant les jugements de valeur, e
rétablissant une pluralité de modèles, et en pratiquant une analys
dissociative des facteurs qui serait très féconde si elle était poussé
plus loin. C'est sans doute, comme le montre l'exemple de Howart
qu'ils sont arrêtés en chemin par une autre forme d'illusion liée à l
littérature sur les genres : l'illusion théorique.

LE DOMAINE DE LA THÉORIE

La critique de genre a pour fonction de consolider le genre étudi
en établissant sa permanence et son autonomie, et en rationalisant so

1. William L. Howarth, « Some principles of Autobiography », *New Literar
History*, V, nº 2, 1974, p. 363-381.

système normatif. Je n'ai parlé jusqu'ici que des tentatives « régionalistes » faites au niveau de genres particuliers. Mais il est clair que cette participation active au système des genres peut se situer aussi à un niveau plus élevé, au niveau de l'ensemble du système des genres. A. Thibaudet disait : « Une théorie des genres doit rester la plus haute ambition de la grande critique [1] ». Cette ambition semble rester encore celle des critiques. La tentative la plus impressionnante qui ait été faite en ce sens est l'*Anatomie de la critique* de Northrop Frye [2]. L'objection que j'ai faite au « régionalisme » tombe dans ce cas, mais c'est pour être remplacée par des objections plus graves encore, dans la mesure où de telles tentatives aboutissent à refuser de penser l'histoire, et enfoncent celui qui s'y livre dans une impasse théorique. A la base de ces tentatives se trouve une erreur sur le domaine dans lequel peut s'exercer la réflexion théorique.

Élaborer une « théorie des genres », c'est essayer de faire une synthèse dans l'absolu en se servant de concepts qui n'ont de sens que dans le champ historique : on ne saurait aboutir ainsi qu'à des constructions ingénieuses, à un syncrétisme compliqué fondé sur l'anachronisme. Les « genres » sont des phénomènes historiques complexes qui n'existent que dans le système. S'appuyer sur Aristote pour construire une « théorie des genres », c'est faire le postulat de l'existence d'une structure immanente à la littérature, et faire de l'histoire un simple phénomène de surface, qui se réduirait à des variations ou des combinaisons à partir d'archétypes fondamentaux qui, eux, ne changeraient pas. Cet idéalisme anti-historique projette dans le ciel des idées des « types » dont les genres historiques seraient des incarnations. Pour saisir l'erreur de méthode, on peut rapprocher le problème de celui qui se pose en linguistique. Établir une « théorie des genres » (qui n'est pas en réalité une théorie, mais un système classificatoire), c'est un peu comme si on essayait à partir des langues historiques de *recréer* une langue universelle immanente, dont elles seraient les incarnations variées, et qui ne saurait être en réalité qu'une sorte d'esperanto, de langue synthétique artificielle (où l'on reconnaîtrait d'ailleurs la prédominance de la langue de l'inventeur). Que dirait-on d'un sémanticien qui essaierait de construire un « vocabulaire universel », au lieu d'essayer d'établir les lois de fonctionnement des systèmes sémantiques? Qui s'attacherait à des contenus, au lieu d'étudier des *opérations*?

1. Cité par J. Pommier, « L'idée de genre », *Publications de l'École normale supérieure*, section des lettres, II, 1945, p. 77.
2. Northrop Frye, *Anatomy of Criticism*, Princeton University Press, 1957 (traduit en français sous le titre *Anatomie de la critique*, éd. Gallimard, 1969).

T. Todorov a critiqué la pratique de N. Frye et son arbitraire, en montrant qu'elle n'était guère en accord avec les principes de méthode pour la plupart intéressants, qu'il avait posés au début de son ouvrage [1] Mais il n'est pas sûr que certaines approches « poétiques » ne reposen pas, sur ce point, sur des postulats idéalistes et platoniciens équiva lents à ceux de N. Frye. Dans une perspective historique, c'est la catégorie des « types » qui devrait être mise en question. A la suite d'autres auteurs, T. Todorov propose de distinguer les « genres histo riques » des « genres théoriques », qu'il suggère d'appeler « types » pour éviter la confusion. Mais si la confusion existe, ce n'est pas la faute du vocabulaire, qui n'en est que le signe, et changer le mot ne change rien à la chose : le type n'en reste pas moins une projection idéalisée du genre, un fantasme sécurisant analogue à ceux qui ser vent de fondement à l'institution des genres telle que nous la vivons tous dans la pratique, en supposant que les oppositions de fait son la conséquence d'oppositions d'essence. La distinction entre genres théoriques et genres historiques fait penser à la distinction de l'âme et du corps, qu'on est bien en peine de faire communiquer une fois qu'on les a séparés. La jonction est difficile : il faut alors rediviser les genres théoriques en « genres élémentaires » et en « genres com plexes », et supposer que « les genres historiques forment une partie des genres théoriques complexes [2] ». Ces distinctions semblent avoir surtout pour fonction de sauver la catégorie idéaliste du type, mise en question par l'évidence de la variabilité et de la complexité histo rique.

En effet, au niveau de la théorie, on ne voit pas pourquoi il faudrait supposer des catégories fondamentales dont le système d'opposition refléterait, *en plus simple*, le système d'oppositions qui constitue les genres réels; ni pourquoi ces systèmes devraient avoir des formes hiérarchisées fixes, descendant par degrés et divisions de l'idéal au réel. On ne voit même pas pourquoi il devrait y avoir un classement de types. Au niveau d'abstraction où la théorie se situe, on ne saurait trouver :

a) Que des catégories élémentaires, dissociées par l'analyse, et situées dans des domaines multiples, sans aucune hiérarchisation *a priori*, dans la mesure où la pertinence et la hiérarchie des oppositions qui fondent les différents « systèmes des genres » historiques (c'est-à-dire les horizons d'attente) sont éminemment variables et tout aussi

---

1. T. Todorov, *Introduction à la littérature fantastique*, éd. du Seuil, 1970 chap. I, « Les genres littéraires ».
2. T. Todorov, *ibid.*, p. 20.

légitimes. Les domaines auxquels appartiennent ces catégories devraient être pensés comme en nombre indéfini, concernant les aspects les plus divers du mode de communication, des structures internes, et des contenus des œuvres. La réflexion analytique dans tous ces domaines ne saurait déboucher sur des essences, mais simplement sur les lois de fonctionnement au niveau analysé [1]. Aucune catégorie analytique n'est en mesure de rendre compte à elle seule du système des œuvres réelles : et en décidant *a priori* de l'articulation de ces catégories, on ne saurait construire que des maquettes sans pertinence et sans utilité. Les théories des « types » reposent le plus souvent sur le choix d'un domaine privilégié dont les autres dépendent, et sur des catégories en nombre très réduit. La liste des « typologies » cataloguées par T. Todorov met en évidence ce commun défaut [2] : mais ce défaut n'est pas dû à la maladresse des critiques confondant genres et types, il est inhérent à la fausse notion de type.

b) Que des types d'opérations, résultant de l'analyse du fonctionnement du système réel des genres : comment les différents traits sont hiérarchisés dans les genres, et comment les genres d'une époque s'opposent entre eux (étude synchronique); comment les genres se constituent et se modifient, — étude diachronique qui n'a de sens que dans la mesure où elle ne prend pas en considération un genre isolé, mais une partie ou l'ensemble du système, pour analyser les différenciations, les métissages, l'emprunt ou l'apparition de nouveaux traits, leur redistribution dans de nouveaux ensembles autrement hiérarchisés, etc. Les théories « typologiques » sont, elles, incapables non seulement d'expliquer, mais même de décrire la variabilité historique, et elles ne perçoivent les genres réels que comme des dégradations ou des mélanges de quelques rares essences pures, qu'elles ont distillées en laissant s'évaporer les neuf dixièmes du donné historique.

Le travail de la théorie n'est donc pas de construire un classement des genres, mais de découvrir les lois de fonctionnement des systèmes historiques des genres. Je me suis apparemment éloigné de l'autobiographie pour établir cette proposition, qui pourra sembler évidente, mais qui se trouve souvent méconnue dans la pratique. Je me servirai maintenant du cas particulier de l'autobiographie pour montrer, par deux exemples contrastés, les dangers de l'idéalisme théorique, et les ressources possibles d'une analyse relativiste.

Pour illustrer l'idéalisme théorique, j'ai choisi d'examiner ce

---

1. Ces réflexions recoupent celles de Dan Ben-Amos dans « Catégories analytiques et genres populaires », *Poétique*, 1974, nº 19.
2. T. Todorov, article « Genres littéraires », in *Dictionnaire encyclopédique des sciences du langage*, éd. du Seuil, 1972, p. 197-201.

que N. Frye dit de l'autobiographie, à la fois parce que son œuvre a une grande influence dans les pays anglo-saxons, et parce qu'elle est exemplaire [1]. Frye veut à la fois construire une « théorie des genres » cohérente, et rendre compte de tout le réel empirique : il n'évite donc point la difficulté comme le font d'autres typologues, qui choisissent dans le réel ce qui leur convient. Mais l'empirisme de N. Frye ne va pas jusqu'à partir du réel : il essaie seulement de faire entrer le réel, après coup, dans un cadre conceptuel *a priori*. Son analyse est fondée sur les concepts platoniciens (p. 243), aristotéliciens (p. 243-244) et sur les divisions de la rhétorique classique (p. 245). Le réel va être déduit depuis le sommet de la pyramide des essences. Le point de départ de sa théorie est la division trinitaire des anciens entre l'épique, le dramatique et le lyrique : Frye remarque que cette division repose sur le mode originaire de présentation de l'œuvre (conditions de communication entre l'auteur et le public). Cette remarque est très juste en apparence. Mais deux critiques viennent aussitôt à l'esprit : décider que ce facteur est toujours déterminant, c'est préjuger de la complexité des faits et s'enfoncer dans un système de classification botanique qui empêchera de concevoir le système des genres comme un système variable à facteurs multiples, et dont la hiérarchisation peut changer. D'autre part, s'il en est ainsi, le rôle du critique théoricien serait de réfléchir à toutes les variations possibles de la situation de communication, et cela de manière analytique (sans imaginer qu'une situation donnée soit une sorte de bloc ou d'essence inentamable), et inductive, partant de l'analyse du réel. Parmi les variables figureraient un certain nombre de données historiques (à la fois techniques et sociologiques). Au lieu de se livrer à ce travail, N. Frye choisit quatre situations complexes que, du seul fait qu'elles ont eu une prédominance historique, il va traiter comme des essences simples dont tout le reste devrait dépendre. Les quatre genres fondamentaux seraient : l'*épos* (parole adressée à un auditoire), la *fiction* (genre en prose où l'on s'adresse à un lecteur isolé par l'intermédiaire du livre), le *dramatique* (où l'auteur est caché), et le *lyrique* (où le public assiste au discours que le poète adresse ailleurs). Dans la suite de son analyse Frye aura constamment tendance à confondre un trait distinctif d'une situation de communication et certains genres dans lesquels il a eu une situation dominante. Ce qui engendre des difficultés sans fin dont il ne saurait se tirer que par des casuistiques compliquées et des

---

1. Toutes les références renvoient à l'édition américaine de 1957; la traduction française publiée chez Gallimard en 1969 n'étant guère satisfaisante, j'ai moi-même traduit le paragraphe cité plus loin.

généralisations arbitraires. J'en donnerai pour exemple ce qui touche l'autobiographie. Botaniquement, Frye subdivise chacun de ses genres en formes particulières. Pour ce qu'il appelle « fiction », il existerait quatre formes particulières (ni plus, ni moins), qui seraient le roman (« novel »), la confession (« confession »), l'anatomie ou la satire (« anatomy ») et le « romance ». Ces quatre formes se mélangeraient à leur tour pour produire les œuvres réelles. Voyons l'autobiographie (p. 307-308) :

> L'autobiographie est une autre forme qui, par une série de transitions insensibles, rejoint le roman. La plupart des autobiographies sont inspirées par une impulsion créatrice, et par conséquent imaginative, qui pousse l'écrivain à ne retenir, des événements et des expériences de sa vie, que ceux qui peuvent entrer dans la construction d'un modèle structuré. Ce modèle peut être quelque chose qui dépasse l'individu et auquel il a été amené à s'identifier, ou bien simplement la cohérence de son personnage et de ses attitudes. Nous pouvons appeler cette forme très importante de la fiction en prose la confession, d'après saint Augustin, qui semble l'avoir inventée, et d'après Rousseau, qui en a établi le type moderne. Une tradition plus ancienne a donné à la littérature anglaise *Religio Medici*, *Grace Abounding* et l'*Apologie* de Newman, sans compter le genre voisin, mais légèrement différent, de la confession telle qu'elle est pratiquée par les mystiques.

S'agit-il de la définition théorique d'une forme? La forme n'est justement pas définie ici, sinon par un projet, qui n'a au demeurant pas d'universalité (« la plupart »); et à peine envisagée de cette manière floue, cette forme se voit donner le nom d'un genre historique réel, dont les formes sont très variées, et qui comprend bien d'autres traits distinctifs. Par la suite, on ne saura jamais auquel des traits distinctifs du genre renvoie l'emploi du mot « confession » : s'agit-il du pacte autobiographique, du discours du narrateur, du récit rétrospectif à la première personne, de l'emploi d'une focalisation interne, du choix d'un contenu (récit de vie privée ou de vie intérieure), ou d'une attitude (construction d'un modèle structuré)? Quand, dans une œuvre quelconque, N. Frye aperçoit l'un de ces traits, il en tire la conclusion que cette œuvre est un *mélange* de « confession » et de quelque chose d'autre. On apprendra donc que l'essai tel que le pratique Montaigne est une « forme réduite » de la confession; qu'en mélangeant la confession avec le roman, on obtient l'autobiographie imaginaire, le *Künstler-roman* et d'autres types voisins; qu'il n'est pas nécessaire que le sujet de la « confession » soit l'auteur lui-même;

331

que la technique du « courant de conscience » permet de fondre la confession et le roman, etc. Ici encore la confusion de vocabulaire révèle une confusion de méthode. Le mot « confession » ne peut être employé tantôt pour un de ces traits, tantôt pour un autre, de manière à faire apparaître le genre autobiographique comme une essence simple qui entrerait dans différentes combinaisons, alors qu'il n'est lui-même qu'une combinaison parmi bien d'autres. Cette confusion empêche l'analyse d'aller jusqu'au niveau où elle serait efficace, c'est-à-dire au niveau des traits.

La méthode de Frye est irritante et fascinante : irritante parce qu'elle aboutit à un système de classification inutilisable et construit sur une sorte de logique qui appartient moins au domaine de la pensée scientifique qu'à celui de la « pensée sauvage ». Fascinant parce que l'erreur contient une part de vérité : Frye a en effet l'idée très juste d'une combinatoire empirique, mais qu'il applique à partir de catégories faussement abstraites, avec des règles de combinaisons mécaniques (de l'ordre du cocktail), et sans envisager que l'évolution historique du système des genres pourrait être appréhendée à partir d'une telle combinatoire.

Exactement à l'opposé de N. Frye, et remettant en quelque sorte la méthode combinatoire sur ses pieds, se situerait la tentative d'Élisabeth W. Bruss, dans son étude sur « L'autobiographie considérée comme acte littéraire [1] ». É. Bruss se rencontre sur bien des points avec mon étude sur « le pacte autobiographique », mais son étude présente sur le plan théorique des propositions plus générales, et, me semble-t-il, très fécondes. Son originalité est d'avoir articulé les principes des formalistes russes sur l'évolution littéraire, avec les théories modernes de la linguistique de l'acte illocutoire. É. Bruss parvient ainsi, à force d'analyse, à situer dans le développement d'ensemble de la littérature ce que pourrait être l'étude du développement d'un genre.

É. Bruss, à la suite de Tynianov, rappelle la distinction des formes et des fonctions (les formes pouvant avoir des fonctions différentes, et les fonctions se manifestant par des formes différentes), la conséquence étant qu'il n'existe aucune corrélation fixe entre formes et fonctions, mais un système combinatoire historiquement variable. Dans le cas de l'autobiographie, elle montre que la fonction générique (c'est-à-dire le pacte autobiographique) est une variable théoriquement indépendante des aspects formels auxquels elle est souvent pratiquement

1. Élisabeth W. Bruss, « L'autobiographie considérée comme acte littéraire », *Poétique*, 1974, n° 17, p. 14-26.

associée. C'est cette méthode de dissociation systématique des facteurs qui permettra de penser la variabilité. Comme son étude est facilement accessible aux lecteurs français, je ne la résumerai pas ici. Élisabeth W. Bruss établit les différents ordres de « variabilités » qui peuvent affecter un genre, puis montre par des séries d'exemples pris dans l'histoire cette variabilité, amorçant ainsi des méthodes d'étude qui pourraient répondre aux questions que je posais dans la première partie de cette étude.

Poussant son analyse, É. Bruss essaie d'analyser de manière plus fine « les traits fonctionnels distinctifs de l'autobiographie telle que nous la connaissons ». Elle a recours aux méthodes d'analyse qu'emploie Searle pour les actes illocutionnaires (la promesse, la demande, le conseil, l'avertissement, etc. [1]). Elle met en évidence que le pacte autobiographique est lui-même non une essence simple, mais un acte complexe, justiciable d'une analyse, qui, isolant et hiérarchisant toutes les conditions de l'acte, permet, à ce niveau-là aussi, de comprendre la variabilité historique. Elle trouve donc là un modèle de description linguistique qui correspond exactement aux problèmes posés sur un plan plus général par Tynianov :

> Searle suggère sept dimensions différentes, qui cependant se recoupent, susceptibles d'entrer dans la définition d'un acte illocutoire, et l'on peut s'attendre à ce que tout genre soit défini et redéfini de l'une de ces manières [...].
> Le domaine de ce que nous avons appelé le « centre » de l'acte autobiographique (identité de l'élément auteur/narrateur/personnage et l'assomption du caractère vérifiable du sujet traité par le texte) échappe le plus souvent au changement. En fait, ces règles ne forment le « centre » illocutoire que parce qu'il est démontré qu'elles ne sont pas soumises au changement. Cependant, tandis que ces points centraux semblent absolus, il existe des éléments marginaux ou périphériques dans chaque genre (et dans le système global des genres littéraires également) qui sont indistincts, des zones dans lesquelles les distinctions sont inessentielles et où plusieurs types d'activité littéraire se trouvent mélangés. Ce sont dans ces zones mal définies et par rapport à ces critères inessentiels que le changement apparaît.

H. R. Jauss [2] remarquait qu'une théorie des genres portait toujours la marque du terrain sur lequel elle était née. Mes propres théories ou

1. Voir John R. Searle, *Les Actes de langage*, Hermann, coll. « Savoir », 1972, chap. III, « Structure des actes illocutionnaires ».
2. H. R. Jauss, « Littérature médiévale et théorie des genres », *Poétique*, 1970, n° 1, p. 79.

celles d'É. Bruss sur le pacte ou l'acte autobiographique ont naturellement tendance à surestimer le problème du « contrat de lecture », pour moi, et de « l'acte illocutoire » pour E. Bruss, et à placer en seconde position les autres aspects du texte, parce qu'ils n'ont pas ici une fonction dominante. Mais l'autobiographie ne saurait être vraiment étudiée si l'analyse dissociative ne s'attaque en même temps au problème des formes du récit, et à celui des *contenus* [1].

Les exemples contrastés de N. Frye et d'É. Bruss montrent clairement quel est le lieu véritable de la recherche théorique : non point une typologie syncrétique, mais une analyse dissociant systématiquement les facteurs et se donnant pour but d'établir des lois de fonctionnement. Cette méthode analytique, destinée à permettre de penser la littérature comme système dans son évolution historique, a été jusqu'ici définie plus qu'appliquée : la voie a été ouverte par Tynianov, et il semble que pour progresser, ses propositions doivent être retravaillées dans diverses directions : recours à des modèles linguistiques nouveaux (actes illocutoires, théories de la communication); élargissements de perspectives comme celui qu'a apporté H. R. Jauss avec la notion d'horizon d'attente; extension de la réflexion à d'autres arts que la littérature, le problème des genres, des horizons d'attente et de la variabilité se posant aussi, même si c'est dans des termes quelque peu différents, en peinture et en musique. Cette méthode conduira non à l'élaboration hâtive de synthèses, mais au contraire à de minutieuses et analytiques études : celles-ci pourront utiliser avec profit le travail empirique et les observations accumulées par l'histoire littéraire traditionnelle, pour établir peu à peu des modèles de fonctionnement de la littérature comme système.

PROJETS DE RECHERCHE

J'ai voulu montrer ici à quelles tentations se trouve exposée la critique de genre, combien ces tentations étaient elles-mêmes révélatrices du genre comme institution, et comment on devait procéder

---

1. Pour l'analyse du récit, le « Discours du récit » de G. Genette (in *Figures III*, éd. du Seuil, 1972) fournit un bon instrument de travail, qui peut être complété pour les questions temporelles, par *le Temps* de H. Weinrich, éd. du Seuil, 1973.
Pour l'analyse de contenus, un exemple a été fourni par M. J. Chombart de Lauwe dans son étude sur l'image mythique de l'enfant, *Un monde autre, l'enfance*, éd. Payot, 1971. L'auteur étudie ce mythe en classant le contenu des récits d'enfance produits depuis un siècle. Elle traite de la même manière autobiographies et romans qui, selon elle, ne présentent pas de différences notables au point de vue où elle les envisage.

pour mener une réflexion plus réellement historique. Il s'agissait pour moi de faire le point, avant d'entamer de nouvelles recherches.

Les deux projets que j'envisage reposent sur une commune méthode : d'une part, partir non point des textes littéraires ou de leur écriture, mais de leur *réception*, d'autre part, ne pas prendre pour point de départ un genre isolé, mais un domaine beaucoup plus large et dont les limites pourront être remises en question au cours de la recherche. Ils supposent tous deux une collecte d'informations aussi vaste que possible, pour ne pas trop préjuger des objets étudiés : mais ils devraient aboutir, au-delà d'un simple inventaire, à une contribution précise à l'étude théorique du fonctionnement des genres telle que je l'ai présentée ici.

Le premier projet consisterait à étudier la constitution de la « littérature personnelle » en France au XIXe siècle. Cela implique une redistribution partielle de la géographie littéraire, par rapport au découpage adopté par les bibliographies traditionnelles qui suivent soit des contours d'écoles ou de périodes, soit des divisions classiques par genres (roman, poésie, théâtre, histoire, critique, etc.). Mais cette redistribution ne doit pas s'effectuer en adoptant une schématisation rétrospective faite selon nos catégories actuelles, ni en additionnant des monographies de genres particuliers, comme c'est le cas actuellement où le champ n'est recoupé que par des études spécialisées sur le roman personnel, le journal intime et l'autobiographie [1]. Le champ devra être délimité à partir de concepts empruntés à l'époque étudiée. C'est pourquoi j'ai choisi le terme de « littérature personnelle », d'après l'article-pamphlet de F. Brunetière, « La littérature personnelle » (1888), point d'aboutissement d'une polémique qui s'est développée depuis les années 1850, et qui se poursuivra, il est vrai sous des formes différentes, jusqu'à nos jours [2].

L'étude devrait partir du *discours critique* sur les œuvres, tel qu'il se développe dans les journaux et les revues, c'est-à-dire dans la critique d'accueil. Elle analyserait le contenu des discours sur la littérature personnelle et toutes les attitudes de lecture « autobiographique ». Ce serait là réaliser le programme défini par H. R. Jauss

---

1. Sur le journal intime, Alain Girard, *Le Journal intime*, PUF, 1963 ; sur l'autobiographie, mon étude *l'Autobiographie en France*, éd. A. Colin, 1971 ; sur le roman personnel français, aucune étude d'ensemble n'a paru depuis les livres déjà anciens de Joachim Merlant, *Le Roman personnel de Rousseau à Fromentin*, éd. Hachette, 1905, et de Jean Hytier, *Les Romans de l'individu*, Les Arts et le Livre, 1928. Sur d'autres domaines comme les Mémoires, ou la correspondance, au XIXe siècle, il n'existe aucune étude d'ensemble.

2. Ferdinand Brunetière, « La Littérature personnelle » (1888), in *Questions de critique*, éd. Calmann-Lévy, 1897, p. 211-252.

pour suivre l'histoire des genres : étudier « le processus temporel de l'établissement et de la modification continue d'un horizon d'attente [1]» mais en l'étendant, au-delà d'un genre, à tout un secteur de la littérature qui se trouverait ainsi redessiné. On pourrait ainsi regrouper les textes qui ont été lus dans une même perspective (principalement romans, autobiographies, journaux intimes, correspondances, mémoires), et neutraliser l'effet de la « première loi de Lehman » en reconstituant le corpus des textes qui ont été réellement lus et commentés à l'époque.

Valéry disait déjà que c'était non l'auteur, mais le *lecteur*, « dont la formation et les fluctuations constitueraient le vrai sujet de l'histoire de la littérature [2] ». Cette lecture ne peut naturellement s'observer qu'indirectement, dans le discours critique, avec les attentes qu'il manifeste, les classements qu'il utilise et les jugements de valeur qu'il émet. Les lectures critiques n'ont été étudiées jusqu'ici qu'au moyen de coupes diachroniques partielles qui mettaient surtout en lumière les changements d'interprétation des œuvres du passé : soit la transformation de la lecture d'*un* texte ou d'*un* auteur à travers un temps [3], soit les lectures de différentes œuvres du passé faites par *un* critique à un moment donné [4]. Ce qui est proposé ici est différent, et complémentaire : c'est l'étude synchronique de l'un des systèmes de lecture d'une époque donnée.

Cette synchronie devrait naturellement se présenter sous la forme d'une série de coupes synchroniques : de 1830 à 1850, de 1850 à 1880, le système d'attentes s'est transformé. Étendue à l'ensemble de l'époque moderne, une telle étude de la « transformation continue des horizons d'attente » recouperait fatalement nombre d'autres phénomènes : le discours de la subjectivité universelle et de l'intimité tel qu'il a été pratiqué en France depuis le début du XIXe siècle (poésie lyrique et roman intime); la démarche critique de « l'homme et l'œuvre » qui envahit le discours critique et journalistique après 1850, métamorphosant la réception des œuvres du passé et les attentes

1. H. R. Jauss, « Littérature médiévale et théorie des genres », *Poétique*, 1970, n° 1, p. 79.
2. Paul Valéry, *Cahiers*, éd. Gallimard, Bibliothèque de la Pléiade, t. II, 1974, p. 1167.
3. C'est l'objet, par exemple, de la série « Lectures » publiée par Armand Colin dans la collection U2. Deux ouvrages récents inventorient les lectures qui ont été faites de Rousseau : Raymond Trousson, *Rousseau et sa Fortune littéraire*, Bordeaux, éd. Ducros, 1971, et Jean Roussel, *Jean-Jacques Rousseau en France après la Révolution*, éd. A. Colin, 1973.
4. Par exemple Roger Fayolle, *Sainte-Beuve et le Dix-Huitième Siècle*, éd. A. Colin, 1972.

ouchant les œuvres nouvelles; la passion de la sincérité de la fin du
xıxᵉ siècle aux années 1930; le développement des mœurs journalis-
iques et des stratégies « personnalisantes » des éditeurs; mais aussi
es métamorphoses de la curiosité historique et documentaire du grand
ublic (extension de la littérature de témoignage et de document bien
u-delà du domaine de l'histoire et de la politique *stricto sensu*).

Ces perspectives m'amènent à évoquer le second projet, qui consis-
erait à étudier la structure actuelle de nos horizons d'attente. Depuis
972, à partir des annonces bibliographiques publiées par *le Monde
des livres, la Quinzaine littéraire* et le *Bulletin du livre*, j'ai constitué
ın fichier de tous les livres publiés en France qui reposent, de près ou
le loin, sur une forme quelconque de pacte autobiographique :
némoires, autobiographies, souvenirs d'enfance, journaux intimes,
:orrespondances, « documents vécus », témoignages, entretiens, essais,
amphlets, et aussi, si l'on en croit les classements bibliographiques,
ertains romans et livres d'histoire. Si vaste soit-il, cet inventaire est
ıncore limité, puisqu'il ne faut pas perdre de vue les autres horizons
l'attente par rapport auxquels celui-ci se trouve situé à la fois par des
ppositions et des recoupements : le domaine de la fiction, et celui
le l'information et du discours scientifique. A l'inventaire lui-même
loit s'ajouter l'étude du discours critique provoqué par ces livres.

En rassemblant un corpus si hétéroclite, mon intention n'est pas
le consolider ou de forger un « genre », mais au contraire de procéder
ı une étude analytique des facteurs de classements (pacte, forme et
:ontenu), en les dissociant systématiquement pour voir ensuite
:omment ils se combinent et se hiérarchisent. Bien évidemment, étant
lonné la multiplicité des traits, un même texte est susceptible d'être
»erçu comme appartenant à des genres différents, et les corpus partiels
que l'on peut être tenté de rassembler ont des contours flous et se
:hevauchent. Ces phénomènes sont difficilement analysables à partir
le vues « substantialistes » des genres, en revanche ils s'éclairent si
'on analyse les traits distinctifs et que l'on voit qu'ils sont hiérarchisés
ın fonction de *dominantes* variables.

Le pacte autobiographique, qui a servi d'indice pour choisir les
extes, ne devra pas être lui-même envisagé comme un bloc, ce qui
erait revenir à l'illusion, mais dissocié en ses différentes composantes
identité, ressemblance), et articulé à la faveur de ces dissociations
ıvec, d'un côté, les formes du pacte référentiel, et, de l'autre, avec
:elles du pacte romanesque. Le pacte autobiographique n'a pas la
nême fonction dans tous les textes : dans certains cas, il se trouve en
»osition *dominante*, et c'est autour de lui que le texte se constitue;
lans d'autres cas, il correspond à une spécification secondaire par

rapport à une attente différente (attente d'information sur un sujet par exemple). D'autre part, la dissociation de l'identité et de la ressemblance produit des formes intermédiaires ou mixtes de pacte, pactes « fantasmatiques » ou indirects, volontiers pratiqués par les auteurs, encouragés par les éditeurs (parce qu'ils combinent deux motivations de lecture) et accueillis avec faveur par la critique qui trouve la justification d'un de ses « topos » préférés[1].

L'analyse du pacte doit aussi prendre en considération une série d'autres facteurs liés au contexte de production et de publication des textes :

— la notoriété (ou l'absence de notoriété) antérieure de l'auteur et le domaine dans laquelle elle se situe : l'attente et le mode de lecture en dépendent;

— le mode de production du texte publié, problème qui se pose depuis quelques années avec le développement intensif de l'autobiographie « orale », qui a pu modifier les conditions de communication et les formes du texte[2];

1. Pour cerner ce « topos », j'ai procédé à l'analyse d'un corpus critique assez réduit (six numéros du *Monde des livres*, du 16 août au 27 septembre 1973, au moment de la « rentrée romanesque »), mais qui présentait déjà un nombre impressionnant de variations sur ce thème unique, que le livre qu'on présente est plus ou moins directement une autobiographie de son auteur. Il est vrai que la plupart des prières d'insérer lancent déjà le critique dans cette direction. Mais le topos peut s'appliquer même à des romans où rien ne prête à une telle attitude de lecture. Dans mon corpus les deux exemples extrêmes étaient les romans de Jarry, présenté comme une autobiographie « singulièrement subvertie : rêvée plutôt que vécue » (alors que c'est sans doute plutôt le pacte romanesque qui est ici subverti par le lecteur), et un livre d'utopie, *Naissance d'une île*, de François Clément, « qui met tant de soins et d'amour à nous conter cette aventure qu'on la croirait autobiographique! ».

2. Dans les années 1950, l'autobiographie orale s'est développée à partir de situation orales réelles, celles des entretiens destinées à la radio : la transcription de l'oral à l'écrit était alors un phénomène secondaire. Ce qui caractérise le développement intensif de l'autobiographie orale ces dernières années, c'est au contraire que le processus oral est déclenché dès l'origine *pour produire un livre;* le public n'aura jamais été ni témoin, ni garant de l'oralité initiale, et ne saura pas toujours très bien comment a été fabriqué le texte qu'il lit. L' « autobiographie au magnétophone » mériterait une étude spéciale, mettant en lumière les variations qu'elle peut apporter au genre : — dans le registre du témoignage, donner la parole à tou ceux qui n'ont pas la maîtrise de l'écriture, et qui n'auraient jamais pu se faire publier (exemple : *Louis Lengrand, mineur du Nord*, éd. du Seuil, 1974); dans le registre littéraire, tenter de substituer au style écrit l'expressivité de la *voix* (exemples : Françoise Giroud, *Si je mens...*, éd. Stock, 1972; ou Romain Gary, *La Nuit sera calme*, éd. Gallimard, 1974, dont le style serait à comparer à celui de *la Promesse de l'aube*, 1960); — sur le plan technique, mettre en évidence la présence de la demande du public sous la forme du questionnaire qui d'implicite devient explicite, par le truchement de l'interlocuteur.

— les « conventions collectives » passées entre auteurs et lecteurs par l'intermédiaire des éditeurs, dont le jeu de *collections* commande à la fois la production et la lecture des textes [1].

Je n'évoque ici sommairement que les distinctions et les dissociations nécessaires à l'analyse du pacte : la même méthode devra être employée pour les problèmes de forme et de contenu.

La géographie analytique de nos horizons d'attente ainsi constituée devrait permettre de mieux saisir le mouvement de l'histoire : sur le plan théorique, en montrant qu'il s'agit d'un système complexe et instable, où les possibilités de mutations sont nombreuses, quels que soient les invariants qui se maintiennent sur longue période; sur le plan pratique, en prouvant, s'il en est besoin, que les attentes d'un lecteur de 1974 ne sont pas les mêmes que celles d'un lecteur de 1874, et n'ont qu'un rapport lointain avec celles du lecteur de 1774, truisme qui se trouve oublié lorsqu'on traite le corpus des autobiographies modernes comme une vaste synchronie s'étalant sur deux siècles.

A dire vrai, il n'est même pas sûr que ces attentes ne se soient pas substantiellement modifiées au cours des vingt dernières années : l'étude faite sur les années 1972-1974 devrait sans doute être appuyée sur des sondages parallèles faits par exemple sur les années 1952-1954. Il est très frappant que l'essentiel de la littérature critique sur le genre autobiographique ait été écrit dans ces vingt dernières années, à partir de l'étude fondamentale de Georges Gusdorf (1956). Et sans doute sommes-nous actuellement en train d'assister ou de participer plus ou moins à un procès de *canonisation* de l'autobiographie.

HISTOIRE LITTÉRAIRE ET HISTOIRE

Une dernière question reste à poser : celle des rapports de l'histoire littéraire telle que je l'ai présentée ici, et de l'histoire en général.

1. Grâce à la « collection », l'éditeur s'assure un public d'acheteurs-lecteurs, auxquels il garantit la conformité du produit à un certain « cahier des charges », et dont il exploite ou suscite les attitudes de lecture. La collection incite d'autre part les auteurs à répondre à des formes de demande traditionnelle ou nouvelle. La production autobiographique actuelle ne saurait être étudiée en dehors de ces contrats collectifs, qui touchent d'ailleurs des publics différents : les mémoires politiques ou militaires dans les collections de Plon, de Fayard, et d'autres éditeurs; les collections de témoignages (« Témoins », chez Gallimard; « Témoigner », chez Stock; « Témoignages », chez Mâme, etc.); la mythologie du « Vécu », en particulier chez Laffont; les confessions ou professions de foi suscitées en séries (« Idée fixe », chez Julliard; « Ce que je crois », chez Grasset); les autobiographies au magnétophone de journalistes (« Les grands journalistes », chez Stock) ou d'hommes politiques, etc.

Dans notre cas particulier, on peut penser que cela revient à se demander quel rapport existe entre le phénomène autobiographique et la civilisation occidentale moderne dans lequel il s'est développé. Posé ainsi, le problème ne peut recevoir que des réponses sommaires, qui refléteront surtout les débats et les oppositions idéologiques actuels.

Sur un point, tout le monde est à peu près d'accord : il existe une corrélation entre le développement de la littérature autobiographique et la montée d'une nouvelle classe dominante, la bourgeoisie, de la même manière que le genre littéraire des mémoires a été intimement lié à l'évolution du système féodal. A travers la littérature autobiographique se manifestent la conception de la personne et l'individualisme propres à nos sociétés : on ne trouverait rien de semblable ni dans les sociétés anciennes, ni dans les sociétés dites « primitives », ni même dans d'autres sociétés contemporaines des nôtres, comme la société chinoise communiste, où l'on cherche justement à éviter que l'individu n'envisage sa vie personnelle comme une propriété privée susceptible de devenir valeur d'échange.

Une fois cette corrélation sommaire établie, commencent les débats idéologiques et les incertitudes de méthode. La plupart des critiques qui se consacrent aux genres autobiographiques participent à l'idéologie de notre société et adoptent une attitude favorable au phénomène autobiographique, auquel ils peuvent prendre un intérêt personnel. C'est le cas de G. Misch, qui cherche à tracer les origines lointaines de cette éclosion de la personne humaine, ou le mien lorsque je déclare, en prenant une distance admirative, que l'autobiographie est « l'un des aspects les plus fascinants d'un des grands mythes de la civilisation occidentale moderne, le mythe du MOI [1] ». En sens inverse peuvent venir des condamnations de critiques marxistes qui, se situant déjà au-delà des bornes de cette civilisation, ne sont plus sensibles aux chants des sirènes individualistes, ni au charme discret de la littérature : « La biographie et l'autobiographie sont en effet dans l'idéologie bourgeoise des formes générales de la représentation, constituant l'image de l'homme couplée avec celle de la société », constate Renée Balibar dans son étude sur les modèles scolaires du récit d'enfance [2]. Les attitudes de glorification ou de rejet renseignent plus sur la position de leurs auteurs que sur le phénomène étudié.

Reste à savoir comment une étude historique pourrait envisager cette corrélation. Ne risque-t-on pas d'aboutir à des vues simplifiées, ou même simplistes, en cherchant à établir des relations directes entre

1. *L'Autobiographie en France*, éd. A. Colin, 1971, p. 105.
2. Renée Balibar, *Les Français fictifs*, éd. Hachette, 1974, p. 178.

« l'autobiographie », prise comme un tout, et la « bourgeoisie », conçue comme un être cohérent et stable? Bien évidemment la bourgeoisie ne s'est trouvée dans la même situation, ni dans les différents pays, ni aux différentes phases de son développement; son idéologie a évolué et renferme de nombreuses contradictions. D'autre part les phénomènes idéologiques ont une relative indépendance par rapport aux conditions économiques et sociales.

Mais le problème est peut-être mal posé. D'abord, il n'est sans doute pas possible d'établir une relation entre un genre particulier, et la société, en faisant abstraction du système littéraire pris dans son ensemble : c'est au niveau de ce système qu'une réflexion sur ses conditions de possibilité et sur sa fonction sociale pourra se développer. D'autre part, la littérature ne doit pas être pensée comme un ensemble autonome, que l'on étudierait en lui-même et que l'on essaierait de relier après coup aux autres séries sociales et à la société dans son ensemble : son indépendance n'est que très relative, et elle est d'abord un système social elle-même.

Aussi importe-t-il d'étudier le système littéraire dans son fonctionnement, y compris, comme le proposent E. Balibar et P. Macherey, dans ses déterminations scolaires et linguistiques, et dans ses effets idéologiques [1]. Sans doute l'étude des horizons d'attente est-elle dans cette perspective le centre de gravité de l'histoire littéraire, parce qu'elle intègre toutes les analyses de forme et de contenu, mais en évitant les pièges de l'idéalisme intemporel, et que, sans tomber dans le sociologisme, elle permet de mettre en évidence la dimension sociale du phénomène littéraire.

1. Étienne Balibar et Pierre Macherey, « Présentation » de l'ouvrage de Renée Balibar, *les Français fictifs* (cf. note 2, p. 340). Une partie de cette présentation a été publiée dans le n° 13 de *Littérature*, février 1974, sous le titre « Sur la littérature comme forme idéologique. Quelques hypothèses marxistes ».

Bibliographie

Cette bibliographie porte sur les problèmes généraux de l'autobiographie. Elle ne mentionne qu'exceptionnellement des études
sur un auteur ou sur un texte particulier. Suivant les principes
posés ci-dessus dans « Autobiographie et histoire littéraire », le
champ couvert est aussi large que possible :
— études sur l'autobiographie, mais aussi sur les genres voisins
(mémoires, journal intime, récits de rêves, roman personnel, biographie);
— études portant sur le domaine français et sur les différents
domaines étrangers;
— études de méthodes utiles à l'exploration du genre (poétique,
histoire littéraire, psychologie et psychanalyse).
Pour faciliter la consultation, un index a été placé à la fin de la
bibliographie.

(1) Aichinger (Ingrid), « Probleme der Autobiographie als Sprach-kunstwerk », *Österreich in Geschichte und Literatur*, Wien, XIV, 1970, p. 418-434.

(2) Alexandrian (Sarane), *Le Surréalisme et le Rêve*, éd. Gallimard, 1974, 505 p.

(3) « L'Analyse structurale du récit », *Communications*, n⁰ 8, 1966.

(4) André (Louis) et Bourgeois (Émile), *Les Sources de l'Histoire de France, XVIIᵉ siècle, (1600-1715)*, t. II, « Mémoires et Lettres », éd. A. Picard, 1913, 411 p.

(5) André (Louis), *Les Sources de l'Histoire de France, XVIIᵉ siècle (1600-1715)*, t. VI, « Histoire maritime et coloniale », « Histoire religieuse », éd. A. Picard, 1932, 462 p.

(6) Anzieu (Didier), *L'Auto-analyse de Freud et la découverte de la psychanalyse*, nouvelle édition, PUF, 1975, 2 vol., 472 et 400 p.

(7) Ariès (Philippe), *L'Enfant et la Vie familiale sous l'ancien régime*, nouvelle édition, éd. du Seuil, 1973, 503 p.

(8) « Autobiografia », in *Enciclopedia di scienze, lettere ed arti*, 1949, t. V, p. 539-540 (domaine italien).

(9) « L'Autobiographie », *Revue d'histoire littéraire de la France*, 1975, n⁰ 6.

(10) « Autobiography », in *Encyclopedia Britannica*, vol. II, 1969, p. 854-856.

(11) (Autobiography), *Genre*, VI, n⁰ 1 et 2, mars et juin 1973 (deux numéros consacrés à l'autobiographie, sous la direction de Christie Vance).

(12) Axthelm (Peter M.), *The Modern Confessional Novel*, New Haven et Londres, Yale University Press, 1967, 189 p.

(13) Balibar (Étienne) et Macherey (Pierre), « Sur la littérature comme forme idéologique. Quelques hypothèses marxistes », *Littérature*, n⁰ 13, 1974, p. 29-48.

(14) Balibar (Renée), *Les Français fictifs*, éd. Hachette, 1974, 295 p. (p. 169-190).

(15) Barthes (Roland), « Introduction à l'analyse structurale des récits », *Communications*, n⁰ 8, 1966.

(16) Benveniste (Émile), *Problèmes de linguistique générale*, éd. Gallimard, 1966, 356 p. (section V, « L'homme dans la langue »).

(17) Benveniste (Émile), « L'appareil formel de l'énonciation », in *Problèmes de linguistique générale*, t. II, éd. Gallimard, 1974, p. 79-88.

(18) Beyer-Fröhlich (M.), *Die Entwicklung der deutschen Selbstzeugnisse*, Leipzig, P. Reclam jun., 1930, 276 p.

(19) Blanchot (Maurice), « Rêver, Écrire », in *l'Amitié*, éd. Gallimard, 1971, p. 162-170.

(20) Blin (Georges), *Stendhal et les Problèmes du roman*, éd. J. Corti, 1954, 340 p.

(21) Blin (Georges), *Stendhal et les Problèmes de la personnalité*, éd. J. Corti, 1958, II-596 p.

(22) Bode (Ingrid), *Die Autobiographien zur deutschen Literatur, Kunst und Musik, 1900-1965, Bibliographie und Nachweise der Persönlichen begegnungen und Charakteristiken*, Stuttgart, J. B. Metzlersche Verlagbuchhandlung, 1966, 308 p.

(23) Boerner (Peter), *Tagebuch*, Stuttgart, J. Metzler, 1969, VI-90 p.

(24) Booth (Wayne C.), *Rhetoric of fiction*, Chicago and London, The University of Chicago Press, 1961, 455 p.

(25) Booth (Wayne C.), « Distance et point de vue. Essai de classification », *Poétique*, n⁰ 4, 1970, p. 511-524.

(26) Borel (Jacques), « Problèmes de l'autobiographie », in *Positions et Oppositions sur le roman contemporain*, Actes du colloque de Strasbourg, Klincksieck, 1971, 254 p. (p. 79-90).

(27) Bottral (Margaret), *Every Man a Phoenix, Studies in Seventeenth Century Autobiography*, Londres, J. Murray, 1958, VI-174 p.

(28) Bourgeois (René), « La signification du premier souvenir », *Actes du colloque sur l'autobiographie organisé par le Centre stendhalien de l'Université de langues et lettres de Grenoble* (1974), Presses Universitaires de Grenoble, à paraître.

(29) Bousquet (Jacques), *Les Thèmes du rêve dans la littérature romantique, (France, Angleterre, Allemagne), essai sur la naissance et l'évolution des images*, éd. Didier, 1964, 656 p.

(30) Bray (Bernard), « L'Epistolier et son public en France au XVIIᵉ siècle », *Travaux de linguistique et de littérature*, publiés par le Centre de philologie et de littérature romanes de l'Université de Strasbourg, XI, n⁰ 2, 1973, p. 7-17.

(31) Brémond (Henri), *Histoire littéraire du sentiment religieux en France depuis la fin des guerres de religion jusqu'à nos jours*, nouvelle édition, éd. A. Colin, 1967-1968, 11 volumes.

(32) Brignano (R. G.), *Black Americans in Autobiography, a Bibliography*, Duke University Press, 1974.

(33) Bruss (Élisabeth W.), « L'autobiographie considérée comme acte littéraire », *Poétique*, n⁰ 17, 1974, p. 14-26.

(34) Butler (Richard), *The Difficult Art of Autobiography*, Oxford, Clarendon Press, 1968, 26 p.

346

(35) Butor (Michel), *Essais sur le roman*, éd. Gallimard, coll. « Idées », 1969, 191 p.

(36) Calvet (Jean), *L'Enfant dans la littérature française*, F. Lanore, 1947, 2 vol., 213 et 230 p.

(37) Carlock (Mary Sue), « Writings about the Autobiography : a selective Bibliography », *Bulletin of Bibliography and Magazine Notes*, XXVI, n° 1, 1969, p. 1-2.

(38) Chombart de Lauwe (Marie-José), *Un monde autre, l'enfance*, éd. Payot, 1971, 445 p.

(39) Chorus (Alphonsus Maria Josephus), *Vormen van zelfkennis in de autobiografie*, Den Haag, H. P. Leopold, 1966, 216 p.

(40) Clément (Catherine B.), et Pingaud (Bernard), « Roman — Analyse », *Revue française de psychanalyse*, XXXVIII, janvier 1974, p. 5-24.

(41) Coirault (Yves), « Autobiographie et mémoires (xviie-xviiie siècles) : ou existence et naissance de l'autobiographie », *Revue d'histoire littéraire de la France*, 1975, n° 6.

(42) Coulet (Henri), *Le Roman jusqu'à la Révolution*, éd. A. Colin, coll. « U », 1967-1968, 2 vol., 560 et 288 p.

(43) Courcelle (Pierre), *Les Confessions de saint Augustin dans la tradition littéraire, antécédents et postérité*, Études augustiniennes, 1963, 746 p.

(44) Cox (James M.), « Autobiography and America », in *Aspects of Narrative*, ed. by J. H. Miller, New York, Columbia University Press, 1971, p. 143-172.

(45) Dejeux (Jean), « Littérature maghrébine d'expression française. Le regard sur soi-même : qui suis-je? », *Présence francophone*, n° 4, printemps 1972, p. 57-77.

(46) Delany (Paul), *British Autobiography in the Seventeenth Century*, Londres, Routledge and Kegan Paul, 1969, 198 p.

(46a) Démoris (René), *Le Roman à la première personne. Du Classicisme aux Lumières*, éd. A. Colin, 1975, 501 p.

(47) De Torre (Guillermo), « Memorias, autobiografias y epistolarios », in *Doctrina y estilistica literaria*, Madrid, Guadarrama, 1970, p. 595-614.

(48) Duchêne (Roger), *Madame de Sévigné et la Lettre d'amour*, éd. Bordas, 1970, 417 p.

(49) Duchêne (Roger), « Réalité vécue et réussite littéraire : le statut particulier de la lettre », *Revue d'histoire littéraire de la France*, 1971, n° 2, p. 177-194.

(50) Ducrot (Oswald) et Todorov (Tzvetan), *Dictionnaire encyclopédique des sciences du langage*, éd. du Seuil, 1972, 470 p.

(51) Dupuy (Aimé), *Un personnage nouveau du roman français : l'enfant*, éd. Hachette, 1931, 422 p.

(52) Durandin (Guy), *Les Fondements du mensonge*, éd. Flammarion, 1972, 451 p.

(53) Ebner (Dean), *Autobiography in the Seventeenth Century England. Theology and the Self*, La Haye, éd. Mouton, 1971, 168 p.

(54) Escarpit (Robert) et alii, *Le Littéraire et le Social. Éléments pour une sociologie de la littérature*, éd. Flammarion, 1970, 315 p.

(55) « L'Espace du rêve », *Nouvelle Revue de psychanalyse*, nº 5, printemps 1972.

(56) *Formen der Selbstdarstellung. Festgabe für Fritz Neubert*, Berlin, Duncker und Humblot, 1956, 496 p.

(57) Fowler (Alastair), « The life and death of literary forms », *New Literary History*, II, nº 2, Hiver 1971, p. 199-216.

(58) Freud (Sigmund), *Cinq Psychanalyses*, PUF, 1971, 422 p.

(59) Freud (Sigmund), *Essais de psychanalyse appliquée*, éd. Gallimard, coll. « Idées », 1971, 251 p.

(60) Freud (Sigmund), *L'Interprétation des rêves*, PUF, 1967, 573 p.

(61) Freud (Sigmund), *Psychopathologie de la vie quotidienne*, éd. Payot, « Petite Bibliothèque Payot », 1967, 297 p.

(62) Freud (Sigmund), *La Technique psychanalytique*, PUF, 1972, 141 p.

(63) Freud (Sigmund), *Trois Essais sur la théorie de la sexualité*, éd. Gallimard, coll. « Idées », 1968, 190 p.

(64) Friedrich (Hugo), *Montaigne*, éd. Gallimard, 1966, 443 p.

(65) Fumaroli (Marc), « Les Mémoires du XVIIᵉ siècle au carrefour des genres en prose », *XVIIᵉ Siècle*, 1972, nº 94-95, p. 7-37.

(66) Genette (Gérard), *Figures III*, éd. du Seuil, coll. « Poétique », 1972, 286 p.

(67) Girard (Alain), *Le Journal intime*, PUF, 1963, XIV-638 p.

(68) Godenne (René), « Les débuts de la nouvelle narrée à la première personne (1645-1800) », *Romanische Forschungen*, LXXXII, nº 3, 1970, p. 253-267.

(69) Goldberg (Jonathan), « Cellini's 'Vita' and the Conventions of Early Autobiography », *Modern Language Notes*, LXXXIX, nº 1, 1974, p. 71-83.

(70) Gusdorf (Georges), « Conditions et limites de l'autobiographie », in *Formen der Selbstdarstellung. Festgabe für Fritz Neubert*, Berlin, Duncker und Humblot, 1956, p. 105-123.

(71) Gusdorf (Georges), *La Découverte de soi*, PUF, 1948, VIII-515 p.

(72) Gusdorf (Georges), *Mémoire et Personne*, PUF, 1950, 2 vol., 563 p.

(73) Gusdorf (Georges), « De l'autobiographie initiatique à l'autobiographie genre littéraire », *Revue d'histoire littéraire de la France*, 1975, nº 6.

(74) Halbwachs (Maurice), *Les Cadres sociaux de la mémoire*, Alcan, 1925, XII-404 p.

(75) Hart (Francis R.), « Notes for an Anatomy of Modern Autobiography », *New Literary History*, I, nº 3, Printemps 1970, p. 485-511.

(76) Hocke (Gustav René), *Das europäische Tagebuch. Porträt eines Erdsteil*, Wiesbaden, Limes Verlag, 1964, 1136 p.

7) Hoek (L. H.), « Pour une sémiotique du titre », *Documents de travail*, Centro Internazionale di Semiotica e di Linguistica, Univ. di Urbino, n° 20-21, janvier-février 1973, p. 1-52.

8) Hoggart (Richard), « A question of tone. Problems in autobiographical writings », in *Speaking to Each Other*, Londres, Chatto and Windus, 1970, t. II, p. 174-200.

9) Holland (Norman N.), *The Dynamics of Literary Response*, New York, Oxford University Press, 1968, XVIII-378 p.

0) Howarth (William L.), « Some Principles of Autobiography », *New Literary History*, V, n° 2, Hiver 1974, p. 363-381.

1) Hytier (Jean), *Les Romans de l'individu. Constant, Stendhal, Sainte-Beuve, Mérimée, Fromentin*, Les Arts et le Livre, 1928, 338 p.

2) Jauss (Hans Robert), « Literary History as a Challenge to Literary Theory », *New Literary History*, II, n° 1, Automne 1970, p. 7-37.

3) Jauss (Hans Robert), « Littérature médiévale et théorie des genres », *Poétique*, n° 1, 1970, p. 79-101.

4) « Le Journal intime », *Cahiers de l'Association internationale des études françaises*, n° 17, mars 1965.

5) Kaplan (Louis), *A Bibliography of American Autobiographies*, Madison, University of Wisconsin Press, 1962, XII-372 p.

6) Kazin (Alfred), « Autobiography as narrative », *Michigan Quaterly Review*, III, 1964, p. 210-216.

7) Kendall (Paul Murray), *The Art of Biography*, Londres, George Allen and Unwin, 1965, XIV-159 p.

8) Klaiber (T.), *Die Deutsche Selbstbiographie*, Stuttgart, 1921, VIII-358 p.

9) Labertit (André), « La Vida de Lazarillo de Tormes », in S. Saillard et al., *Introduction à l'étude critique. Textes espagnols*, éd. A. Colin, coll. « U2 », 1972, p. 145-181 (explication du « Prologue » de la *Vida*).

90) Lacan (Jacques), *Écrits*, éd. du Seuil, 1966, 912 p.

91) Laplanche (J.) et Pontalis (J.-B.), *Vocabulaire de la psychanalyse*, PUF, 1971, 525 p.

92) Lecarme (Jacques), « L'autobiographie », in *la Littérature en France depuis 1945*, par J. Bersani, M. Autrant, J. Lecarme et B. Vercier, Bordas, 1974, p. 311-323 et p. 871-876.

93) Lecercle (Jean-Louis), *Rousseau et l'Art du roman*, éd. A. Colin, 1969, 483 p.

94) Lehmann (Paul), « Autobiographies in the middle ages », *Transactions of the Royal Historical Society*, fifth series, III, 1953, p. 42-52.

95) Lehtonen (Maija), « Les Avatars du moi. Réflexions sur la technique de trois romans du XIXe siècle rédigés à la première personne : *Volupté* de Sainte-Beuve, *le Lys dans la vallée* de Balzac, et *la Confession d'un enfant du siècle*, de Musset », *Neuphilologische Mitteilungen*, 1973, n° 3 (p. 387-411), n° 4 (p. 746-759), et 1974, n° 1 (p. 164-178).

96) Lejeune (Philippe), *L'Autobiographie en France*, éd. A. Colin, coll. « U2 », 1971, 272 p.

(97) Lejeune (Philippe), *Exercices d'ambiguïté, lectures de 'Si le grain ne meurt'*, éd. Lettres Modernes, 1974, 108 p.

(98) Lejeune (Philippe), « Le dangereux supplément, lecture d'un aveu de Rousseau », *Annales*, 1974, nº 4, p. 1009-1022.

(99) Lejeune (Philippe), *Lire Leiris, autobiographie et langage*, Klincksieck, 1975, 192 p.

(100) Lejeune (Philippe), « Stendhal et les problèmes de l'autobiographie », *Actes du colloque sur l'autobiographie organisé par le Centre stendhalien de l'université de langues et lettres de Grenoble (1974)*, Presses Universitaires de Grenoble, à paraître.

(101) Leleu (Michèle), *Les Journaux intimes*, PUF, 1952, XII-355 p.

(102) Lillard (Richard G.), *American Life in Autobiography, a Descriptive Guide*, Stanford, Stanford University Press, 1956, VI-140 p.

(103) Lips (Marguerite), *Le Style indirect libre*, éd. Payot, 1926, 240 p.

(104) Lobet (Marcel), *Écrivains en aveu, essai sur la confession en aveu*, Bruxelles, Brepols, 1962, 206 p.

(105) Lobet (Marcel), *La Ceinture de feuillage, essai sur la confession déguisée*, Bruxelles, La Renaissance du livre, 1966, 214 p.

(106) Mandel (Barrett John), « The Autobiographer's Art », *The Journal of Aesthetics and Art Criticism*, XXVI, 1968-1969, p. 215-226.

(107) Matthews (William), *American Diaries, an annotated Bibliography of American Diaries written prior to the year 1861*, Berkeley, University of California Press, 1945, 383 p.

(108) Matthews (William), *British Autobiographies, an Annotated Bibliography of British Autobiographies Published or Written before 1951*, Berkeley, University of California Press, 1955, XIV-375 p.

(109) Matthews (William), *British Diaries, an Annotated Bibliography of British Diaries Written between 1442 and 1942*, Berkeley, University of California Press, 1950, XXXIV-339 p.

(110) Matthews (William), *Canadian Diaries and Autobiographies*, Berkeley, University of California Press, 1950.

(111) Masciotta (M.), *Portraits d'artistes par eux-mêmes (XIVe-XXe siècles)*, Milano, Electra Editrice, 1955, 319 p.

(112) Maurois (André), *Aspects de la biographie*, éd. Grasset, 1930, 263 p.

(113) Mauss (Marcel), « Une catégorie de l'esprit humain : la notion de personne, celle de 'moi' », in *Sociologie et Anthropologie*, PUF, 1960, p. 331-362.

(114) May (Georges), *Le Dilemme du roman au XVIIIe siècle*, PUF, 1963, 295 p.

(115) Mehlman (Jeffrey), *A Structural Study of Autobiography : Proust, Leiris, Sartre, Lévi-Strauss*, Cornell University Press, 1974, 246 p.

(116) « Mémoires et création littéraire », *XVIIe Siècle*, nº 94-95, 1972.

(117) « Memorialismo », in *Dicionario di Literatura*, sous la direction de Jacinto de Prado Coelho, Livraria Fingueirinhas, Porto, 1969, t. I, p. 624-628 (domaines portugais et brésilien).

(118) Merlant (Joachim), *Le Roman personnel de Rousseau à Fromentin*, éd. Hachette, 1905, xxxv-426 p.

(119) Misch (Georg), *Geschichte der Autobiographie*, Frankfurt am Main, Schulte und Bulmke, 1949-1969, 8 vol.

(120) Misch (Georg), *A History of Autobiography in Antiquity*, Londres, Routledge and Kegan Paul, 1950, 2 vol. (traduction du début de l'ouvrage ci-dessus).

(121) Monglond (André), « Confessions et lyrisme intérieur », in *Le Préromantisme français*, éd. José Corti, 1966, t. II, p. 241-312.

(122) Morris (John N.), *Versions of the Self. Studies in English Autobiography from John Bunyan to John Stuart Mill*, New York, Basic Books, 1966, ix-242 p.

(123) Mylne (Vivienne), *The Eighteenth Century French Novel, Techniques of Illusion*, Manchester, Manchester University Press, 1965, viii-280 p.

(124) Nadeau (Maurice), *Michel Leiris et la Quadrature du cercle*, éd. Julliard, coll. « Dossiers des lettres nouvelles », 1963, 131 p.

(125) Neumann (Bernd), *Identität und Rollenzwang. Zur Theorie der Autobiographie*, Frankfurt am Main, Athenäum Verlag, 1970, 200 p.

(126) Olney (James), *Metaphors of Self : the Meaning of Autobiography*, Princeton, Princeton University Press, 1972, xi-312 p.

(127) Orlando (Francesco), *Infanzia, memoria e storia da Rousseau ai romantici*, Padova, Liviana Editrice, 1966.

(128) Pariente (Jean-Claude), *Le Langage et l'Individuel*, éd. A. Colin, 1973, 224 p.

(129) Pascal (Roy), « The Autobiographical Novel and the Autobiography », *Essays in Criticism*, IX, avril 1959, p. 134-150.

(130) Pascal (Roy), *Design and Truth in Autobiography*, Cambridge, Harvard University Press, 1960, x-202 p.

(131) Peyre (Henri), *Literature and Sincerity*, New Haven and London, Yale University Press, 1963, xii-362 p.

(132) Pingaud (Bernard), « L'écriture et la cure », *Nouvelle Revue française*, octobre 1970, p. 143-163.

(133) Pommier (Jean), « L'idée de genre », *Publications de l'École normale supérieure*, section des lettres, 2, 1945, p. 47-81.

(133a) Pope (Randolf), *La Autobiografía española hasta Torrès Villaroel*, Berne et Francfort, Lang, 1974, 301 p.

(134) Porter (Roger J.), et Wolf (H. R.), *The Voice Within, Reading and Writing Autobiography*, New York, Alfred A. Knopf, 1973, xiii-304 p.

(135) Pouillon (Jean), *Temps et Roman*, éd. Gallimard, 1946, 281 p.

(136) Prieto (Adolfo), *La Literatura autobiografica argentina*, Buenos Aires, J. Alvarez, 1966, 199 p.

(137) Prince (Gerald), « Introduction à l'étude du narrataire », *Poétique*, n° 14, 1973, p. 178-196.

(138) Raimond (Michel), *La Crise du roman. Des lendemains du naturalisme aux années vingt*, éd. José Corti, 1967, 539 p.

(139) Raimond (Michel), *Le Roman depuis la Révolution*, éd. A. Colin, coll. « U », 1967, 416 p.

(140) Rannaud (Gérald), « Le moi et l'histoire chez Chateaubriand et Stendhal », *Revue d'histoire littéraire de la France*, 1975, n° 6.

(141) Richard (Jean-Pierre), *Paysage de Chateaubriand*, éd. du Seuil, 1967, 189 p.

(142) Rinhart (Keith), « The Victorian Approach to Autobiography », *Modern Philology*, LI, n° 3, février 1954, p. 177-186.

(143) Romberg (Bertil), *Studies in the Narrative Technique of the First-Person Novel*, Stockolm-Lund, Almquist-Witsell, 1962, XII-379 p.

(144) Rousset (Jean), « Une forme littéraire, le roman par lettres », in *Forme et Signification, essais sur les structures littéraires de Corneille à Claudel*, éd. José Corti, 1964, p. 65-108.

(145) Rousset (Jean), *Narcisse romancier, essai sur la première personne dans le roman*, José Corti, 1973, 159 p.

(146) Rustin (Jacques), « L' « histoire véritable » dans la littérature romanesque du XVIIIe siècle français », *Cahiers de l'Association internationale des études françaises*, n° 18, mars 1966, p. 89-102.

(147) Rustin (Jacques), « Mensonge et vérité dans le roman français du XVIIIe siècle », *Revue d'histoire littéraire de la France*, janvier-février 1969, p. 13-38.

(148) Sayre (Robert F.), « Autobiography and Images of Utopia », *Salmagundi*, 1972, n° 19, p. 18-37.

(149) Sayre (Robert F.), *The examined Self : Franklin, Adams, James*, Princeton, Princeton University Press, 1964, XVI-212 p.

(150) Searle (John R.), *Les Actes de langage, essai de philosophie du langage*, éd. Hermann, 1972, 262 p.

(151) Searle (John, R.), « The Logical Status of Fictional Discourse », *New Literary History*, VI, n° 2, Hiver 1975, p. 319-332.

(152) Serrano y Sanz (M.), *Autobiografías y Memorias, coleccionadas é ilustradas por—*; Nueva Biblioteca de Autores Españoles, Madrid, 1905, t. II (« Introduccion », p. I-CLXVI).

(153) Shapiro (Stephen A.), « The dark continent of literature : Autobiography », *Comparative Literature Studies*, V, 1968, p. 421-454.

(154) Shea (Daniel B. jun.), *Spiritual Autobiography in Early America*, Princeton, Princeton University Press, 1968.

(155) Sherzer (Dina), « La société dans quelques œuvres autobiographiques », *Neuphilologus*, LVI, n° 4, octobre 1972, p. 389-397.

(156) Shumaker (Wayne), *English Autobiography, its Emergence, Materials and Form*, Berkeley, University of California Press, 1954, XIV-262 p.

(157) Spengemann (William C.), et Lundquist (L. R), « Autobiography and the American Myth », *American Quaterly*, XVII, Automne 1965, p. 92-110.

(158) Starobinski (Jean), *Jean-Jacques Rousseau, La transparence et l'obstacle*, suivi de *Sept essais sur Rousseau*, éd. Gallimard, 1971, 464 p.

(159) Starobinski (Jean), *L'Œil vivant*, éd. Gallimard, 1961, 253 p.

(160) Starobinski (Jean), « Le style de l'autobiographie », *Poétique*, n° 3, 1970, p. 257-265 (repris dans *La Relation critique*, éd. Gallimard, 1971, p. 83-98).

(161) Stempel (Wolf-Dieter), « Pour une description des genres littéraires », in *Actele celui de-al XII-lea Congres international de linguistică si filologie romanică*, Bucarest, Editura Academiei Republicii Socialiste Romania, 1971, p. 565-570.

(162) Stéphan (Raoul), *Histoire du protestantisme français*, éd. Fayard, 1961, 398 p.

(163) Stewart (Philip), *Imitation and Illusion in the French Memoirs-Novels, 1700-1750, the Art of Make-Believe*, New Haven et Londres, Yale University Press, 1969, xx-350 p.

(164) Stone (Albert E.), « Autobiography and American Culture », *American Studies, an International Newsletter*, XI, n° 2, Hiver 1972, p. 22-36.

(165) Suarez-Galban (Eugenio), « La Autobiografia en España (Mas Reflexiones Hacia el Orientalismo) », *Sin Nombre*, III, n° 3, janvier-mars 1973, p. 26-37.

(166) Todorov (Tzvetan), *Introduction à la littérature fantastique*, éd. du Seuil, coll. « Poétique », 1970, 188 p. (« Les genres littéraires », p. 7-27).

(167) Todorov (Tzvetan), *Poétique*, éd. du Seuil, coll. « Points », *Qu'est-ce que le structuralisme*, 2, 1973, 112 p.

(168) Tynianov (Jurij), « De l'évolution littéraire », in *Théorie de la littérature, textes des Formalistes russes*, éd. du Seuil, coll. « Tel Quel », 1965, p. 120-137.

(169) Tulard (Jean), *Bibliographie critique des mémoires sur le Consulat et l'Empire, écrits ou traduits en français*, Genève, éd. Droz, 1971, xiv-184 p.

(170) Van Rossum-Guyon (Françoise), « Point de vue ou perspective narrative », *Poétique*, n° 4, 1970, p. 476-497.

(171) Vance (Eugene), « Le moi comme langage : saint Augustin et l'autobiographie », *Poétique*, n° 14, 1973, p. 163-177.

(172) Vercier (Bruno), « Le mythe du premier souvenir et sa place dans le récit : Pierre Loti, Michel Leiris », *Revue d'histoire littéraire de la France*, 1975, n° 6.

(173) Vernet (F.), « Autobiographies spirituelles », in *Dictionnaire de spiritualité ascétique et mystique*, publié sous la direction de Marcel Viller, s.j., G. Beauchesne et ses fils, 1937, t. I, colonnes 1141-1159.

(174) Vial (André), *Chateaubriand et le temps perdu, Devenir et conscience individuelle dans les « Mémoires d'Outre-Tombe »*, coll. « 10 × 18 », 1971, 124 p.

(175) Vier (Jacques), « Mémoires, journaux, correspondances », in *Histoire de la littérature française, XVIIIe siècle*, éd. A. Colin, 1970, t. II, p. 884-932 et 996-1001.

BIBLIOGRAPHIE

(176) Vitz (Evelyn B.), « Type et individu dans « l'autobiographie » médiévale », *Poétique*, n° 24, 1975.

(177) Voisine (Jacques), « Naissance et évolution du terme littéraire ' autobiographie ' », in *La Littérature comparée en Europe orientale*, conférence de Budapest, 26-29 octobre 1962, Budapest, Akademiai Kiado,
1963, p. 278-286.

(177a) Voisine (Jacques), « De la confession religieuse à l'autobiographie
et au journal intime : entre 1760 et 1820 », *Neohelicon*, 1974, n° 3-4,
p. 337-357.

(178) « Le vraisemblable », *Communications*, n° 11, 1968.

(179) Weinrich (Harald), *Linguistik der Lüge*, Heidelberg. L. Schneider,
1970, 80 p.

(180) Weinrich (Harald), *Le Temps*, éd. du Seuil, coll. « Poétique », 1973,
334 p.

(181) Wellek (René), et Warren (Austin), *La Théorie littéraire*, éd. du
Seuil, coll. « Poétique », 1971, 399 p. (« Les genres littéraires »,
p. 318-333).

(182) Zéraffa (Michel), *Personne et Personnage, le romanesque des années
1920 aux années 1950*, Klincksieck, 1969, 496 p.

(183) Zimmermann (T. C. Price), « Confession and Autobiography in the
Early Renaissance », in *Renaissance Studies in Honor of Hans Baron*,
edited by A. Molho and J. A. Tedeschi, Illinois University Press,
1971, p. 119-140.

(184) Zumthor (Paul), « Autobiographie au Moyen Age? », in *Langue,
Texte, Enigme*, éd. du Seuil, coll. « Poétique », 1975, p. 165-180.

Index de la bibliographie

INDEX

POSTFACE
ET
BIBLIOGRAPHIE RÉCENTE

Postface

J'ai commencé à travailler sur le genre autobiographique en 1969, et je continue aujourd'hui. Après *L'Autobiographie en France* (1971), *Le Pacte autobiographique* a été ma seconde étape. Sa réédition m'offre l'occasion de jeter un coup d'œil en arrière et de regarder le chemin parcouru. « *Il n'est pas de théorie qui ne soit un fragment, soigneusement préparé, de quelque autobiographie* », disait Paul Valéry. Surtout quand il s'agit d'une théorie de l'autobiographie... Aussi m'excusera-t-on de parler ici à la première personne et de renvoyer, en cours de bilan, à la liste de mes publications placée en annexe. Pour clore ce livre, une bibliographie générale fera le point les recherches en langue française pendant ce dernier quart de siècle.

En 1975, après la publication du *Pacte autobiographique*, un ami m'a dit : « A quoi vas-tu te mettre à travailler maintenant ? ». Pour lui, l'affaire était terminée, je devais tourner la page, sous peine de me répéter. J'étais, et je suis resté, d'un avis contraire. L'autobiographie est un domaine immense. Elle a été relativement peu étudiée, si on la compare à la poésie, au roman, au théâtre. Peut-être est-ce dû à son statut ambigu. Genre référentiel, qui vise à la transparence, elle a pu paraître longtemps à la lisière de la littérature, et, du coup, décourager l'analyse formelle. Encore aujourd'hui, assez rares sont les ouvrages autobiographiques inscrits dans les programmes scolaires. Mais comme il s'agit tout de même de textes élaborés, qui présentent une version subjective de l'expérience vécue, les historiens, de leur côté, s'en sont méfiés, préférant travailler sur des documents plus fiables. Aussi, quand en 1969 j'ai commencé à m'intéresser au domaine français de l'autobiographie, ai-je dû constater que c'était un terrain pratiquement vierge. J'avais heureusement pour me guider l'étude fondamentale de Georges Gusdorf (« Conditions et limites de l'autobiographie », 1956), et des livres sur un ou deux autobiographes de génie, comme le bel essai de Jean Starobinski, *Jean-Jacques Rousseau, la transparence et l'obstacle* (1957).

La première chose à faire était de lire le plus d'autobiographies possible, sans me cantonner dans les chefs-d'œuvre. Quand on arrive dans une île inexplorée, on cherche d'abord à voir l'ensemble du territoire, à en tracer les contours, à en dresser une carte sommaire. Tel fut l'objet de *L'Autobiographie en France* (1971). Je me suis employé à établir un répertoire d'une centaine de textes, du Moyen Age à nos jours, et à réunir une anthologie de ce que j'ai appelé « pactes autobiographiques », ces prologues où l'auteur définit son projet et prend des engagements vis-à-vis de son lecteur. Pour construire ce corpus, j'avais été amené, tout au long de mes lectures, à éliminer, trier, classer. Je me suis mis à réfléchir aux critères qui me guidaient dans ces choix et j'ai élaboré une définition du genre. Ce n'était pas pour saisir une « essence » de l'autobiographie : je voyais bien que, comme tous les autres genres, c'était un ensemble complexe, flou, instable. Je ne voulais pas non plus établir une norme, mais simplement comprendre, par exemple, pourquoi je percevais une différence entre une autobiographie et un roman autobiographique. A quels signes étais-je sensible ? Quelles conséquences cela avait-il pour ma lecture ? *L'Autobiographie en France* se présente donc comme une réflexion générale sur la construction du corpus : j'y définis l'autobiographie par une série d'oppositions avec les genres voisins (biographie, journal intime, roman, etc.), j'y trace les grandes lignes de l'histoire du genre, et je fais l'inventaire de sa problématique à l'heure actuelle. Le terrain une fois ainsi défriché, on pouvait commencer à approfondir.

C'est cet approfondissement que tente *Le Pacte autobiographique*, dans deux directions différentes : sur le « pacte » lui-même, et sur les textes.

Pour le pacte, je voulais repérer tous les éléments qui conditionnent la lecture. Ceux qui tiennent à la forme même du texte, certes (voix narrative, objet du récit, etc.), mais surtout ceux qui dépendent de ce que Gérard Genette a depuis appelé le « paratexte » : titre, couverture du livre, nom de l'éditeur, collection, préface, interviews... La particularité de l'autobiographie est qu'elle affiche plus que d'autres genres son contrat de lecture. Aussi mon propos est-il moins de dire ce que, selon moi, serait l'autobiographie, que d'analyser ce qu'elle-même dit qu'elle est, et l'effet que produit ce discours. C'est donc une sorte d'étude de pragmatique : grammaire de l'énonciation et de la réception.

Dans le premier chapitre du *Pacte*, je parle de l'embarras où m'avait jeté la distinction entre autobiographie et roman. Je m'étais aperçu que j'avais négligé dans *L'Autobiographie en France* un élément souvent

déterminant : le rapport du nom propre de l'auteur avec celui du personnage principal. En m'inspirant de ce que m'avait appris la lecture de
Benveniste et de Genette, j'ai tenté de distinguer clairement les différents
facteurs textuels et paratextuels, et d'examiner l'effet produit par les
combinaisons possibles. J'ai continué, après le *Pacte*, cette analyse, en
choisissant de préférence des cas-limites : l'autobiographie à la troisième
personne (in *Je est un autre*, 1980), l'autobiographie à auteur multiple, le
récit recueilli et l'interview (*ibid.*), les « romans » dont le personnage
narrateur porte le même nom que l'auteur (in *Moi aussi*, 1986), les
Mémoires imaginaires (« Moi, la Clairon », 1989) et plus récemment
l'autofiction (colloque « Autofictions & Cie », organisé avec Serge Doubrovsky et Jacques Lecarme, 1992).

Quand on concentre ainsi son attention sur un genre, il est difficile
d'éviter tout dogmatisme. On cristallise, on a tendance à édicter des
règles au lieu de constater des faits. J'ai essayé d'échapper, autant que
possible, à cette tentation. Dans le dernier chapitre du *Pacte* (« Autobiographie et histoire littéraire »), j'analyse cette tentation même, en montrant ce qu'elle révèle sur le fonctionnement des genres. Plus tard, dans
un texte autocritique, « Le pacte autobiographique (bis) », j'ai apporté
des nuances à certaines affirmations un peu tranchées, en particulier
celles où je faisais de l'identité un problème de « tout ou rien » (*Moi
aussi*, 1986).

Les chapitres médians du *Pacte* sont consacrés à la lecture de textes
particuliers de Rousseau, Gide, Sartre et Leiris. Après ce que l'autobiographie prétend être, ce qu'elle est. Tantôt j'envisage l'ensemble de la
production de l'auteur et la place qu'y tient l'autobiographie (Gide, Leiris), tantôt la structure d'une œuvre particulière (le Livre I des *Confessions*, *les Mots*), tantôt une page précise dont je fais l'explication (un
aveu de Rousseau, un réseau de souvenirs de Leiris). La grammaire de
l'énonciation et la psychanalyse m'aident à comprendre les ruses du sujet
à la recherche de son identité. En même temps je m'aperçois que l'autobiographie n'est pas seulement discours apologétique ou récit historique,
mais qu'elle peut mobiliser toutes les ressources du mythe et de la
poésie.

Les études du *Pacte* ont eu des prolongements, le plus souvent fondés
sur des explications de texte : Rousseau (« Le dangereux supplément »,
1974 ; « Le peigne cassé », 1976), Gide (*Exercices d'ambiguïté*, 1974),
Leiris (*Lire Leiris*, 1975, et « Post-scriptum à *Lire Leiris* », in *Moi aussi*,
1986).

361

Quant à Sartre, j'ai continué à travailler sur lui jusqu'à aujourd'hui. Il m'a accompagné dans toutes les dérives que je vais maintenant raconter. J'ai travaillé sur son autobiographie orale (« Ça s'est fait comme ça », 1978 ; et « Sartre et l'autobiographie parlée », in *Je est un autre*, 1980)... La publication posthume, en 1983, des *Carnets de la drôle de guerre* a renouvelé l'intérêt que je portais à son autobiographie : on l'y voit en 1939-1940, quinze ans avant *Les Mots*, faire déjà de l'auto-analyse et de l'anamnèse le moyen d'une conversion, ...mais l'enfance qu'il s'attribue alors n'est pas exactement celle qu'il peindra dans les *Mots* ! (« Les souvenirs de lecture d'enfance de Sartre », 1986 ; « Les enfances de Sartre », in *Moi aussi*, 1986)... Pour explorer ces métamorphoses, me voilà plongé, avec l'équipe Sartre de l'ITEM (CNRS, Paris), dans l'étude génétique des manuscrits des *Mots* (« L'ordre d'une vie », à paraître)...

En 1977, j'ai pris un grand tournant. Jusqu'alors, je m'étais intéressé exclusivement à l'autobiographie écrite et littéraire. En expliquant minutieusement une brève séquence du film *Sartre par lui-même* (A. Astruc et M. Contat, 1976), j'ai été amené à réfléchir à la relation d'interview, aux différences entre écrit et oral, à l'importance des médias... Je me suis aperçu que lorsque Sartre racontait oralement sa vie, il parlait comme tout le monde... Il était vraiment, comme il le dit à la fin des *Mots*, « tout un homme, fait de tous les hommes et qui les vaut tous et que vaut n'importe qui ». Pourquoi alors privilégier Sartre ? Pourquoi ne pas m'occuper directement de « n'importe qui » ? De tous les autres ? et de moi ?...

Je me suis donc, grâce à Sartre, « démocratisé ». L'autobiographie littéraire n'est plus à mes yeux qu'un cas particulier, spécialement intéressant certes, d'un phénomène général. Tout homme porte en lui une sorte de brouillon, perpétuellement remanié, du récit de sa vie. Certains, plus nombreux qu'on ne croit, mettent ce brouillon au propre, et écrivent. Quant aux autres, on peut feuilleter leur brouillon en allant les interroger au magnétophone... L'autobiographie est donc, du moins dans nos sociétés modernes, un fait anthropologique général. Son étude, ou son exploitation, dépasse le cadre des études littéraires. Les ethnologues et les sociologues, et plus récemment les historiens, et bien sûr, depuis Freud, les psychanalystes, s'y intéressent activement, en provoquant la production de récits de vie. La tâche du poéticien sera d'envisager ces récits non comme des « sources » (d'information) ou comme des « instruments » (de thérapie ou d'éducation), mais comme des faits à étudier en eux-mêmes, pour contribuer à une histoire sociale des discours.

Voici quelques exemples des entreprises dans lesquelles je me suis engagé à la suite de cet élargissement de perspectives.

J'ai d'abord mené une série d'études sur les formes de l'autobiographie en collaboration, depuis l'interview radiophonique d'écrivains jusqu'aux développements actuels de l'histoire orale, en passant par la production de livres populistes « recueillis » au magnétophone. Cela a été l'occasion d'envisager le problème de la notoriété, les rapports de pouvoir entre interviewers et interviewés, et les mythologies sociales liées à l'exploitation commerciale du « vécu » (*Je est un autre*, 1980).

Je me suis intéressé ensuite aux autobiographies écrites par des gens ordinaires, aujourd'hui et autrefois.

Pour les gens d'aujourd'hui, il suffit de se donner la peine de lire les livres publiés « à compte d'auteur » ou autoédités. Peut-être votre voisin de palier, votre femme de ménage, votre crémière ou votre directeur général ont-ils écrit, et publié confidentiellement, leur vie... En France, un éditeur comme La Pensée Universelle a imprimé (sinon diffusé...) des centaines de récits où des gens ordinaires font le bilan de leur vie : livres de revanche, de nostalgie ou d'exemple, écrits avec l'espoir de compenser un échec, de rétablir une communication, de continuer une tradition... C'est l'occasion de saisir, mieux peut-être qu'à partir d'œuvres plus sophistiquées, les voies ordinaires de la narration autobiographique (« L'autobiographie à compte d'auteur », in *Moi aussi*, 1986).

Pour les gens d'autrefois, je suis allé fouiller à la Bibliothèque nationale, et dans les archives publiques et privées. J'ai conçu le projet d'un *Répertoire des autobiographies écrites en France au XIXe siècle* (« La cote Ln 27 », in *Moi aussi*, 1986). J'aime bien faire des grands projets. Dans le dernier chapitre du *Pacte autobiographique*, on m'a vu dresser un ambitieux programme d'étude de la *réception* des autobiographies. Le lecteur s'est sans doute demandé si j'étais passé aux actes... : il faut bien avouer que non ! J'ai fait de vastes explorations préparatoires, qui attendent encore... Mon *Répertoire*, lui, a connu un début de réalisation. J'avais décidé de procéder par types de vie ou de destinées. J'ai réalisé et publié quatre sections de ce Répertoire : les vies de commerçants, d'instituteurs, de criminels, et d'homosexuels. C'est tout l'ordre du discours social du XIXe siècle qui apparaît progressivement. Le discours tenu par les individus sur eux-mêmes est toujours plus ou moins un discours d'institution, contrairement à ce que pourrait donner à croire l'idéologie plus égotiste des textes littéraires. On verra comment, plus tard, une cinquième section consacrée à l'écriture féminine est venue prolonger ce travail.

Et puisque je m'intéressais désormais aux gens ordinaires, pourquoi ne pas jeter un coup d'œil sur ma propre famille ? J'avais toujours essayé de lier mon travail de recherche à mes pratiques autobiographiques personnelles. Je m'étais passionné pour l'écriture de Michel Leiris parce qu'il me donnait de nouveaux moyens pour écrire sur moi. Après avoir utilisé le magnétophone pour écouter Sartre, je m'en suis servi pour écouter mes parents me raconter leur histoire, et la mienne. Cette enquête d'histoire orale familiale, menée entre 1978 et 1981, s'est élargie quand je me suis pris de passion pour les manuscrits laissés par l'un de mes arrière-grands-pères, Xavier-Edouard Lejeune (1845-1918), employé de commerce, et autobiographe. Le récit de sa vie, simple en apparence, cachait bien des drames. J'ai travaillé avec mon père à déchiffrer ce texte pudique. Nous en avons publié une version qui réalise, avec un siècle de retard, la vocation d'écrivain de cet employé autodidacte (Xavier-Edouard Lejeune, *Calicot*, 1984).

Dans ces explorations nouvelles, je n'étais pas seul. En 1980 Claude Abastado m'avait associé au petit groupe pluridisciplinaire, très amical, consacré aux « récits de vie » qu'il venait de fonder à Nanterre. A sa mort en 1984 j'ai assuré la coordination du groupe. Après un colloque fondateur en 1982, nous avons navigué de genre en problème, biographie, récit d'enfance, journal personnel, archives, autofiction, tournant d'une vie, prenant les récits de vie sous toutes les coutures...

En 1986, nouveau tournant, justement, après la publication de *Moi aussi*. Les trois livres que j'ai publiés aux Editions du Seuil sont tous composés comme des bouquets d'études autour d'un thème. L'idée qui avait présidé à la composition de *Moi aussi* était en fait... autobiographique : donner, dans un même livre, l'image des biais les plus variés que j'avais pris pour étudier l'autobiographie, et m'y impliquer autobiographiquement de manière directe, même si discrète.

Ce tournant pris en 1986 est lié à deux rencontres.

La première est celle de l'œuvre de Georges Perec (1936-1982). Georges Perec est un écrivain de ma génération (je suis né en 1938). On m'a demandé en 1986 de participer au premier séminaire annuel sur son œuvre. Il était consacré à *W ou le souvenir d'enfance* (1975), où Perec fait alterner un récit de fiction et un récit autobiographique pour évoquer l'indicible, la disparition de sa mère à Auschwitz. Cherchant un biais pour étudier ce texte impressionnant, j'ai demandé s'il existait des manuscrits. Il y en avait, et pendant quatre ans, j'ai travaillé, avec l'aide d'Ela Bienenfeld, cousine de Georges Perec, à explorer non seulement les brouillons des œuvres autobiographiques publiées, mais d'immenses projets autobiographiques abandonnés, tournant tous autour de ce même problème : trouver des voies obliques pour dire l'insoutenable. Il en est résulté un livre, *La Mémoire et l'Oblique. Georges Perec autobiographe* (1991). Il en est résulté aussi des amitiés. Et l'étude de ces manuscrits est entrée en résonance avec deux autres entreprises parallèles. D'abord une réflexion sur l'innovation en autobiographie : dans notre monde déchiré et tragique, comment peut-on parler de soi ? quelles ressources apportent les nouvelles formes expérimentées en fiction et en poésie ? Et aussi un désir croissant d'aller justement voir dans les papiers d'écrivains contemporains comment ils traçaient leur route dans cette entreprise impossible. En même temps que les brouillons de Perec, j'explorais ceux des *Mots* de Sartre, pour comprendre l'histoire du texte, et vérifier la validité des analyses proposées dans le *Pacte*. J'ai travaillé aussi sur d'autres corpus, publiés (Les Journaux d'Anne Frank) ou inédits (Nathalie Sarraute m'a communiqué les brouillons d'un chapitre d'*Enfance*). Et voilà qu'en 1991, après la mort de Michel Leiris, on publie son *Journal*, qui est comme le laboratoire de son œuvre... D'où l'idée de composer, dans les années à venir, un quatrième livre pour la collection « Poétique », en regroupant ces différentes études de genèse. Cela s'appellerait *Les Brouillons de soi*. Encore un projet. Affaire à suivre...

La seconde rencontre a été, si je puis dire, une rencontre avec moi-même. En 1986 je suis revenu à une pratique abandonnée depuis mon adolescence, celle du journal. C'était un peu le point aveugle de mon travail. Tout pour l'autobiographie, rien pour le journal. Un point aveugle, une résistance, un blocage : j'étais brouillé avec le journal, sans doute parce que j'étais brouillé avec mon adolescence. Nous avons refait connaissance. J'ai bien sûr envisagé le journal dans la perspective qui est la mienne depuis 1977 : une pratique qui appartient à tout le monde. J'ai été frappé de voir autour de moi l'étendue des préjugés hostiles, et de l'ignorance : beaucoup de gens croient que c'est un genre désuet en voie de disparition. Je me suis lancé dans une série d'enquêtes-gigognes. D'abord une enquête par questionnaire auprès de plusieurs centaines de personnes (*La Pratique du journal personnel*, 1990). En 1988, j'ai écrit un article pour décrire cette enquête, en lançant un appel à témoignage, dont je ne pensais pas qu'il aurait tant de succès. 47 personnes m'ont répondu en me racontant librement et longuement leur pratique, et en répondant à mes questions. De leurs témoignages j'ai fait un livre (*« Cher cahier... »*, 1990). On m'a beaucoup écrit après ce livre. Des retardataires, qui auraient aimé y figurer... Mais on m'a aussi envoyé un journal du siècle dernier, tenu par une jeune fille de province. J'ai été ébloui par ce journal, et me suis intéressé à l'histoire souterraine du genre. Pendant deux ans j'ai mené une enquête sur les journaux de jeunes filles du XIXe siècle, lançant à la radio des appels aux familles, écumant les archives pour en retrouver. J'en ai réuni et lu plus d'une centaine. Pendant tout ce temps, j'ai tenu moi-même un journal d'enquête, qui a donné sa forme au livre que j'en ai tiré (*Le Moi des demoiselles*, 1993).

Avec ce dernier livre, me voici revenu à l'idée du grand *Répertoire*. Elle ne m'avait jamais quitté. En juin 1991, j'avais réuni à Nanterre pour une journée d'étude des archivistes, des historiens, des bibliothécaires, des chercheurs, mais aussi des autobiographes, pour réfléchir à ce qu'on pourrait faire en France pour inventorier et valoriser le patrimoine auto-biographique. C'était en même temps une journée européenne, puisque j'avais invité les animateurs de deux expériences qui pouvaient nous servir de modèle : Charlotte Heinritz (Dokumentations- und Forschungstelle Biographisches Material. Deutsches Gedächtnis, Feruniversität Hagen), et Saverio Tutino, fondateur de l'Archivio Diaristico Nazionale (Pieve S. Stefano (Ar.), Italie). Les projets de « base de données » présentés à cette occasion, trop ambitieux et coûteux, n'ont pas trouvé de mécène. En revanche une idée toute simple, proposée par une « pratiquante » de l'écriture intime, Chantal Chaveyriat-Dumoulin, a fait son chemin. En mars 1992, nous avons fondé, à l'écart du monde académique, une Asso-ciation pour l'Autobiographie (APA, La Grenette, 10 rue A. Bonnet, 01500 Ambérieu-en-Bugey). Elle regroupe des personnes qui aiment lire ou écrire des textes autobiographiques. Elle compte actuellement plus de 300 adhérents. Nous lisons les textes autobiographiques qu'on nous envoie, nous en parlons avec leurs auteurs ou détenteurs. Nous les décri-vons dans un petit volume périodique, le *Garde-mémoire*. Nous les conservons dans un Fonds abrité à La Grenette, la bibliothèque de la ville qui nous accueille, Ambérieu-en-Bugey (Ain). Nous avons des groupes de travail, et une petite revue qui paraît trois fois l'an, *La Faute à Rous-seau*. Chaque année, fin juin, nous organisons, en général à Ambérieu, une fête de l'autobiographie...

Me voici loin, apparemment, du *Pacte autobiographique*. Mais j'espère qu'on aura senti la continuité. Peut-être ai-je eu tort d'employer à deux reprises, en dramatisant les choses, l'expression « tournant ». Mes tournants ne sont pas des conversions. Je ne renonce jamais à rien. Je ne renie rien. Ce sont des élargissements. Ce qu'il y a de merveilleux dans le domaine de l'autobiographie, c'est qu'on peut toujours continuer à faire *autre chose* sans en sortir. Voilà ce que j'aurais pu répondre à l'ami qui, après *le Pacte*, me suggérait de changer de genre et d'aller étudier l'épopée ou le sonnet.

Fontenay-aux-Roses, février 1996

*
* *

Publications

LIVRES

1971 *L'Autobiographie en France*, A. Colin, coll. « U2 », 272 p.

1974 *Exercices d'ambiguïté. Lectures de Si le grain ne meurt*, Lettres modernes, coll. « Langues et styles », 108 p.

1975 *Lire Leiris. Autobiographie et langage*, Klincksieck, 192p.

1975 *Le Pacte autobiographique*, Seuil, coll. « Poétique », 360 p.

1980 *Je est un autre. L'Autobiographie de la littérature aux médias*, Seuil, coll. « Poétique », 336 p.

1984 Xavier-Edouard Lejeune, *Calicot*. Enquête de Michel et Philippe Lejeune, Éd. Montalba, coll. « Archives privées », 368 p.

1986 *Moi aussi*, Seuil, coll. « Poétique », 350 p.

1990 *« Cher cahier… »*, *Témoignages sur le journal personnel recueillis et présentés par Philippe Lejeune*, Gallimard, coll. « Témoins », 259 p.

1991 *La Mémoire et l'Oblique. Georges Perec autobiographe*, P.O.L., 256 p.

1993 *Le Moi des demoiselles. Enquête sur le journal de jeune fille*, Seuil, coll. « La couleur de la vie », 455 p.

1995 Lucile Desmoulins, *Journal 1788-1793*, texte établi et présenté par Philippe Lejeune, Éditions des Cendres (8 rue des Cendriers, 75020 Paris), 167 p.

ARTICLES

(ne sont mentionnés que des articles qui n'ont pas été repris en volume)

1974 « Le dangereux supplément. Lecture d'un aveu de Rousseau », *Annales,* n° 4, p. 1009-1022.

1976 « Le peigne cassé », *Poétique,* n° 25, p. 1-30 (Sur Rousseau).

« Stendhal et les problèmes de l'autobiographie », in *Stendhal et les problèmes de l'autobiographie*, colloque de 1974, Grenoble, Presses de l'Université de Grenoble, p. 21-36.

1978 « Ça c'est fait comme ça », *Poétique,* n° 35, p. 269-304 (Sur une séquence du film *Sartre par lui-même*).

1982 « Autobiographie et histoire sociale », *Revue de l'Institut de sociologie,* Bruxelles, n° 1-2, p. 209-234 (Répertoire des autobiographies écrites en France au XIXe siècle, Section 1, « Vies commerciales, industrielles et financières », p. 226-234).

1985 « Les instituteurs du XIXe siècle racontent leur vie », *Histoire de l'éducation,* n° 25, janvier, p. 53-104 (Répertoire des autobiographies écrites au XIXe siècle, Section 2, « Vies d'instituteurs », p. 83-104).

1986 « Crime et testament. Les autobiographies de criminels au XIXe siècle », *Cahiers de sémiotique textuelle,* n° 8-9, p. 73-98 (Répertoire des autobiographies écrites au XIXe siècle, Section 3, « Vies de criminels, 1. 1789-1880 », p. 87-98).

« Les souvenirs de lecture d'enfance de Sartre », in *Lectures de Sartre,* textes réunis et présentés par Claude Burgelin, Lyon, Presses de l'Université de Lyon, p. 51-87.

« Friselis. Chronique de lecture », *Romance Studies,* n° 9, Winter 1986, p. 7-19 (Sur *La Fête des pères* de François Nourissier).

1987 « Autobiographie et homosexualité en France au XIXe siècle », *Romantisme,* n° 56, p. 79-100 (Répertoire des autobiographies écrites en France au XIXe siècle, Section 4, « Vies d'homosexuels », p. 95-100).

« Cinéma et autobiographie, problèmes de vocabulaire », *Revue belge du cinéma,* n° 19, printemps 1987, p. 7-13.

1988   « Cher cahier... », *Le Magazine littéraire*, n° 252-253, avril, p. 45-46.

« L'ère du soupçon », in *Le Récit d'enfance en question*, Actes du colloque de Nanterre, 16-17 janvier 1987, *Cahiers de sémiotique textuelle*, n° 12, p. 41-65.

« Peut-on innover en autobiographie ? », in *L'Autobiographie*, Paris, Les Belles Lettres, coll. « Confluents psychanalytiques », p. 67-100.

1989   « Archives autobiographiques », *Le Débat*, n° 54, mars-avril, p. 135-150.

« L'autobiocopie », in *Autobiographie et biographie*, colloque de Heidelberg, mai 1988, textes réunis et présentés par Mireille Calle-Gruber et Arnold Rothe, Nizet, p. 53-66.

« Le journal de Cécile », *Nouvelle Revue de psychanalyse*, n° 40, automne, p. 47-60.

« Moi, la Clairon », in *Le Désir biographique*, Actes du colloque de Nanterre, 10-11 juin 1988, *Cahiers de sémiotique textuelle*, n° 16, p. 177-196.

1990   « La Pratique du journal personnel » Enquête, n° 17 des *Cahiers de sémiotique textuelle* (Publidix, Université Paris-X).

« Paroles d'enfance », *Revue des sciences humaines*, n° 217, 1990-1, p. 23-38 (Sur *Enfance* de Nathalie Sarraute).

1991   « Nouveau roman et retour à l'autobiographie », in *L'Auteur et le Manuscrit*, sous la dir. de Michel Contat, P. U. F., p. 51-70.

« La passion du « je » », interview par Anne Brunswic, *Lire*, n° 189, juin 1991, p. 118-125.

« Wanted : autobiographies ! », *Archives autobiographiques, Cahiers de sémiotique textuelle*, n° 20, p. 121-135.

« Lire Pierre Rivière », *Le Débat*, n° 66, sept. oct. 1991, p. 92-106.

1992   « Autogenèse. L'étude génétique des textes autobiographiques », *Genesis*, n° 1, p. 73-87.

« Qu'est-ce qui ne va pas ? », in *Entre l'Histoire et le roman : la littérature personnelle*, Actes du séminaire de Bruxelles (16-17 mai 1991), édités par Madeleine Frédéric, Université Libre de Bruxelles, Centre d'études canadiennes, 1992, p. 47-92 (Etude d'« Apostrophes » du 13 octobre 1989, autour du *Livre brisé* de Serge Doubrovsky).

1993   « Le je des jeunes filles », *Poétique*, n° 94, avril 1993, p. 229-251 (Présentation synthétique du livre *Le Moi des demoiselles*, 1993).

« Comment Anne Frank a réécrit le Journal d'Anne Frank », in *Le Journal personnel*, Publidix, collection RITM, p. 157-180, ou « L'histoire vraie du journal d'Anne Frank », *La Revue des livres pour enfants*, n° 153, automne 1993, p. 47-59 (version abrégée du précédent).

« Le Journal de Marguerite », in *Le Récit d'enfance. Enfance et écriture*, D. Escarpit et B. Poulou éds., Éd. du Sorbier, p. 41-62.

« Une autobiographie sous contrainte », *Le Magazine littéraire*, n° 316, décembre 1993, p. 18-21 (Sur Georges Perec).

« L'irréel du passé », in *Autofictions & Cie*, RITM, n° 6, p. 19-43.

1994   « Un siècle de résistance à l'autobiographie », *Tangence* (Québec), n° 45, p. 132-146.

« Je fais mon testament. Chronique de jurisprudence », *La Faute à Rousseau*, n° 5, p. 34-35, n° 6, p. 38-40, n° 7, p. 37-38.

1995   « Autobiographie et contrainte », in *Le Plaisir des mots*, Autrement, série « Mutations », p. 186-197.

« Journal », in *Sincérité*, Autrement, série « Morales », p. 88-95.

« Le Garde-mémoire », *Le Groupe familial*, n° 147, avril-juin 1995, p. 65-73.

« Repérages », in *Le Tournant d'une vie*, RITM, n° 10, p. 7-22.

1996   « Liquide comme une soupe », in *Autour de Nathalie Sarraute*, Annales littéraires de l'Université de Besançon, 1996, p. 63-90 (Étude génétique du ch. 2 d'*Enfance*).

« L'ordre d'une vie », in *Pourquoi et comment Sartre a composé Les Mots*, sous la dir. de Michel Contat, P. U. F., à paraître.

« Les inventaires de textes autobiographiques », *Histoire, Économie & Société*, à paraître.

Bibliographie 1975-1996

Cette Bibliographie prolongée témoignera de la prodigieuse explosion théorique et critique de ce quart de siècle. J'ai présenté ce complément par grandes rubriques en ordre alphabétique, pour en intégrer de manière lisible les aspects les plus divers. A de rares exceptions près, je n'ai pas mentionné d'articles, mais seulement des livres, actes de colloques, ou dossiers de revues. A une exception près, tous les livres sont en langue française. Ce n'est de toute façon qu'un choix. On pourra se reporter pour une information plus complète à la bibliographie de *Je est un autre* (Seuil, 1980) et pour la suite aux fascicules de la *Bibliographie des études en langue française sur la littérature personnelle et les récits de vie*, dont la référence est donnée à la fin.

Les études critiques portant sur des auteurs particuliers sont facilement repérables grâce aux bibliographies courantes. J'ai néanmoins inséré une rubrique « Écrivains contemporains », regroupant quelques livres ou colloques qui éclaireront la modernité du genre et prolongeront au-delà de 1975 l'information sur les œuvres qui ont chance d'en devenir des « classiques ».

L'explosion critique est également énorme à l'étranger, en particulier dans les pays de langue anglaise et allemande. Il existe parfois des recueils ou anthologies critiques qui proposent une vue synthétique. Par exemple aux États-Unis le recueil de Paul John Eakin, *American Autobiography. Retrospect and Prospect* (The University of Wisconsin Press, 1991) ou en Espagne le n° 125, octobre 1991, de la revue *Anthropos* (avec son supplément n° 29 de décembre 1991). Mais le meilleur guide pour suivre l'activité critique est sans doute la lecture des revues spécialisées, par exemple, aux États-Unis, *Biography* et *A/B Auto/Biography Studies*, ou en Allemagne *Bios*.

AUTOBIOGRAPHIE

1956 Georges GUSDORF, « Conditions et limites de l'autobiographie », in *Formen der Selbstdarstellung, Festgäbe für Fritz Neubert*, Berlin, Duncker und Humblot, p. 105-123.

1971 Philippe LEJEUNE, *L'Autobiographie en France*, A. Colin, coll. « U2 ».

1975 *L'autobiographie* (Colloque de Paris, Société d'histoire littéraire de la France, 1975), *Revue d'histoire littéraire de la France*, 1975-6.

1975 Philippe LEJEUNE, *Le Pacte autobiographique*, Seuil, « Poétique ».

1979 Georges MAY, *L'Autobiographie*, P. U. F.

1980 Philippe LEJEUNE, *Je est un autre. L'autobiographie, de la littérature aux médias*, Seuil, « Poétique ».

1982 *Individualisme et Autobiographie en Occident* (Colloque de Cerisy, 1979, dir. Claudette Delhez-Sarlet et Maurizio Catani), Bruxelles, *Revue de l'Institut de Sociologie*, 1982 1-2.

1986 Philippe LEJEUNE, *Moi aussi*, Seuil, « Poétique ».

1990 Georges GUSDORF, *Lignes de vie, 1. Les Écritures du moi, 2. Autobio-graphie*, Éditions Odile Jacob, 2 volumes.

1991 *Le Biographique* (Colloque de Cerisy, 1990, dir. Alain Buisine et Norbert Dodille), *Revue des Sciences humaines*, 1991-4, n° 224.

1993 Michael SHERINGHAM, *French Autobiography. Devices and Desires*, Oxford, Clarendon Press.

AUTOFICTION

1988 Serge DOUBROVSKY, « Autobiographie / Vérité / Psychanalyse », in *Autobiographiques*, P. U. F.

1993 *Autofictions & Cie* (Colloque de Nanterre, 1992, dir. Serge Doubrovsky, Jacques Lecarme et Philippe Lejeune), *RITM*, n° 6.

AUTOPORTRAIT

écriture

1980   Michel BEAUJOUR, *Miroirs d'encre*, Seuil, « Poétique ».

peinture

1983   *L'Autoportrait*, n° 5 de *Corps Écrit*.

1984   Pascal BONAFOUX, *Les Peintres et l'autoportrait*, Skira.

photographie

1981   *Autoportraits photographiques. 1898-1981*, Centre Georges Pompidou/Herscher.

1994   Anne-Marie GARAT, *Photos de familles*, Seuil, coll. « Fictions & Cie ».

cinéma

1987   *L'Écriture du JE au cinéma*, n° 19 de la *Revue belge du cinéma*.

1995   *Le Film de famille. Usage privé, usage public*, sous la dir. de Roger Odin, Méridiens Klincksieck.

1995   *Le Je filmé*, Éditions du Centre Pompidou.

vidéo

1988   Raymond BELLOUR, « Autoportraits », *Communications n° 48*.

bandes dessinées

1987   « Autobiographies », dossier présenté par Thierry Groensteen dans les n° 73 (janvier-février) et 74 (mars-avril) des *Cahiers de la bande dessinée*.

1996   Thierry Groensteen, « Les petites cases du moi : l'autobiographie en bande dessinée », *9ème Art. Les Cahiers du Musée de la bande dessinée*, n° 1, 1996.

AVEUX ET SECRETS

1986   Aloïs HAHN, « Contribution à la sociologie de la confession et autres formes ritualisées d'aveu », *Actes de la recherche en sciences sociales*, n° 62-63, juin.

1993   François VIGOUROUX, *Le Secret de famille*, P. U. F.

1995   Dominique MEHL, *La Télévision de l'intimité*, Seuil.

1995   *La Sincérité*, dirigé par Christine Baron et Catherine Doroszczuk, Autrement, série « Morales ».

BIOGRAPHIE

1953   René AIGRAIN, *L'Hagiographie, ses sources, ses méthodes, son histoire*, Bloud et Gay.

1984   Daniel MADELÉNAT, *La Biographie*, P. U. F.

1989   *Le Désir biographique* (Colloque de Nanterre, 1988, dir. Ph. Lejeune), n° 16 des *Cahiers de sémiotique textuelle* (Publidix, Université Paris-X).

CORRESPONDANCE

1990   Vincent KAUFMANN, *L'Équivoque épistolaire*, Éd. de Minuit.

1990   *L'Épistolarité à travers les siècles* (Colloque de Cerisy, 1987, dir. Mireille Bossis et Charles A. Porter), Stuttgart, Franz Steiner Verlag.

1991   *La Correspondance. Les usages de la lettre au XIXᵉ siècle*, sous la direction de Roger Chartier, Fayard.

1992   *La Lettre d'amour*, textes réunis par J.-L. Diaz, *Textuel*, n° 24.

1993   *Expériences limites de l'épistolaire. Lettres d'exil, d'enfermement de folie* (Colloque de Caen, 1991, dir. André Magnan), Champion.

1995   Geneviève HAROCHE-BOUZINAC, *L'Épistolaire*, Hachette Supérieur.

ÉCRITURES ORDINAIRES

1991 *Archives autobiographiques*, sous la dir. de Ph. Lejeune, *Cahiers de sémiotique textuelle*, n° 20.

1991 Denis BERTHOLET, *Les Français par eux-mêmes. 1815-1885*, Olivier Orban.

1993 *Écritures ordinaires*, sous la dir. de Daniel Fabre, P. O. L.

1994 *Garde-Mémoire*, vol. 1, Ambérieu-en-Bugey, Publications de l'A. P. A. (Inventaire, avec descriptions et index, des textes reçus par l'A. P. A. en 1992-94).

ÉCRIVAINS CONTEMPORAINS

1975 Philippe LEJEUNE, *Lire Leiris. Autobiographie et langage*, Klincksieck.

1988 *W ou le souvenir d'enfance : une fiction. Séminaire 1986-87*, Cahiers Georges Perec n° 2, *Textuel*, n° 21.

1988 *Marguerite Yourcenar. Biographie, autobiographie* (Colloque de Valence, 1986, dir. Elena Real), Departemento de Filologia Francesa, Universitat de Valencia.

1989 Jacques LECARME et Bruno VERCIER, « Premières personnes », *Le Débat*, n° 54, mars-avril 1989 (Panorama de la littérature actuelle du « je »).

1989 Bernard VOUILLOUX, *Gracq autographe*, José Corti.

1990 Aliette ARMEL, *Marguerite Duras et l'autobiographie*, Le Castor Astral.

1991 Philippe LEJEUNE, *La Mémoire et l'Oblique. Georges Perec autobiographe*, P. O. L.

1992 *Autobiographie et avant-garde* (Symposium de Mayence, 1990, dir. Alfred Hornung et Ernstpeter Ruhe), Tübingen, Gunter Narr Verlag (Sur Alain Robbe-Grillet, Serge Doubrovsky et Rachid Boudjedra, en particulier).

1994   Claude BURGELIN, Les Mots *de Jean-Paul Sartre*, Gallimard, « Foliothèque ».

1994   Catherine MAUBON, *Michel Leiris en marge de l'autobiographie*, José Corti.

1995   *Hervé Guibert*, n° de printemps de *Nottingham French Studies* (vol. 34, n° 1).

ENSEIGNEMENT

1990   *L'Autobiographie au collège, au lycée, Les Cahiers du Français aujourd'hui*, n° 1, janvier 1990 (Rassemble des articles parus dans *Le Français aujourd'hui* et des comptes rendus inédits d'expériences pédagogiques).

1992   Claire BONIFACE, *Les Ateliers d'écriture*, Retz.

1994   n° 7 de *La Faute à Rousseau* (octobre 1994), dossier « Le JE à l'école », avec bibliographie.

1995   Anne ROCHE, Andrée GUIGUET, Nicole VOLTZ, *L'Atelier d'écriture*, Dunod.

ÉTUDES GÉNÉTIQUES

1958   Hermine de SAUSSURE, *Rousseau et les manuscrits des* Confessions, Éd. de Boccard.

1987   Jean-Claude BERCHET, « Le manuscrit autographe du Livre I des *Mémoires de ma vie* de Chateaubriand », *Revue d'histoire littéraire de la France*, juillet-août 1987.

1987   Catherine MAUBON, *Michel Leiris au travail. Analyse et transcription d'un fragment manuscrit de* Fourbis, Pisa, Pacini Editore.

1992   Philippe LEJEUNE, « Auto-genèse. L'étude génétique des textes autobiographiques », *Genesis*, n° 1.

1993   Serge SÉRODES, *Les Manuscrits autobiographiques de Stendhal. Pour une approche sémiotique*, Genève, Droz.

1994   Almuth GRÉSILLON, *Éléments de critique génétique. Lire les manuscrits modernes*, P. U. F.

1995 *Les plus beaux manuscrits et journaux intimes de la langue française*, sous la dir. de Mauricette Berne, Robert Laffont.

1996 *Pourquoi et comment Sartre a écrit* Les Mots, sous la direction de Michel Contat, à paraître aux P. U. F.

FRANCOPHONIE

1983 Yvan LAMONDE, *Je me souviens. La Littérature personnelle au Québec (1860-1980)*, Québec, Institut Québecois de recherche sur la culture.

1983 Françoise VAN ROEY-ROUX, *La Littérature intime du Québec*, Montréal, Boréal Express.

1986 Jean-Louis JOUBERT, Jacques LECARME, Éliane TABONE, Bruno VERCIER, *Les Littératures francophones depuis 1945*, Bordas, 1986.

1991 *Autobiographies et récits de vie en Afrique*, avant-propos de Bernard Mouralis, L'Harmattan (« Itinéraires et contacts de culture », vol. 13).

HISTOIRE

antiquité

1984 Michel FOUCAULT, *Le Souci de soi (Histoire de la sexualité, t. III)*, Gallimard.

1993 *L'Invention de l'autobiographie. D'Hésiode à saint Augustin* (Colloque de Paris, 1990, dir. Marie-Françoise Baslez, Philippe Hoffmann et Laurent Pernot), Paris, Presses de l'École Normale Supérieure.

moyen âge

1975 Evelyn B. VITZ, « Type et individu dans « l'autobiographie » médiévale », *Poétique*, n° 24.

1975 Paul ZUMTHOR, « Autobiographie au Moyen Age ? », in *Langue, Texte, Énigme*, Seuil, coll. « Poétique ».

époque classique

1972 Marc FUMAROLI, « Les Mémoires du XVIIe siècle au carrefour des genres en prose », *XVIIe Siècle*, n° 94-95.

1976 Marie-Thérèse HIPP, *Mythes et réalités : enquête sur le roman et les Mémoires (1660-1700)*, Klincksieck.

1994 Frédéric BRIOT, *Usage du monde, Usage de soi. Enquête sur les mémorialistes d'Ancien Régime*, Seuil, coll. « La couleur de la vie ».

1995 *L'Invention de l'intimité au siècle des Lumières*, n° 17 de *Littérales*.

INVENTAIRES

1985 Marilyn YALOM, « Women's Autobiography in French, 1793-1939 : Selective Bibliography », in *Autobiography in French Literature*, French Literature Series, vol. XII, The University of South Carolina, p. 197-205.

1988 Guillaume BERTHIER DE SAUVIGNY et Alfred FIERRO, *Bibliographie critique des Mémoires sur la Restauration écrits ou traduits en français*, Genève, Droz.

1989 Alfred FIERRO, *Mémoires et Révolution. Bibliographie critique des Mémoires sur la Révolution écrits ou traduits en français*, Service des travaux historiques de la Ville de Paris.

1991 Jean TULARD, *Nouvelle Bibliographie critique des Mémoires sur l'ère napoléonienne écrits ou traduits en français*, nouvelle édition revue et enrichie, Genève, Droz.

1996 Philippe LEJEUNE, « Les inventaires de textes autobiographiques », à paraître dans *Histoire, Économie & Société*.

JOURNAL

1952 Michèle LELEU, *Les Journaux intimes*, avant-propos de R. Le Senne, P. U. F.

1963   Alain GIRARD, *Le Journal intime et la notion de personne*, P. U. F.

1976   Béatrice DIDIER, *Le Journal Intime*, P. U. F.

1978   *Le Journal intime et ses formes littéraires* (Colloque de Grenoble, 1975), Droz.

1986   Jean ROUSSET, *Le Lecteur intime. De Balzac au journal*, José Corti.

1988   Pierre HÉBERT, *Le Journal intime au Québec. Structure. Évolution. Réception*, Québec, Éd. Fides.

1988   René LOURAU, *Le Journal de recherche. Matériaux d'une théorie de l'implication*, Méridiens-Klincksieck.

1990   *« Cher cahier... ». Témoignages sur le journal personnel recueillis et présentés par Philippe Lejeune*, Gallimard, coll. « Témoins ».

1990   Philippe LEJEUNE, *La Pratique du journal personnel. Enquête*, n° 17 des *Cahiers de sémiotique textuelle* (Publidix, Université Paris-X), avec une bibliographie des études en français sur le journal (1940-1990).

1990   Pierre PACHET, *Les Baromètres de l'âme. Naissance du journal intime*, Hatier.

1990   Clairelise BONNET et Joëlle GARDES-TAMINE, *L'Enfant et l'Écrit. Récits, poésies, correspondances, journaux intimes*, A. Colin, coll. « Pratique pédagogique ».

1993   *Le Journal personnel* (Colloque de Nanterre, 1990, dir. Ph. Lejeune), Nanterre, Publidix, coll. « RITM ».

1993   Philippe LEJEUNE, *Le Moi des demoiselles. Enquête sur le journal de jeune fille*, Seuil, coll. « La couleur de la vie ».

LECTURE

1978   *Lectures des* Confessions *de Jean-Jacques Rousseau*, Œuvres et critiques, n° 3, été 1978.

1992   Tanguy L'AMINOT, *Images de Jean-Jacques Rousseau de 1912 à 1978*, Studies on Voltaire and the Eighteenth Century, vol. 300.

1993   Hélène JACCOMARD, *Lecteur et Lecture dans l'autobiographie française contemporaine (Violette Leduc, Françoise d'Eaubonne, Serge Doubrovsky, Marguerite Yourcenar)*, Genève, Droz.

1994   n° 6 (juin 1994) de *La Faute à Rousseau*, dossier « Lectures et lecteurs ».

RÉCIT D'ENFANCE

1971   Marie-José CHOMBART DE LAUWE, *Un Monde autre : l'enfance. De ses représentations au mythe*, Payot.

1988   *Le Récit d'enfance en question* (Colloque de Nanterre, 1987, dir. Ph. Lejeune), n° 12 des *Cahiers de sémiotique textuelle* (Publidix, Université Paris-X).

1991   *Récits d'enfance*, n° 222 (1991-2) de la *Revue des sciences humaines*.

1993   *Le Récit d'enfance. Enfance et écriture* (Colloque de Bordeaux, 1992, dir. Denise Escarpit et Bernadette Poulou), Éditions du Sorbier.

RÉCITS DE VIE ET SCIENCES HUMAINES

1983   *Récits de vie* (Colloque de Nanterre, 1982, dir. Claude Abastado), *Revue des sciences humaines*, n° 191 (juillet-septembre) et 192 (octobre-décembre).

éducation permanente

1989   *Histoires de vie*, colloque « Les histoires de vie en formation » (Tours, juin 1986), L'Harmattan, 2 volumes.

1991   Henri DESROCHE, *Entreprendre d'apprendre. De l'autobiographie raisonnée aux projets*, Éd. Ouvrières.

1993   Gaston PINEAU et Jean-Louis LE GRAND, *Les Histoires de vie*, P. U. F., coll. « Que sais-je ».

1995   *Mémoires de vie et identités*, n° 147 (avril-juin) du *Groupe familial*.

ethnologie

1983 Jean POIRIER, Simone CLAPIER-VALADON et Paul RAYBAUT, *Les Récits de vie. Théorie et pratique*, P. U. F.

histoire

1983 Philippe JOUTARD, *Ces voix qui nous viennent du passé*, Hachette.

1990 *Le Témoignage oral aux Archives. De la collecte à la communication*, Archives Nationales.

1995 Anne ROCHE et Marie-Claude TARANGER, *Celles qui n'ont pas écrit. Récits de femmes dans la région marseillaise 1914-1945*, Édisud.

psychologie

1993 Michel LEGRAND, *L'Approche biographique*, Desclée de Brouwer.

psychanalyse

1988 *L'Autobiographie* (VIes Rencontres psychanalytiques d'Aix-en-Provence, 1987, dir. Alain de Mijolla), Les Belles Lettres, coll. « Confluents psychanalytiques ».

1992 *Littérature personnelle et psychanalyse*, prés. Jean-François Chiantaretto, *Le Coq-Héron*, n° 126 (oct. 1992) et n° 130-131 (1993).

1995 Jean-François CHIANTARETTO, *De l'acte autobiographique. Le psychanalyste et l'écriture autobiographique*, Champ Vallon.

sociologie

1986 *L'Illusion biographique*, n° 62/63 d'*Actes de la recherche en sciences sociales*.

1990 Jean PENEFF, *La Méthode biographique*, A. Colin, « U Sociologie ».

THÉORIE DU RÉCIT

1973   Gérard GENETTE, *Figures III*, Seuil, coll. « Poétique ».

1983   Paul RICŒUR, *Temps et récit*, Seuil, 1983-1985, 3 volumes (disponibles en Points-Essais).

1987   Gérard GENETTE, *Seuils*, Seuil, coll. « Poétique » (Sur le « paratexte »).

1991   Gérard GENETTE, *Fiction et Diction*, Seuil, coll. « Poétique ».

1991   Paul RICŒUR, « L'identité narrative », *Revue des sciences humaines*, n° 221.

VIE OU MORT

1991   *Le Sida et les Lettres*, n° 5 (printemps 1991) d'*Équinoxe. Revue romande de sciences humaines*.

1992   Michel BRAUD, *La Tentation du suicide dans les écrits autobiographiques 1930-1970*, P. U. F., coll. « Perpectives critiques ».

1995   *Le Tournant d'une vie*, n° 10 de *RITM* (colloque de 1994).

* *
*

BIBLIOGRAPHIE

Philippe LEJEUNE, *Bibliographie des études en langue française sur la littérature personnelle et les récits de vie*, une livraison tous les deux ans depuis 1984 dans les *Cahiers de sémiotique textuelle* (Publidix, Université Paris-X), n° 3, 7, 13 et 19, puis dans *RITM*, n° 4 et 8. Six livraisons parues couvrant la période 1982-1993.

PÉRIODIQUE

L'Association pour l'autobiographie (A. P. A.), fondée en 1992, publie un journal, *La Faute à Rousseau*, 3 n° par an (février, juin, octobre) (Adresse : La Grenette, 10 rue A. Bonnet, 01500 Ambérieu-en-Bugey). Un Index général analytique des dix premiers numéros est paru en même temps que le n° 10 (octobre 1995).

TABLE

IMPRESSION : MAURY-EUROLIVRES S.A. À MANCHECOURT.
DÉPÔT LÉGAL : JUIN 1996. N° 29696-2 (96/10/55693)